EL ABC DE LAS INSTALACIONES ELÉCTRICAS INDUSTRIALES

EL ABC DE LAS INSTALACIONES ELÉCTRICAS INDUSTRIALES

PREEDICION

ING. GILBERTO ENRÍQUEZ HARPER

Profesor titular de la Escuela Superior de Ingeniería Mecánica y Eléctrica (IPN)

MÉXICO • España • Venezuela • Colombia

GRUPO NORIEGA EDITORES
Balderas 95, México, D.F.
C.P. 06040
521-21-05
512-29-03

CANIEM Núm. 121

Novena reimpresión

Hecho en México
ISBN 968-18-1935-7

Impreso en Programas Educativos, s.a. de c.v. • 114425 500 02 96 530

Prólogo

LAS INSTALACIONES ELÉCTRICAS CONSTITUYEN UNO DE LOS ELEMENTOS IMPORTANTES EN LAS CONSTRUCCIONES RESIDENCIALES, COMERCIALES E INDUSTRIALES, MOTIVO POR LO QUE EL TEMA ES DE PERMANENTE INTERÉS Y CONSIDERANDO QUE LOS CAMBIOS TECNOLÓGICOS RECIENTES, ASÍ COMO LOS DESARROLLOS HAN MODIFICADO MUCHOS DE LOS MATERIALES Y PROCEDIMIENTOS USADOS PARA EL PROYECTO Y CONSTRUCCIÓN DE LAS INSTALACIONES ELÉCTRICAS, ES CONVENIENTE HACER UNA REVISIÓN GENERAL, QUE AL MISMO TIEMPO INCLUYA LOS CAMBIOS RECIENTES EN EL REGLAMENTO DE OBRAS E INSTALACIONES ELÉCTRICAS.

ESTE LIBRO INCLUYE LOS ÚLTIMOS CAMBIOS QUE HAN HABIDO EN EL CAMPO DE LAS INSTALACIONES ELÉCTRICAS, Y ESTÁ ESPECÍFICAMENTE ORIENTADO HACIA LAS INSTALACIONES INDUSTRIALES CON UN ENFOQUE PRÁCTICO Y COMPRENSIBLE, DE MANERA TAL QUE PUEDA SER USADO NO SÓLO POR ESTUDIANTES DE LA MATERIA, SINO, TAMBIÉN POR ELECTRICISTAS PRÁCTICOS, POR LO QUE ESTÁ AMPLIAMENTE ILUSTRADO Y COMPLEMENTADO CON PROBLEMAS RESUELTOS E INFORMACIÓN NECESARIA PARA UN PROYECTO.

EL ESTILO QUE SE LE HA DADO Y SU CONTENIDO LO HACEN UN LIBRO QUE SE PUEDE USAR PARA AUTOAPRENDIZAJE Y ES UN COMPLEMENTO AL "ABC DE LAS INSTALACIONES ELÉCTRICAS RESIDENCIALES".

Contenido

CAPITULO 6.- FUNDAMENTOS DE TABLEROS ELECTRICOS.

CAPITULO 7.- ELEMENTOS PARA EL PROYECTO DE INSTALACIONES ELECTRICAS INDUSTRIALES.

CAPITULO 1

CONCEPTOS BASICOS DE ELECTRICIDAD

CAPITULO I

CONCEPTOS BASICOS DE ELECTRICIDAD

1.1.- INTRODUCCIÓN.

EL DESARROLLO DE LA ELECTRICIDAD SE INICIÓ APROXIMADAMENTE HACE UN SIGLO HABIENDO CAMBIADO DESDE ENTONCES NUESTRAS FORMAS DE VIDA. A PARTIR DEL DESARROLLO EXPERIMENTAL DE THOMAS ALVA EDISON PARA OBTENER FINALMENTE LA LÁMPARA INCANDESCENTE, SE OBSERVÓ UN DESARROLLO NOTABLE EN LOS REQUERIMIENTOS DEL USO DE LA ELECTRICIDAD, NO SÓLO PARA ALUMBRADO, TAMBIÉN PARA OTROS USOS DISTINTOS, CON LO QUE QUEDÓ ESTABLECIDA LA NECESIDAD DE PRODUCIR VOLÚMENES CONSIDERABLES DE ENERGÍA ELÉCTRICA Y MEDIOS PRÁCTICOS PARA SU DISTRIBUCIÓN.

PARALELAMENTE A LOS USOS INCIPIENTES DE LA ELECTRICIDAD APARECIERON LAS CENTRALES GENERADORAS, LOS SISTEMAS DE TRANSMISIÓN Y DISTRIBUCIÓN Y LAS INSTALACIONES ELÉCTRICAS. ES DECIR, QUE PARA PODER DAR USO A LA ELECTRICIDAD SE REQUIERE DE TODO UN CONJUNTO DE INSTALACIONES CON DISTINTAS FUNCIONES, PERO CON UN SOLO PROPÓSITO, LLEVAR LA ENERGÍA ELÉCTRICA A SATISFACER NECESIDADES.

LAS INSTALACIONES ELÉCTRICAS PUEDEN TENER UN DISTINTO GRADO DE COMPLEJIDAD DEPENDIENDO DEL LUGAR QUE OCUPEN DENTRO DEL CONJUNTO DE INSTALACIONES Y DE LA FUNCIÓN A DESEMPEÑAR, ES ASÍ COMO SE PUEDEN TENER INSTALACIONES TAN SIMPLES COMO LAS QUE SE OBSERVAN A DIARIO EN LAS CASAS HABITACIÓN Y QUE A SIMPLE VISTA SE OBSERVAN SUS COMPONENTES COMO SON LAS SALIDAS PARA LÁMPARAS, -

LOS APAGADORES, LOS CONTACTOS, ETC.

EN GENERAL, SE PUEDE DECIR QUE EL REQUERIMIENTO FUNDAMENTAL PARA LA UTILIZACIÓN DE LA ENERGÍA ELÉCTRICA, ES EL LLAMADO "CIRCUITO ELÉCTRICO".

UN CIRCUITO ELÉCTRICO EN SU FORMA MÁS ELEMENTAL CONSISTE DE UNA FUENTE DE VOLTAJE COMO POR EJEMPLO UNA BATERÍA, UN GENERADOR O CUALESQUIERA TERMINALES ENTRE LAS CUALES APAREZCA UN VOLTAJE O DIFERENCIA DE POTENCIAL UNO O MÁS DISPOSITIVOS DE CARGA, LOS CUALES USAN LA CORRIENTE SUMINISTRADA POR LA FUENTE, Y UNA TRAYECTORIA CONDUCTORA CERRADA FORMADA, NORMALMENTE, POR CONDUCTORES ELÉCTRICOS.

EN LA VIDA COTIDIANA ES POSIBLE OBSERVAR ALGUNOS CASOS TÍPICOS DE CIRCUITOS ELÉCTRICOS COMO SON:

A).- LOS CIRCUITOS DE ALUMBRADO, QUE OBTIENEN EL VOLTAJE DE UN TABLERO O PUNTO DE ALIMENTACIÓN, LOS CONDUCTORES VAN DENTRO DE TUBOS CONDUIT, HACIA LAS SALIDAS EN DONDE SE CONECTAN LAS CARGAS, LA CORRIENTE QUE ALIMENTA A LAS CARGAS CIRCULA CUANDO SE CIERRA EL CIRCUITO POR MEDIO DE LOS LLAMADOS APAGADORES DE PARED.

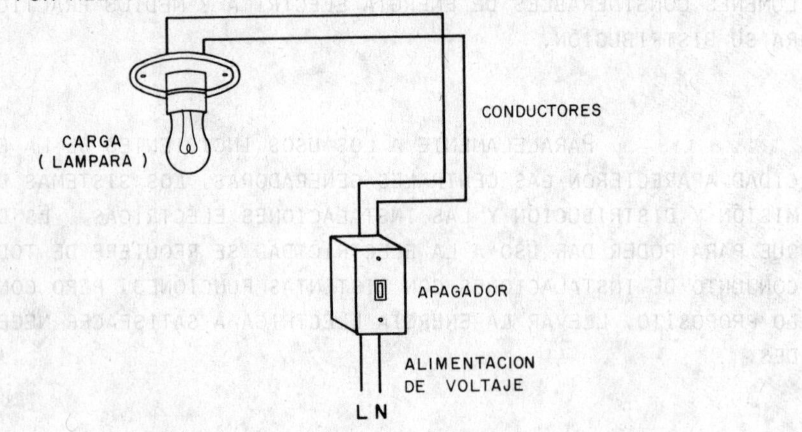

CIRCUITO ELEMENTAL DE ALUMBRADO

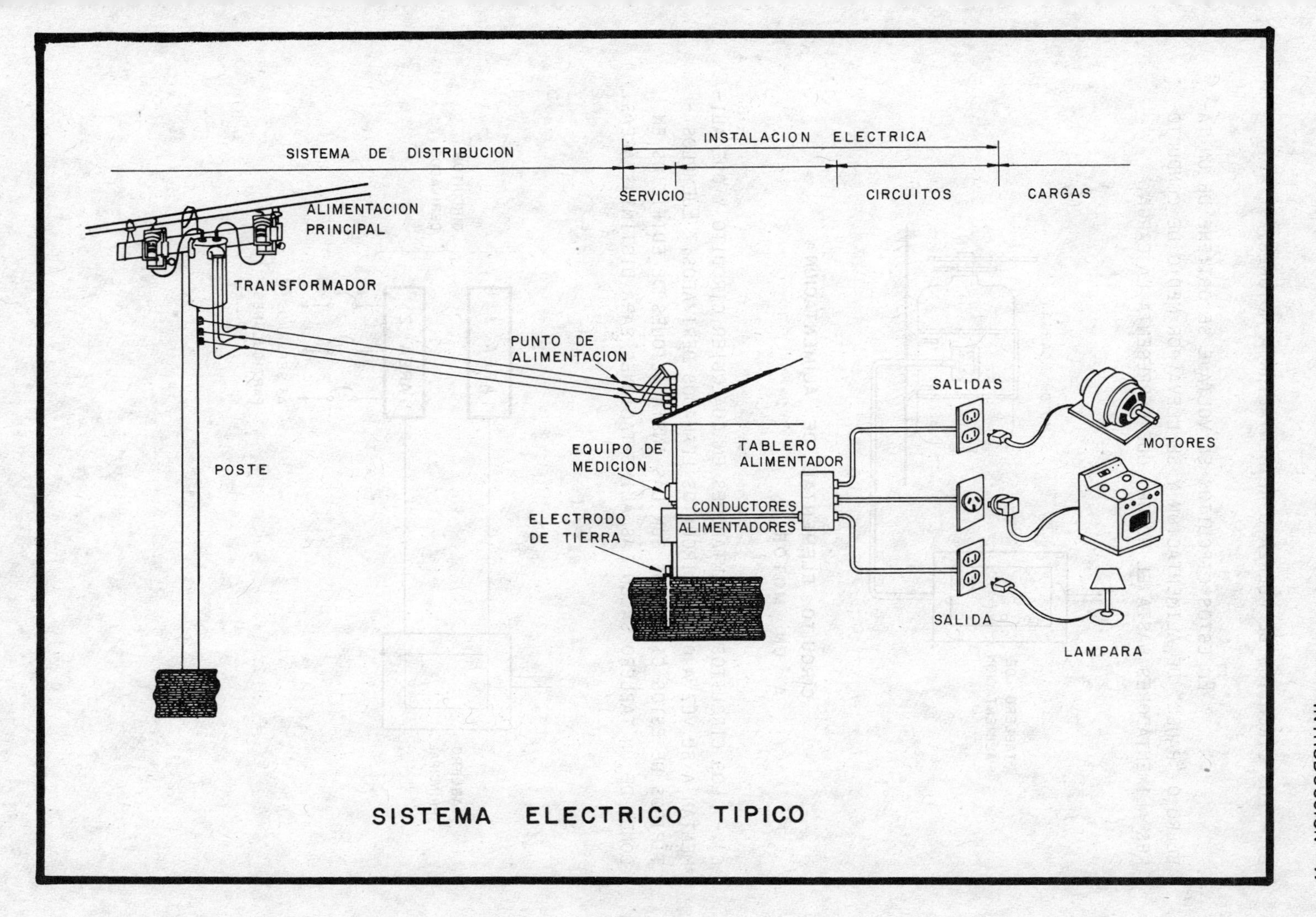

SISTEMA ELECTRICO TIPICO

B).- LOS CIRCUITOS DE FUERZA O ALIMENTACIÓN A MOTORES.

EN ESTOS CIRCUITOS EL VOLTAJE SE OBTIENE DE UN TABLERO O "PANEL" DE ALIMENTACIÓN Y SE LLEVA POR MEDIO DE CONDUCTORES ALIMENTADORES HASTA EL MOTOR, QUE REPRESENTA LA CARGA.

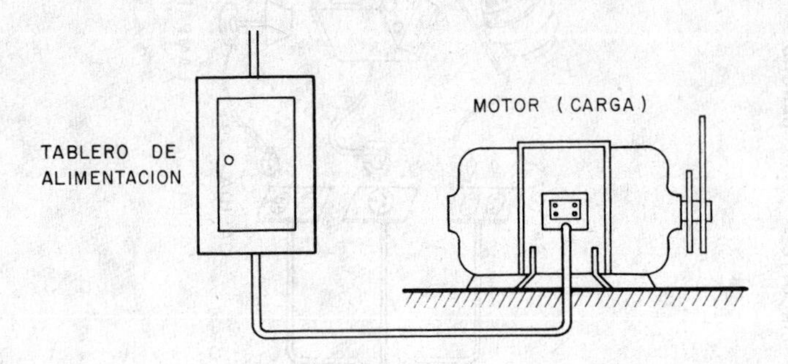

CIRCUITO ELEMENTAL DE ALIMENTACION A UN MOTOR.

C).- LOS CIRCUITOS ALIMENTADORES EN CUALQUIER CIRCUITO Y QUE ALIMENTAN A SU VEZ A OTROS CIRCUITOS LLAMADOS DERIVADOS. EJEMPLOS TÍPICOS DE ESTOS CIRCUITOS SON LAS INSTALACIONES DE EDIFICIOS EN DONDE DE UN TABLERO SALEN LAS ALIMENTACIONES PARA DISTINTAS ÁREAS.

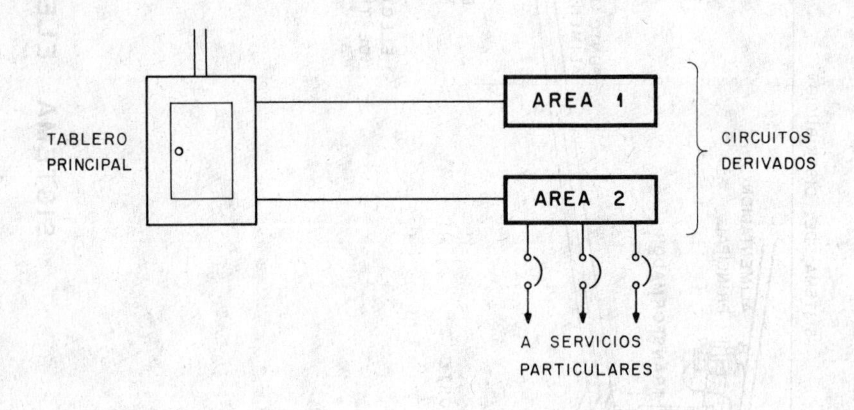

DEPENDIENDO DE LAS CARACTERÍSTICAS DE LA FUENTE DE VOLTAJE LOS CIRCUITOS PUEDEN SER DE CORRIENTE CONTINUA (C.C.) O DE CORRIENTE ALTERNA (C.A.) Y PUEDEN OPERAR CON DISTINTOS RANGOS DE VOLTAJE, POR EJEMPLO EN CORRIENTE CONTINUA SE TIENEN SEÑALES DE FUERZA O PARA CONTROL A 50V, 125V, 250V, 500V Y EN CORRIENTE ALTERNA, 127 VOLTS, 1 FASE, 220 VOLTS, 440 VOLTS, 3 FASES Y EN -- TENSIONES SUPERIORES A 1000 VOLTS, CONSIDERADAS COMO "ALTA TENSIÓN" EN LAS INSTALACIONES ELÉCTRICAS, SE TIENEN OTROS RANGOS DE VOLTAJE CON TENSIONES COMO 2200 VOLTS, 4160 VOLTS, 13800 VOLTS Y OTROS.

1.2.- CONCEPTOS BASICOS DE CIRCUITOS ELECTRICOS

1.2.1.- CORRIENTE.

LA CORRIENTE QUE CIRCULA A TRAVÉS DE UN CIRCUITO ES IGUAL AL VOLTAJE APLICADO AL MISMO DIVIDIDO ENTRE SU RESISTENCIA TOTAL.

$$I = \frac{V}{R}$$

DONDE: I = CORRIENTE EN AMPERES
V = VOLTAJE APLICADO EN VOLTS.
R = RESISTENCIA DEL CIRCUITO EN OHMS.

1.2.2.- VOLTAJE.

EL VOLTAJE APLICADO A UN CIRCUITO ES IGUAL A LA CORRIENTE QUE CIRCULA A TRAVÉS DEL MISMO, MULTIPLICADA POR LA RESISTENCIA DEL CIRCUITO.

$$V = RI$$

1.2.3.- RESISTENCIA.

LA RESISTENCIA DE UN CIRCUITO ES IGUAL AL VOLTAJE APLICADO AL CIRCUITO DIVIDIDO ENTRE LA CORRIENTE QUE CIRCULA POR EL MISMO:

$$R = \frac{V}{I}$$

LAS TRES ECUACIONES ANTERIORES QUE RELACIONAN AL - VOLTAJE APLICADO, CON LA RESISTENCIA DEL CIRCUITO Y LA CORRIENTE QUE CIRCULA POR EL MISMO FUERON ESTABLECIDAS POR GEORGE OHM EN -- 1827 Y SE CONOCEN COMO "LA LEY DE OHM".

EN EL CASO DE LOS CIRCUITOS ELÉCTRICOS, LA RESISTENCIA ELÉCTRICA ESTÁ CONSTITUIDA POR LA PROPIA RESISTENCIA DEL CONDUCTOR Y LA RESISTENCIA DE LA CARGA O ELEMENTO AL CUAL SE ALIMENTA.

COMO UN RESULTADO DE LA CORRIENTE QUE CIRCULA POR LA RESISTENCIA DE LOS CONDUCTORES, SE PRODUCE UNA CIERTA "CAÍDA DE VOLTAJE" QUE SE CALCULA DE ACUERDO CON LA EXPRESIÓN:

$$e = RI$$

DONDE: e = CAÍDA DE VOLTAJE EN VOLTS
R = RESISTENCIA DEL CIRCUITO.
I = CORRIENTE QUE CIRCULA POR EL CIRCUITO.

LA CAÍDA DE VOLTAJE EN EL CIRCUITO SE LE RESTA AL VOLTAJE APLICADO AL CIRCUITO PARA OBTENER EL VOLTAJE APLICADO A LA CARGA (LÁMPARA, MOTOR, ETC.). ESTA CONSIDERACIÓN DE LA CAÍDA DE VOLTAJE ES IMPORTANTE PARA EL CÁLCULO DE LAS INSTALACIONES -- ELÉCTRICAS COMO SE ESTUDIARÁ MÁS ADELANTE.

DEBIDO A QUE LOS CIRCUITOS POR LO GENERAL ALIMENTAN A UN NÚMERO DETERMINADO DE LÁMPARAS, MOTORES Y OTRAS CARGAS, ES IMPORTANTE ESTAR EN POSIBILIDAD DE CALCULAR LOS VALORES DE CORRIENTES, VOLTAJES Y RESISTENCIAS PARA CUALQUIER CONDICIÓN DE OPERACIÓN ESPERADA.

1.3.- CONDICIONES DE OPERACION DE LOS CIRCUITOS.

EL CÁLCULO DE LAS CONDICIONES DE OPERACIÓN PARA -- ALIMENTAR UN DETERMINADO NÚMERO DE DISPOSITIVOS DE CARGA POR MEDIO DE UN CIRCUITO, SE BASA POR LO GENERAL EN DOS REGLAS PARA LAS CONEXIONES DE LA CARGA.

1.3.1.- CONEXION SERIE

SE DICE QUE UN CIRCUITO ESTÁ CONECTADO EN SERIE, CUANDO POR TODOS LOS DISPOSITIVOS DE CARGA CIRCULA LA MISMA CORRIENTE, EN ESTOS CIRCUITOS LA RESISTENCIA TOTAL ES LA SUMA DE LA RESISTENCIA DE CARGA Y LA DE LOS PROPIOS CONDUCTORES.

POR LO QUE SE REFIERE A LA CONEXIÓN DE LAS CARGAS, LOS CIRCUITOS EN SERIE SE PUEDE DECIR QUE TIENEN POCA UTILIZACIÓN EN LAS INSTALACIONES ELÉCTRICAS DE ALUMBRADO Y DE FUERZA, SIN EMBARGO, LA TEORÍA DE LA CONEXIÓN EN SERIE RESULTA ESENCIAL PARA - COMPRENDER LO QUE SUCEDE EN CADA RAMA DE UN CIRCUITO ELÉCTRICO.

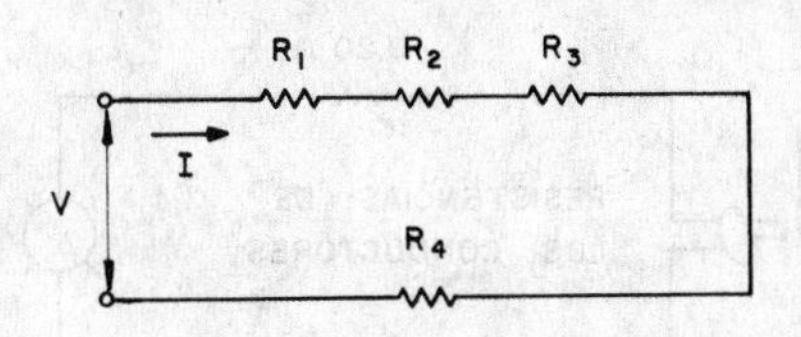

CIRCUITO EN CONEXION SERIE

LA CORRIENTE QUE CIRCULA A TRAVÉS DEL CIRCUITO SE CALCULA COMO:

$$I = \frac{V}{R_1 + R_2 + R_3 + \ldots + R_N}$$

DONDE: I = CORRIENTE QUE CIRCULA POR TODAS LAS RESISTENCIAS.

V = VOLTAJE APLICADO AL CIRCUITO.

$R_1, R_2, \ldots, R_N$ = RESISTENCIA DE LOS ELEMENTOS CONECTADOS EN SERIE.

LA CAÍDA DE VOLTAJE EN CADA RESISTENCIA SE OBTIENE POR APLICACIÓN DE LA LEY DE OHM.

$$V_1 = R_1 I, \; V_2 = R_2 I, \; \ldots, \; V_N = R_N I$$

EJEMPLO 1.1.- SE TIENE LA SECCIÓN DE UNA INSTALACIÓN ELÉCTRICA A PARTIR DE LOS CONTACTOS, Y QUE CONSTITUYE UN CIRCUITO ELÉCTRICO SERIE COMO SE MUESTRA EN LA FIGURA Y DEL QUE SE DESEA CALCULAR:

A).- LA RESISTENCIA TOTAL
B).- LA CORRIENTE
C).- LA CAÍDA DE VOLTAJE EN CADA ELEMENTO.

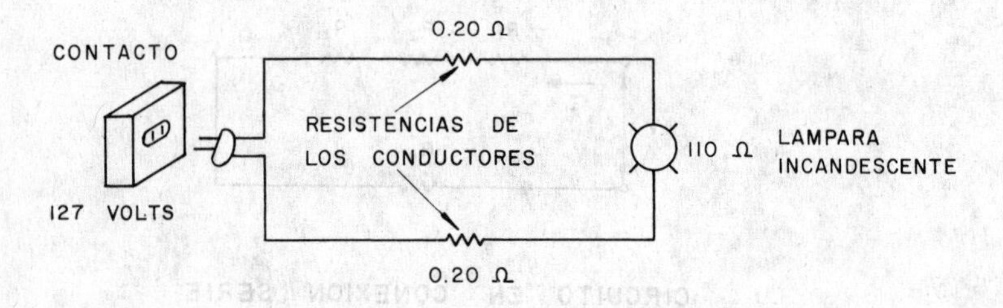

SOLUCIÓN

A).- LA RESISTENCIA TOTAL SE CALCULA COMO LA SUMA DE LAS RESISTENCIAS DE CADA ELEMENTO.

R_T = R CONDUCTOR A LA LÁMPARA + R LÁMPARA + R CONDUCTOR LÁMPARA A CONTACTO.

$$R_T = 0.20 + 110 + 0.20 = 110.4 \text{ OHMS}$$

B).- PARA CALCULAR LA CORRIENTE QUE CIRCULA POR EL CIRCUITO.

$$I = \frac{V}{R_T} = \frac{127}{110.4} = 1.15 \text{ AMPERES}$$

C).- LAS CAÍDAS DE VOLTAJE SON:

DEL CONDUCTOR A LA LÁMPARA.

$$V_2 = R_L I = 110 \times 1.15 = 126.5 \text{ VOLTS}$$

EN EL CONDUCTOR DE LA LÁMPARA AL CONTACTO.

$$V_3 = R_{C2} I = 0.20 \times 1.15 = 0.23 \text{ VOLTS}$$

1.3.2.- CONEXION PARALELO

LA LLAMADA CONEXIÓN EN PARALELO RESULTA SER LA MÁS EMPLEADA TANTO EN ALUMBRADO COMO EN INSTALACIONES ELÉCTRICAS DE FUERZA, EN LOS CIRCUITOS EN PARALELO TODOS LOS ELEMENTOS O CARGAS

SE CONECTAN ENTRE LOS CONDUCTORES QUE SE ALIMENTAN DE LA FUENTE DE VOLTAJE Y POR LO TANTO EL VOLTAJE ES IGUAL EN CADA UNO DE LOS ELEMENTOS CONECTADOS EN PARALELO.

CON EL MISMO VOLTAJE APLICADO A TRAVÉS DE TODAS LAS CARGAS LA CORRIENTE TOTAL QUE DEMANDA EL CIRCUITO ES IGUAL A LA SUMA DE LAS CORRIENTES INDIVIDUALES QUE DEMANDA CADA ELEMENTO Y QUE SE CALCULA DE ACUERDO CON LA EXPRESIÓN.

$$I = \frac{V}{R}$$

SI SE DESEA CALCULAR EL VALOR EQUIVALENTE DE LA RESISTENCIA PARA LAS RESISTENCIAS CONECTADAS EN PARALELO, SE EMPLEA LA CONOCIDA FÓRMULA:

$$\frac{1}{R_{EQ}} = \frac{1}{R_1} + \frac{1}{R_2} + \ldots + \frac{1}{R_N}$$

DONDE: R_{EQ} = RESISTENCIA EQUIVALENTE DEL CONJUNTO

$R_1, R_2, \ldots, R_N$ = RESISTENCIAS INDIVIDUALES O DE CADA ELEMENTO.

EJEMPLO 1.2.- SE CONECTAN EN PARALELO TRES RESISTENCIAS DE 0.5 OHMS, 0.25 OHMS Y 0.10, CALCULAR EL VALOR DE LA RESISTENCIA EQUIVALENTE.

SOLUCIÓN

EL VALOR DE LA RESISTENCIA EQUIVALENTE SE CALCULA COMO:

$$\frac{1}{R_{EQ}} = \frac{1}{R_1} + \frac{1}{R_2} + \frac{1}{R_3}$$

$$\frac{1}{R_{EQ}} = \frac{1}{0.5} + \frac{1}{0.25} + \frac{1}{0.10}$$

$$\frac{1}{R_{EQ}} = 2 + 4 + 10 = 16$$

$$R_{EQ} = \frac{1}{16} \quad \text{(OHMS)}$$

EJEMPLO 1.3.- EN UNA SECCIÓN DE UNA INSTALACIÓN ELÉCTRICA SE TIENEN CONECTADAS LAS CARGAS SIGUIENTES: A UN CONTACTO DOBLE UNA CAFETERA DE 1000 WATTS Y UN TOSTADOR DE PAN DE 1000 WATTS A OTRO CONTACTO UN SARTÉN ELÉCTRICO DE 1200 WATTS, ESTAS CARGAS SE ALIMENTAN A 127 VOLTS. SE DESEA CALCULAR LA CORRIENTE TOTAL Y LA CORRIENTE EN CADA ELEMENTO.

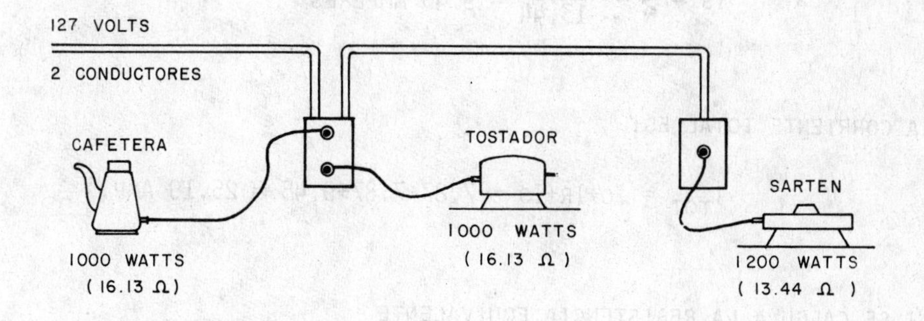

SOLUCIÓN

EL CIRCUITO EQUIVALENTE ES EL SIGUIENTE:

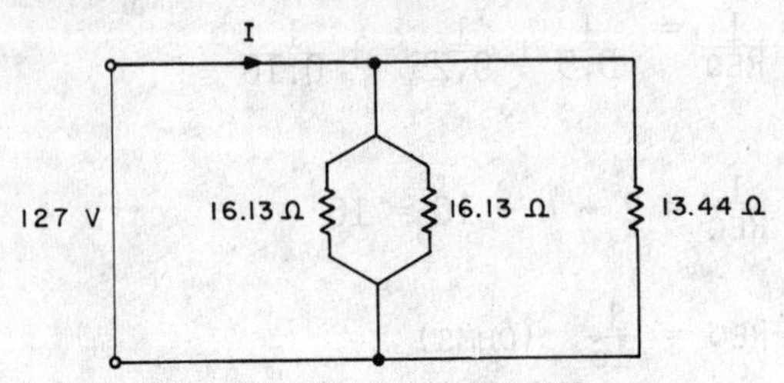

LA CORRIENTE EN LA CAFETERA SE CALCULA COMO:

$$I_C = \frac{V}{R} = \frac{127}{16.13} = 7.87 \text{ AMPERES}$$

LA CORRIENTE EN EL TOSTADOR DE PAN.

$$I_T = \frac{V}{R} = \frac{127}{16.13} = 7.87 \text{ AMPERES}$$

LA CORRIENTE EN EL SARTÉN

$$I_S = \frac{V}{R} = \frac{127}{13.44} = 9.45 \text{ AMPERES}$$

LA CORRIENTE TOTAL ES:

$$I_{TOT} = I_C + I_R + I_S = 7.87 + 7.87 + 9.45 = 25.19 \text{ AMP.}$$

SI SE CALCULA LA RESISTENCIA EQUIVALENTE

$$\frac{1}{R_{EQ}} = \frac{1}{16.13} + \frac{1}{16.13} + \frac{1}{13.44} = 0.1984$$

$$R_{EQ} = \frac{1}{0.1984} = 5.04 \text{ OHMS}$$

LA CORRIENTE ES: $I = \frac{V}{R_{EQ}} = \frac{127}{5.04} = 25.19$ AMP.

1.3.3.- EL CONCEPTO DE POTENCIA.

LAS CARACTERÍSTICAS Y APLICACIONES DE LOS CIRCUITOS ELÉCTRICOS SE HAN DESCRITO HASTA AHORA EN TÉRMINOS DEL VOLTAJE, LA RESISTENCIA Y LA CORRIENTE, ELEMENTOS QUE SON IMPORTANTES Y ESENCIALES PARA EL ESTUDIO DE LOS SISTEMAS ELÉCTRICOS, SIN EMBARGO, SE PUEDE DECIR QUE SON INCIDENTALES PARA EL PROPÓSITO PRIMARIO DE -- CUALQUIER CIRCUITO ELÉCTRICO, QUE ES EL DE SUMINISTRAR UNA POTENCIA PARA DESARROLLAR UN TRABAJO.

LOS SISTEMAS ELÉCTRICOS, YA SEA UNA SIMPLE BATERÍA QUE OPERA UNA CAMPANA, O UNA COMPLEJA INSTALACIÓN INDUSTRIAL QUE ALIMENTA A UN GRAN NÚMERO DE LÁMPARAS Y MOTORES ELÉCTRICOS Y QUE TIENE EL PROPÓSITO DE PRODUCIR ALUMBRADO Y HACER GIRAR LOS MOTORES PARA ACCIONAR BOMBAS, VENTILADORES, TRANSPORTADORES, ETC., O BIEN PRODUCIR CALOR, TIENEN COMO PROPÓSITO FINAL DESARROLLAR UNA POTENCIA O PRODUCIR UN TRABAJO.

EN EL ANÁLISIS DE CUALQUIER CIRCUITO PARA INSTALACIONES ELÉCTRICAS SE INVOLUCRAN ASPECTOS DE VOLTAJE, RESISTENCIA Y CORRIENTE, PERO LAS ÚLTIMAS CONSIDERACIONES SON SIEMPRE DE POTENCIA Y TRABAJO, POR LO QUE PARA LA APLICACIÓN DE LOS CIRCUITOS ELÉCTRICOS ES NECESARIA UNA CLARA COMPRENSIÓN DE LOS TÉRMINOS "POTENCIA", "TRABAJO" Y LAS RELACIONES DE ESTOS CON EL VOLTAJE, LA CORRIENTE Y LA RESISTENCIA.

LA POTENCIA ES UNA MEDIDA DEL ÍNDICE PARA DESARROLLAR UN TRABAJO. LA POTENCIA MECÁNICA SE MIDE EN "CABALLOS DE -- FUERZA".

LA ENERGÍA ES LA CAPACIDAD PARA HACER UN TRABAJO Y SE MIDE EN LAS MISMAS UNIDADES QUE EL TRABAJO, KILOGRAMOS-METRO. LA ENERGÍA PUEDE ESTAR ALMACENADA EN UN CUERPO Y SE ENTREGA CUANDO EL OBJETO DESARROLLA UN TRABAJO. LA POTENCIA ELÉCTRICA SE DESIGNA COMÚNMENTE CON LAS UNIDADES WATT O KILOWATT, EL WATT ES LA MEDIDA DE LA CAPACIDAD PARA DESARROLLAR UN TRABAJO ELÉCTRICO, EL KILOWWAT ES IGUAL A 1000 WATTS Y CUANDO SE HABLA DE LA "POTENCIA ELÉCTRICA", SE HACE REFERENCIA POR LO GENERAL A WATTS O KILOWATTS DE LA CARGA DE UN CIRCUITO. LA POTENCIA ELÉCTRICA SE PUEDE EXPRESAR COMO:

$$P = VI \text{ (WATTS)}$$

TAMBIÉN COMO:

$$V = RI$$

$$P = RI^2 \text{ (WATTS)}$$

ESTA EXPRESIÓN ES COMÚNMENTE USADA PARA EXPRESAR LAS PÉRDIDAS POR EFECTO JOULE QUE SE MANIFIESTAN EN FORMA DE CALOR.

OTRA FORMA DE EXPRESAR LA POTENCIA ES A PARTIR DEL VOLTAJE APLICADO AL CIRCUITO, YA QUE SE SABE QUE:

$$I = \frac{V}{R}$$

POR LO QUE:

$$P = \frac{V^2}{R} \text{ (WATTS)}$$

A PARTIR DE LAS EXPRESIONES ANTERIORES SE PUEDEN HACER CIERTOS CÁLCULOS NECESARIOS, COMO LOS QUE SE MUESTRAN EN EL EJEMPLO ANTERIOR.

EJEMPLO 1.4.- SE TIENE UNA LÁMPARA DE 100 WATTS QUE SE ALIMENTA A 127 VOLTS Y OPERA DURANTE 20 HORAS. CALCULAR EL VALOR DE SU RESISTENCIA, LA CORRIENTE QUE DEMANDA Y LA ENERGÍA QUE CONSUME.

SOLUCIÓN

DE LA FÓRMULA:

$$P = \frac{V^2}{R} \quad ; \quad R = \frac{V^2}{P}$$

$$R = \frac{(127)^2}{100} = 161.3 \text{ OHMS}$$

LA CORRIENTE SE OBTIENE DE LA EXPRESIÓN:

$$P = VI \quad ; \quad I = \frac{P}{V} = \frac{100}{127} = 0.7875 \text{ AMP.}$$

LA ENERGÍA QUE CONSUME ES:

$$W = PxT = 100 \times 20 = 2000 \text{ WATTS-HORA}$$

O BIEN: $W = 2$ KW-HORA

DE LAS RELACIONES IMPORTANTES PARA LA POTENCIA -- ELÉCTRICA SE PUEDE HACER EL SIGUIENTE RESUMEN:

$$\text{WATTS} = \text{VOLTS} \times \text{AMPERES}$$
$$\text{WATTS} = \text{OHMS} \times (\text{AMPERES})^2$$
$$\text{WATTS} = \frac{(\text{VOLTS})^2}{\text{OHMS}}$$

TAMBIÉN: 1 CABALLO DE POTENCIA (HP) ES IGUAL A 746 WATTS.

1 HP = 746 WATTS

TAMBIÉN: 1 HP = 0.746 KW.

1 KW = 1.34 HP

CONCEPTOS BÁSICOS DE MEDICIONES ELÉCTRICAS.

EN LA PRÁCTICA, LA APLICACIÓN DE LOS CONCEPTOS BÁSICOS DE CIRCUITOS, SE ENCUENTRAN RELACIONADOS CON EL EQUIPO ELÉCTRICO Y ES NECESARIO CON FRECUENCIA MEDIR ALGUNOS PARÁMETROS CONSIDERADOS COMO INCÓGNITAS Y CORRELACIONAR LOS DATOS OBTENIDOS, EL CONJUNTO DE INSTRUMENTOS BÁSICOS PARA EFECTUAR ESTAS MEDICIONES SON: EL VÓLTMETRO, EL AMPÉRMETRO, WATTHORIMETRO.

EL VOLTMETRO.- ESTE ES UN APARATO O INSTRUMENTO DE MEDICIÓN CONSTRUIDO Y CALIBRADO PARA DAR DIRECTAMENTE LA LECTURA DEL VALOR DE VOLTAJE APLICADO. EL VOLTMETRO SE DEBE CONECTAR SIEMPRE EN PARALELO CON LA CARGA, EL CIRCUITO O ELEMENTO DE CIRCUITO DEL CUAL SE REQUIERE MEDIR.

El voltmetro tiene dos terminales y se conecta por medio de dos conductores directamente a través de la carga por medir el voltaje. En corriente alterna se pueden conectar indistintamente estas terminales, pero cuando se hace la medición en corriente continua se debe tener cuidado de conectar las terminales de manera tal que se correspondan las marcas de polaridad, es decir, el positivo del voltmetro con el positivo de la carga, y en la misma forma los negativos.

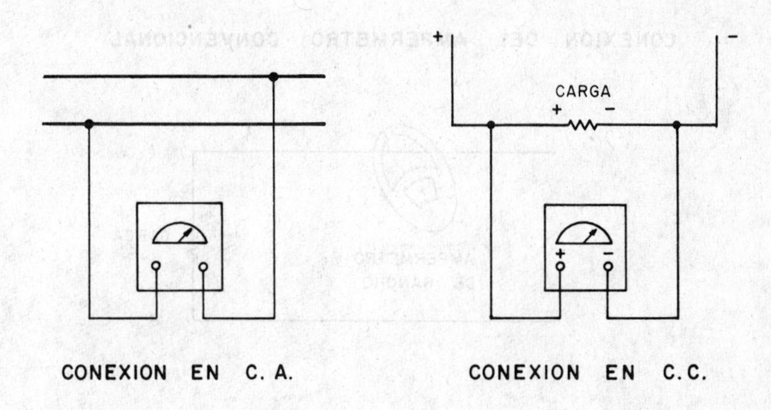

CONEXION EN C. A. CONEXION EN C.C.

EL AMPERMETRO.- Este es otro instrumento de lectura directa que está diseñado para medir la corriente eléctrica, es decir, amperes. Los ampérmetros convencionales se deben conectar en serie con la carga o elemento del circuito a través del cual se debe medir la corriente.

Debido a la propia conexión toda la corriente que fluye a través del ampérmetro, es la que circula por el circuito o elemento.

OTRO TIPO DE AMPÉRMETRO ES EL DENOMINADO AMPÉRMETRO DE GANCHO, QUE SE "CONECTA" AL CIRCUITO POR MEDIR EN FORMA INDIRECTA, ES DECIR, MAGNÉTICAMENTE.

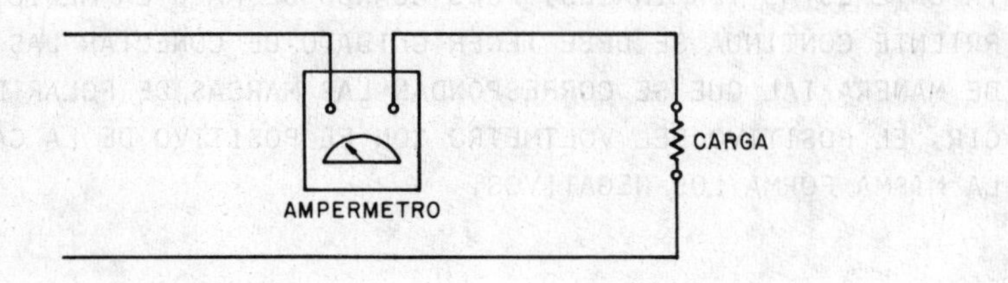

CONEXION DEL AMPERMETRO CONVENCIONAL

<u>WATTMETRO</u>.- ESTE ES TAMBIÉN UN INSTRUMENTO DE LECTURA DIRECTA QUE MIDE LA POTENCIA Y ES DE HECHO UNA COMBINACIÓN DEL VOLTMETRO Y DEL AMPÉRMETRO, YA QUE MIDE VOLTS Y AMPERES E INDICA SU PRODUCTO, QUE RESULTA SER WATTS.

EL WATTMETRO BÁSICO TIENE 4 TERMINALES PARA CONECTARSE AL CIRCUITO QUE VA A SER MEDIDO, DOS DE LAS TERMINALES SE CONECTAN EN SERIE CON LA CARGA Y ALIMENTAN LA SECCIÓN DEL AMPÉRMETRO DEL INSTRUMENTO, LAS OTRAS DOS TERMINALES SON PARA LA SECCIÓN DEL VOLTMETRO Y SE CONECTAN A TRAVÉS DE LA CARGA.

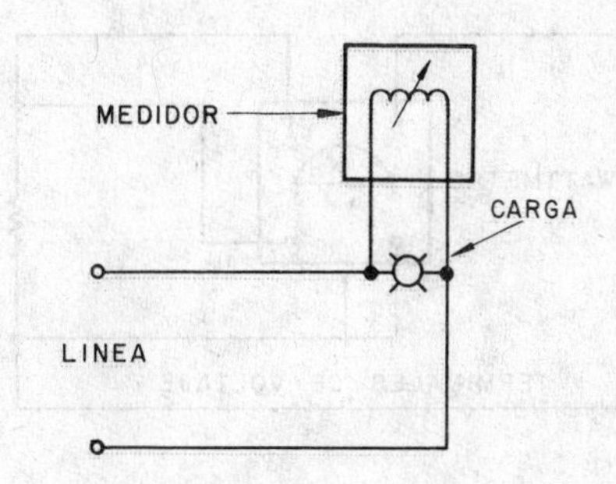

CONEXION DEL VOLTMETRO

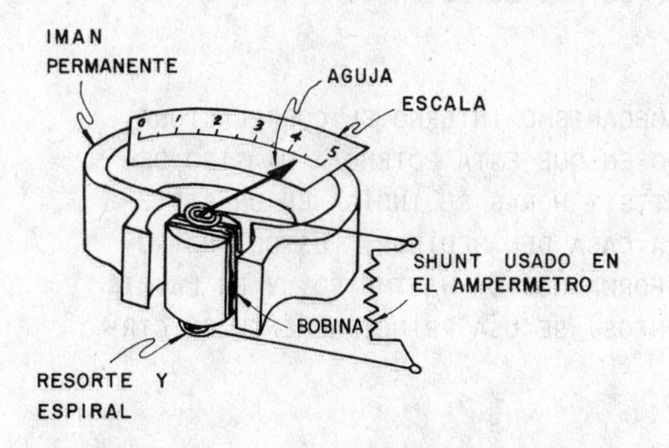

PRINCIPIO DEL AMPERMETRO DE BOBINA MOVIL.

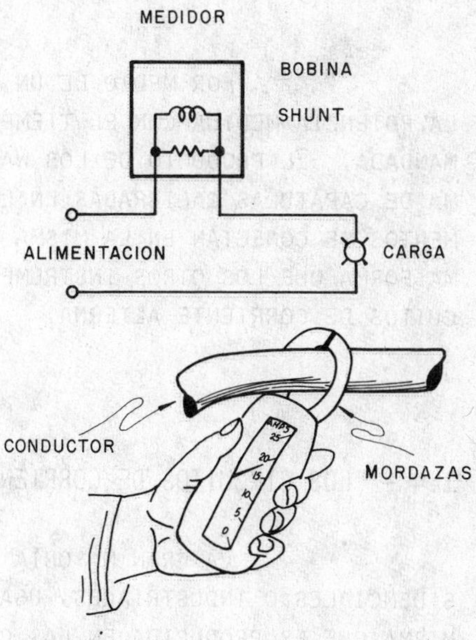

AMPERMETRO DE GANCHO

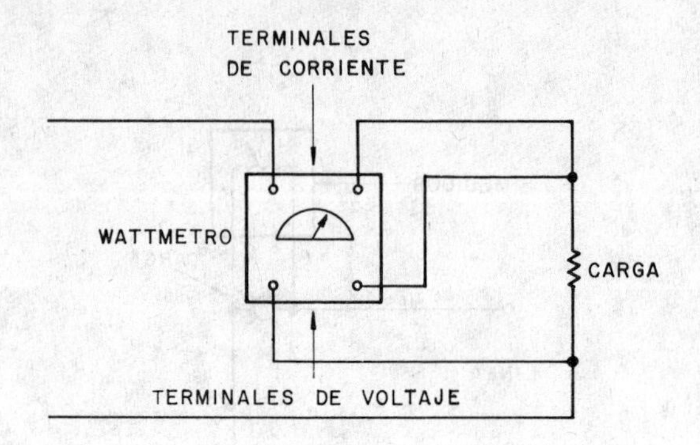

WATTHORIMETRO.- Este también es un instrumento de lectura directa que se usa para medir la cantidad de energía eléctrica que se entrega o se consume en una instalción eléctrica, es decir, mide la cantidad de trabajo desarrollado. La cantidad de energía medida, normalmente lo hace la compañía suministradora y sirve para saber el consumo que ha tenido el usuario en un determinado lapso de tiempo y de esta manera elaborar su recibo de pago.

Por medio de un mecanismo interno se correlaciona la potencia medida con el tiempo en que esta potencia ha sido demandada. El producto de los watts y horas se indica en un sistema de carátulas calibradas en la casa del medidor. Estos instrumentos se conectan en la misma forma que un wattmetro, y en la misma forma que los otros instrumentos, se usa principalmente en circuitos de corriente alterna.

1.4.- LOS CIRCUITOS DE CORRIENTE ALTERNA.

La gran mayoría de las instalaciones eléctricas residenciales o industriales, usan la llamada "corriente alterna", misma que es producida en las centrales generadoras de energía -

ELÉCTRICA Y TRANSFORMADA EN LAS SUBESTACIONES ELÉCTRICAS PARA SER TRANSMITIDA Y DISTRIBUIDA POR LAS LLAMADAS LÍNEAS DE TRANSMISIÓN Y REDES DE DISTRIBUCIÓN.

DESDE EL PUNTO DE VISTA DEL ESTUDIO DE LOS CIRCUITOS ELÉCTRICOS LOS VALORES MÁS SIGNIFICATIVOS SON LOS VALORES "EFECTIVOS" O EFICACES DE LA CORRRIENTE Y EL VOLTAJE.

DEBIDO A QUE LA CORRIENTE ALTERNA ESTA CONSTANTEMENTE VARIANDO CON VALORES INSTANTÁNEOS Y REGULARMENTE ALTERNOS EN DIRECCIÓN, LA ÚNICA FORMA DE CALCULAR LA CORRIENTE ES DETERMINANDO SU VALOR EFICAZ. ESTO SE PUEDE HACER CALCULANDO EL EFECTO DE CALENTAMIENTO DE LA CORRIENTE ALTERNA Y DANDO A LA CORRIENTE ALTERNA LA MISMA DESIGNACIÓN EN AMPERES, QUE A LA CORRIENTE CONTINUA QUE PRODUCE EL MISMO EFECTO DE CALENTAMIENTO.

EN CORRIENTE ALTERNA CADA CICLO DE UNA ALTERNACIÓN TIENE LUGAR EN UN PERÍODO DETERMINADO DE TIEMPO, DEPENDIENDO DE LA FRECUENCIA CON QUE SE PRODUCEN LAS ALTERNACIONES, POR EJEMPLO EN MÉXICO LA FRECUENCIA ES DE 60 CICLOS/SEG, TAMBIÉN SE DICE QUE ES DE 60 HERTZ, EN OTROS PAÍSES SE TIENEN VALORES DE FRECUENCIAS DISTINTOS, COMO POR EJEMPLO 50 CICLOS/SEG. PARA UNA FRECUENCIA DE 60 CICLOS/SEG., CADA CICLO OCURRE EN 1/60 DE SEGUNDO.

EXISTE OTRA FORMA DE REFERIRSE A LOS CICLOS O PARTES DE CICLO DE LA CORRIENTE ALTERNA Y QUE NO ESTÁ REFERIDA CON LA FRECUENCIA, PERO QUE FACILITA EL ANÁLISIS DE LOS CIRCUITOS DE CORRIENTE ALTERNA, ESTA FORMA ESTÁ BASADA EN LAS LLAMADAS RELACIONES FASORIALES Y USA EL CONCEPTO DE ÁNGULO ELÉCTRICO.

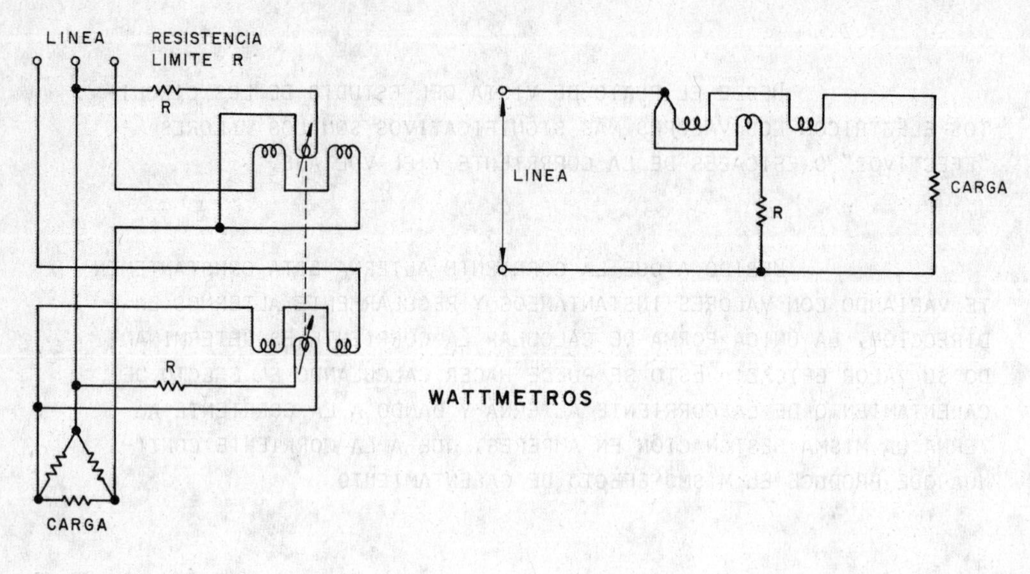

WATTMETROS

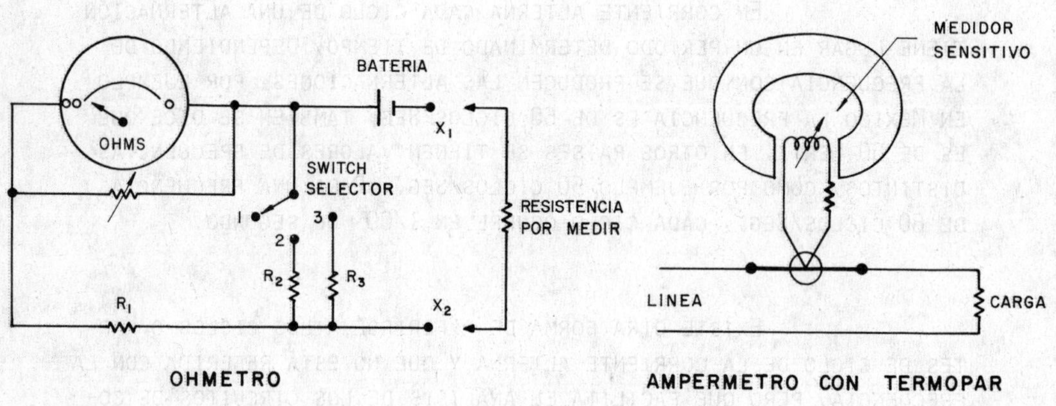

OHMETRO

AMPERMETRO CON TERMOPAR

SE DICE QUE UN CICLO COMPLETO TIENE 360 GRADOS, UNA MITAD DE CICLO 180°, ETC., CADA CICLO COMIENZA EN CERO GRADOS LA ALTERNACIÓN POSITIVA O MITAD DE CICLO OCURRE EN LA MEDIDA QUE EL VECTOR PRODUCE LA LLAMADA ONDA SENOIDAL MOVIÉNDOSE DE CERO A 180 GRADOS. LA ALTERNACIÓN NEGATIVA O MEDIO CICLO OCURRE DE 180 A 300 GRADOS.

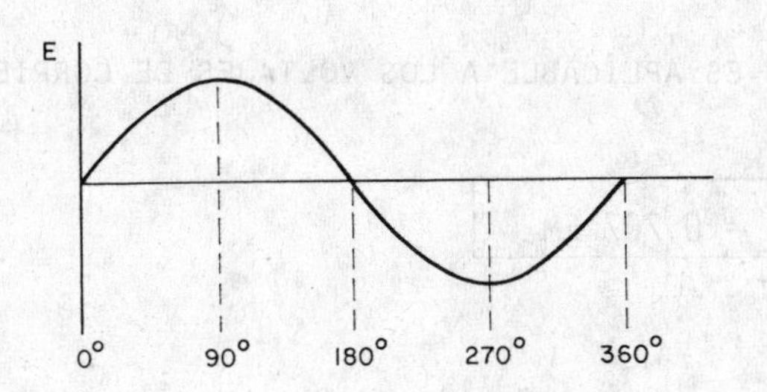

ONDA SENOIDAL DE CORRIENTE ALTERNA

LOS VALORES INSTANTÁNEOS DE VOLTAJE Y CORRIENTE EN CUALQUIER PUNTO DEL CICLO SE PUEDEN CALCULAR COMO:

$$E_I = E_M \text{ SEN } \theta$$

$$I_I = I_M \text{ SEN } \theta$$

DONDE EM ES EL VALOR MÁXIMO DE LA ONDA DE VOLTAJE, QUE SE ENCUENTRA A 90° PARA LA PARTE POSITIVA DE LA ONDA Y -EM QUE SE ENCUENTRA A 270° (DE LA PARTE NEGATIVA).

IM VALOR MÁXIMO DE LA ONDA DE CORRIENTE A 90° (EN LA PARTE POSITIVA) Y -IM (EN LA PARTE NEGATIVA) A 270°, REPRESENTA EL VALOR MÁXIMO NEGATIVO.

POR DEMOSTRACIONES MATEMÁTICAS, QUE NO FORMAN -- PARTE DEL PROPÓSITO DEL ESTUDIO EN ESTAS NOTAS, SE PUEDE DEMOSTRAR QUE EL VALOR EFICAZ DE LA CORRIENTE QUE PRODUCE EL MISMO - EFECTO DE CALENTAMIENTO QUE UNA CORRIENTE CONTINUA DE IGUAL MAGNITUD SE PUEDE CALCULAR COMO:

$$I_E = 0.707\ I_M$$

LA MISMA RELACIÓN ES APLICABLE A LOS VOLTAJES DE CORRIENTE ALTERNA.

$$E_E = 0.707\ E_M$$

EJEMPLO 1.5.- LA ONDA SENOIDAL DE UNA CORRIENTE ALTERNA TIENE UN VALOR MÁXIMO DE 100 AMPERES. QUÉ VALOR DE CORRIENTE CONTINUA PRODUCIRÁ EL MISMO EFECTO DE CALENTAMIENTO.

SOLUCIÓN

$$I_E = 0.707\ I_M$$

$$= 0.707 \times 100$$

$$= 70.7 \text{ AMPERES}$$

1.4.1.- RELACION VECTORIAL ENTRE VOLTAJES Y CORRIENTES.

EN LOS CIRCUITOS DE CORRIENTE ALTERNA ES NECESARIO HACER ALGUNAS CONSIDERACIONES IMPORTANTES CON RELACIÓN AL - CARÁCTER O NATURALEZA DE LA FORMA DE ONDA.

CUANDO UN VOLTAJE DE CORRIENTE ALTERNA SE APLICA A UN CIRCUITO QUE CONTIENE RESISTENCIA ÚNICAMENTE, LA ONDA DE - CORRIENTE PASA POR SU VALOR MÁXIMO Y MÍNIMO AL MISMO TIEMPO Y EN LA MISMA DIRECCIÓN EN ESTAS CONDICIONES SE DICE QUE LA CORRIEN TE ESTÁ EN "FASE" CON EL VOLTAJE.

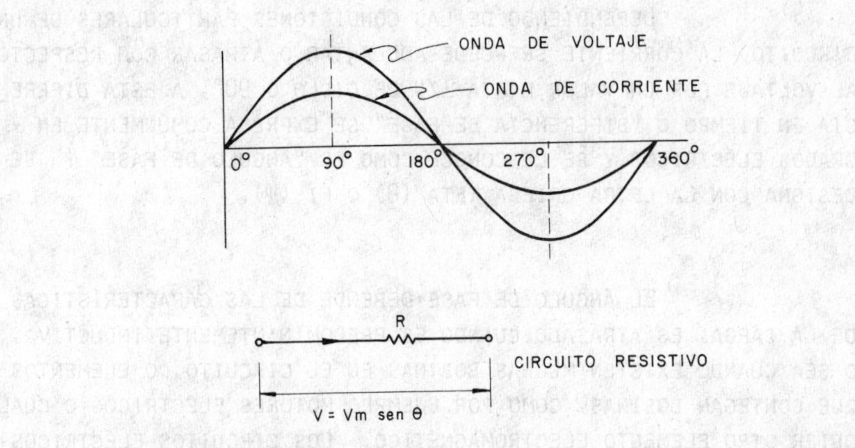

EN LOS CIRCUITOS QUE CONTIENEN OTROS ELEMENTOS CO- MO INDUCTANCIAS O CAPACITANCIAS, LAS CORRIENTES Y VOLTAJES NO - COINCIDEN EN SUS VALORES MÁXIMOS Y MÍNIMOS Y ENTONCES SE DICE QUE ESTÁN "FUERA DE FASE".

HAY DOS POSIBLES CONDICIONES PARA LA RELACIÓN -- "FUERA DE FASE" ENTRE VOLTAJE Y CORRIENTE.

1.- CUANDO LA CORRIENTE PASA POR SU VALOR CERO Y SE INCREMENTA A SU VALOR MÁXIMO DESPUÉS DE UN CIERTO TIEMPO QUE EL VOLTAJE HA PASADO POR SU CERO E INCREMENTADO A SU MÁXIMO. EN ESTAS CONDI- CIONES SE DICE QUE LA CORRIENTE ESTÁ "ATRASADA" CON RESPECTO AL VOLTAJE.

2.- CUANDO LA CORRIENTE PASA POR SU VALOR CERO Y SE INCREMENTA UN CIERTO TIEMPO ANTES QUE EL VOLTAJE PASE POR SU CERO E INCREMENTE SU VALOR HASTA EL MÁXIMO. EN ESTE CASO SE DICE QUE LA CORRIENTE ESTÁ ADELANTADA CON RESPECTO AL VOLTAJE.

DEPENDIENDO DE LAS CONDICIONES PARTICULARES DE UN CIRCUITO, LA CORRIENTE SE PUEDE ADELANTAR O ATRASAR CON RESPECTO AL VOLTAJE POR UN VALOR HASTA 1/4 DE CICLO O 90°, A ESTA DIFERENCIA EN TIEMPO O "DIFERENCIA DE FASE" SE EXPRESA COMÚNMENTE EN GRADOS ELÉCTRICOS Y SE LE CONOCE COMO EL "ÁNGULO DE FASE" Y SE DESIGNA CON LA LETRA GRIEGA TETA (θ) O FI (φ).

EL ÁNGULO DE FASE DEPENDE DE LAS CARACTERÍSTICAS DE LA CARGA, ES ATRASADO CUANDO ES PREDOMINANTEMENTE INDUCTIVA, O SEA CUANDO EXISTEN MUCHAS BOBINAS EN EL CIRCUITO, O ELEMENTOS QUE CONTEGAN BOBINAS, COMO POR EJEMPLO MOTORES ELÉCTRICOS O CUALQUIER OTRO ELEMENTO ELECTROMAGNÉTICO. LOS CIRCUITOS ELÉCTRICOS QUE CONTIENEN INDUCTANCIAS SE DICE QUE SON INDUCTIVOS Y TIENEN LA PROPIEDAD DE INDUCTANCIA.

EN UN CIRCUITO DE CORRIENTE ALTERNA (CA) QUE CONTIENE INDUCTANCIA SE INDUCE UNA "FUERZA ELECTROMOTRIZ" O AUTOINDUCCIÓN DEBIDO AL VALOR INSTANTÁNEO DE LA CORRIENTE. LA OPOSICIÓN QUE LA INDUCTANCIA PRESENTA AL FLUJO DE CORRIENTE ALTERNA SE CONOCE COMO "REACTANCIA INDUCTIVA" Y SE DESIGNA POR EL SÍMBOLO X_L Y SE CALCULA COMO:

$$X_L = 2\pi FL$$

DONDE: $\pi = 3.1416$

F = FRECUENCIA EN CICLOS/SEG (HERTZ)

L = VALOR DE LA INDUCTANCIA EN HENRY

EJEMPLO 1.6.- CALCULAR EL VALOR EFECTIVO DE LA CORRIENTE QUE CIRCULA A TRAVÉS DE UNA BOBINA DE 30 MILIHENRY QUE SE ALIMENTA A 127 VOLTS Y UNA FRECUENCIA DE 60 CICLOS/SEG.

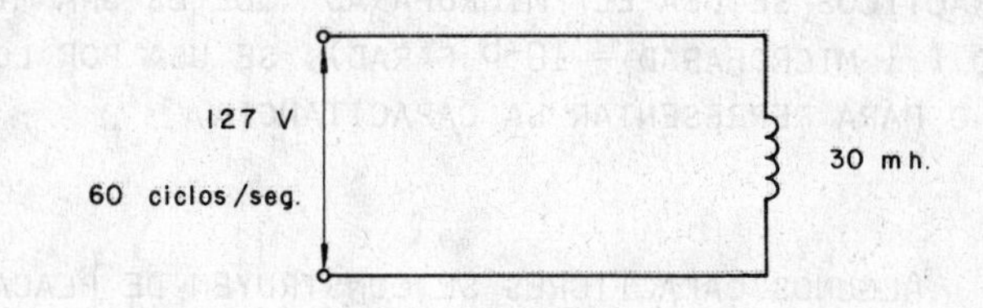

SOLUCIÓN

LA REACTANCIA INDUCTIVA SE CALCULA COMO:

$$X_L = 2\pi FL$$

$$L = 30 \text{ MH} = 0.03 \text{ HENRY}$$

YA QUE: $$1 \text{ MILIHENRY} = \frac{1}{1000} \text{ HENRY}$$

$$X_L = 2 \times 3.1416 \times 60 \times 0.03 = 11.3 \text{ OHMS.}$$

LA CORRIENTE ES:

$$I = \frac{V}{X_L} = \frac{127}{11.3} = 11.24 \text{ AMPERES.}$$

EN ALGUNOS CIRCUITOS ELÉCTRICOS SE TIENEN ELEMENTOS QUE TIENEN CAPACIDAD PARA ALMACENAR UNA CIERTA CANTIDAD DE ELECTRONES, A ESTA CAPACIDAD DE ALMACENAR CARGA ELÉCTRICA SE LE CONOCE COMO "CAPACITANCIA" Y SUS UNIDADES SE EXPRESAN EN FARADS. SE DICE QUE EL ELEMENTO QUE TIENE LA PROPIEDAD DE LA CAPACITANCIA ES EL CAPACITOR O CONDENSADOR Y UN CAPACITOR TIENE UNA CAPACITANCIA DE 1 FARAD CUANDO SE LE APLICA UN VOLTAJE DE 1 VOLT

QUE HACE QUE EL CAPACITOR TOME UNA CARGA DE 1 COULOMB.

DEBIDO A QUE EL FARAD ES UNA UNIDAD MUY GRANDE, PARA FINES PRÁCTICOS SE USA EL "MICROFARAD" QUE ES UNA MILLONÉSIMA DE FARAD (1 MICROFARAD = 10^{-6} FARAD), SE USA POR LO GENERAL LA LETRA C PARA REPRESENTAR LA CAPACITANCIA.

ALGUNOS CAPACITORES SE CONSTRUYEN DE PLACAS EN - PARALELO O BIEN EN FORMA CILÍNDRICA. (MEDIANTE CAPAS FORMANDO UN ROLLO). LA CAPACITANCIA ES DIRECTAMENTE PROPORCIONAL AL ÁREA DE LAS PLACAS DEL CAPACITOR E INVERSAMENTE PROPORCIONAL A LA DISTANCIA QUE SEPARA A LAS PLACAS. UN FACTOR ADICIONAL EN LA DETERMINACIÓN DE LA CAPACITANCIA, ES EL MATERIAL USADO COMO DIELÉCTRICO, POR EJEMPLO UN CONJUNTO DADO DE PLACAS PARA CAPACITOR PUEDE DAR UNA CIERTA CAPACIDAD EN FARADS CON UNA SEPARACIÓN FIJA, CUANDO SE USA EL AIRE COMO DIELÉCTRICO, PERO CON EL MISMO - ARREGLO DE PLACAS SE TENDRÁ UN VALOR MÁS ALTO DE CAPACITANCIA SI SE USA MICA, CERÁMICA O VIDRIO COMO DIELÉCTRICO.

REACTANCIA CAPACITIVA.

COMO SE MENCIONÓ ANTES, UN CAPACITOR CONECTADO EN UN CIRCUITO PERMITE LA CIRCULACIÓN DE CORRIENTE DEBIDO A SU CAPACIDAD PARA ALMACENAR CORRIENTE EN UNA DIRECCIÓN DEL FLUJO DE CORRIENTE, DESPUÉS DESCARGA LA CORRIENTE Y VUELVE A ALMACENAR - LA CORRIENTE ALTERNA, PERO EN DIRECCIÓN OPUESTA. SIN EMBARGO, EL CAPACITOR OFRECE UNA CIERTA OPOSICIÓN AL FLUJO DE CORRIENTE, ESTA OPOSICIÓN DEPENDE DE DOS FACTORES: EL VALOR DE LA CAPACITANCIA Y EL ÍNDICE CON EL CUAL EL VOLTAJE APLICADO CAMBIA, QUE ES, LA FRECUENCIA DEL VOLTAJE DE LA FUENTE DE CORRIENTE ALTERNA.

La oposición a la circulación o flujo de corriente se conoce como "Reactancia capacitiva" y su valor es inversamente proporcional a la capacitancia y frecuencia. Se mide en forma análoga a la resistencia o a la reactancia inductiva, en ohms y su valor se calcula con la siguiente expresión.

$$Xc = \frac{1}{2\pi FC} \qquad Xc = \frac{1\,000,000}{2\pi\ FC}$$

Donde: F = Frecuencia en ciclos/seg.

C = Valor de la capacitancia en farads

Cuando la capacitancia está dada en microfarads la fórmula anterior se escribe como:

$$I = \frac{V}{Xc}$$

Donde: I = Valor eficaz de la corriente

V = Valor eficaz del voltaje aplicado

Xc = Reactancia capacitiva en ohms.

Ejemplo 1.7.- Calcular las corrientes I_1, I_2, I en el siguiente circuito si los valores de las capacitancias son: C_1 = 200 microfarads, C_2 = 100 microfarads; F = 60 ciclos/seg.

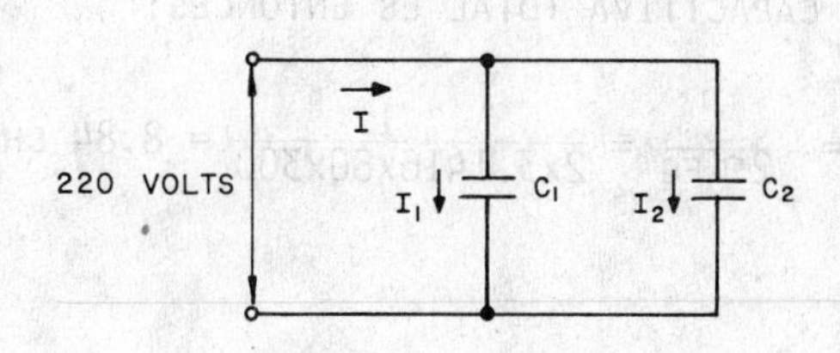

SOLUCIÓN

LAS REACTANCIAS CAPACITIVAS SON:

$$X_{C2} = \frac{1}{2\pi F C_2} = \frac{1000,000}{2x3.1416x60x100} = 26.52 \text{ OHMS}$$

$$X_{C1} = \frac{1}{2\pi F C_1} = \frac{1000,000}{2x3.1416x60x200} = 13.26 \text{ OHMS}$$

LAS CORRIENTES SON:

$$I_2 = \frac{V}{X_{C2}} = \frac{220}{26.52} = 8.295 \text{ AMPERES}$$

$$I_1 = \frac{V}{X_{C1}} = \frac{220}{13.26} = 16.591 \text{ AMPERES}$$

LA CORRIENTE TOTAL I ES ENTONCES:

$$I = I_1 + I_2 = 8.295 + 16.591 = 24.886 \text{ AMP.}$$

COMO VERIFICACIÓN, SE PUEDE CALCULAR LA CAPACITANCIA TOTAL, QUE RESULTA DE LA COMBINACIÓN EN PARALELO DE LAS DOS, ES DECIR:

$$C = C_1 + C_2 = 100 + 200 = 300 \text{ MICROFARADS}$$

LA REACTANCIA CAPACITIVA TOTAL ES ENTONCES:

$$X_C = \frac{1}{2\pi F C} = \frac{1}{2x3.1416x60x300} = 8.84 \text{ OHMS}$$

LA CORRIENTE TOTAL ES ENTONCES:

$$I = \frac{V}{Xc} = \frac{220}{8.84} = 24.886 \text{ Amp.}$$

1.5.- EL CONCEPTO DE IMPEDANCIA.

EN LOS CIRCUITOS ELÉCTRICOS, POR LO GENERAL, NO APARECEN EN FORMA AISLADA LOS PARÁMETROS DE RESISTENCIA, INDUCTANCIA Y CAPACITANCIA, MÁS BIEN APARECEN COMBINADOS DE ALGUNA MANERA, YA QUE PRÁCTICAMENTE ES MUY DIFÍCIL ENCONTRAR CIRCUITOS - QUE NO TENGAN RESISTENCIA, POR EJEMPLO, YA QUE CUALQUIER CONDUCTOR DE CORRIENTE QUE PROPORCIONA CIERTA INDUCTANCIA EN CORRIENTE ALTERNA, TIENE UN CIERTO VALOR DE RESISTENCIA, TAL ES EL CASO DE LAS BALASTRAS PARA LÁMPARAS FLUORESCENTES, LOS TRANSFORMADORES, LOS SOLENOIDES, LOS MOTORES ELÉCTRICOS, ETC.

CUANDO UNA RESISTENCIA Y UNA INDUCTANCIA SE CONECTAN EN SERIE, SE PRODUCE UNA CAÍDA DE VOLTAJE TANTO EN LA RESISTENCIA COMO EN LA REACTANCIA INDUCTIVA, SI SE DESIGNA POR V_R LA CAÍDA DE VOLTAJE EN LA RESISTENCIA Y V_L LA CAÍDA DE VOLTAJE EN LA REACTANCIA INDUCTIVA, EL VOLTAJE APLICADO AL CIRCUITO SE CALCULA COMO:

$$V = \sqrt{V_R^2 + V_L^2}$$

R
I
V
X_L

SI LAS CAÍDAS DE VOLTAJE SE EXPRESAN COMO:

$$V_R = IR$$

$$V_L = I.\,X_L$$

EL VOLTAJE APLICADO SE PUEDE EXPRESAR TAMBIÉN COMO:

$$V = \sqrt{(IR)^2 + (IX_L)^2} = \sqrt{I^2\ (R^2 + X_L^2)}$$

$$V = I\sqrt{R^2 + X_L^2}$$

AL TÉRMINO $\sqrt{R^2+X_L^2}$ SE LE CONOCE TAMBIÉN COMO LA IMPEDANCIA (EN MAGNITUD) DEL CIRCUITO Y SE DESIGNA POR LA LETRA Z.

$$Z = \sqrt{R^2 + X_L^2}$$

COMO LA CAÍDA DE VOLTAJE DEBIDA A LA REACTANCIA INDUCTIVA SE ENCUENTRA DESPLAZADA 90° CON RESPECTO A LA DEBIDA A LA RESISTENCIA, ESTAS CAÍDAS DE VOLTAJE NO SE PUEDEN SUMAR NUMÉRICAMENTE, SE TIENEN QUE SUMAR EN FORMA VECTORIAL.

EJEMPLO 1.8.- PARA EL CIRCUITO MOSTRADO EN LA FIGURA CALCULAR:

A).- LA REACTANCIA INDUCTIVA
B).- LA IMPEDANCIA
C).- EL VALOR EFICAZ
D).- EL VALOR MÁXIMO DE LA CORRIENTE.

0.004 Ω
14 Ω RESISTENCIA DE CARGA
220 VOLTS 60 ciclos/seg.
RESISTENCIA DE LOS CONDUCTORES
L = 100 m H INDUCTANCIA DE LA CARGA
0.004 Ω

SOLUCIÓN

A).- LA REACTANCIA INDUCTIVA SE CALCULA COMO:

$$X_L = 2\pi FL = 2x3.1416x60x0.1$$

$$X_L = 37.7 \text{ OHMS}$$

B).- LA IMPEDANCIA SE CALCULA COMO:

$$Z = \sqrt{R^2 + X_L^2}$$

DONDE LA RESISTENCIA TOTAL ES LA SUMA DE LAS RESISTENCIAS EN EL CIRCUITO

$$R = 14+0.004+0.004 = 14.008 \text{ OHMS}$$

POR LO QUE:

$$Z = \sqrt{(14.008)^2 + (37.7)^2} = 40.22 \text{ OHMS}$$

C).- EL VALOR EFICAZ DE LA CORRIENTE

$$I = \frac{V}{Z} = \frac{220}{40.22} = 5.47 \text{ AMP.}$$

D).- EL VALOR MÁXIMO DE LA CORRIENTE SE CALCULA COMO:

$$I_{EFICAZ} = 0.707\ I_{MAX}$$

$$I_{MAX} = \frac{I_{EFICAZ}}{0.707} = \frac{I}{0.707} = \frac{5.47}{0.707}$$

$$I_E = 7.737 \text{ AMP.}$$

EN LA MISMA FORMA QUE UN CIRCUITO CONTIENE INDUCTANCIA Y RESISTENCIA, TAMBIÉN PUEDE TENER CAPACITANCIA, ES DECIR EXISTE LA CAÍDA DE VOLTAJE POR REACTANCIA CAPACITIVA Y ENTONCES EXISTE UN VALOR COMBINADO QUE DETERMINA LA CAÍDA DE VOLTAJE POR IMPEDANCIA.

EL VALOR DE LA IMPEDANCIA FORMADA POR UN CIRCUITO QUE CONTIENE RESISTENCIA Y CAPACITANCIA SE CALCULA AHORA COMO:

$$Z = \sqrt{R^2 + X_C^2}$$

DONDE X_C ES LA REACTANCIA CAPACITIVA

CUANDO EL CIRCUITO CONTIENE RESISTENCIA, INDUCTANCIA Y CAPACITANCIA, DEBIDO A QUE LOS EFECTOS PRODUCIDOS POR LA CORRIENTE EN LA INDUCTANCIA Y EN LA CAPACITANCIA SON OPUESTOS, ENTONCES ESTOS SE MANIFIESTAN POR MEDIO DE SUS REACTANCIAS, QUE CUANDO ESTÁN CONECTADAS EN SERIE SE RESTAN.

$$X = X_L - X_C$$

Y LA IMPEDANCIA RESULTANTE ES ENTONCES:

$$Z = \sqrt{R^2 + X^2}$$

EJEMPLO 1.9.- PARA EL CIRCUITO MOSTRADO EN LA FIGURA, CALCULAR EL VALOR DE LA IMPEDANCIA Z, LA CORRIENTE EFECTIVA I Y LAS CAÍDAS DE VOLTAJE EN CADA UNO DE LOS SIGUIENTES ELEMENTOS.

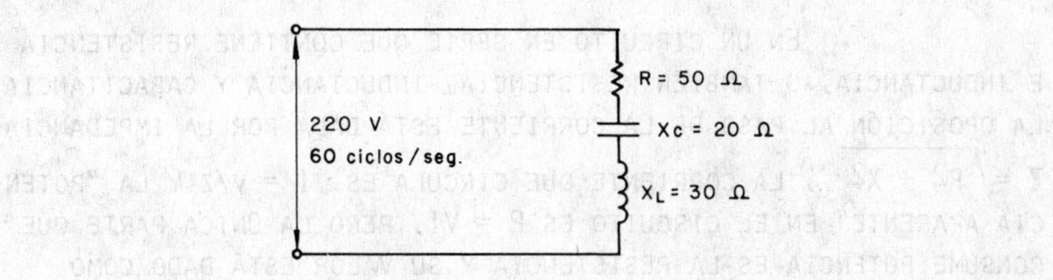

SOLUCIÓN

EL VALOR DE LA IMPEDANCIA ES:

$$Z = \sqrt{(R^2) + (X_L - X_C)^2}$$

$$Z = \sqrt{(50)^2 + (30-20)^2} = \sqrt{(50)^2 + 10^2} = 51 \text{ OHMS}$$

LA CORRIENTE ES:

$$I = \frac{V}{Z} = \frac{220}{51} = 4.31 \text{ AMPERES}$$

LAS CAÍDAS DE VOLTAJE POR RESISTENCIA, REACTANCIA INDUCTIVA Y - REACTANCIA CAPACITIVA SON:

$$V_R = IR = 4.31x50 = 215.5 \text{ AMP.}$$

$$V_L = IX_L = 4.31x30 = 129.3 \text{ AMP.}$$

$$V_C = IXc = 4.31x20 = 86.2 \text{ AMP.}$$

1.6.- EL CONCEPTO DE FACTOR DE POTENCIA.

EN UN CIRCUITO EN SERIE QUE CONTIENE RESISTENCIA E INDUCTANCIA, O TAMBIÉN RESISTENCIA, INDUCTANCIA Y CAPACITANCIA, LA OPOSICIÓN AL PASO DE LA CORRIENTE ESTÁ DADA POR LA IMPEDANCIA $Z = \sqrt{R^2 + X^2}$, LA CORRIENTE QUE CIRCULA ES $I = V/Z$ Y LA "POTENCIA APARENTE" EN EL CIRCUITO ES $P = VI$, PERO LA ÚNICA PARTE QUE CONSUME POTENCIA ES LA RESISTENCIA Y SU VALOR ESTÁ DADO COMO $P = RI^2$ QUE SE CONOCE COMO LA POTENCIA REAL CONSUMIDA POR EL - CIRCUITO.

SI SE TRATA DE UN CIRCUITO FORMADO POR RESISTENCIA E INDUCTANCIA, LA ONDA DE CORRIENTE SE ENCUENTRA FUERA DE FASE CON RESPECTO AL VOLTAJE ATRASÁNDOSE UN ÁNGULO θ ENTRE 0 Y 90°. EN TAL CIRCUITO LA POTENCIA PROMEDIO NO ES SIMPLEMENTE $P = VI$, SE CALCULA ESTA POTENCIA DE ACUERDO CON LA FÓRMULA:

$$P = VI \cos \theta$$

SIENDO θ EL ÁNGULO QUE LA ONDA DE CORRIENTE SE ATRASA CON RESPECTO AL VOLTAJE, EL COSENO DE ESTE ÁNGULO SE CONOCE COMO EL FACTOR DE POTENCIA DEL CIRCUITO, Y ES UNA MEDIDA DE LA CANTIDAD DE POTENCIA QUE ES CONSUMIDA POR LA RESISTENCIA DEL CIRCUITO, TOMANDO

EN CONSIDERACIÓN EL EFECTO DE LA INDUCTANCIA DEL CIRCUITO. EN OTRAS PALABRAS, EL FACTOR DE POTENCIA DETERMINA QUE PORCIÓN DE LA POTENCIA APARENTE VI ES LA POTENCIA REAL. EL VALOR DEL FACTOR DE POTENCIA VARÍA ENTRE ENTRE 0 Y 1, ES 1 CUANDO LA CARGA ES PURAMENTE RESISTIVA Y 0 CUANDO LA CARGA ES PURAMENTE INDUCTIVA.

EJEMPLO 1.10.- UN MOTOR ALIMENTADO A 220 VOLTS TOMA 10 AMPERES Y CONSUME 1750 WATTS A PLENA CARGA. CALCULAR EL FACTOR DE POTENCIA.

SOLUCIÓN

LA POTENCIA REAL CONSUMIDA POR EL MOTOR ES:

$$P = VI \cos\theta$$
$$1750 = 220 \times 10 \times \cos\theta$$

POR LO TANTO:

$$\cos\theta = \frac{1750}{220 \times 10} = 0.795$$

1.7.- CIRCUITOS TRIFASICOS

AUN CUANDO LOS CIRCUITOS DE CORRIENTE ALTERNA MONOFÁSICOS SON AMPLIAMENTE USADOS Y APARECEN PRÁCTICAMENTE EN CADA CIRCUITO ELÉCTRICO, COMO ES EL CASO DE LAS INSTALACIONES ELÉCTRICAS EN LAS CASAS-HABITACIÓN, LA GENERACIÓN, TRANSMISIÓN Y DISTRIBUCIÓN DE LA ENERGÍA ELÉCTRICA SE HACE CON CIRCUITOS DE CORRIENTE ALTERNA TRIFÁSICOS Y LO MISMO SE PUEDE DECIR DE LA MAYORÍA DE

LAS APLICACIONES INDUSTRIALES.

LOS CIRCUITOS TRIFÁSICOS REQUIEREN MENOS PESO EN LOS CONDUCTORES QUE LOS CIRCUITOS MONOFÁSICOS AL MISMO VALOR DE POTENCIA. LOS MOTORES ELÉCTRICOS TRIFÁSICOS SON POR LO GENERAL DE MENOR TAMAÑO Y MENOS PESADOS ASÍ COMO MÁS EFICIENTES, QUE LOS MOTORES MONOFÁSICOS A IGUALDAD DE POTENCIA.

EXISTEN DOS CONEXIONES BÁSICAS EN LOS CIRCUITOS TRIFÁSICOS, UNA ES LLAMADA LA "CONEXIÓN ESTRELLA" Y LA OTRA LA "CONEXIÓN DELTA", LAS FUENTES DE VOLTAJE PARA LAS INSTALACIONES ELÉCTRICAS (GENERADORES O SECUNDARIOS DE LOS TRANSFORMADORES) O BIEN LAS CARGAS SE PUEDEN CONECTAR YA SEA EN ESTRELLA O EN DELTA.

1.7.1.- LA CONEXION ESTRELLA

EN LAS CONEXIONES TRIFAŚICAS, YA SEA LA DENOMINADA ESTRELLA O BIEN AQUELLA CONOCIDA COMO DELTA, ES IMPORTANTE ESTABLECER LAS RELACIONES ENTRE LOS VOLTAJES Y CORRIENTES EN LA SALIDA DE CADA CONEXIÓN CON RESPECTO A LAS MISMAS CANTIDADES, PERO EN EL INTERIOR.

EN EL CASO DE LA LLAMADA CONEXIÓN ESTRELLA SE TIENE UNA REPRESENTACIÓN COMO LA QUE SE INDICA, CON LAS RELACIONES QUE SE MUESTRAN.

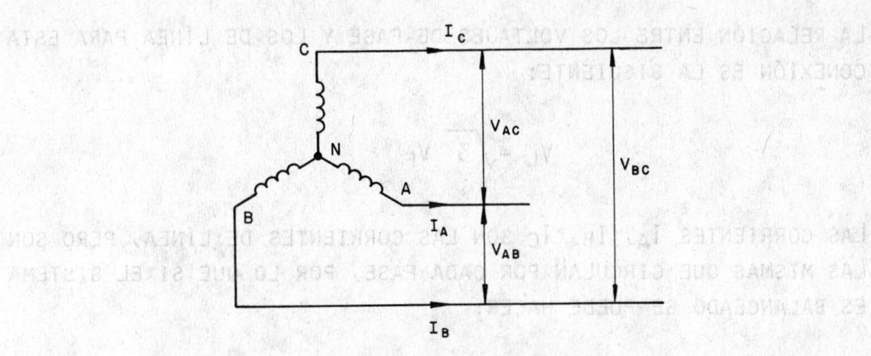

N REPRESENTA EL NEUTRO DE LA CONEXIÓN Y LOS VOLTAJES V_{AB}, V_{BC}, V_{AC} SE CONOCEN COMO LOS VOLTAJES DE LÍNEA, Y SI SE CONSIDERA EL SISTEMA BALANCEADO SUS VALORES SON IGUALES EN MAGNITUD Y ESTÁN DESPLAZADOS 120° ELÉCTRICOS ENTRE SÍ. $V_{AC} = V_{BC} = V_{AB} = V_L$ EN MAGNITUD. EL NEUTRO CONSTITUYE EL PUNTO DE REFERENCIA Y SE USA EN LOS SISTEMAS TRIFÁSICOS A 4 HILOS O CON CUATRO CONDUCTORES, LOS VOLTAJES REFERIDOS A ESTE NEUTRO SE CONOCEN COMO VOLTAJES DE FASE.

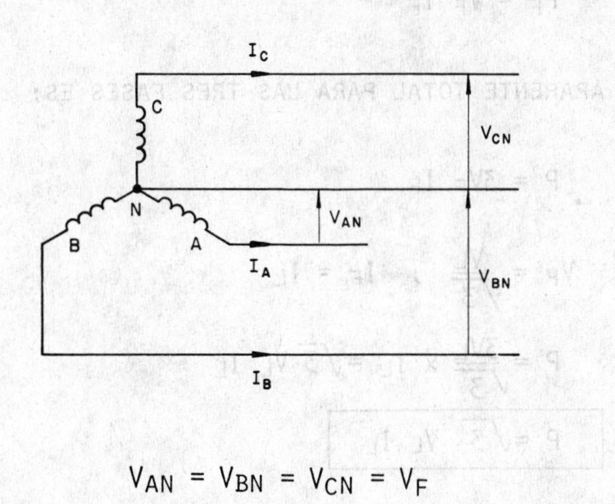

$$V_{AN} = V_{BN} = V_{CN} = V_F$$

LA RELACIÓN ENTRE LOS VOLTAJES DE FASE Y LOS DE LÍNEA PARA ESTA CONEXIÓN ES LA SIGUIENTE:

$$V_L = \sqrt{3}\ V_F$$

LAS CORRIENTES I_A, I_B, I_C SON LAS CORRIENTES DE LÍNEA, PERO SON LAS MISMAS QUE CIRCULAN POR CADA FASE, POR LO QUE SI EL SISTEMA ES BALANCEADO SE PUEDE HACER:

$$I_A = I_B = I_C = I_L \text{ (EN MAGNITUD)}$$

Y TAMBIÉN:

$$I_L = I_F$$

PARA LA CONEXIÓN ESTRELLA, LA POTENCIA APARENTE POR FASE ES:

$$P_F = V_F\ I_F$$

LA POTENCIA APARENTE TOTAL PARA LAS TRES FASES ES:

$$P = 3V_F\ I_F$$

PERO: $V_F = \dfrac{V_L}{\sqrt{3}}$; $I_F = I_L$

$$P = \frac{3V_L}{\sqrt{3}} \times I_L = \sqrt{3}\ V_L\ I_L$$

$$\boxed{P = \sqrt{3}\ V_L\ I_L}$$

1.7.2.- LA CONEXION DELTA.

ESTA CONEXIÓN TAMBIÉN SE LE CONOCE COMO CONEXIÓN TRIÁNGULO, POR LA FORMA QUE TIENE SU REPRESENTACIÓN, ES UNA CONEXIÓN CERRADA DEBIDO A QUE SE CONECTA EL FINAL DE UNA FASE CON EL PRINCIPIO DE LA OTRA, TENIENDO LA SIGUIENTE REPRESENTACIÓN.

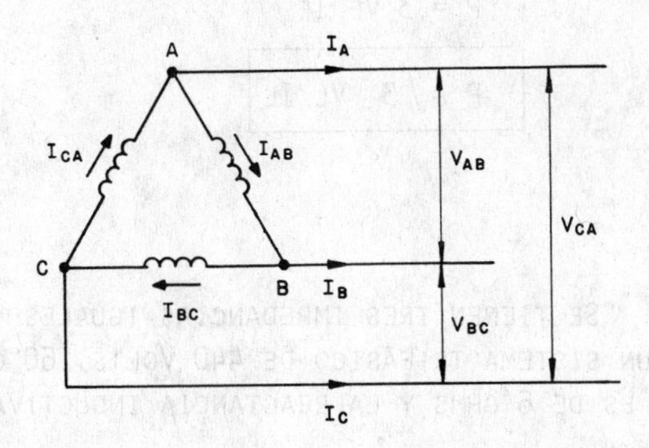

V_{AB}, V_{BC} Y V_{CA} SE CONOCEN COMO LOS VOLTAJES DE LÍNEA Y SI SON IGUALES EN MAGNITUD Y ESTÁN DEFASADOS 120° ELÉCTRICOS ENTRE SÍ, SE DICE QUE EL SISTEMA ES BALANCEADO. TAMBIÉN $V_{AB} = V_{BC} = V_{CA} = V_L$.

V_L ES EL VOLTAJE DE LÍNEA Y SU VALOR ES IGUAL AL VOLTAJE DE FASE.

$$\boxed{V_L = V_F}$$

POR OTRA PARTE PARA LAS CORRIENTES DE LÍNEA $I_A = I_B = I_C$ SI EL SISTEMA ESTÁ BALANCEADO Y SE DICE QUE ESTÁN DEFASADOS 120° ELÉCTRICOS ENTRE SÍ.

$$I_A = I_B = I_C = I_L$$

PARA LAS CORRIENTES DE FASE, SI EL SISTEMA ES BALANCEADO SE TIENE TAMBIÉN:

$$I_{AB} = I_{BC} = I_{CA} = I_F$$

LA RELACIÓN ENTRE LAS CORRIENTES DE FASE Y LAS DE LÍNEA ESTÁ DADA COMO:

$$I_L = \sqrt{3}\ I_F$$

LA POTENCIA APARENTE ES TAMBIÉN:

$$P = 3\ V_F\ I_F$$

O BIEN:

$$P = \sqrt{3}\ V_L\ I_L$$

EJEMPLO 1.11.- SE TIENEN TRES IMPEDANCIAS IGUALES Y CONECTADAS EN ESTRELLA A UN SISTEMA TRIFÁSICO DE 440 VOLTS, 60 CICLOS/SEG. LA RESISTENCIA ES DE 6 OHMS Y LA REACTANCIA INDUCTIVA DE 8 OHMS. CALCULAR:

I).- LA CORRIENTE DE LÍNEA

II).- LA POTENCIA CONSUMIDA

SOLUCIÓN

I).- EL SISTEMA DE QUE SE TRATA ES EL MOSTRADO EN LA FIGURA.

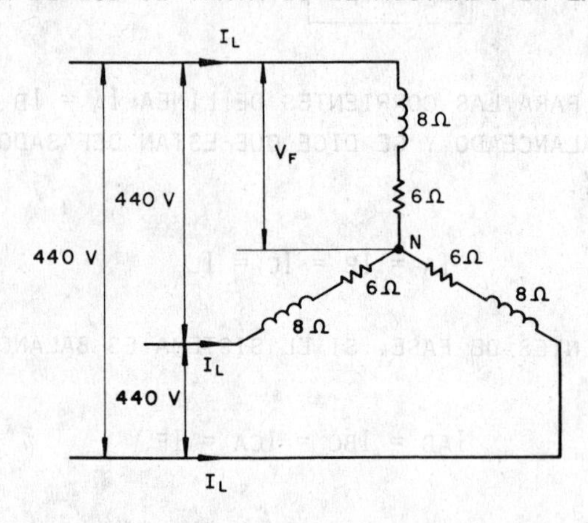

LA IMPEDANCIA DE CADA FASE ES:

$$Z_F = \sqrt{R^2+X^2} = \sqrt{6^2+8^2} = 10 \text{ OHMS}$$

EL VOLTAJE DE FASE ES:

$$V_F = \frac{V_L}{\sqrt{3}} = \frac{440}{\sqrt{3}} = 254 \text{ VOLTS}$$

LA CORRIENTE DE FASE ES ENTONCES:

$$I_F = \frac{V_F}{Z_F} = \frac{254}{10} = 25.4 \text{ AMPERES}$$

LA CORRIENTE DE LÍNEA

$$I_L = I_F = 25.4 \text{ AMPERES}$$

II).- EL FACTOR DE POTENCIA SE PUEDE CALCULAR COMO EL COSENO DE LA RESISTENCIA POR FASE ENTRE LA IMPEDANCIA POR FASE, ES DECIR:

$$\text{Cos } \theta = \frac{R}{Z_F} = \frac{6}{10} = 0.6$$

LA POTENCIA CONSUMIDA ES ENTONCES:

$$P = \sqrt{3}\ V_L\ I_L \cos\theta$$
$$= \sqrt{3} \times 440 \times 25.4 \times 0.6$$
$$P = 11614.44 \text{ WATTS}$$

EJEMPLO 1.12.- UNA CARGA TRIFÁSICA BALANCEADA CONSISTE DE 3 RESISTENCIAS CADA UNA DE 4 OHMS CONECTADAS A UNA ALIMENTACIÓN DE 220 VOLTS, 60 CICLOS/SEG., TRES FASES. SE DESEA CALCULAR LA PO-

TENCIA TOTAL CONSUMIDA CUANDO LAS RESISTENCIAS SE CONECTAN.

I).- EN ESTRELLA
II).- EN DELTA

SOLUCIÓN

I).- PARA LA CONEXIÓN ESTRELLA

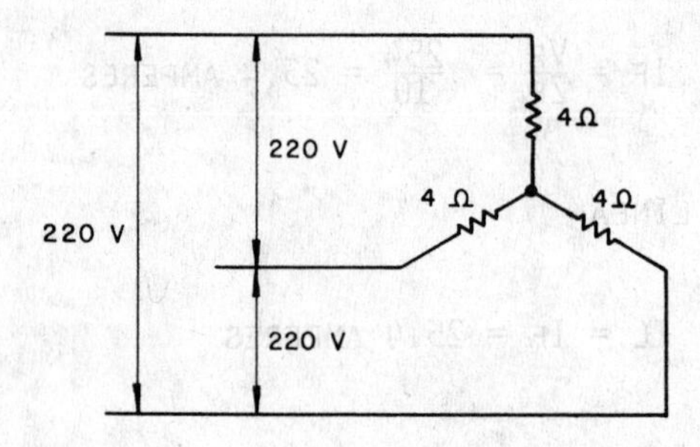

EL VOLTAJE DE LÍNEA ES:

$$V_L = 220 \text{ VOLTS}$$

EL VOLTAJE DE FASE:

$$V_F = \frac{V_L}{\sqrt{3}} = \frac{220}{\sqrt{3}} = 127 \text{ VOLTS}$$

LA CORRIENTE DE FASE:

$$I_F = \frac{V_F}{R_F} = \frac{127}{4} = 31.75 \text{ AMPERES}$$

$$I_F = I_L = 31.75 \text{ AMPERES}$$

LA POTENCIA CONSUMIDA ES:

$$P = \sqrt{3}\ V_L\ I_L \cos\theta$$
$$P = \sqrt{3}\ x220x31.75x1$$
$$P = 12098.37 \text{ WATTS} = 12.09837 \text{ KW}$$

II).- PARA LA CONEXIÓN DELTA.

$$V_L = V_F = 220 \text{ VOLTS}$$

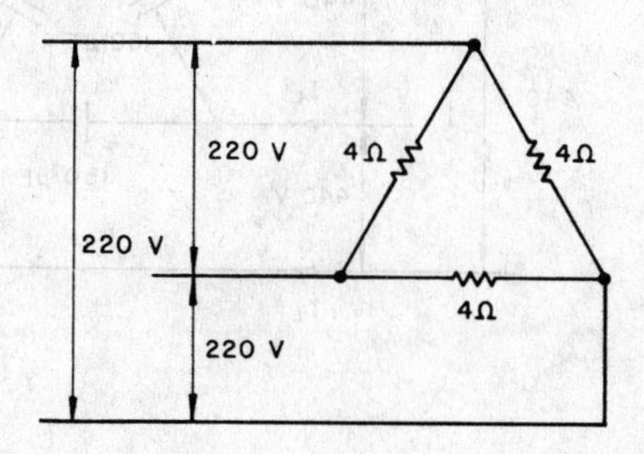

LA CORRIENTE DE FASE:

$$I_F = \frac{V_F}{R_F} = \frac{220}{4} = 55 \text{ AMPERES}$$

LA CORRIENTE DE LÍNEA:

$$I_L = \sqrt{3}\ I_F = \sqrt{3}\ x55 = 95.26 \text{ AMPERES}$$

LA POTENCIA CONSUMIDA:

$$P = \sqrt{3}\ V_L\ I_L \cos\theta = \sqrt{3}\ x220x95.26x1 = 36300 \text{ WATTS}$$

EJEMPLO 1.13.- TRES CAPACITORES, CADA UNO DE 150 MICROFARADS SE CONECTAN EN DELTA A 440 VOLTS, 3 FASES, 60 CICLOS/SEG DE ALIMENTACIÓN. CALCULAR LA CORRIENTE DE LÍNEA. CUÁL DEBE SER LA CAPACITANCIA DE CADA UNO DE LOS TRES CAPACITORES, DE MANERA QUE CUANDO SE CONECTAN EN ESTRELLA A LA MISMA FUENTE DE ALIMENTACIÓN, LA CORRIENTE DE LÍNEA SEA LA MISMA QUE CUANDO ESTÁ CONECTADO EN DELTA.

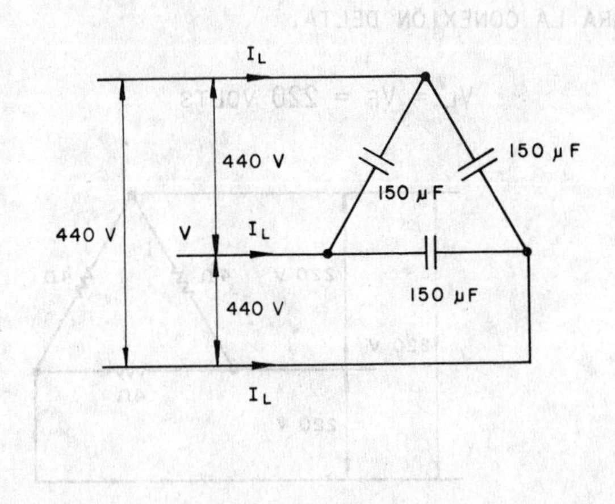

SOLUCIÓN

EL VOLTAJE DE LÍNEA ES:

$$V_L = 440 \text{ V}$$

EL VOLTAJE DE FASE ES:

$$V_F = V_L = 440 \text{ V}$$

LA IMPEDANCIA DE CADA FASE:

$$Z_F = \frac{1}{2\pi FC} = \frac{10^6}{2\pi \times 60 \times 150} = 17.68 \text{ OHMS}$$

La corriente de fase es:

$$I_F = \frac{V_F}{Z_F} = \frac{440}{17.68} = 24.88 \text{ Amperes}$$

La corriente de línea es entonces:

$$I_L = \sqrt{3}\ I_F = \sqrt{3} \times 24.88 = 43.1 \text{ Amperes}$$

Para la conexión estrella

Sea C la capacitancia en farads de cada capacitor cuando está conectado en estrella.

La corriente de línea es:

$$I_L = 43.1 \text{ Amperes}$$

El voltaje de fase:

$$V_F = \frac{V_L}{\sqrt{3}} = \frac{440}{\sqrt{3}} = 254 \text{ volts}$$

También:

$$I_F = \frac{V_F}{X_C}$$

$$X_C = \frac{V_F}{I_F} = \frac{254}{43.1} = 5.9 \text{ ohms}$$

$$X_C = \frac{1}{2\pi FC} ; \quad C = \frac{1}{2\pi F X_C}$$

$$C = \frac{1}{2\pi \times 60 \times 5.9} = 449.6 \times 10^{-6} \text{ F}$$

$$C = 449.6 \text{ micro Farads.}$$

EJEMPLO 1.14.- TRES BOBINAS SIMILARES SE CONECTAN EN ESTRELLA Y DEMANDAN UNA POTENCIA DE 1.5 KW A FACTOR DE POTENCIA 0.2 ATRASADO DE UNA FUENTE DE ALIMENTACIÓN TRIFÁSICA A 440 VOLTS, 60 CICLOS/SEG. SE DESEA CALCULAR LA RESISTENCIA E INDUCTANCIA DE CADA BOBINA

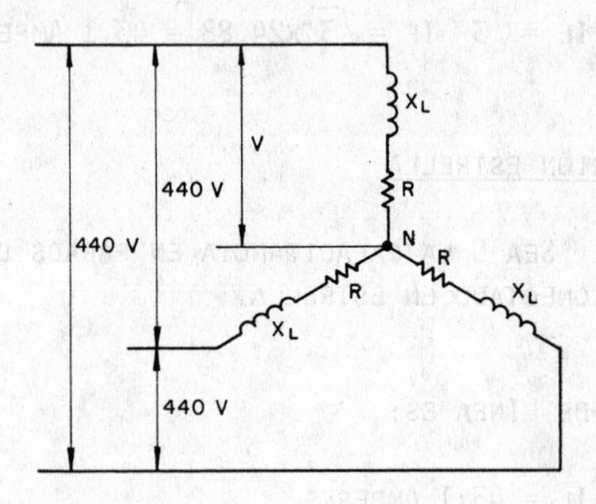

DE LOS DATOS:

POTENCIA TOTAL = P = 1.5 KW = 1500 WATTS

VOLTAJE DE LÍNEA = V = 440 V

FACTOR DE POTENCIA = $\cos\theta$ = 0.2

FRECUENCIA = 60 CICLOS/SEG.

$$P = \sqrt{3}\ V_L\ I_L \cos\theta$$

DESPEJANDO LA CORRIENTE DE LÍNEA

$$I_L = \frac{P}{\sqrt{3}\ V_L \cos\theta} = \frac{1500}{\sqrt{3}\ x440x0.2} = 9.84 \text{ AMP.}$$

La corriente en cada fase es:

$$I_F = I_L = 9.84 \text{ Amp.}$$

El voltaje de fase:

$$V_F = \frac{V_L}{\sqrt{3}} = \frac{440}{\sqrt{3}} = 254 \text{ volts}$$

La impedancia de cada fase es:

$$Z_F = \frac{V_F}{I_F} = \frac{254}{9.84} = 25.81 \text{ ohms}$$

De la expresión para el factor de potencia:

$$\cos \theta = \frac{R}{Z_F} ; \quad R = Z_F \cos \theta$$

$$R = 25.81 \times 0.2$$

$$R = 5.16 \text{ ohms}$$

La reactancia inductiva por fase es:

$$X_L = \sqrt{Z_F^2 - R^2} = \sqrt{(25.81)^2 - (5.16)^2}$$

$$X_L = 25.29 \text{ ohms}$$

La inductancia por fase es:

$$L = \frac{X_L}{2\pi F} = \frac{25.29}{2\pi \times 60} = 0.067 \text{ Henry}$$

EJEMPLO 1.15.- UNA CARGA TRIFÁSICA CONECTADA EN DELTA TIENE EN CADA FASE UNA REACTANCIA DE 40 OHMS Y UNA RESISTENCIA DE 25 OHMS. LA CARGA SE ALIMENTA DEL SECUNDARIO DE UN TRANSFORMADOR TRIFÁSICO, CONECTADO EN ESTRELLA QUE TIENE UN VOLTAJE DE FASE DE 220 V, CALCULAR:

A).- EL VOLTAJE EN CADA FASE DE LA CARGA.

B).- LA CORRIENTE EN CADA FASE DE LA CARGA.

C).- LA CORRIENTE EN EL DEVANADO SECUNDARIO DEL TRANSFORMADOR.

D).- LA POTENCIA TOTAL QUE SE DEMANDA DEL SUMINISTRO Y SU FACTOR DE POTENCIA.

SOLUCIÓN

EL DIAGRAMA DE CONEXIONES SE MUESTRA A CONTINUACIÓN.

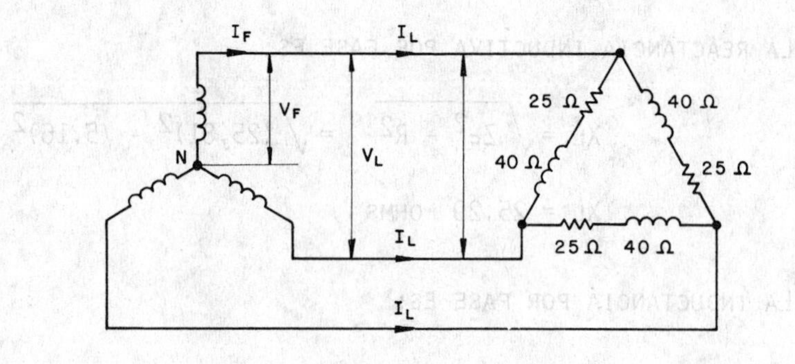

EL VOLTAJE DE LÍNEA EN EL SECUNDARIO DEL TRANSFORMADOR, CONECTADO EN ESTRELLA ES:

$$V_L = \sqrt{3}\ V_F = \sqrt{3}\ \times 220 = 381.05 \text{ VOLTS}$$

A).- EL VOLTAJE EN CADA FASE DE LA CARGA ES ENTONCES:

$$V_F = 381.05$$

B).- LA IMPEDANCIA DE LA CARGA POR FASE ES:

$$Z_F = \sqrt{R^2 + X_L^2} = \sqrt{(25)^2 + (40)^2}$$

$$Z_F = 47.17 \text{ OHMS}$$

LA CORRIENTE EN CADA FASE DE LA CARGA:

$$I_F = \frac{V_F}{Z_F} = \frac{381.05}{47.17} = 8.08 \text{ AMP.}$$

C).- LA CORRIENTE DE LÍNEA

$$I_L = \sqrt{3}\ I_F = \sqrt{3} \times 8.08 = 14 \text{ AMP.}$$

POR LO TANTO LA CORRIENTE EN EL SECUNDARIO DEL TRANSFORMADOR ES:

$$I_{FS} = I_L = 14 \text{ AMP.}$$

D).- EL FACTOR DE POTENCIA DE LA CARGA

$$\cos\theta = \frac{R_F}{Z_F} = \frac{25}{47.17} = 0.53 \text{ ATRASADO}$$

LA POTENCIA SUMINISTRADA A LA CARGA

$$P = \sqrt{3}\ V_L\ I_L \cos\theta$$
$$= \sqrt{3} \times 381.05 \times 14 \times 0.53$$
$$= 4897.2 \text{ WATTS}$$

EJEMPLO 1.16.- EN UNA INSTALACIÓN ELÉCTRICA, UN ALIMENTADOR A 440 VOLTS, 60 CICLOS/SEG, TRES FASES ALIMENTA A UN MOTOR DE INDUCCION DE 20 KVA, CON FACTOR DE POTENCIA A 0.8 ATRASADO Y A UN GRUPO DE CARGAS CONECTADAS EN ESTRELLA, FORMANDO CADA FASE UNA IMPEDANCIA CON UNA RESISTENCIA DE 10 OHMS Y UNA REACTANCIA INDUCTIVA DE 8 OHMS.

SE DESEA CALCULAR:

A).- LAS POTENCIAS TOTALES, ACTIVA, REACTIVA Y APARENTE.

B).- EL FACTOR DE POTENCIA RESULTANTE.

C).- LAS CORRIENTES DE LÍNEA.

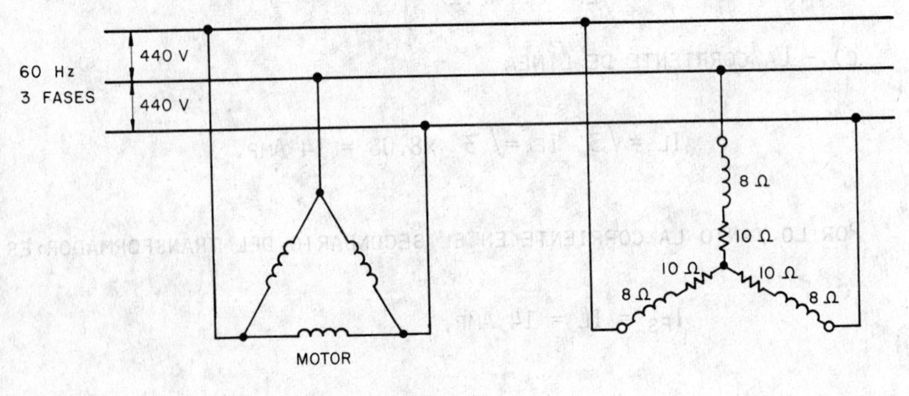

SOLUCIÓN

A).- LA POTENCIA APARENTE SUMINISTRADA AL MOTOR ES:

$$P_{A1} = 20 \text{ KVA}$$

LA POTENCIA ACTIVA SUMINISTRADA AL MOTOR ES:

$$P_1 = P_{A1} x \cos \theta = 20 \times 0.8 = 16 \text{ Kw}$$

EL ÁNGULO CORRESPONDIENTE AL FACTOR DE POTENCIA ES:

$$\theta = \text{ANG. COS } 0.8 = 36.9°$$

LA POTENCIA REACTIVA SUMINISTRADA AL MOTOR ES:

$$P_{R1} = P_{A1} \times \text{SEN}\theta = 20 \times \text{SEN } (36.9°)$$

$$P_{R1} = 20 \times 0.6 = 12 \text{ KVAR}$$

EL VALOR DE LA IMPEDANCIA POR FASE PARA LA CARGA CONECTADA EN ESTRELLA ES:

$$Z_F = \sqrt{R^2 + X_L{}^2} = \sqrt{(10)^2 + (8)^2}$$

$$Z_F = 12.8 \text{ OHMS}$$

EL VOLTAJE POR FASE:

$$V_F = \frac{V_L}{\sqrt{3}} = \frac{440}{\sqrt{3}} = 254 \text{ VOLTS}$$

LA CORRIENTE POR FASE ES ENTONCES:

$$I_F = \frac{V_F}{Z_F} = \frac{254}{12.8} = 19.8 \text{ AMPERES}$$

EL FACTOR DE POTENCIA DE LA CARGA CONECTADA EN ESTRELLA ES:

$$\text{Cos } \theta_2 = \frac{R}{Z_F} = \frac{10}{12.8} = 0.78 \text{ (ATRASADO)}$$

LA POTENCIA APARENTE SUMINISTRADA A ESTA CARGA ES:

$$P_{A2} = \sqrt{3}\ V_L I_L = \sqrt{3} \times 440 \times 19.8 = 15089.6 \text{ VA}$$

$$P_{A2} = 15.089 \text{ KVA}$$

LA POTENCIA ACTIVA QUE SE ALIMENTA A LA CARGA ES:

$$P_2 = P_{A2} \times \text{Cos } \theta_2$$

$$P_2 = 15.089 \times 0.78 = 11.77$$

LA POTENCIA REACTIVA SUMINISTRADA A LA CARGA ES:

$$P_{R2} = P_{A2} \times \text{Sen } \theta_2$$

$$\theta_2 = \text{ANG COS } \theta_2 = \text{ANG COS}(0.78) = 38.74°$$

$$P_{R2} = 15.089 \times \text{Sen } (38.74°)$$

$$P_{R2} = 9.44 \text{ KVAR}$$

LA POTENCIA ACTIVA TOTAL SUMINISTRADA ES:

$$P = P_1 + P_2 = 16 + 11.77 = 27.77 \text{ Kw}$$

LA POTENCIA REACTIVA TOTAL SUMINISTRADA ES:

$$P_R = P_{R1} + P_{R2} = 12+9.44 = 21.44 \text{ KVAR}$$

LA POTENCIA APARENTE TOTAL SUMINISTRADA

$$P_A = \sqrt{P^2+P_R{}^2} = \sqrt{(27.77)^2+(21.44)^2}$$

$$P_A = 35.08 \text{ KVA}$$

B).- EL FACTOR DE POTENCIA RESULTANTE ES:

$$\text{Cos } \theta = \frac{\text{POTENCIA ACTIVA}}{\text{POTENCIA APARENTE}} = \frac{27.77}{35.08} = 0.79 \text{ ATRASADO}$$

c).- La corriente total de línea alimentada.

$$I_L = \frac{P_A}{\sqrt{3}\,V_L} = \frac{35.08 \times 1000}{\sqrt{3} \times 440} = 46.03 \text{ Amp.}$$

La corriente de línea alimentada al motor.

$$I_{L1} = \frac{P_{A1}}{\sqrt{3}\,V_L} = \frac{20 \times 1000}{\sqrt{3} \times 400} = 26.24 \text{ Amp.}$$

1.8.- CARACTERISTICAS DE LA CARGA.

En el diseño de instalaciones eléctricas o de los circuitos eléctricos para comercios o industrias, es necesario considerar una gran variedad de tipos de cargas que intervienen, y que genéricamente se pueden agrupar en alumbrado, motores, contactos y aplicaciones especiales. En el renglón de aplicaciones especiales puede intervenir una gran variedad de tipos de cargas, dependiendo de las características de la industria o local al cual se le va a diseñar la instalación eléctrica y de hecho, cada caso representa un problema particular que debe ser resuelto para cada proyecto o diseño específico.

No obstante, la gran diversidad en los distintos tipos de carga que pueden haber, el calculista o proyectista debe tener una idea de los cálculos que debe hacer o los criterios que debe aplicar en ciertos casos, por lo que resulta conveniente tener un resumen de fórmulas para los cálculos más comunes a realizar.

CIRCUITOS DE CORRIENTE ALTERNA.

FACTOR DE POTENCIA.

$$\cos\theta = \frac{WATTS}{VA}$$

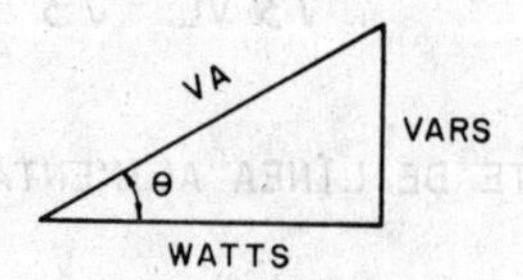

POTENCIA

$P = VI \times \cos\theta$ (MONOFÁSICO)

$P = \sqrt{3}\, VI \cos\theta$ (TRIFÁSICO)

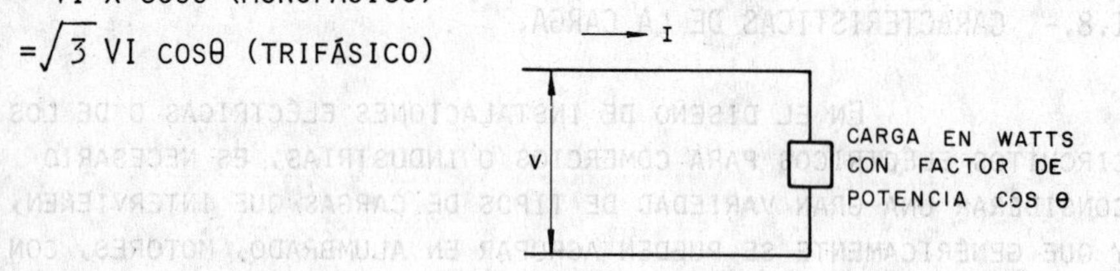

ENERGÍA

WATTS X TIEMPO; POR LO GENERAL SE MIDE EN KILOWATTS-HORA.

POTENCIA REACTIVA (VARS)

$VARS = I^2 X$

$VARS = \frac{V^2}{X}$

X = REACTANCIA EN OHMS

V = VOLTAJE EN VOLTS

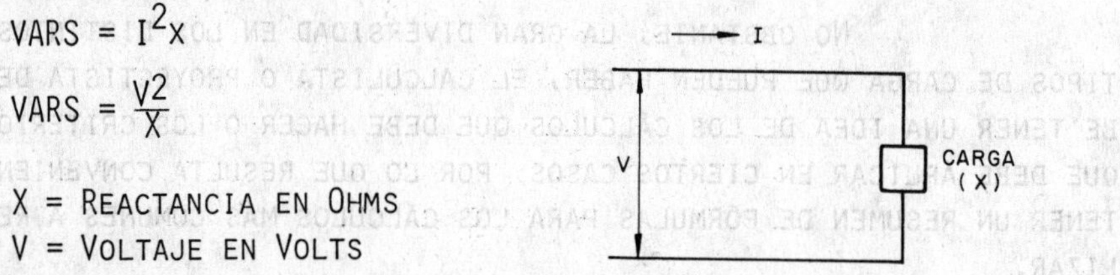

RELACIONES ENTRE LAS POTENCIAS APARENTE, ACTIVA Y REACTIVA.

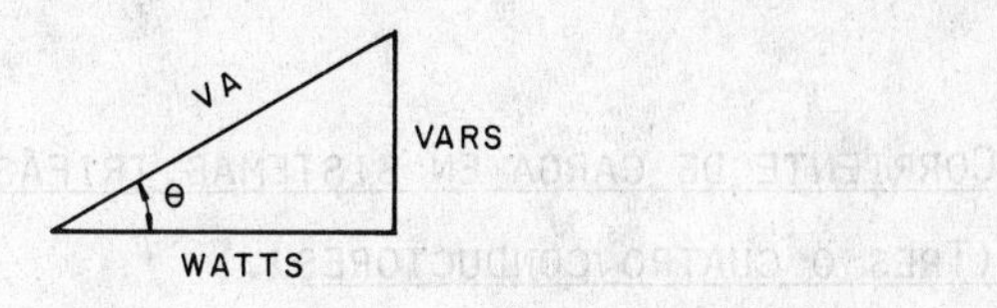

$$VA = \sqrt{(WATTS)^2 + (VARS)^2}$$

$$WATTS = \sqrt{(VA)^2 - (VARS)^2}$$

$$VARS = \sqrt{(VA)^2 - (WATTS)^2}$$

RELACIONES TRIGONOMÉTRICAS.

$$\theta = \text{ANG COS (FACTOR DE POTENCIA)}$$

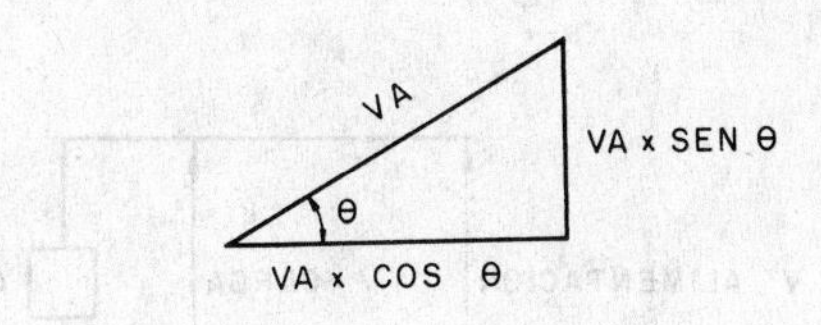

$$WATTS = VA \times \cos\theta$$

$$VARS = VA \times \text{SEN}\,\theta$$

CORRIENTE DE CARGA EN CIRCUITOS MONOFÁSICOS

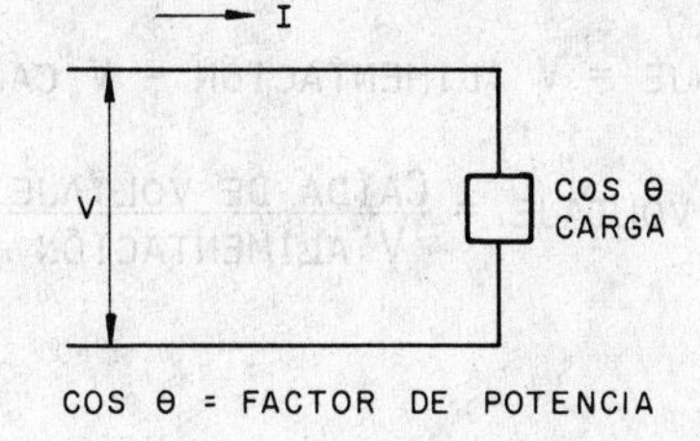

COS θ = FACTOR DE POTENCIA

$$I = \frac{\text{Potencia (watts)}}{V(\text{volts}) \times \cos\theta} \quad \text{(amperes)}$$

Corriente de carga en sistemas trifásicos balanceados (Tres o cuatro conductores).

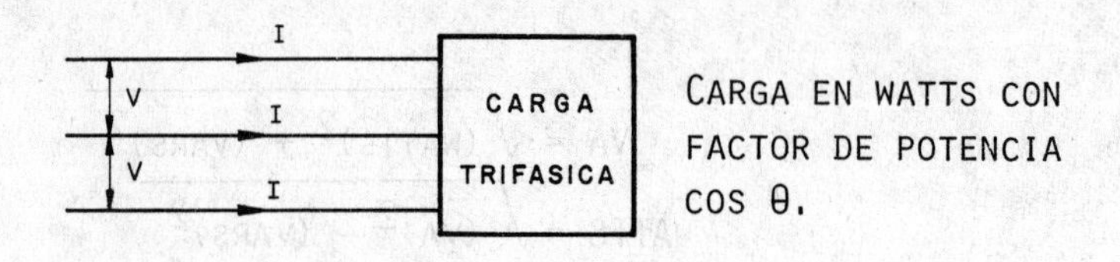

$$I = \frac{\text{Potencia: (watts)}}{\sqrt{3} \times V(\text{volts}) \times \cos\theta} \quad \text{(amperes)}$$

Caída de voltaje

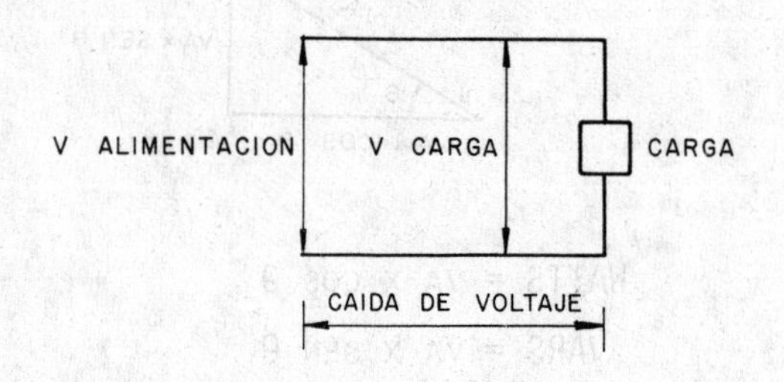

Caída de voltaje = V alimentación - V carga

$$\text{\% de caída de voltaje} = \frac{\text{Caída de voltaje}}{\text{V alimentación}} \times 100$$

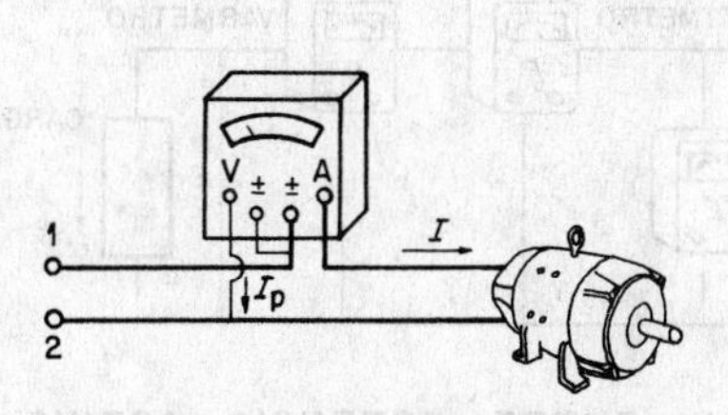

CONEXION DE UN WATTMETRO MONOFASICO

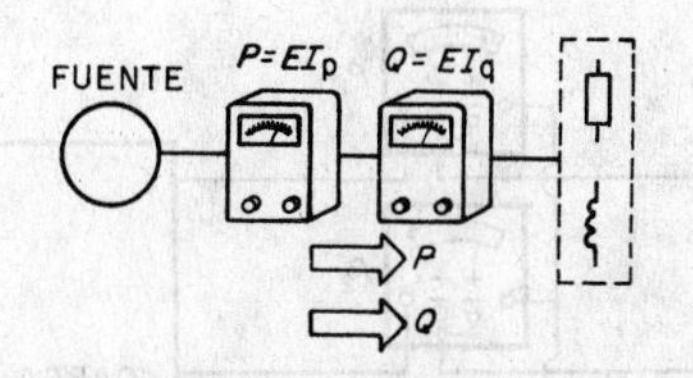

MEDICION DE POTENCIA ACTIVA Y REACTIVA MONOFASICA.

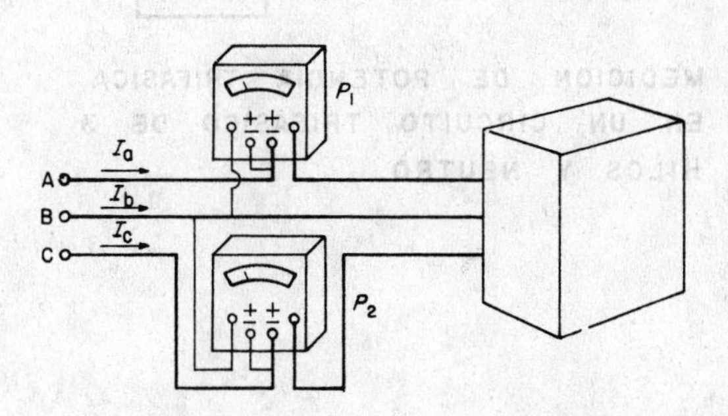

MEDICION DE POTENCIA TRIFASICA POR EL METODO DE LOS DOS WATTMETROS

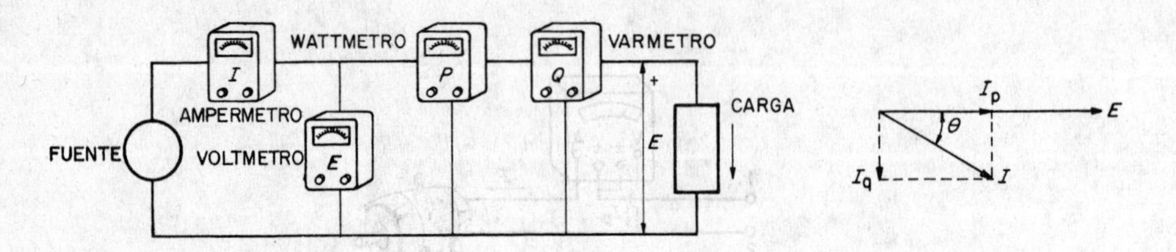

RELACION ENTRE POTENCIA ACTIVA, REACTIVA, VOLTAJE Y CORRIENTE.

- EL VOLTMETRO MIDE V (WATTS)
- EL AMPERMETRO MIDE I (AMPERES)
- EL WATTMETRO MIDE P (WATTS)
- EL VARMETRO MIDE Q (VARS)

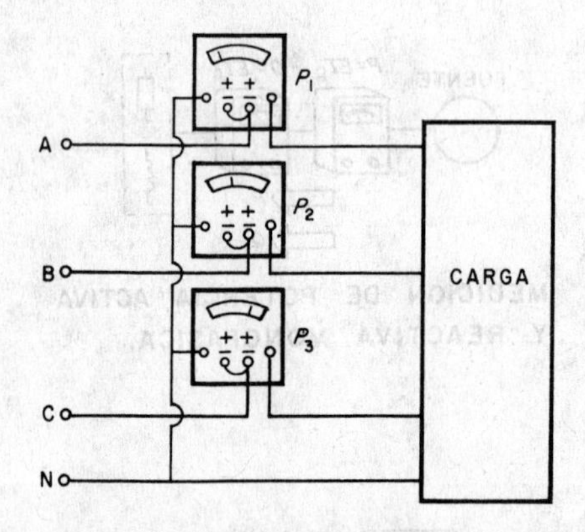

MEDICION DE POTENCIA TRIFASICA EN UN CIRCUITO TRIFASICO DE 3 HILOS Y NEUTRO.

MOTORES ELECTRICOS DE CORRIENTE ALTERNA

VELOCIDAD EN REVOLUCIONES POR MINUTO (RPM)

$$N = \frac{120\,F}{P}$$; F = FRECUENCIA EN CICLOS/SEG

P = NÚMERO DE POLOS

DESLIZAMIENTO:

$$S = \frac{No - N}{No} \times 100$$

No = VELOCIDAD DE VACÍO EN RPM

N = VELOCIDAD A PLENA CARGA (DE PLACA) EN RPM

A).- MOTORES MONOFÁSICOS.

CORRIENTE: $$I = \frac{Hp \times 746}{V \times \eta \cos\theta}$$ (AMPERES)

1 HP = 746 WATTS ; η = EFICIENCIA

POTENCIA EN LA FLECHA.

$$Hp = \frac{VI\eta \cos\theta}{746}$$

B).- MOTORES TRIFÁSICOS.

CORRIENTE:

$$I = \frac{Hp \times 746}{\sqrt{3} \times V \times \eta \cos \theta}$$

V = VOLTAJE DE LÍNEA O ENTRE FASES.

POTENCIA EN LA FLECHA.

$$Hp = \frac{\sqrt{3}\, V\, I \eta \cos \theta}{746}$$

POTENCIA EN ALGUNAS MÁQUINAS ELÉCTRICAS

APARATOS DE LEVANTAMIENTO (ASCENSORES Y MONTACARGAS).

PARA EL MOVIMIENTO VERTICAL LA POTENCIA REQUERIDA SE CALCULA COMO:

$$P = \frac{G\, V \times 10^{-2}}{\eta}$$

DONDE:

G = CARGA EN KG.

P = POTENCIA EN KW

V = VELOCIDAD DE LEVANTAMIENTO EN M/SEG.

η = RENDIMIENTO DE LA INSTALACIÓN

PARA REDUCTOR CON ENGRANES -0.7 A 0.9

PARA REDUCTOR CON BANDAS (POLEAS) 0.3 A 0.7

EL VALOR MENOR CORRESPONDE A REDUCCIONES IMPORTANTES.

SE PUEDE USAR TAMBIÉN LA EXPRESIÓN:

$$Hp = \frac{Sv}{75\eta}$$

DONDE:

Hp = POTENCIA REQUERIDA DEL MOTOR EN Hp.

S = FUERZA TANGENCIAL EN LA POLEA DE ARRASTRE EN KG.

V = VELOCIDAD TANGENCIAL DEL TAMBOR EN M/SEG.

η = RENDIMIENTO

BOMBAS ELEVADORAS.

LA POTENCIA REQUERIDA POR UNA BOMBA SE CALCULA EN FORMA APROXIMADA POR LA FÓRMULA:

$$P = \frac{Q \times H \times 10^{-2}}{\eta}$$

DONDE:

H = ALTURA MANOMÉTRICA EN METROS (M)

P = POTENCIA EN KW.

Q = CAPACIDAD DE LA BOMBA EN LITROS/SEG.

η = RENDIMIENTO DE LA BOMBA.

SE TOMA: 0.4 A 0.8 PARA BOMBAS CENTRÍFUGAS

0.6 A 0.7 PARA BOMBAS DE PISTÓN

La altura manométrica se calcula como:

$$H = H_A + H_R + P$$

Ha = Altura de aspiración (m)
Hr = Altura de recurrencia (m)
P = Pérdidas en tuberías, codos, etc. (m)

También se puede usar la fórmula simplificada:

$$H_P = \frac{Q \times H}{75\eta}$$

Donde:
Hp = Potencia de la bomba en Hp.
H = Altura de elevación del agua en m.
η = Rendimiento de la instalación (0.6 a 0.7)

Ventiladores

La potencia que demanda un ventilador se calcula en forma aproximada por la fórmula:

$$P = \frac{Q \times p \times 10^{-2}}{\eta}$$

Donde:
P = Potencia en Kw
p = Presión total en mm de agua
Q = Gasto m^3/seg.
η = Rendimiento del ventilador

0.2 a 0.3 para ventilador de hélice
0.5 a 0.75 para ventiladores centrífugos.

TABLA. I-I

FORMULAS ELECTRICAS USUALES

	CORRIENTE CONTINUA	CORRIENTE ALTERNA		
		UNA FASE	DOS FASES	TRES FASES
Amperes Conociendo H.P.	$I = \frac{H.P. \times 746}{E \times N}$	$I = \frac{H.P. \times 746}{E \times N \times f.p.}$	$I = \frac{H.P. \times 746}{2 \times E \times N \times f.p.}$	$I = \frac{H.P. \times 746}{1.732 \times E \times N \times f.p.}$
Amperes Conociendo K.W.	$I = \frac{K.W. \times 1000}{E}$	$I = \frac{K.W. \times 1000}{E \times f.p.}$	$I = \frac{K.W. \times 1000}{2 \times E \times f.p.}$	$I = \frac{K.W. \times 1000}{1.732 \times E \times f.p.}$
Amperes Conociendo K.V.A.		$I = \frac{K.V.A. \times 1000}{E}$	$I = \frac{K.V.A. \times 1000}{2 \times E}$	$I = \frac{K.V.A. \times 1000}{1.732 \times E}$
K.W.	$K.W. = \frac{I \times E}{1000}$	$K.W. = \frac{I \times E \times f.p.}{1000}$	$K.W. = \frac{I \times E \times f.p. \times 2}{1000}$	$K.W. = \frac{I \times E \times f.p. \times 1.732}{1000}$
K.V.A.		$K.V.A. = \frac{I \times E}{1000}$	$K.V.A. = \frac{I \times E \times 2}{1000}$	$K.V.A. = \frac{I \times E \times 1.732}{1000}$
Potencia en la Flecha H.P.	$H.P. = \frac{I \times E \times N}{746}$	$H.P. = \frac{I \times E \times N \times f.p.}{746}$	$H.P. = \frac{I \times E \times 2 \times N \times f.p.}{746}$	$H.P. = \frac{I \times E \times 1.732 \times N \times f.p.}{746}$
Factor de Potencia	Unitario	$f.p. = \frac{W}{E \times 1}$	$f.p. = \frac{W}{2 \times E \times I}$	$f.p. = \frac{W}{1.732 \times E \times I}$

I = Corriente en Amperes
E = Tensión entre fases en Volts
N = Eficiencia expresada en decimales (porciento)

$$R.P.M. = \frac{f \times 120}{p}$$

H.P. = Potencia en caballos (Horse Power)
f.p. = Factor de potencia
K.W. = Potencia en Kilowatts
K.V.A. = Potencia aparente en Kilo volt amperes
W. = Potencia en watts
R.P.M. = Revoluciones por minuto
f. = Frecuencia
p = Número de Polos

EJEMPLO 1.17.- UN MOTOR ELÉCTRICO MEDIANTE UN MECANISMO LEVANTA UNA MASA DE 500 KG A UNA ALTURA DE 25 M EN 10 SEGUNDOS (VER FIGURA). CALCULAR LA POTENCIA DESARROLLADA POR EL MOTOR EN KW Y EN HP.

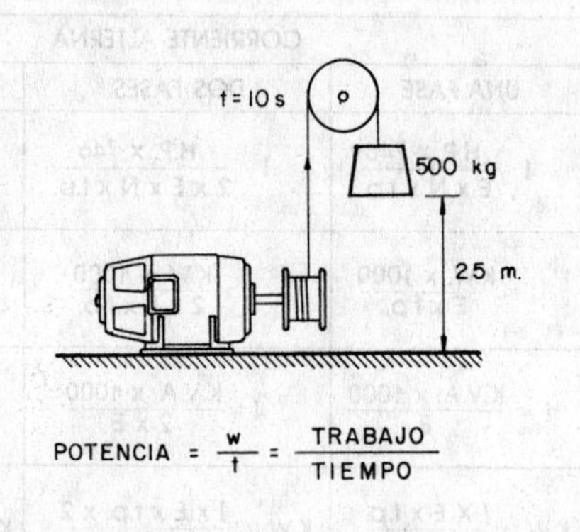

SOLUCIÓN

LA TENSIÓN EN EL CABLE ES:

$$F = 9.8\ m = 9.8x500 = 4900\ \text{NEWTON}$$

EL TRABAJO DESARROLLADO ES:

$$W = FxH = 500x25 = 125000\ \text{JOULES}$$

LA POTENCIA ES:

$$P = \frac{W}{T} = \frac{125000}{10} = 12500\ \text{WATTS}$$

EXPRESÁNDOLA EN HP.

$$P = \frac{\text{WATTS}}{746} = \frac{12500}{746} = 16.75\ \text{HP.}$$

CAPITULO 2

CONDUCTORES ELECTRICOS Y CANALIZACIONES

CAPITULO 2

CONDUCTORES ELECTRICOS Y CANALIZACIONES

2.1.- INTRODUCCIÓN.

EN CUALQUIER INSTALACIÓN ELÉCTRICA, LOS ELEMENTOS QUE CONDUCEN LA CORRIENTE ELÉCTRICA DE LAS FUENTES A LAS CARGAS O QUE INTERCONECTAN LOS ELEMENTOS DE CONTROL, SON LOS CONDUCTORES ELÉCTRICOS, POR OTRA PARTE, POR RAZONES DE PROTECCIÓN DE LOS PROPIOS CONDUCTORES Y DE SEGURIDAD, NORMALMENTE ESTOS CONDUCTORES SE ENCUENTRAN INSTALADOS DENTRO DE CANALIZACIONES ELÉCTRICAS DE DISTINTA NATURALEZA Y CUYA APLICACIÓN DEPENDE DEL TIPO DE INSTALACIÓN ELÉCTRICA DE QUE SE TRATE.

EN LA FIGURA SIGUIENTE SE MUESTRA, CON PROPÓSITOS ILUSTRATIVOS, UN DIAGRAMA DE BLOQUES EN DONDE APARECEN ALGUNAS DE LAS APLICACIONES DE LOS CONDUCTORES ELÉCTRICOS EN LAS INSTALACIONES.

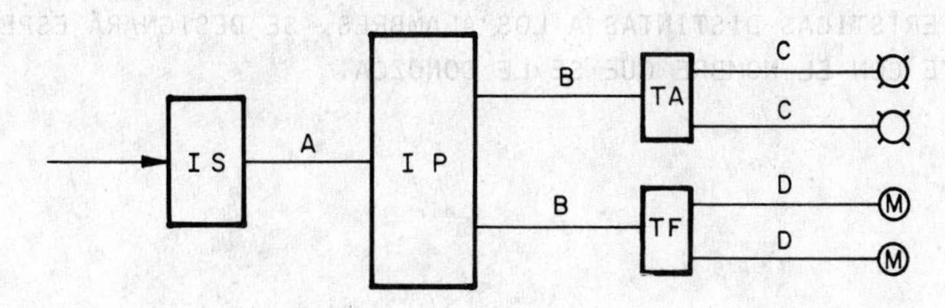

SIMBOLOGIA

CARGA DE ALUMBRADO

(M) CARGA DE MOTORES

IS = INTERRUPTOR DE SERVICIO
IP = INTERRUPTOR PRINCIPAL
TA = TABLERO DE ALUMBRADO
TF = TABLERO DE FUERZA

A = CONDUCTORES DE SERVICIO DE LA COMPAÑÍA SUMINISTRADORA AL INTERRUPTOR PRINCIPAL.

B = CONDUCTORES QUE LLEVAN LA POTENCIA DEL INTERRUPTOR PRINCIPAL AL TABLERO DE ALUMBRADO (TA) Y AL TABLERO DE FUERZA (TF).

C = CONDUCTORES QUE LLEVAN LA POTENCIA DE LOS CIRCUITOS DERIVADOS DEL TABLERO DE ALUMBRADO (TA) A LA CARGA DE ALUMBRADO.

D = CONDUCTORES QUE LLEVAN LA POTENCIA DE LOS CIRCUITOS DERIVADOS DEL TABLERO DE FUERZA (TF) A LA CARGA DE MOTORES M.

LOS ELEMENTOS QUE CONTIENEN A LOS CONDUCTORES SE CONOCEN COMO CANALIZACIONES Y SON DE DISTINTO TIPO SEGÚN LA APLICACIÓN, CONOCIÉNDOSE COMO TUBOS CONDUIT, DUCTOS, CHAROLAS, ETC.

2.2.- CONDUCTORES ELÉCTRICOS.

EN GENERAL LA PALABRA "CONDUCTOR" SE USA CON UN SENTIDO DISTINTO AL DE ALAMBRE, YA QUE POR LO GENERAL UN ALAMBRE ES DE SECCIÓN CIRCULAR, MIENTRAS QUE UN CONDUCTOR PUEDE TENER OTRAS FORMAS (POR EJEMPLO BARRAS RECTANGULARES O CIRCULARES), SIN EMBARGO, ES COMÚN QUE A LOS ALAMBRES SE LES DESIGNE COMO CONDUCTORES, POR LO QUE EN CASO DE MENCIONAR ALGÚN CONDUCTOR DE FORMA O CARACTERÍSTICAS DISTINTAS A LOS ALAMBRES, SE DESIGNARÁ ESPECÍFICAMENTE CON EL NOMBRE QUE SE LE CONOZCA.

La mayor parte de los conductores usados en las instalaciones eléctricas son de cobre (Cu) o aluminio (Al) debido a su buena conductividad y que comercialmente no tienen un -- costo alto ya que hay otros que tienen un costo elevado que hacen antieconómica su utilización en instalaciones eléctricas, aun -- cuando tienen mejor conductividad.

Comparativamente el aluminio es aproximadamente un 16% menos conductor que el cobre, pero al ser mucho más liviano que éste, resulta un poco más económico cuando se hacen estudios comparativos, ya que a igualdad de peso se tiene hasta cuatro veces más conductor que el cobre.

Como se mencionó antes, para instalaciones eléctricas se fabrican de sección curcular de material sólido o como cables dependiendo la cantidad de corriente por conducir (ampacidad) y su utilización, aunque en algunos casos se fabrican en secciones rectangulares o tubulares para altas corrientes. Desde el punto de vista de las normas, los conductores se han identificado por un número que corresponden a lo que comúnmente se conoce como el calibre y que normalmente se sigue el sistema americano de designación AWG (American Wire Gage) siendo el más grueso el número 4/0, siguiendo en orden descendente del área del conductor los números 3/0, 2/0, 1/0, 1, 2, 4, 6, 8, 10, 12, 14, 16, 18 y 20 que es el más delgado usado en instalaciones eléctricas. Para conductores con un área mayor del designado como 4/0, se hace una designación que está en función de su área en pulgadas, para lo cual se emplea una unidad denominada el <u>Circular Mil</u> siendo así como un conductor de 250 corresponderá a aquel cuya sección sea de 250,000 C M. y así sucesivamente.

Se denomina <u>Circular mil</u> a la sección de un círculo que tiene un diámetro de un milésimo de pulgada (0.001 plg.).

LA RELACIÓN ENTRE EL CIRCULAR MIL Y EL ÁREA EN MM^2 PARA UN CONDUCTOR SE OBTIENE COMO SIGUE:

$$1 \text{ PLG} = 25.4 \text{ MM}$$

$$\frac{1}{1000} \text{ PLG} = 0.0254 \text{ MM}$$

SIENDO EL CIRCULAR MIL UN ÁREA

$$1 \text{ C.M.} = \frac{D^2}{4} = \frac{3.1416x(0.0254)^2}{4}$$

$$= 5.064506 \times 10^{-4} \text{ MM}^2$$

DE DONDE:

$$1 \text{ MM}^2 = \frac{10^4}{5.064506} = 1974 \text{ CM.}$$

O EN FORMA APROXIMADA

$$1 \text{ MM}^2 = 2000 \text{ CM}$$

POR SER DE UTILIDAD PARA ALGUNAS APLICACIONES, EN LA TABLA NÚMERO 2.4 SE DAN LAS DIMENSIONES DE ALGUNOS CONDUCTORES ELÉCTRICOS.

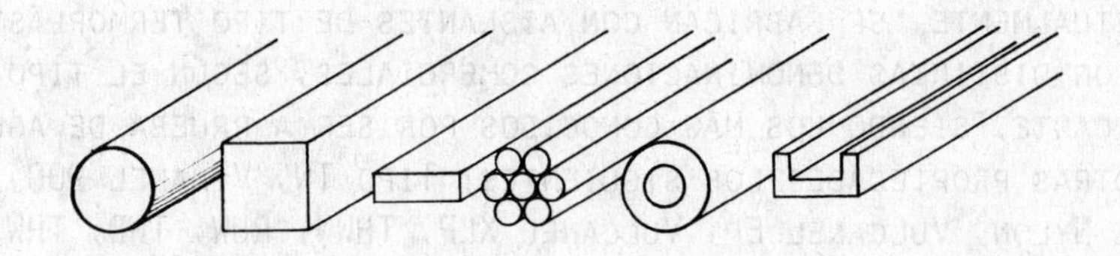

FORMAS COMERCIALES DE CONDUCTORES.

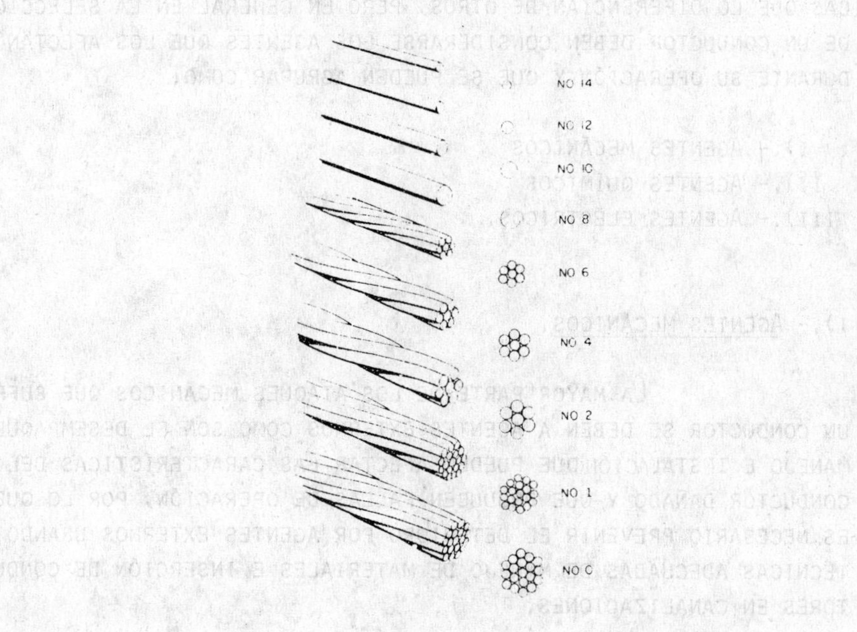

CALIBRES DE CONDUCTORES DESNUDOS

LOS CONDUCTORES EMPLEADOS EN LAS INSTALACIONES - ELÉCTRICAS ESTÁN AISLADOS, ANTIGUAMENTE LOS CONDUCTORES ELÉCTRICOS SE AISLABAN CON HULE, CONOCIÉNDOSE COMERCIALMENTE COMO TIPO R, ACTUALMENTE SE FABRICAN CON AISLANTES DE TIPO TERMOPLÁSTICO (T) CON DISTINTAS DENOMINACIONES COMERCIALES, SEGÚN EL TIPO DE FABRICANTE, SIENDO LOS MÁS CONOCIDOS POR SER A PRUEBA DE AGUA ENTRE OTRAS PROPIEDADES LOS SIGUIENTES: TIPO TW, VINANEL 900, VINANEL NYLON, VULCANEL EP, VULCANEL XLP, THWN, RUW, TWD, THW, -- PILC, V, RHH.

CADA TIPO DE CONDUCTOR TIENE PROPIEDADES ESPECÍFICAS QUE LO DIFERENCÍAN DE OTROS, PERO EN GENERAL EN LA SELECCIÓN DE UN CONDUCTOR DEBEN CONSIDERARSE LOS AGENTES QUE LOS AFECTAN - DURANTE SU OPERACIÓN Y QUE SE PUEDEN AGRUPAR COMO:

I).- AGENTES MECÁNICOS
II).- AGENTES QUÍMICOS
III).- AGENTES ELÉCTRICOS.

I).- AGENTES MECÁNICOS.

LA MAYOR PARTE DE LOS ATAQUES MECÁNICOS QUE SUFRE UN CONDUCTOR SE DEBEN A AGENTES EXTERNOS COMO SON EL DESEMPAQUE, MANEJO E INSTALACIÓN QUE PUEDEN AFECTAR LAS CARACTERÍSTICAS DEL CONDUCTOR DAÑADO Y QUE PRODUCEN FALLAS DE OPERACIÓN, POR LO QUE ES NECESARIO PREVENIR EL DETERIORO POR AGENTES EXTERNOS USANDO LAS TÉCNICAS ADECUADAS DE MANEJO DE MATERIALES E INSERCIÓN DE CONDUCTORES EN CANALIZACIONES.

LOS PRINCIPALES AGENTES QUE PUEDEN AFECTAR MECÁNICAMENTE A LOS CONDUCTORES SE PUEDEN DIVIDIR EN CUATRO CLASES:

A).- Presión mecánica

B).- Abrasión

C).- Elongación

D).- Doblez a 180°

A).- Presión mecánica.- La presión mecánica se puede presentar en el manejo de los conductores por el paso o colocación de objetos pesados sobre los conductores, su efecto puede ser una deformación permanenete del aislamiento, disminuyendo - el espesor del mismo y apareciendo fisuras que pueden provocar fallas eléctricas futuras.

B).- Abrasión.- La abrasión es un fenómeno que se presenta normalmente al introducir los conductores a las canalizaciones, cuando éstas están mal preparadas y contienen rebabas o bordes punzo-cortantes, también se puede presentar durante el manejo de los conductores en las obras civiles semiterminadas.

C).- Elongación.- El reglamento de obras e instalaciones eléctricas marca que no deben haber más de dos curvas de 90° en una trayectoria unitaria de tubería, cuando se tiene un número mayor de curvas se puede presentar el fenómeno de elongación o también cuando se trata de introducir más conductores en el tubo conduit de los permitidos por el Reglamento (Deben ocupar el 40% de la sección disponible dejando libre la sección restante).

Tratándose de conductores de cobre debe tenerse cuidado que la tensión no exceda a 7 Kg/mm^2, ya que se corre el riesgo de alargar el propio metal, creándose un problema de aumento de resistencia eléctrica por disminución en la sección del -

CONDUCTOR, POR OTRA PARTE, LA FALTA DE ADHERENCIA DEL AISLAMIENTO PROVOCADA POR EL DESLIZAMIENTO PROVOCA PUNTOS DE FALLA LATENTE.

D).- DOBLEZ A 180°.- ESTE PROBLEMA SE PRESENTA PRINCIPALMENTE POR MAL MANEJO DE MATERIAL, DE TAL FORMA QUE LAS MOLÉCULAS DEL AISLAMIENTO QUE SE ENCUENTRAN EN LA PARTE EXTERIOR ESTÁN SOMETIDAS A LA TENSIÓN Y LAS QUE SE ENCUENTRAN EN LA PARTE INTERIOR A LA COMPRENSIÓN, ESTE FENÓMENO SE CONOCE EN EL ARGOT TÉCNICO COMO LA FORMACIÓN DE "COCAS".

II).- AGENTES QUÍMICOS.

UN CONDUCTOR SE VE SUJETO A ATAQUES POR AGENTES QUÍMICOS QUE PUEDEN SER DIVERSOS Y QUE DEPENDEN DE LOS CONTAMINANTES QUE SE ENCUENTRAN EN EL LUGAR DE LA INSTALACIÓN.

ESTOS AGENTES QUÍMICOS CONTAMINANTES SE PUEDEN IDENTIFICAR EN CUATRO TIPOS GENERALES QUE SON:

- AGUA O HUMEDAD
- HIDROCARBUROS
- ACIDOS
- ALCALIS

POR LO GENERAL NO ES POSIBLE ELIMINAR EN SU TOTALIDAD LOS CONTAMINANTES DE UNA INSTALACIÓN ELÉCTRICA, LO QUE HACE NECESARIO EL USO DE CONDUCTORES ELÉCTRICOS QUE RESISTAN LOS CONTAMINANTES EN CADA INSTALACIÓN ELÉCTRICA.

LAS FALLAS POR AGENTES QUÍMICOS EN LOS CONDUCTORES SE MANIFIESTAN COMO UNA DISMINUCIÓN EN EL ESPESOR DEL AISLAMIENTO, COMO GRIETAS CON TRAZOS DE SULFATACIÓN EN EL AISLAMIENTO O POR OXIDACIÓN EN EL AISLAMIENTO, CASO TÍPICO QUE SE MANIFIESTA COMO UN DESPRENDIMIENTO EN FORMA DE ESCAMAS.

EN LA TABLA SIGUIENTE SE INDICAN ALGUNAS PROPIEDADES DE AISLAMIENTOS A LA ACCIÓN DE LOS CONTAMINANTES MÁS COMUNES.

TABLA 2.1

CARACTERISTICAS DE RESISTENCIA DE LOS CONDUCTORES DE BAJA TENSION AL ATAQUE DE AGENTES QUIMICOS

TIPO COMERCIAL	ALCALIS	ACIDOS	HUMEDAD	HIDROCARBUROS
TW	MUY BUENO	MUY BUENO	MUY BUENO	BUENO
VINANEL 900	MUY BUENO	MUY BUENO	MUY BUENO	BUENO
VINANEL NYLON	MUY BUENO	EXCELENTE	EXCELENTE	INERTE
VULCANEL EP	MUY BUENO	MUY BUENO	EXCELENTE	REGULAR
VULCANEL XLP	MUY BUENO	MUY BUENO	EXCELENTE	REGULAR

III).- AGENTES ELÉCTRICOS.

DESDE EL PUNTO DE VISTA ELÉCTRICO, LA CARACTERÍSTICA PRINCIPAL DE LOS CONDUCTORES DE BAJA TENSIÓN SE MIDE POR LA RIGIDEZ DIELÉCTRICA DEL AISLAMIENTO, QUE ES LA QUE DETERMINA LAS CONDICIONES DE OPERACIÓN MANTENIENDO LA DIFERENCIA DE POTENCIAL -

REQUERIDA DENTRO DE LOS LÍMITES DE SEGURIDAD, PERMITE SOPORTAR SOBRECARGAS TRANSITORIAS E IMPULSOS DE CORRIENTE PROVOCADOS POR CORTO CIRCUITO.

NORMALMENTE SE EXPRESA LA RIGIDEZ DIELÉCTRICA EN KV/MM Y DEPENDIENDO SI EN LA PRUEBA SE EMPLEA ELEVACIÓN RÁPIDA DE TENSIÓN O IMPULSO VARÍA SU VALOR. POR LO GENERAL, LA HABILIDAD ELÉCTRICA DE LOS AISLAMIENTOS PARA CONDUCTORES EN BAJA TENSIÓN ES DEL ORDEN DE 600 VOLTS, QUE ES LA TENSIÓN MÁXIMA A QUE ESTÁN ESPECIFICADOS, POR ESTA RAZÓN LOS CONDUCTORES EMPLEADOS EN INSTALACIONES ELÉCTRICAS DE BAJA TENSIÓN DIFÍCILMENTE FALLAN POR CAUSAS MERAMENTE ELÉCTRICAS, EN LA MAYORÍA DE LOS CASOS FALLAN POR FENÓMENOS TÉRMICOS PROVOCADOS POR SOBRECARGAS SOSTENIDAS O DEFICIENCIAS EN LOS SISTEMAS DE PROTECCIÓN EN CASO DE CORTO CIRCUITO.

EN LA TABLA SIGUIENTE SE INDICAN ALGUNAS PROPIEDADES DE LOS CONDUCTORES ELÉCTRICOS COMERCIALES DESDE EL PUNTO DE VISTA DE LA RIGIDEZ DIELÉCTRICA DE SUS AISLAMIENTOS.

TABLA 2.2.

RIGIDEZ DIELECTRICA DE LOS AISLAMIENTOS USADOS EN CONDUCTORES DE BAJA TENSION

IDENTIFICACION COMERCIAL	KV/MM C.A. ELEVACION RAPIDA	KW/MM C.D. IMPULSO
TW	12	40
VINANEL 900	12	40
VINANEL NYLON	15	45
VULCANEL EP	18	54
VULCANEL XLP	20	60

2.3.- CALIBRE DE CONDUCTORES.

LOS CALIBRES DE CONDUCTORES DAN UNA IDEA DE LA SECCIÓN O DIÁMETRO DE LOS MISMOS Y SE DESIGNAN USANDO EL SISTEMA AMERICANO DE CALIBRES (AWG) POR MEDIO DE UN NÚMERO AL CUAL SE HACE REFERENCIA PARA SUS OTRAS CARACTERÍSTICAS COMO SON DIÁMETRO, ÁREA, RESISTENCIA, ETC., LA EQUIVALENCIA EN MM^2 DEL ÁREA SE DEBE HACER EN FORMA INDEPENDIENTE DE LA DESIGNACIÓN USADA POR LA AMERICAN WIRE GAGE (AWG). EN NUESTRO CASO SIEMPRE SE HARÁ REFERENCIA A LOS CONDUCTORES DE COBRE.

ES CONVENIENTE NOTAR QUE EN EL SISTEMA DE DESIGNACIÓN DE LOS CALIBRES DE CONDUCTORES USADO POR LA AWG, A MEDIDA QUE EL NÚMERO DE DESIGNACIÓN ES MÁS GRANDE LA SECCIÓN ES MENOR.

EN LA FIGURA SIGUIENTE SE DA UNA IDEA DE LOS TAMAÑOS DE LOS CONDUCTORES SIN AISLAMIENTO.

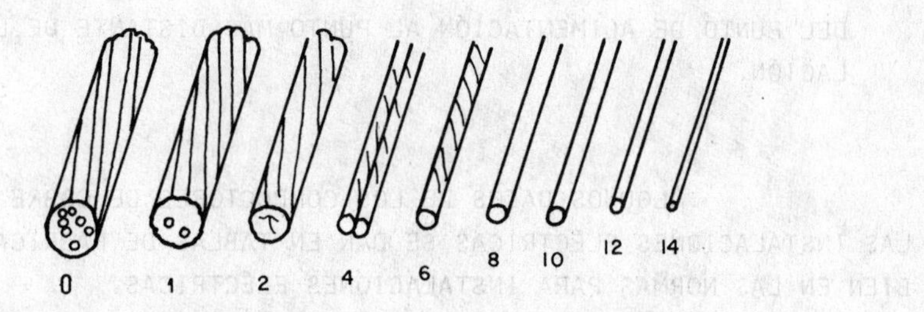

CALIBRES DE CONDUCTORES DESNUDOS DESIGNACION AWG

2.3.1.- SELECCIÓN DEL CALIBRE DE CONDUCTORES PARA INSTALACIONES ELÉCTRICAS DE BAJA TENSIÓN.

LOS CONDUCTORES USADOS EN LAS INSTALACIONES ELÉCTRICAS DEBEN CUMPLIR CON CIERTOS REQUISITOS PARA SU APLICACIÓN COMO SON:

1.- LÍMITE DE TENSIÓN DE APLICACIÓN, EN EL CASO DE LAS INSTALACIONES RESIDENCIALES ES 1000 V.

2.- CAPACIDAD DE CONDUCCIÓN DE CORRIENTE (AMPACIDAD) QUE REPRESENTA LA MÁXIMA CORRIENTE QUE PUEDE CONDUCIR UN CONDUCTOR PARA UN CALIBRE DADO Y QUE ESTÁ AFECTADA PRINCIPALMENTE POR LOS SIGUIENTES FACTORES:

A).- TEMPERATURA

B).- CAPACIDAD DE DISIPACIÓN DEL CALOR PRODUCIDO POR LAS PÉRDIDAS EN FUNCIÓN DEL MEDIO EN QUE SE ENCUENTRE EL CONDUCTOR, ES DECIR, AIRE O EN TUBO CONDUIT.

3.- MÁXIMA CAÍDA DE VOLTAJE PERMISIBLE DE ACUERDO CON EL CALIBRE DEL CONDUCTOR Y LA CORRIENTE QUE CONDUCIRÁ, SE DEBE RESPETAR LA MÁXIMA CAÍDA DE VOLTAJE PERMISIBLE RECOMENDADA POR EL REGLAMENTO DE OBRAS E INSTALACIONES ELÉCTRICAS Y QUE ES DEL 3% DEL PUNTO DE ALIMENTACIÓN AL PUNTO MÁS DISTANTE DE LA INSTALACIÓN.

ALGUNOS DATOS DE LOS CONDUCTORES DE COBRE USADOS EN LAS INSTALACIONES ELÉCTRICAS SE DAN EN TABLAS DE FABRICANTES, O BIEN EN LAS NORMAS PARA INSTALACIONES ELÉCTRICAS.

2.3.2.- CÁLCULO DE CONDUCTORES POR CAPACIDAD DE CONDUCCIÓN DE CORRIENTE.

LA CAPACIDAD DE CONDUCCIÓN DE UN CONDUCTOR (AMPACIDAD) SE ENCUENTRA LIMITADA POR LOS SIGUIENTES FACTORES:

- CONDUCTIVIDAD DEL METAL CONDUCTOR
- CAPACIDAD TÉRMICA DEL AISLAMIENTO.

DESDE EL PUNTO DE VISTA DE CONDUCTIVIDAD SE HAN ELABORADO TABLAS QUE DAN LA RESISTENCIA ELÉCTRICA DE LOS CONDUCTORES DE COBRE, FACTOR QUE ES MUY IMPORTANTE EN VIRTUD DE QUE DETERMINA LAS PÉRDIDAS DE POTENCIA ELÉCTRICA AL PASO DE LA CORRIENTE, SEGÚN LA FÓRMULA:

$$W = RI^2$$

DONDE: R = RESISTENCIA ELÉCTRICA EN OHMS
I = CORRIENTE ELÉCTRICA EN AMPERES
W = POTENCIA EN WATTS

ESTA POTENCIA POR UN PERÍODO DE TIEMPO DETERMINADO ES UNA ENERGÍA QUE SE DISIPA EN FORMA DE CALOR.

POR OTRA PARTE, SE SABE QUE LA RESISTENCIA ELÉCTRICA DE LOS CONDUCTORES VARÍA POR LA TEMPERATURA, Y LOS DATOS DE RESISTENCIA NORMALMENTE ESTÁN DADOS PARA UNA TEMPERATURA DE 60°C, POR LO QUE AL CALCULAR LA RESISTENCIA DE UN CONDUCTOR A CUALQUIER OTRA TEMPERATURA SE DEBE CORREGIR MEDIANTE LA FÓRMULA:

$$R_T = R_{60°C}\,[1 + \alpha\,(T - 60)]$$

DONDE:

R_T = RESISTENCIA A LA TEMPERATURA DESEADA
T = TEMPERATURA CONSIDERADA
α = COEFICIENTE DE CORRECCIÓN EN OHMS/°C EN EL CASO DEL COBRE SU VALOR ES 0.00385.

Es conveniente aquí recordar también que los valores de resistencia indicados en las tablas están dados para una co-- rriente directa, y que cuando una corriente alterna circula por un conductor se produce lo que se conoce como el Efecto Superficial debido a que se desarrolla una tensión por efecto de la inducción que es mayor en la parte central del conductor que en la superficie produciendo el efecto de una corriente en sentido contrario a la corriente normal que circula por el conductor, manifestándose esto como un aumento de resistencia.

De lo anterior se deduce que la resistencia de un - conductor cuando circula por él una corriente alterna es mayor -- que cuando circula una corriente directa, debido a esto se han obtenido factores de corrección para obtener los valores de resistencia en corriente alterna a partir de los valores de resistencia en corriente directa.

Como se expresó anteriormente, las pérdidas RI^2 se manifiestan en forma de calor que a su vez influye directamente en el aislamiento del conductor, factor que es muy importante ya que determina la termperatura máxima de operación a régimen permanente de un conductor, en la siguiente tabla se indican estas temperaturas para algunos conductores comerciales en baja tensión.

TABLA 2.3.

TEMPERATURA MAXIMA DE OPERACION A REGIMEN PERMANENTE DE LOS CONDUCTORES DE BAJA TENSION.

T.W.	60°C EN AMBIENTE SECO	60°C EN AMBIENTE MOJADO
VINANEL 900	90°C EN AMBIENTE SECO	75°C EN AMBIENTE MOJADO
VINANEL NYLON	90°C EN AMBIENTE SECO	75°C EN AMBIENTE MOJADO
VULCANEL EP	90°C EN AMBIENTE SECO	75°C EN AMBIENTE MOJADO
VULCANEL XLP	90°C EN AMBIENTE SECO	75°C EN AMBIENTE MOJADO

De lo anterior se deduce que la capacidad de conducción de corriente de un conductor está íntimamente ligada a la capacidad del aislamiento a las temperaturas elevadas, esto considerando también que por lo general los conductores se encuentran dentro de canalizaciones en las instalaciones eléctricas, que se comportan como emisoras de calor y también por temperaturas ambientes superiores a los 40°C.

Teóricamente un conductor desnudo soportado por aisladores de porcelana puede transmitir una gran corriente, hasta el punto en que por efecto Joule se alcance la temperatura de fusión del material, en realidad esto no ocurre, ya que los conductores conducen la corriente prmisible de acuerdo a su capacidad, pero en el caso de sobrecargas el calor producido es disipado por el aire circundante al conductor.

EN EL CASO DE LAS INSTALACIONES ELÉCTRICAS DE BAJA TENSIÓN, LOS CONDUCTORES SE ENCUENTRAN ALOJADOS EN UN MEDIO DE - CANALIZACIÓN EN DONDE ADEMÁS SE ENCUENTRAN ALOJADOS OTROS CONDUCTORES, CONSIDEREMOS COMO EJEMPLO UN TUBO CONDUIT, EN ESTE CASO EL CALOR GENERADO TIENDE A DISIPARSE EN EL MEDIO ENVOLVENTE, ES DECIR, EL PROPIO AISLAMIENTO DEL CONDUCTOR, EL AISLAMIENTO DE LOS CONDUCTORES VECINOS, EL AIRE QUE ESTÁ CONTENIDO EN EL TUBO MISMO. EN - ESTE CASO EL CALOR GENERADO EN EL CASO DE SOBRECARGAS PERMANENTES DESTRUIRÁ A LOS AISLAMIENTOS MUCHO ANTES QUE EL MATERIAL CONDUCTOR LLEGUE A SU TEMPERATURA DE FUSIÓN, DEBIDO A QUE LA CAPACIDAD TÉRMICA DEL AISLAMIENTO ES MUCHO MENOR QUE LA DEL CONDUCTOR, POR LO QUE ES MUY IMPORTANTE LIMITAR LA TEMPERATURA DE TRABAJO DE LOS CONDUCTORES HASTA EL PUNTO EN QUE EL CALOR QUE SE GENERA NO LLEGUE A LA TEMPERATURA DE FUSIÓN DE LOS AISLAMIENTOS, ES DECIR, QUE SIEMPRE SE DEBE TRABAJAR AL CONDUCTOR ABAJO DE LA TEMPERATURA DE FUSIÓN DEL AISLAMIENTO.

DESDE EL PUNTO DE VISTA TEÓRICO SE PUEDEN ESTABLECER LAS BASES PARA EL CÁLCULO DEL CALIBRE DEL CONDUCTOR DE ACUERDO CON SU CAPACIDAD DE CONDUCCIÓN DE CORRIENTE, CONSIDERANDO EL EFECTO TÉRMICO EN LOS TÉRMINOS QUE SE DESCRIBIÓ ANTERIORMENTE. ESTE CÁLCULO ESTABLECE UNA ANALOGÍA CON LA LEY DE OHM PARA CIRCUITOS ELÉCTRICOS, Y A SEMEJANZA DE LA ECUACIÓN CONOCIDA PARA LA - LEY DE OHM QUE EXPRESA LA CAÍDA DE VOLTAJE EN UN CIRCUITO (V) -- CUANDO CIRCULA UNA CORRIENTE (I) A TRAVÉS DE UNA RESISTENCIA (R).

$$V = RI$$

SE TIENE UNA ECUACIÓN PARA UN MEDIO EN EL CUAL ESTÁ CIRCULANDO -- CALOR Y QUE ESTABLECE QUE UN INCREMENTO DE TEMPERATURA ES IGUAL AL CALOR CIRCUNDANTE EN EL MEDIO MULTIPLICADO POR LA RESISTENCIA TÉRMICA DEL MISMO Y QUE SE EXPRESA COMO:

$$\Delta T = R_X W$$

DONDE: T = INCREMENTO O CAÍDA DE TEMPERATURA EN °C

W = CALOR CIRCULANTE EN WATTS/M

RX = RESISTENCIA TÉRMICA DEL MEDIO EN $\frac{°C - M}{WATT}$

SUPONIENDO EL CASO DE UN CONDUCTOR AISLADO DENTRO DE UN TUBO CONDUIT Y QUE LA TEMPERATURA AMBIENTE TA ES MENOR QUE LA PRODUCIDA POR EL CONDUCTO TC, ENTONCES EL CALOR FLUYE DEL CONDUCTOR HACIA EL MEDIO AMBIENTE PASANDO POR SU AISLAMIENTO, EL AIRE CONTENIDO EN EL TUBO Y EL TUBO MISMO. CADA UNO DE ESTOS ELEMENTOS TENDRÁ UNA RESISTENCIA AL PASO DEL CALOR DE ACUERDO CON SUS CARACTERÍSTICAS PROPIAS.

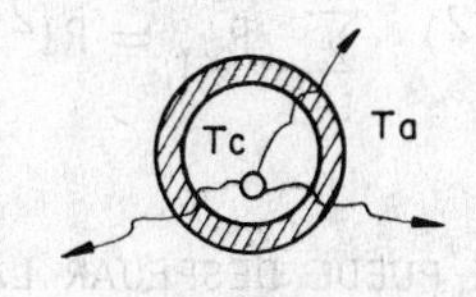

LA VARIACIÓN DE LA TEMPERATURA DESDE EL PUNTO MÁS CALIENTE HASTA EL PUNTO MÁS FRÍO ESTÁ DADA COMO:

$$\Delta T = T_C - T_A$$

EN EL CALOR QUE SE PRODUCE EL CONDUCTOR ES EXCLUSIVAMENTE EL DEBIDO AL EFECTO JOULE.

$$W = RI^2 \ \frac{WATTS}{M}$$

DONDE: R = RESISTENCIA DEL CONDUCTOR EN $\frac{OHMS}{M}$

I = CORRIENTE QUE CIRCULA POR EL CONDUCTOR EN AMPERES.

LA RESISTENCIA TÉRMICA RX ES LA SUMA DE LAS RESISTENCIAS TÉRMICAS DE LOS DISTINTOS MEDIOS DESDE EL PUNTO MÁS CALIENTE HASTA EL PUNTO MÁS FRÍO.

$$R_X = R_{X1} + R_{X2} + R_{XN} = \sum_{I=1}^{N} R_{XI}$$

DE LAS ECUACIONES ANTERIORES SE TIENE:

$$T_C - T_A = (RI^2) \cdot \sum_{I=1}^{N} R_{XI} = RI^2 \cdot R_X$$

DE LA EXPRESIÓN ANTERIOR SE PUEDE DESPEJAR LA CORRIENTE I, QUE REPRESENTA EL VALOR ADMISIBLE DE CORRIENTE EN EL CONDUCTOR.

$$\boxed{I = \sqrt{\frac{T_C - T_A}{R \cdot R_X}}}$$

SI SE EXPRESA LA RESISTENCIA DEL CONDUCTOR COMO:

$$R = \rho \frac{L}{S}$$

DONDE: ρ = RESISTIVIDAD EN $\frac{\Omega - M}{MM^2}$

L = LONGITUD EN M

S = SECCIÓN EN MM^2

LA ECUACIÓN ANTERIOR SE PUEDE ESCRIBIR COMO:

$$I = \sqrt{\frac{\Delta(T_C - T_A)}{\rho X R}}$$

CON ECUACIONES COMO LAS ANTERIORES SE PUEDEN PREFIJAR LA TEMPERATURA DE OPERACIÓN DESEADA Y CALCULAR LA CORRIENTE ADMISIBLE DE UN CONDUCTOR PARA UN CALIBRE DETERMINADO Y QUE APARECEN EN TABLAS DE CARACTERÍSTICAS DE CONDUCTORES, YA SEA DE NORMA O DE FABRICANTES.

2.3.3.- NÚMERO DE CONDUCTORES EN UN TUBO CONDUIT.

NORMALMENTE LOS CONDUCTORES EN LAS INSTALACIONES -- ELÉCTRICAS SE ENCUENTRAN ALOJADOS YA SEA EN TUBOS CONDUIT O EN OTROS TIPOS DE CANALIZACIONES. COMO SE HA MENCIONADO, LOS CONDUCTORES ESTÁN LIMITADOS EN SU CAPACIDAD DE CONDUCCIÓN DE CORRIENTE POR EL CALENTAMIENTO, DEBIDO A LAS LIMITACIONES QUE SE TIENEN EN LA DISIPACIÓN DE CALOR Y A QUE EL AISLAMIENTO MISMO PRESENTA TAMBIÉN LIMITACIONES DE TIPO TÉRMICO.

DEBIDO A ESTAS RESTRICCIONES TÉRMICAS, EL NÚMERO DE CONDUCTORES DENTRO DE UN TUBO CONDUIT SE LIMITA DE MANERA TAL QUE PERMITA UN ARREGLO FÍSICO DE CONDUCTORES DE ACUERDO A LA SECCIÓN DEL TUBO CONDUIT O DE LA CANALIZACIÓN, FACILITANDO SU ALOJAMIENTO Y MANIPULACIÓN DURANTE LA INSTALACIÓN. PARA OBTENER LA CANTIDAD DE AIRE NECESARIA PARA DISIPAR EL CALOR, SE DEBE ESTABLECER LA RELACIÓN ADECUADA ENTRE LA SECCIÓN DEL TUBO Y LA DE LOS CONDUCTORES, PARA ESTO SE PUEDE PROCEDER EN LA FORMA SIGUIENTE:

SI A ES EL ÁREA INTERIOR DEL TUBO EN MM^2 O PLG^2 Y A_C ES EL ÁREA TOTAL DE LOS CONDUCTORES, EL FACTOR DE RELLENO ES:

$$F = \frac{A}{A}$$

ESTE FACTOR DE RELLENO TIENE LOS SIGUIENTES VALORES ESTABLECIDOS PARA INSTALACIONES EN TUBOS CONDUIT.

F =
- 53% PARA UN CONDUCTOR
- 31% PARA DOS CONDUCTORES
- 43% PARA TRES CONDUCTORES
- 40% PARA CUATRO O MÁS CONDUCTORES

EN LAS TABLAS QUE SE DAN A CONTINUACIÓN SE MUESTRAN ALGUNAS DE LAS CARACTERÍSTICAS DE CONDUCTORES ELÉCTRICOS QUE SON IMPORTANTES PARA SU CORRECTA APLICACIÓN EN LAS INSTALACIONES. ESTAS CARACTERÍSTICAS PUEDEN TENER LIGERAS VARIACIONES DEPENDIENDO DEL FABRICANTE DEL CONDUCTOR, PERO EN GENERAL, SON APLICABLES EN LA MISMA FORMA Y LOS RESULTADOS PRÁCTICAMENTE SON LOS MISMOS.

EJEMPLO 2.1.- PARA LOS CONDUCTORES R, T, X DADOS EN LA TABLA -- 2.3:

A).- CÚAL SE PUEDE RECOMENDAR PARA USAR A 75°C EN AMBIENTES SECOS Y HÚMEDOS .

B).- CÚAL SE PUEDE USAR A 90°C EN AMBIENTE SECO.

SOLUCIÓN

A).- PARA 75°C EN AMBIENTE SECO Y HÚMEDO SE PUEDEN USAR LOS CONDUCTORES:

XHHW, THWN, THW Y RHW

b).- Para 90°C en un ambiente seco se pueden usar conductores:

RHH, THHN, XHHW

Ejemplo 2.2.- Calcular el calibre de los conductores tipo TW y el tamaño del tubo conduit para una alimentación monofásica con dos conductores que llevan una corriente de 60 Amp. a 30°C.

Solución

De la tabla 2.7., para dos conductores con 70A, se entra en la columna correspondiente a 1 a 3 conductores y se busca en el cuerpo de la tabla el valor próximo a 60 A que es el inmediato superior de 70 A y en la columna de la izquierda se observa que el calibre del conductor es el No. 4.

Si se considera que los conductores se alojarán en tubo conduit, de la tabla 2.6., se entra en la columna correspondiente al calibre del conductor, (No. 4) y se busca en el cuerpo de la tabla el número de conductores considerado o el más próximo a éste, encontrando en este caso 3, que en la parte superior de la columna requerida de un tubo conduit de 25mm (1 pulgada).

Ejemplo 2.3.- Calcular el calibre de los conductores Vinanel 900 y el tamaño del tubo conduit que contendrá a un alimentador trifásico con 4 conductores, 3 de corriente y 1 neutro, que va a conducir 28 amperes por fase a una temperatura ambiente de 40°C.

SOLUCIÓN

DE LA TABLA 2.7 PARA UNA TEMPERATURA DE 30°C SE DAN LAS CAPACIDADES DE CORRIENTE, Y AL FINAL DE LA MISMA TABLA LOS FACTORES DE CORRECCIÓN POR TEMPERATURA, POR LO QUE PARA 40°C PARA 4 CONDUCTORES EN UN TUBO CONDUIT, EL FACTOR DE CORRIENTE ES:

$$F.C. = 0.82$$

ES DECIR, QUE CON ESTE FACTOR LA CORRIENTE EQUIVALENTE ES:

$$I_{40°C} = \frac{I_{30°C}}{F.C.} = \frac{28}{0.82} = 34.14 \text{ AMPERES}$$

ENTRANDO AHORA EN LA TABLA 2.7 EN LA COLUMNA CORRESPONDIENTE A 4 A 6 CONDUCTORES Y ENCONTRANDO EN EL CUERPO DE LA TABLA LA CORRIENTE MÁS PRÓXIMA (INMEDIATA SUPERIOR A 34.14 A), QUE ES 36 A, SE ENCUENTRA QUE EL CALIBRE DE CONDUCTOR VINANEL 900 DEBE SER EL No.6.

DE LA TABLA 2.6, PARA 4 CONDUCTORES No.6 EL TUBO CONDUIT DEBE SER DE 25 MM (1 PLG.).

EJEMPLO 2.4.- CALCULAR EL TAMAÑO DE TUBO CONDUIT NECESARIO PARA CONTENER A LOS SIGUIENTES CONDUCTORES TIPO VINANEL 900. 2 No. 10, 4 No. 8, 3 No. 6.

SOLUCIÓN

CUANDO SE TRATA DE VARIOS CONDUCTORES SE DEBE HACER USO DEL CONCEPTO DE FACTOR DE RELLENO, PARA LO CUAL ES NECESARIO CONOCER EL ÁREA DE CADA CONDUCTOR, PARA CALCULAR EL ÁREA TOTAL DE LOS MISMOS. PARA ESTO SE HACE USO DE LA TABLA 2.5 Y SE PROCEDE COMO SIGUE:

CANTIDAD DE CONDUCTORES	CALIBRE AWG	AREA POR CONDUCTOR (MM^2)	AREA TOTAL MM^2
2	10	5.2610	10.522
4	8	8.3670	33.468
3	6	13.3030	39.909
TOTAL DE CONDUCTORES = 7			83.899

PARA 7 CONDUCTORES EL FACTOR DE RELLENO ES PARA MÁS DE 3 CONDUCTORES = 40%.

EL ÁREA DEL TUBO CONDUIT NECESARIA ES:

$$A = \frac{Ac}{F} = \frac{83.899}{0.40} = 209.7475 \text{ MM}^2$$

EL TAMAÑO DEL TUBO CONDUIT REQUERIDO CONSULTANDO LAS TABLAS DE DIMENSIONES DE TUBO CONDUIT ES DE 19 MM DE DIÁMETRO -- (3/4 PLG).

EJEMPLO 2.5.- EN UN TUBO CONDUIT PVC RÍGIDO DEL TIPO PESADO SE LLEVAN LOS SIGUIENTES CONDUCTORES:

- UN ALIMENTADOR TRIFÁSICO DE 3 CONDUCTORES VINANEL 900 QUE LLEVAN UNA CORRIENTE DE 125 AMPERES A 40°C
- UN ALIMENTADOR MONOFÁSICO CON 2 CONDUCTORES TW - QUE LLEVAN UNA CORRIENTE DE 30 AMPERES A LA TEMPERATURA AMBIENTE.

SOLUCIÓN

PARA CONDUCTOR VINANEL 900 CON 1 A 3 CONDUCTORES UN TUBO CONDUIT DE LA TABLA 2.7 A 40°C EL FACTOR DE CORRECCIÓN ES F = 0.88

PARA 1 A 3 CONDUCTORES TW A 40°C DE TEMPERATURA, EL FACTOR DE CORRECCIÓN ES F = 0.82, LAS CORRIENTES A ESTÁ TEMPERATURA PARA LOS DOS ALIMENTADORES ES:

PARA EL ALIMENTADOR TRIFÁSICO:

$$I_{40°C} = \frac{125}{0.88} = 142 \text{ AMPERES}$$

PARA EL ALIMENTADOR MONOFÁSICO:

$$I_{40°C} = \frac{30}{0.82} = 36.58 \text{ AMPERES}$$

DE LA TABLA 2.12 PARA 3 CONDUCTORES CON 142 AMPERES SE REQUIERE CONDUCTOR 1/0 AWG PARA EL ALIMENTADOR MONOFÁSICO CON 36.58 AMPERES SE REQUIERE CONDUCTOR NO. 8 AWG.

2.3.4.- CÁLCULO DE LOS CONDUCTORES POR CAÍDA DE VOLTAJE.

EL VOLTAJE EN LAS TERMINALES DE LA CARGA ES POR LO GENERAL MENOR QUE EL VOLTAJE DE ALIMENTACIÓN, LA DIFERENCIA DE -- VOLTAJE ENTRE ESTOS DOS PUNTOS SE CONOCE COMO "LA CAÍDA DE VOLTAJE". LAS NORMAS TÉCNICAS PARA INSTALACIONES ELÉCTRICAS RECOMIENDAN QUE LA MÁXIMA CAÍDA DE VOLTAJE (DESDE LA ALIMENTACIÓN HASTA - LA CARGA) NO DEBE EXCEDER AL 5%; 3% SE PERMITE A LOS CIRCUITOS - DERIVADOS (DEL TABLERO O INTERRUPTOR A LA SALIDA PARA UTILIZACIÓN) Y EL OTRO 2% SE PERMITE AL ALIMENTADOR (DE LA ALIMENTACIÓN AL TABLERO PRINCIPAL).

UNA CAÍDA DE VOLTAJE EXCESIVA (MAYOR DEL 5%) CONDUCE A RESULTADOS INDESEABLES DEBIDO A QUE EL VOLTAJE EN LA CARGA - SE REDUCE. EN LAS LÁMPARAS INCANDESCENTES SE REDUCE NOTABLEMENTE EL NIVEL DE ILUMINACIÓN, EN LAS LÁMPARAS FLUORESCENTES SE TIENEN PROBLEMAS, COMO DIFICULTAD PARA ARRANCAR, PARPADEO, CALENTAMIENTO DE LAS BALASTRAS, ETC., EN EL EQUIPO DE CONTROL, LOS REVELADORES PUEDEN NO OPERAR; EN LOS MOTORES LA REDUCCIÓN DE VOLTAJE SE TRADUCE EN UN INCREMENTO EN LA CORRIENTE, LO CUAL PRODUCE SOBRECALENTAMIENTO Y ALGUNAS VECES CAUSA PROBLEMAS DE ARRANQUE, POR ESTA RAZÓN NO ES SUFICIENTE CALCULAR LOS CONDUCTORES POR CORRIENTE, ES - DECIR, SELECCIONAR EL CALIBRE DE UN CONDUCTOR DE ACUERDO CON LA CORRIENTE QUE CIRCULARÁ POR ÉL. TAMBIÉN ES NECESARIO QUE LA CAÍDA DE VOLTAJE EN EL CONDUCTOR NO EXCEDA LOS VALORES ESTABLECIDOS POR EL REGLAMENTO DE OBRAS E INSTALACIONES ELÉCTRICAS (QUE SON 2% CAÍDA DE VOLTAJE EN INSTALACIONES RESIDENCIALES Y UN MÁXIMO DE 5% EN INSTALACIONES INDUSTRIALES, DESDE EL PUNTO DE ALIMENTACIÓN HASTA EL ÚLTIMO PUNTO).

PARA ESTAR SEGUROS DE QUE LAS CAÍDAS DE VOLTAJE NO EXCEDAN ESOS VALORES ES NECESARIO CALCULAR LAS CAÍDAS DE VOLTAJE EN LOS CIRCUITOS DERIVADOS Y EN LOS ALIMENTADORES.

EN LAS FÓRMULAS QUE SE DESARROLLARÁN A CONTINUACIÓN, SE EMPLEARÁ LA SIGUIENTE NOMENCLATURA:

W = POTENCIA EN WATTS

I = CORRIENTE EN AMPERES POR CONDUCTOR

V_F = VOLTAJE ENTRE FASES

V_N = VOLTAJE DE LÍNEA A NEUTRO

$\cos\theta$ = FACTOR DE POTENCIA

R = RESISTENCIA DE UN CONDUCTOR EN OHMS

ρ = RESISTIVIDAD DEL COBRE 1/58 (M/MM^2) $\approx$ 1/50

L = LONGITUD DEL CONDUCTOR EN METROS

s = SECCIÓN DEL CONDUCTOR EN MM^2

e = CAÍDA DE VOLTAJE DE FASE A NEUTRO EN VOLTS

e_F = CAÍDA DE VOLTAJE ENTRE FASES, EN VOLTS

$e\%$ = CAÍDA DE VOLTAJE EN PORCIENTO.

$$e\% = \frac{e \times 100}{V_N} = \frac{e_F \times 100}{V_F}$$

2.3.5.- SISTEMAS MONOFÁSICOS.

EL ESTUDIO DE LA CAÍDA DE VOLTAJE SE PUEDE EFECTUAR PARA CASOS ESPECÍFICOS, SIMILARES A LOS QUE SE TIENEN EN LAS INSTALACIONES ELÉCTRICAS, PERO EL CONCEPTO GENERAL ES EL MISMO USADO EN CIRCUITOS ELÉCTRICOS. CONSIDÉRESE EL SIGUIENTE CIRCUITO SIMPLIFICADO.

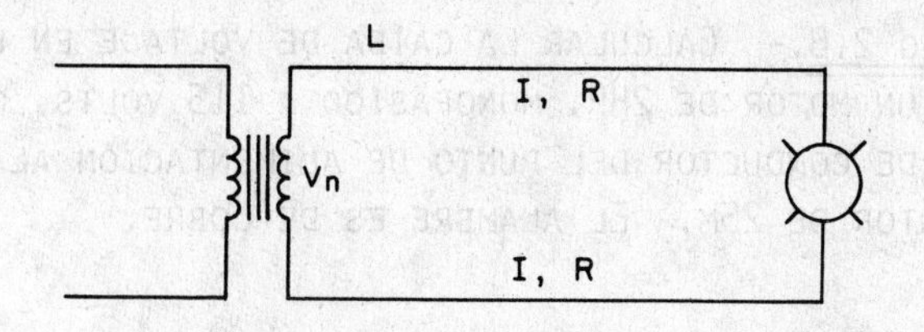

CIRCUITO MONOFASICO SIMPLIFICADO

LA POTENCIA QUE CONSUME LA CARGA ES:

$$W = V_N \, I \cos \emptyset$$

$$I = \frac{W}{V_N \cos \emptyset}$$

LA CAÍDA DE VOLTAJE POR RESISTENCIA EN EL CONDUCTOR ES:

$$E = 2\,RI$$

LA RESISTENCIA DEL CONDUCTOR ES:

$$R = \frac{\rho L}{S} = \frac{1}{50}\,\frac{L}{S}$$

DE DONDE:

$$\boxed{E = \frac{1}{25}\,\frac{LI}{S}}$$

$$\boxed{E\% = \frac{LI}{25\,S}\,\frac{100}{V_N} = 4\,\frac{LI}{V_N\,S}}$$

EJEMPLO 2.6.- CALCULAR LA CAÍDA DE VOLTAJE EN EL CIRCUITO DERIVADO DE UN MOTOR DE 2HP, MONOFÁSICO A 115 VOLTS, QUE TIENE UNA LONGITUD DE CONDUCTOR DEL PUNTO DE ALIMENTACIÓN AL PUNTO DE CONEXIÓN DEL MOTOR DE 25M. EL ALAMBRE ES DE COBRE.

SOLUCIÓN

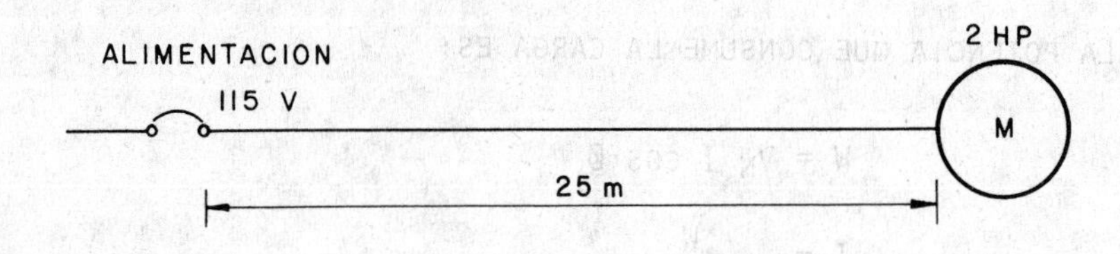

PARA UN MOTOR MONOFÁSICO DE 2HP A 115 VOLTS, LA CORRIENTE A PLENA CARGA ES:

$$I_{PC} = 24 \text{ A}$$

$$1.25\ I_{PC} = 1.25 \times 24 = 30 \text{ A}$$

CALIBRE DEL CONDUCTOR (2 CONDUCTORES EN TUBO CONDUIT) No. 10 AWG.

PARA UN ALAMBRE No. 10, $s = 5.26 \text{ mm}^2$; TAMBIÉN DE DATOS $L = 25\text{m}$

LA CAÍDA DE VOLTAJE EN PORCIENTO ES:

$$E\% = \frac{4 \times 25 \times 24}{115 \times 5.26} = 4\%$$

2.3.6.- SISTEMA TRIFÁSICO A TRES HILOS.

EL CIRCUITO SIMPLIFICADO SE PUEDE REPRESENTAR EN LA FORMA SIGUIENTE:

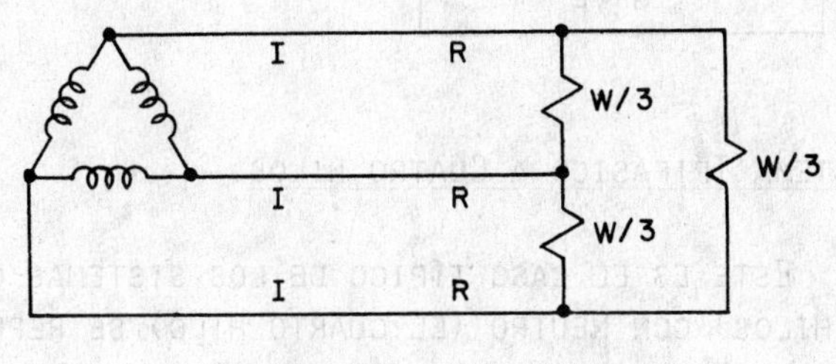

W/3 = CARGA POR FASE

LA POTENCIA QUE CONSUME LA CARGA TRIFÁSICA ES:

$$W = \sqrt{3}\ V_F\ I\ \cos \emptyset$$

$$I = \frac{W}{\sqrt{3}\ V_F\ \cos \emptyset}$$

LA CAÍDA DE VOLTAJE ENTRE FASES ES:

$$E_F = \sqrt{3}\ RI$$

PERO:

$$R = \frac{\rho L}{S} = \frac{1}{50}\ \frac{L}{S}$$

$$\boxed{E_F = \frac{\sqrt{3}}{50}\ \frac{LI}{S}}$$

EL PORCIENTO DE CAÍDA DE VOLTAJE ES:

$$E\% = \frac{E_F}{V_F} \times 100$$

$$E\% = \frac{\sqrt{3}\ L}{50\ s\ V_F} \times 100$$

$$\boxed{E\% = \frac{2\sqrt{3}\ LI}{s\ V_F}}$$

2.3.7.- Sistema Trifásico a Cuatro Hilos.

Este es el caso típico de los sistemas conectados en estrella (3 hilos) con neutro (el cuarto hilo), se representan como sigue:

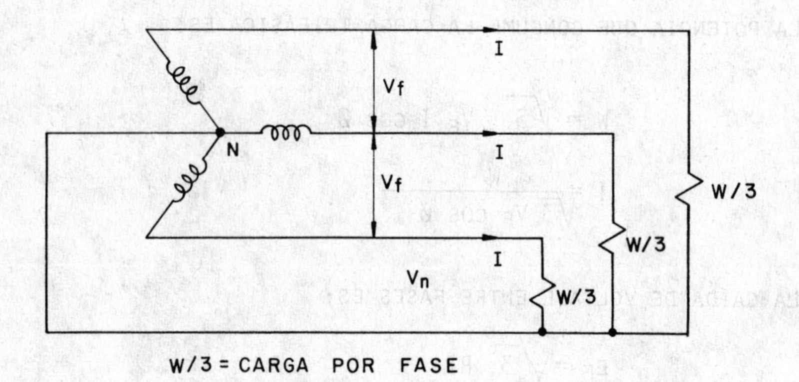

W/3 = CARGA POR FASE

La potencia que consume la carga trifásica es:

$$W = \sqrt{3}\ V_F\ I \cos \emptyset = 3\ V_N\ I \cos \emptyset$$

$$I = \frac{W}{\sqrt{3}\ V_F \cos \emptyset} = \frac{W}{V\ E_N \cos \emptyset}$$

LA CAÍDA DE VOLTAJE ENTRE FASES ES:

$$V_F = \sqrt{3}\ RI = \frac{\sqrt{3}\ LI}{50\ s}$$

EXPRESANDO ESTA CAÍDA DE VOLTAJE EN PORCIENTO:

$$E = RI = \frac{LI}{50s}$$

$$E\% = \frac{E}{V_N} \times 100 = \frac{LI}{50\ s \times V_N} \times 100$$

$$\boxed{E\% = \frac{2\ LI}{s\ V_N}}$$

2.3.8.- UTILIZACIÓN RECOMENDABLE DE LOS SISTEMAS DE DISTRIBUCIÓN.

PARA ALIMENTAR DISTINTOS TIPOS DE CARGAS, YA SEA COMERCIALES O INDUSTRIALES, QUE TIENEN CARACTERÍSTICAS VARIABLES, EL PROYECTISTA DEBE DE TENER UNA IDEA CLARA DE CUALES SON LOS ELEMENTOS IMPORTANTES A CONSIDERAR EN LA SELECCIÓN DE UN SISTEMA DE DISTRIBUCIÓN. LAS CARACTERÍSTICAS MÁS IMPORTANTES DE CADA UNO DE ESTOS SISTEMAS SON LAS QUE SE DESCRIBEN A CONTINUACIÓN:

A).- SISTEMA MONOFÁSICO CON DOS CONDUCTORES.

ESTE SISTEMA SE USA POR LO GENERAL PARA ALIMENTAR CARGAS DE ALUMBRADO CUYO VALOR NO EXCEDA A 3750 WATTS POR CIRCUITO, SE USAN TAMBIÉN EN LA ALIMENTACIÓN DE CIRCUITOS DERIVADOS DE 20 Y 30 AMPERES.

B).- SISTEMA TRIFÁSICO CON TRES CONDUCTORES.

ESTE SISTEMA PUEDE SER LA SALIDA DE UNA CONEXIÓN DELTA EN UN TRANSFORMADOR O BIEN DE UNA CONEXIÓN ESTRELLA SIN CONDUCTOR AL NEUTRO. DESDE LUEGO QUE LA CONEXIÓN SE USA PARA ALIMENTAR CARGAS TRIFÁSICAS, COMO ES EL CASO DE LOS MOTORES QUE OPERAN CON VOLTAJES DE 220 VOLTS Ó 440 VOLTS.

C).- SISTEMA TRIFÁSICO A CUATRO HILOS.

ESTE ES UNO DE LOS SISTEMAS DE ALIMENTACIÓN MÁS USADOS YA QUE RESULTA FLEXIBLE PARA LA ALIMENTACIÓN DE CARGAS TRIFÁSICAS (CON LOS TRES CONDUCTORES DE FASE) Y MONOFÁSICOS (CON UNA - FASE Y NEUTRO), POR EJEMPLO, SE PUEDEN ALIMENTAR MOTORES TRIFÁSICOS A 220 VOLTS Y ALUMBRADO A $220/\sqrt{3} = 127$ VOLTS.

DEBIDO A ESTA FLEXIBILIDAD PARA LA ALIMENTACIÓN DE DISTINTOS TIPOS DE CARGA TANTO MONOFÁSICAS COMO TRIFÁSICAS, EL SISTEMA A 4 HILOS ES UNO DE LOS PREFERIDOS EN MÉXICO.

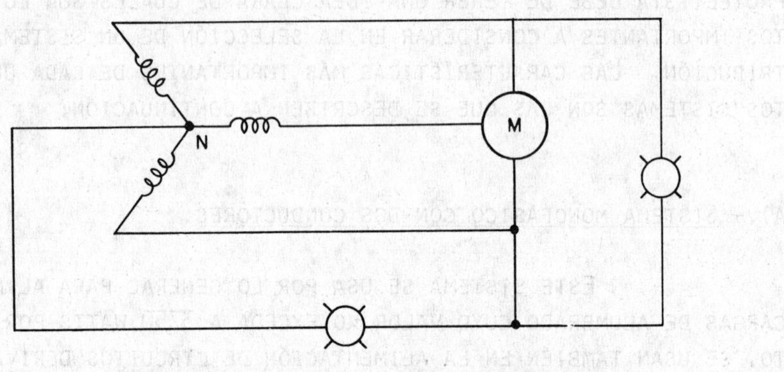

SISTEMA TRIFASICO DE 4 HILOS

(M) – CARGA DE MOTORES

⊗ – CARGA DE ALUMBRADO

2.3.9.- LA CAÍDA DE VOLTAJE POR IMPEDANCIA.

EN LOS CONDUCTORES ELÉCTRICOS SE TIENE RESISTENCIA Y REACTANCIA, ES DECIR, LA CAÍDA DE VOLTAJE TOTAL ES LA SUMA DE LAS CAÍDAS POR RESISTENCIA Y REACTANCIA, O SEA LA IMPEDANCIA DEL CONDUCTOR.

LA REACTANCIA DE UN CONDUCTOR DEPENDE DE VARIOS FACTORES COMO SON: LA SECCIÓN, FRECUENCIA DE OPERACIÓN, LONGITUD, MATERIAL, MATERIALES MAGNÉTICOS EN SU CERCANÍA, Y LA TENSIÓN DE OPERACIÓN ASOCIADA AL VALOR DE LA CORRIENTE DE CARGA.

PARA ANALIZAR LA CAÍDA DE VOLTAJE POR IMPEDANCIA -- CONSIDÉRESE UN CIRCUITO ELEMENTAL EN DONDE:

V_N = VOLTAJE AL PRINCIPIO DEL CONDUCTOR

V_N' = VOLTAJE AL FINAL DEL CONDUCTOR

E = LA CAÍDA DE VOLTAJE EN EL CONDUCTOR POR RESISTENCIA Y REACTANCIA.

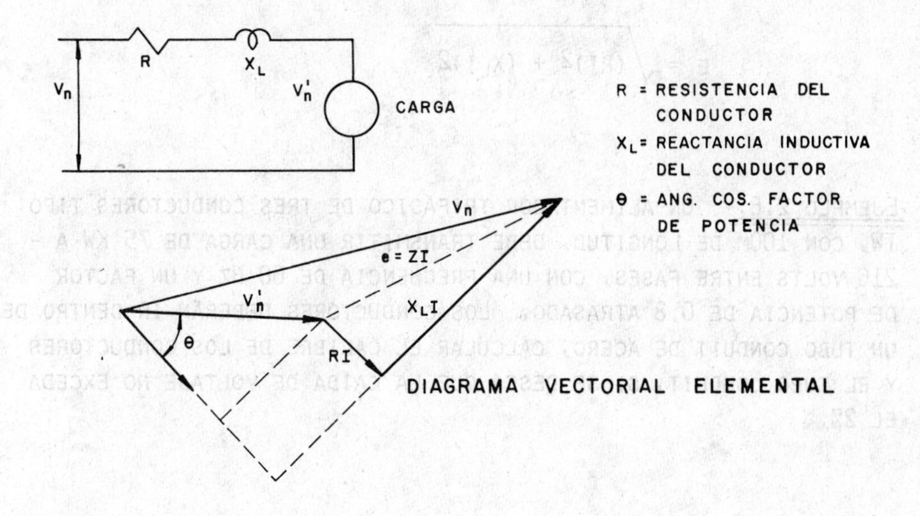

DIAGRAMA VECTORIAL ELEMENTAL

VECTORIALMENTE:

$$V_N = \overline{V_N}' + \overline{RI} + j\overline{X_L I}$$

LA MAGNITUD DEL VOLTAJE AL PRINCIPIO DEL CONDUCTOR ES:

$$V_N = \sqrt{(V_N' \cos \varnothing + RI)^2 + (V_N' \operatorname{sen} \varnothing + XI)^2}$$

EN MAGNITUD:

$$\left| V_N \right| = \left| V_N' \right| + \left| RI + X_L I \right| = \left| V_N' \right| + \left| ZI \right|$$

$$\left| ZI \right| = E = \sqrt{(RI)^2 + (X_L I)^2}$$

$$\left| V_N \right| = \left| V_N' \right| + E$$

$$\left| V_N' \right| = \left| V_N \right| - E$$

LA CAÍDA DE VOLTAJE TOTAL POR RESISTENCIA Y REACTANCIA ES:

$$E = \sqrt{(RI)^2 + (X_L I)^2}$$

<u>EJEMPLO 2.6.</u>- UN ALIMENTADOR TRIFÁSICO DE TRES CONDUCTORES TIPO TW, CON 100M DE LONGITUD, DEBE TRANSMITIR UNA CARGA DE 75 KW A - 216 VOLTS ENTRE FASES, CON UNA FRECUENCIA DE 60 HZ Y UN FACTOR DE POTENCIA DE 0.8 ATRASADO. LOS CONDUCTORES DEBERÁN IR DENTRO DE UN TUBO CONDUIT DE ACERO, CALCULAR EL CALIBRE DE LOS CONDUCTORES Y EL TUBO CONDUIT, SI SE DESEA QUE LA CAÍDA DE VOLTAJE NO EXCEDA EL 2%.

A).- CONSIDERANDO ÚNICAMENTE LA RESISTENCIA.

B).- TOMANDO EN CUENTA LA RESISTENCIA Y LA REACTANCIA.

SOLUCIÓN

A).- CONSIDERANDO SÓLO LA RESISTENCIA

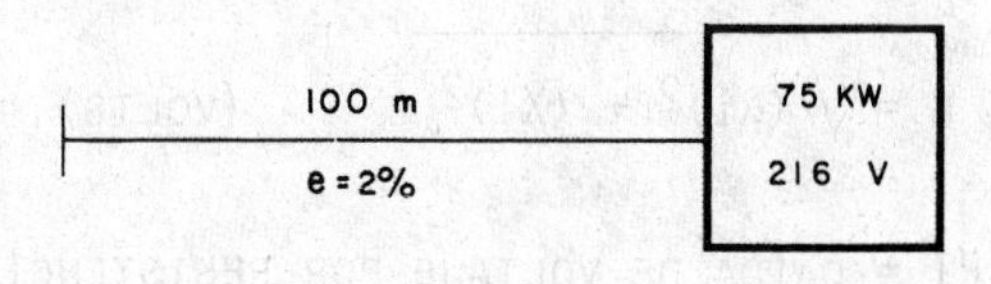

LA CORRIENTE QUE DEMANDA LA CARGA ES:

$$I = \frac{P}{\sqrt{3} \times V_F \times \cos \emptyset} = \frac{75\ 000}{\sqrt{3} \times 216 \times 0.80} = 250\ A$$

LA CAÍDA DE TENSIÓN MÁXIMA PERMISIBLE SE ENCUENTRA DE LA FÓRMULA PARA UN ALIMENTADOR TRIFÁSICO.

$$E = \frac{2\sqrt{3}\ LI}{V_F\ S} \quad (\%)$$

LA SECCIÓN DEL CONDUCTOR PARA UNA CAÍDA DE TENSIÓN MÁXIMA DE 2% SE CALCULA DESPEJANDO DE LA FÓRMULA ANTERIOR.

$$S = \frac{2\sqrt{3}\ LI}{V_F\ (E\%)} \quad MM^2$$

SUSTITUYENDO VALORES:

$$S = \frac{2\sqrt{3}\ 100 \times 250}{216 \times 2} = 200\ MM^2$$

De la tabla de conductores, para $s = 200\ mm^2$,

Conductor No. 400 MCM

La corriente permisible para tres conductores de 400 MCM en tubo conduit 280 A.

Tubo conduit: 76 mm (3 pulg).

b).- La caída de voltaje total considerando la reactancia es:

$$E = \sqrt{(RI)^2 + (XI)^2} \quad \text{(volts)}$$

en donde: RI = caída de voltaje por resistencia.

La caída de tensión por fase es:

$$E\% = \frac{E}{V} \times 100$$

E = caída de tensión en volts.

$$V = \frac{V_F}{\sqrt{3}} = \frac{216}{\sqrt{3}}$$

$$E = \frac{E\%\ V}{100} = \frac{2x216}{100} = 2.5 \text{ volts}$$

Para una corriente, $I = 250$ A. Conductor 400 MCM

De la tabla de reactancias, para 400 MCM, (3 conductores en tubo)

$$X_L = 0.0096\,\Omega/100\ m$$

El factor de corrección es 1.25, por lo tanto:

$$X_L = 1.25x0.0096 = 0.012 \text{ ohms}$$

LA RESISTENCIA PARA UN CONDUCTOR DE 0.012-OHM DE REACTANCIA, TENDRÁ QUE SER DE:

$$E = \sqrt{(RI)^2 + (XI)^2}$$

ELEVANDO AL CUADRO Y DESPEJANDO:

$$E^2 = (RI)^2 + (XI)^2$$

$$(RI)^2 = E^2 - (XI)^2$$

$$R = \frac{\sqrt{E^2 - (XI)^2}}{I}$$

$$R = \frac{\sqrt{2.5^2 - (0.012 \times 250)^2}}{250} = \frac{\sqrt{6.25 - 9}}{250}$$

COMO LA RAÍZ CUADRADA ES NEGATIVA, DARÍA UNA RESISTENCIA IMAGINARIA. POR LO QUE ES NECESARIO DISMINUIR EL VALOR DE XI. PERO COMO X ES CONSTANTE, SE PUEDE CAMBIAR EL VALOR DE I METIENDO DOS -- CONDUCTORES EN PARALELO POR FASE. DE ESTA FORMA CADA FASE LLEVA DOS CONDUCTORES, CADA UNO CON UNA CORRIENTE DE 125 AMPERES.

LA RESISTENCIA DEL CONDUCTOR ES AHORA:

$$R = \frac{\sqrt{E^2 - (XI)^2}}{I} = \frac{\sqrt{2.5^2 - (0.012 \times 125)^2}}{125}$$

$$R = 0.015\text{-OHM PARA LOS } 100 \text{ M}$$

PARA CALCULAR LA SECCIÓN DEL CONDUCTOR, ES NECESARIO CALCULAR LA RESISTENCIA EN OHMS/100M Y ENTRAR A LA TABLA DE RESISTENCIA PARA CONDUCTORES.

De la tabla de resistencia para conductores se toma el valor más próximo : Conductor 300 MCM.

6 conductores de 300 MCM, en tubos conduit. De la tabla para el número de conductores en tubo conduit se requiere:
Tubo conduit de 101 mm (4").

Constantes para el cálculo de las caídas de voltaje.

El método descrito con el ejemplo anterior es general y sencillo de aplicar, sin embargo, se han desarrollado métodos simplificados basados en el mismo procedimiento, pero basados en constantes que dan mayor simplicidad y rapidez a los cálculos. En las ecuaciones para el cálculo de la caída de voltaje en % el término 1/ 3x50 es una constante, por lo que para cada sistema de distribución se puede calcular una constante asociada al calibre (sección) del conductor, estas constantes se dan en la tabla 2.14.

EJEMPLO 2.7.- UNA CARGA DE 100 A, FACTOR DE LA POTENCIA 0.8 ATRASADO SE ALIMENTA DE UN SISTEMA TRIFÁSICO CON 3 HILOS A 220 VOLTS POR MEDIO DE CONDUCTOR TW 3/0 EN TUBO CONDUIT. CALCULAR LA LONGITUD DEL CONDUCTOR PARA LIMITAR LA CAÍDA DE VOLTAJE AL 1%.

SOLUCIÓN

LA CAÍDA DE VOLTAJE PARA CUALQUIER SISTEMA DE DISTRIBUCIÓN SE CALCULA CON LA EXPRESIÓN GENERAL:

$$E\% = KLI$$

DE LA TABLA DE CONSTANTES PARA CAÍDA DE VOLTAJE, PARA UN SISTEMA DE 3 CONDUCTORES A 220 VOLTS CON CONDUCTOR 3/0 K = 0.00013.

DE LA FÓRMULA:

$$E\% = KLI$$

$$L = \frac{E\%}{KI} = \frac{1}{0.00013 \times 100} = 77 \text{ M}$$

EJEMPLO 2.8.- HACIENDO USO DE LA TABLA PARA EL CÁLCULO DE LA CAÍDA DE TENSIÓN EN CONDUCTORES AISLADOS, CALCULAR LA LONGITUD DEL CONDUCTOR QUE ALIMENTARÁ A UN MOTOR TRIFÁSICO QUE DEMANDA 50 AMPERES.

A).- PARA UNA CAÍDA DE TENSIÓN MÁXIMA PERMISIBLE DE 3%.

B).- PARA UNA CAÍDA DE TENSIÓN MÁXIMA PERMISIBLE DE 2%.

SOLUCIÓN

A).- ENTRANDO A LAS TABLAS DE CAPACIDAD DE CONDUCCIÓN DE CORRIENTE Y SUPONIENDO QUE SE TRATA DE CONDUCTOR TW A 60°C EL CALIBRE DE CONDUCTOR ES EL No. 6 AWG EN TUBO CONDUIT DE 25 MM (1 PLG).

ENTRANDO EN LA TABLA DEL CÁLCULO DE CONDUCTORES POR CAÍDA DE VOLTAJE, PARA EL CALIBRE No. 6 CON 50 AMPERES, LA LONGITUD MÁXIMA A 200 VOLTS Y 3% DE CAÍDA DE VOLTAJE ES:

$$L = 62.1 \text{ M.}$$

B).- SI LA CAÍDA MÁXIMA DE VOLTAJE PERMISIBLE ES DEL 2% SE APLICA EL FACTOR DE CORRECCIÓN DE LA MISMA TABLA QUE EN ESTE CASO PARA EL 2% ES 0.66 DE MANERA QUE LA LONGITUD MÁXIMA ES:

$$L = 62.1 \times .066 = 40.98 \text{ M.}$$

2.4.- CANALIZACIONES ELÉCTRICAS.

SE ENTIENDE POR CANALIZACIONES ELÉCTRICAS A LOS DISPOSITIVOS QUE SE EMPLEAN EN LAS INSTALACIONES ELÉCTRICAS PARA CONTENER A LOS CONDUCTORES DE MANERA QUE QUEDEN PROTEGIDOS CONTRA DETERIORO MECÁNICO Y CONTAMINACIÓN, ADEMÁS PROTEJAN A LAS INSTALACIONES CONTRA INCENDIOS POR ARCOS ELÉCTRICOS QUE SE PRESENTAN EN CONDICIONES DE CORTO CIRCUITO.

LOS MEDIOS DE CANALIZACIÓN MÁS COMUNES EN LAS INSTALACIONES ELÉCTRICAS SON:

. TUBOS CONDUIT
. DUCTOS
. CHAROLAS

ELEMENTOS PARA CANALIZACION DE CONDUCTORES ELECTRICOS

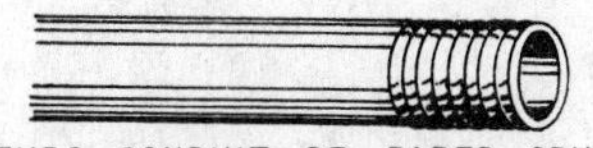

TUBO CONDUIT DE PARED GRUESA

CONECTOR CONTRA Y MONITOR

TUBO CONDUIT DE PARED DELGADA

CONECTOR PARA UNION DE CAJA CON TUBO DE PARED DELGADA

CONECTOR TUBO DE PARED DELGADA

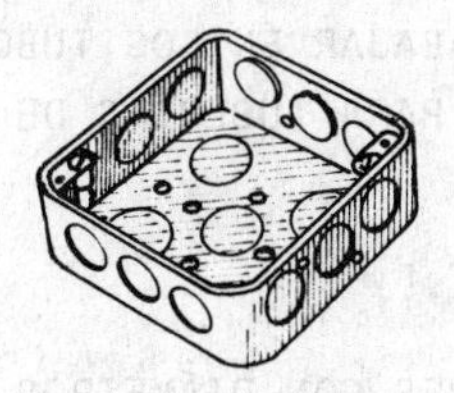

CAJA CUADRADA

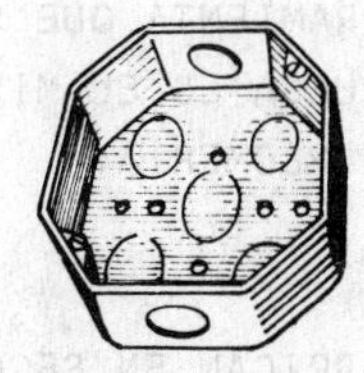

CAJA OCTOGONAL

CONDULETS

2.4.1.- Tubos Conduit.

El tubo conduit es un tipo de tubo (de metal o plástico) usado para contener y proteger los conductores eléctricos - usados en las instalaciones.

Los tubos conduit metálicos pueder ser de aluminio, acero o aleaciones especiales, los tubos de acero a su vez se fabrican en los tipos pesado, semipesado y ligero, distinguiéndose uno de otro por el espesor de la pared.

2.4.1.1.- Tubo Conduit de Acero Pesado (pared gruesa).

Estos tubos conduit se encuentran en el mercado en forma galvanizada o con recubrimiento negro esmaltado, normalmente en tramos de 3.05 m de longitud con rosca en ambos extremos. Se usan como conectores para este tipo de tubo los llamados coples, niples (corto y largo) así como niples cerrados o de cuerda corrida. El tipo de herramienta que se usa para trabajar en los tubos conduit de pared gruesa es el mismo que se usa para tuberías de agua en trabajos de plomería.

Se fabrican en secciones circulares con diámetros - que van de 13 mm (1/2 pulgada) a 152.4 mm (6 pulgadas). La superficie interior en estos tubos como en cualquiera de los otros tipos debe ser lisa para evitar daños al aislamiento o a la cubierta de los conductores. Los extremos se deben escariar para evitar - bordes cortantes que dañen a los conductores durante el alambrado.

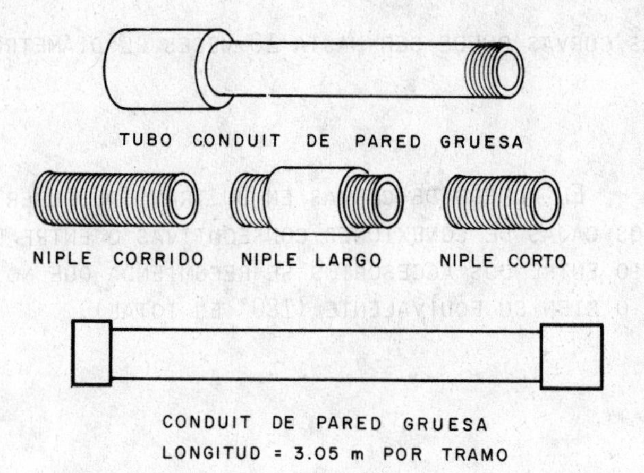

LOS TUBOS RÍGIDOS (METÁLICOS) DE PARED GRUESA DEL - TIPO PESADO Y SEMIPESADO SE PUEDE EMPLEAR EN INSTALACIONES VISIBLES U OCULTAS YA SEA EMBEBIDO EN CONCRETO O EMBUTIDO EN MANPOSTERÍA EN CUALQUIER TIPO DE EDIFICIOS Y BAJO CUALQUIER CONDICIÓN ATMOSFÉRICA. TAMBIÉN SE PUEDEN USAR DIRECTAMENTE ENTERRADOS RECUBIERTO EXTERNAMENTE PARA SATISFACER CONDICIONES MÁS SEVERAS.

EN LOS CASOS EN QUE SEA NECESARIO HACER EL DOBLADO DEL TUBO METÁLICO RÍGIDO, SE DEBE HACER CON LA HERRAMIENTA APROPIADA PARA QUE NO SE PRODUZCAN GRIETAS EN SU PARTE INTERNA Y NO SE - REDUZCA SU DIÁMETRO INTERNO EN FORMA APRECIABLE.

PARA CONDUCTORES CON AISLAMIENTO NORMAL ALOJADOS EN TUBO CONDUIT RÍGIDO, SE RECOMIENDA QUE EL RADIO INTERIOR DE LAS CURVAS NO SEA MENOR QUE 6 VECES EL DIÁMETRO EXTERIOR DEL TUBO. - CUANDO LOS CONDUCTORES TIENEN CUBIERTA METÁLICA EL RADIO DE CURVA-

TURA DE LAS CURVAS PUEDE SER HASTA 10 VECES EL DIÁMETRO EXTERIOR DEL TUBO.

EL NÚMERO DE CURVAS EN UN TRAMO DE TUBERÍA COLOCADO ENTRE DOS CAJAS DE CONEXIONES CONSECUTIVAS O ENTRE UNA CAJA Y UN ACCESORIO ENTRE DOS ACCESORIOS SE RECOMIENDA QUE NO EXCEDA A DOS DE 90° O BIEN SU EQUIVALENTE (180° EN TOTAL).

1.4.1.2.- TUBO CONDUIT METÁLICO DE PARED DELGADA.

A ESTE TUBO SE LE CONOCE TAMBIÉN COMO TUBO METÁLICO RÍGIDO LIGERO, SU USO ES PERMITIDO EN INSTALACIONES OCULTAS O VISIBLES YA SEA EMBEBIDO EN CONCRETO O EMBUTIDO EN MANPOSTERÍA EN LUGARES DE AMBIENTE SECO NO EXPUESTOS A HUMEDAD O AMBIENTE CORROSIVO.

NO SE RECOMIENDA EN LUGARES QUE DURANTE SU INSTALACIÓN O DESPUÉS DE ESTÁ ESTÉ EXPUESTO A DAÑO MECÁNICO. TAMPOCO SE DEBE USAR DIRECTAMENTE ENTERRADO O EN LUGARES HÚMEDOS O MOJADOS, ASÍ COMO EN LUGARES CLASIFICADOS COMO PELIGROSOS.

EL DIÁMETRO MÁXIMO RECOMENDABLE PARA ESTOS TUBOS ES DEL 51 MM (2 PULGADAS) Y DEBIDO A QUE SON DE PARED DELGADA EN ESTOS TUBOS NO SE DEBE HACER ROSCADO PARA ATORNILLARSE A CAJAS DE CONEXIÓN U OTROS ACCESORIOS, DE MODO QUE LOS TRAMOS SE DEBEN UNIR POR MEDIO DE ACCESORIOS DE UNIÓN ESPECIALES.

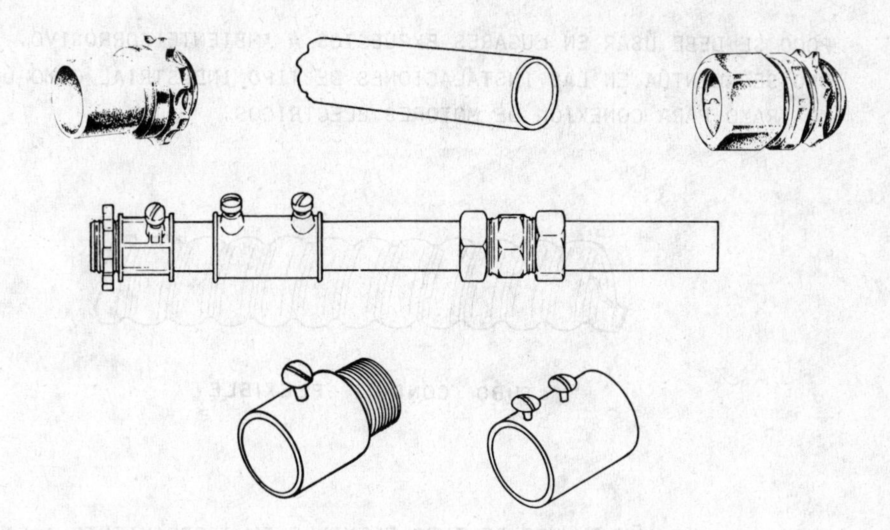

TUBO CONDUIT DE PARED DELGADA Y UNIONES

2.4.1.3.- TUBO CONDUIT METÁLICO FLEXIBLE.

CON ESTA DESIGNACIÓN SE ENCUENTRA EL TUBO FLEXIBLE COMÚN FABRICADO CON CINTA METÁLICA ENGARGOLADA (EN FORMA HELICOIDAL), SIN NINGÚN RECUBRIMIENTO. A ESTE TIPO DE TUBO TAMBIÉN SE LE CONOCE COMO "GREENFIELD". NO SE RECOMIENDA SU USO EN DIÁMETROS INFERIORES A 13 MM (1/2 PULGADA) NI SUPERIORES A 102 MILÍMETROS (4 PULGADAS).

PARA SU APLICACIÓN SE RECOMIENDA SU USO EN LUGARES SECOS DONDE NO ESTÉ EXPUESTO A CORROSIÓN O DAÑO MECÁNICO, O SEA QUE SE PUEDE INSTALAR EMBUTIDO EN MURO O LADRILLO O BLOQUES SIMILARES ASÍ COMO EN RANURAS EN CONTACTO.

NO SE RECOMIENDA SU APLICACIÓN EN LUGARES EN DONDE SE ENCUENTRE DIRECTAMENTE ENTERRADO O EMBEBIDO EN CONCRETO, TAM-

POCO SE DEBE USAR EN LUGARES EXPUESTOS A AMBIENTE CORROSIVO. SU USO SE ACENTÚA EN LAS INSTALACIONES DE TIPO INDUSTRIAL COMO ÚLTIMO TRAMO PARA CONEXIÓN DE MOTORES ELÉCTRICOS.

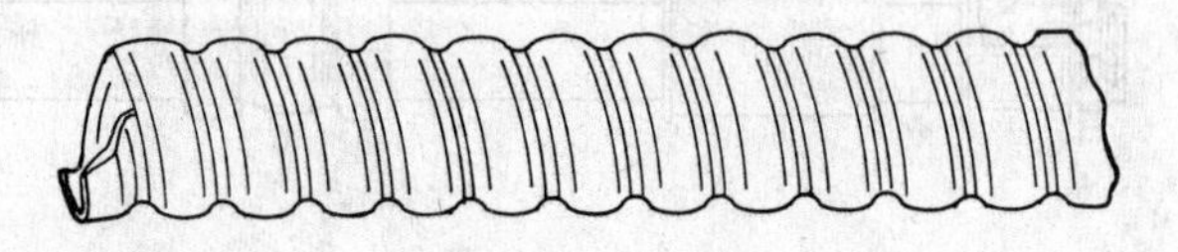

TUBO CONDUIT FLEXIBLE

EN EL USO DE TUBO FLEXIBLE EL ACOPLAMIENTO A CAJAS, DUCTOS Y GABINESTES SE DEBE HACER USANDO LOS ACCESORIOS APROPIADOS PARA TAL OBJETO, ASIMISMO, CUANDO SE USE ESTE TUBO COMO CANALIZACIÓN FIJA A UN MURO O ESTRUCTURA SE DEBEN USAR PARA SU MONTAJE O FIJACIÓN ABRAZADERAS, GRAPAS O ACCESORIOS SIMILARES QUE NO - DAÑEN AL TUBO, DEBIENDO COLOCARSE A INTERVALOS NO MAYORES DE 1.50 M Y A 30 CM COMO MÁXIMO CON RESPECTO A CADA CAJA O ACCESORIO.

2.3.1.4.- TUBO CONDUIT DE PLÁSTICO RÍGIDO (PVC).

ESTE TUBO CAE DENTRO DE LA CLASIFICACIÓN DE LOS TUBOS CONDUIT NO METÁLICOS, EL TUBO PVC ES LA DESIGNACIÓN COMERCIAL QUE SE DA AL TUBO RÍGIDO DE POLICLORURO DE VINILO (PVC). TAMBIÉN DENTRO DE LA CLASIFICACIÓN DE LOS TUBOS NO METÁLICOS, SE ENCUENTRAN LOS TUBOS DE POLIETILENO.

EL TUBO RÍGIDO DE PVC DEBE SER AUTOEXTINGUIBLE, RESISTENTE AL APLASTAMIENTO, A LA HUMEDAD Y A CIERTOS AGENTES QUÍMICOS.

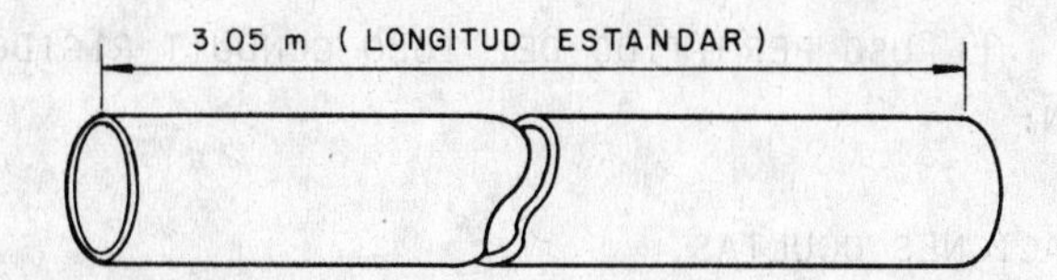

TUBO CONDUIT DE FIERRO GALVANIZADO

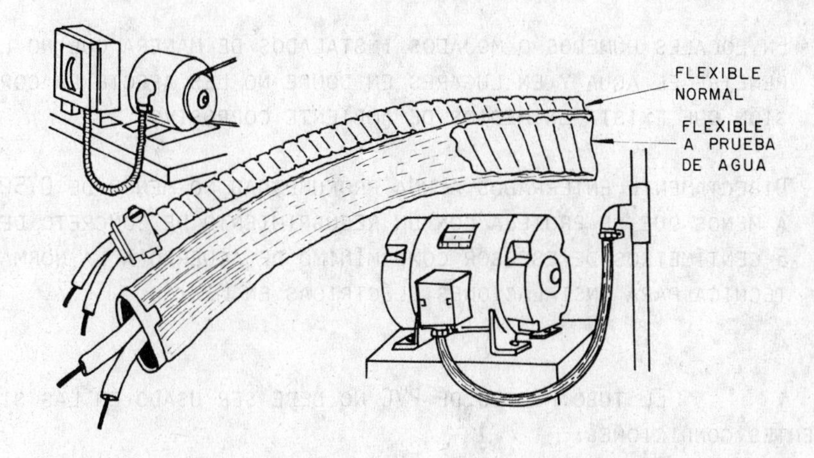

TUBO CONDUIT FLEXIBLE USADO PARA CONEXION DE MOTORES

EL USO PERMITIDO DEL TUBO CONDUIT RÍGIDO DE PVC SE ENCUENTRA EN:

A).- INSTALACIONES OCULTAS.

B).- EN INSTALACIONES VISIBLES EN DONDE EL TUBO NO ESTÉ EXPUESTO A DAÑO MECÁNICO.

C).- EN CIERTOS LUGARES EN DONDE EXISTEN AGENTES QUÍMICOS QUE NO AFECTEN AL TUBO Y SUS ACCESORIOS.

D).- EN LOCALES HÚMEDOS O MOJADOS INSTALADOS DE MANERA QUE NO LES PENETRE EL AGUA Y EN LUGARES EN DONDE NO LES AFECTE LA CORROSIÓN QUE EXISTA EN MEDIOS DE AMBIENTE CORROSIVO.

E).- DIRECTAMENTE ENTERRADOS A UNA PROFUNDIDAD NO MENOR DE 0.50 M A MENOS QUE SE PROTEJA CON UN RECUBRIMIENTO DE CONCRETO DE 5 CENTÍMETROS DE ESPESOR COMO MÍNIMO DE ACUERDO A LA NORMA TÉCNICA PARA INSTALACIONES ELÉCTRICAS EN MÉXICO.

EL TUBO RÍGIDO DE PVC NO DEBE SER USADO EN LAS SIGUIENTES CONDICIONES:

A).- EN LOCALES O ÁREAS QUE ESTÉN CONSIDERADOS COMO PELIGROSOS.

B).- PARA SOPORTAR LUMINARIAS U OTROS EQUIPOS.

C).- EN LUGARES EN DONDE LA TEMPERATURA DEL MEDIO AMBIENTE MÁS LA PRODUCIDA POR LOS CONDUCTORES NO EXCEDA A 70°C.

CON RELACIÓN A LA INSTALACIÓN DE LOS TUBOS RÍGIDOS DE PVC, SE DEBEN SOPORTAR A INTERVALOS QUE NO EXCEDAN A LOS QUE SE INDICAN A CONTINUACIÓN.

DIÁMETRO DEL TUBO (MM)	DISTANCIA ENTRE APOYOS (M)
13 Y 19 MM	1.20
25 A 51 MM	1.50
63 A 76 MM	1.80
89 A 102 MM	2.10

NOTA: EL TUBO CONDUIT DE PVC SE FABRICA EN DIÁMETROS DE 13 MM (1/2 PLG) A 102 MM (4 PLG).

2.5.- CAJAS Y ACCESORIOS PARA CANALIZACIÓN CON TUBO CONDUIT.

EN LOS MÉTODOS MODERNOS PARA INSTALACIONES ELÉCTRICAS SE PUEDE DECIR QUE TODAS LAS CONEXIONES DE CONDUCTORES O UNIONES ENTRE CONDUCTORES SE DEBEN REALIZAR EN CAJAS DE CONEXIÓN APROBADAS PARA TAL FIN Y QUE DEBEN ESTAR INSTALADAS EN DONDE PUEDAN SER ACCESIBLES PARA PODER HACER CAMBIOS EN EL ALUMBRADO.

POR OTRA PARTE TODOS LOS APAGADORES Y SALIDAS PARA LÁMPARAS SE DEBEN ENCONTRAR ALOJADOS EN CAJAS Y EN FORMA SIMILAR LOS CONTACTOS.

LAS CAJAS SE CONSTRUYEN METÁLICAS Y DE PLÁSTICO SEGÚN SE USEN PARA INSTALACIONES CON TUBO CONDUIT METÁLICO O CON TUBO DE PVC O POLIETILENO. LAS CAJAS METÁLICAS SE CONSTRUYEN DE ACERO GALVANIZADO DE CUATRO FORMAS PRINCIPALMENTE: CUADRADAS, OCTAGONALES, RECTANGULARES Y CIRCULARES SE FABRICAN DE VARIOS ANCHOS, PROFUNDIDADES Y PERFORACIONES PARA ACCESO DE TUBERÍA, HAY PERFORACIONES PARA ACCESO DE TUBERÍA, HAY PERFORACIONES EN LAS CASAS LATERA-

LES Y EN EL FONDO.

EN LA FIGURA SIGUIENTE SE MUESTRAN ALGUNOS TIPOS DE CAJAS DE CO-NEXIÓN.

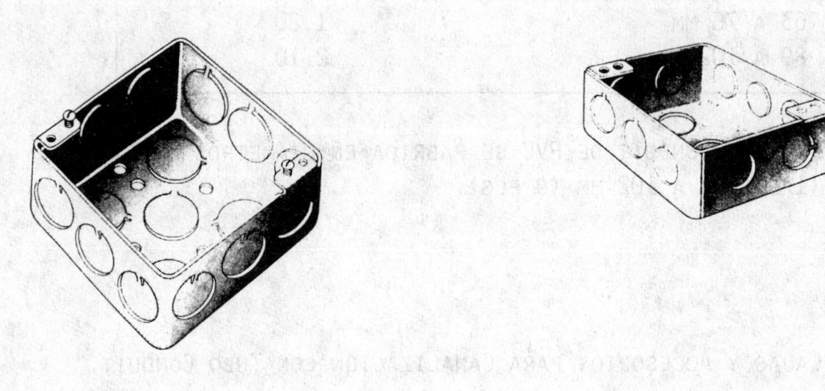

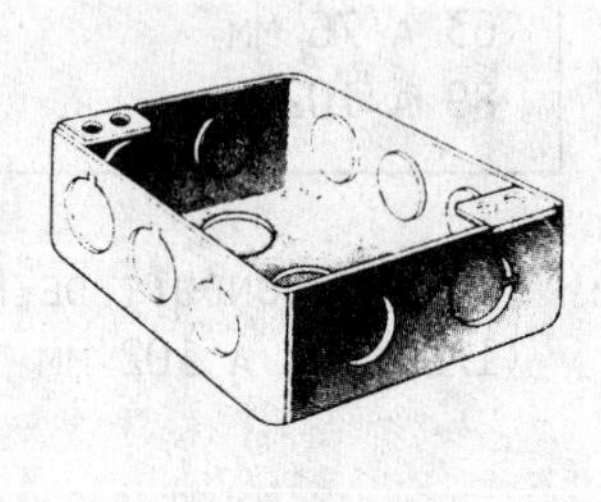

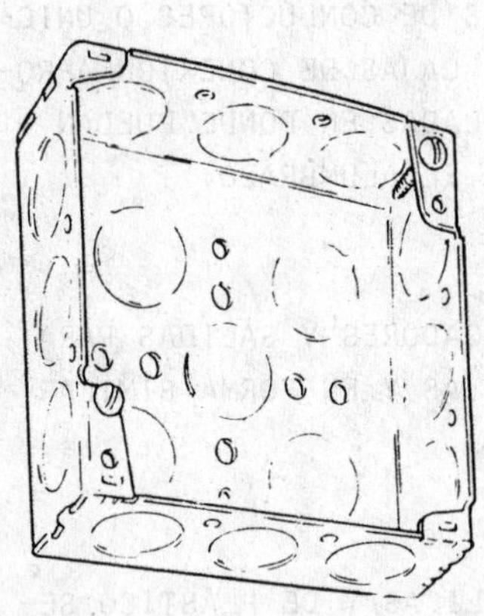

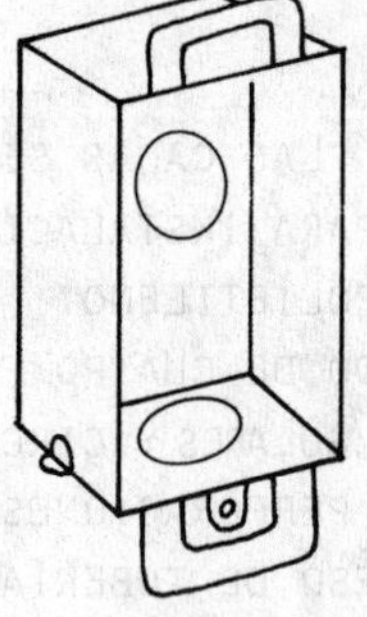

CAJAS DE CONEXION

DIMENSIONES DE CAJAS DE CONEXION

Tipo rectangular: 6 x 10 cm de base por 3.8 cm de profundidad con perforaciones para tubo conduit de 13 mm.

Tipo redondas: Diámetro de 7.5 cm y 3.8 cm de profundidad con perforaciones para tubo conduit de 13 mm.

Tipo cuadradas: Estas cajas tienen distintas medidas y se designan o clasifican de acuerdo con el diámetro de sus perforaciones en donde se conectan los tubos, designádose así como cajas cuadradas de 13, 19, 25, 32 mm, etc.

En las instalaciones denominadas residenciales o de casas habitación se usan cajas cuadradas de 13 mm, que son cajas de 7.5 x 7.5 cm de base con 38 mm de profundidad. En estas sólo se sujetan tubos de 13 mm (1/2 plg.).

Otros tipos de cajas cuadradas como la de 19 mm tiene base de 10x10 cm con profundidad de 38 mm con perforaciones para 13mm y 19 mm , las de 25 mm son de 12 x 12 cm de base con 55 mm de profundidad y perforaciones para tubos de 13, 19 y 25 mm.

Aun cuando no hay una regla general para aplicaciones de los distintos tipos de cajas, la práctica general es usar la de tipo octagonal para salidas de alumbrado (lámparas) y la -- rectangular y cuadrada para apagadores y contactos. Las cajas redondas son de poco uso en la actualidad y se encuentran más bien en instalaciones un poco viejas.

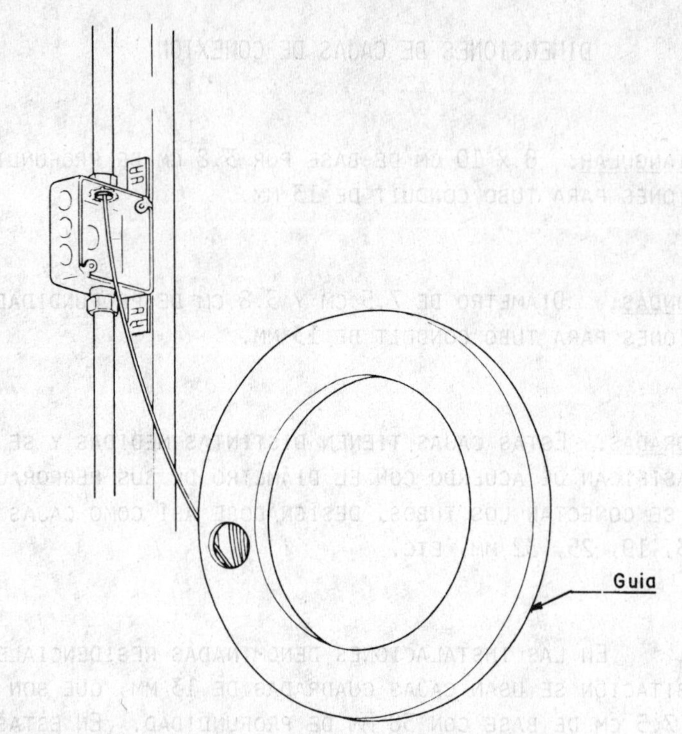

ALAMBRADO EN TUBO CONDUIT Y SALIDA POR CAJA

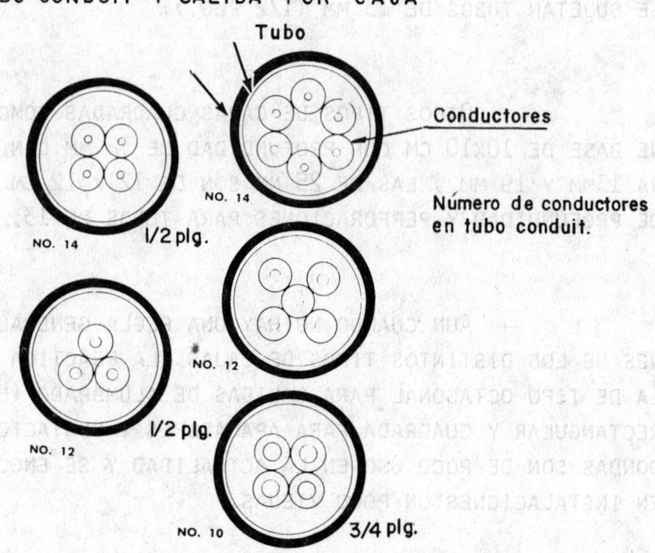

CUANDO SE UTILICEN CAJAS METÁLICAS EN INSTALACIONES VISIBLES SOBRE AISLADORES O CON CABLES CON CUBIERTA NO METÁLICA O BIEN CON TUBO NO METÁLICO, ES RECOMENDABLE QUE DICHAS CAJAS SE INSTALEN RÍGIDAMENTE A TIERRA, EN LOS CASOS DE BAÑOS Y COCINAS ESTE REQUISITO ES OBLIGATORIO.

LAS CAJAS NO METÁLICAS SE PUEDEN USAR EN: INSTALACIONES VISIBLES SOBRE AISLADORES, CON CABLES CON CUBIERTA NO METÁLICA Y EN INSTALACIONES CON TUBO NO METÁLICO.

SE RECOMIENDA QUE TODOS LOS CONDUCTORES QUE SE ALOJEN EN UNA CAJA DE CONEXIONES, INCLUYENDO EMPALMES (AMARRES), AISLAMIENTOS Y VUELTAS, NO OCUPEN MÁS DEL 60% DEL ESPACIO INTERIOR DE LA CAJA.

EN EL CASO DE LAS CAJAS METÁLICAS SE DEBEN TENER CUIDADO QUE LOS CONDUCTORES QUEDEN PROTEGIDOS CONTRA LA ABRASIÓN.

2.5.1.- CONDULETS.

LOS CONDULETS SE FABRICAN EN TRES TIPOS DISTINTOS, PRINCIPALMENTE:

A).- ORDINARIO

B).- A PRUEBA DE POLVO Y VAPOR

C).- A PRUEBA DE EXPLOSIÓN

POR OTRA PARTE LAS TAPAS DE LOS CONDULETS PUEDEN SER:

DE PASO: TAPA CIEGA.

DE COPLE EXTERIOR: TAPA CON NIPLE MACHO

DE CONTACTO: TAPA DE CONTACTO DOBLE O SENCILLO.

PARA SACAR CONEXIÓN PARA LÁMINA: TAPA CON ABRAZADERA PARA SALIDA DE CORDÓN FLEXIBLE O CABLE DE USO RUDO. ALGUNOS DE LOS CONDULETS MÁS COMUNES Y SUS DESIGNACIONES COMERCIALES SE ILUSTRAN A CONTINUACIÓN.

CARACTERISTICAS DE CONDULETS

mm.	E	C	LB	LL	LR	LF	L	mm.
12.7	E17 M	C17 M	LB17 M	LL17 M	LR17 M	LF1 M	L17 M	12.7
19.0	E27 M	C27 M	LB27 M	LL27 M	LR27 M	LF2 M	L27 M	19.0
25.4	E37 M	C37 M	LB37 M	LL37 M	LR37 M	LF3 M	L37 M	25.4
31.8	E47 M	C47 M	LB47 M	LL47 M	LR47 M		L47 M	31.8
38.1	E57 M	C57 M	LB57 M	LL57 M	LR57 M		L57 M	38.1
50.8	E67 M	C67 M	LB67 M	LL67 M	LR67 M		L67 M	50.8
63.5		C77 M	LB777 M	LL777 M	LR777 M	Se surte con tapa ciega. El condulet L tiene 2 bocas, puede ser usado como LR o LL.		63.5
76.2		C87 M	LB87 M	LL87 M	LR87 M			76.2
101.6				LL107 M	LR107 M			101.6

mm.	T	TB	X	LBD	TAPA CIEGA	EMPAQUES NEOPRENO
12.7	T17 M	TB17 M	X17 M		170 FM	GASK 571 NM
19.0	T27 M	TB27 M	X27 M		270 FM	GASK 572 NM
25.4	T37 M	TB37 M	X37 M		370 FM	GASK 573 NM
31.8	T47 M	TB47 M	X47 M	LBD4400	470 FM	GASK 574 NM
38.1	T57 M	TB57 M	X57 M	LBD5500	570 FM	GASK 575 NM
50.8	T67 M	TB67 M	X67 M	LBD6600	670 FM	GASK 576 NM
63.5	T77 M			LBD7700	870 FM	GASK 577 NM
76.2	T87 M			LBD8800	870 FM	GASK 578 NM
88.9				LBD9900		GASK 579 NM
101.6				LBD10900		

FSA1 M FSA2 M	FSC1 M FSC2 M FSC3 M	FSCA1 M FSCA2 M	FSCC1 M FSCC2 M FSCC3 M	FSCD1 M FSCD2 M FSCD3 M	FSCT1 M FSCT2 M FSCT3 M	FSL1 M FSL2 M FSL3 M	FSLA1 M FSLA2 M	FSR1 M FSR2 M FSR3 M	FSS1 M FSS2 M FSS3 M	FST1 M 12.7 FST2 M 19.0 FST3 M 25.4

2.5.2.- Ductos.

Los ductos son otros medios de canalización de conductores eléctricos que se usan sólo en las instalaciones eléctricas visibles debido a que no se pueden montar embutidos en pared o dentro de lazos de concreto. Se fabrican de canales de lámina de acero de sección cuadrada o rectangular con tapas atornilladas y su aplicación se encuentra en instalaciones industriales y laboratorios.

Los conductores se llevan dentro de los ductos en forma similar al caso de los tubos conduit y se pueden usar para circuitos alimentadores y circuitos derivados y su uso no está restringido ya que se puede emplear también a edificios multifamiliares y de oficinas, su instalación requiere de algunas precauciones como por ejemplo, que no existan tuberías de agua cercanas, o bien se restringe su uso en áreas catalogadas como peligrosas.

Los ductos ofrecen ventajas en comparación con los tubos conduit debido a que ofrecen mayor espacio para alojar conductores y son más faciles de alambrar esto en sistemas menores de distribución en donde por un mismo ducto se pueden tener circuitos múltiples, ofreciendo además la ventaja de ser fácil de alambrar, teniéndose un mejor aprovechamiento de la capacidad conductiva de los conductores al tener mejor disipación de calor. Tienen la desventaja de que requieren de mayor mantenimiento.

Se permiten un máximo de 30 conductores hasta ocupar un 20% del interior del ducto, en el caso de empalmes o derivaciones puede ser hasta un 75%. En la siguiente tabla se muestra comparativamente la capacidad de conducción de corriente con respecto al tubo conduit.

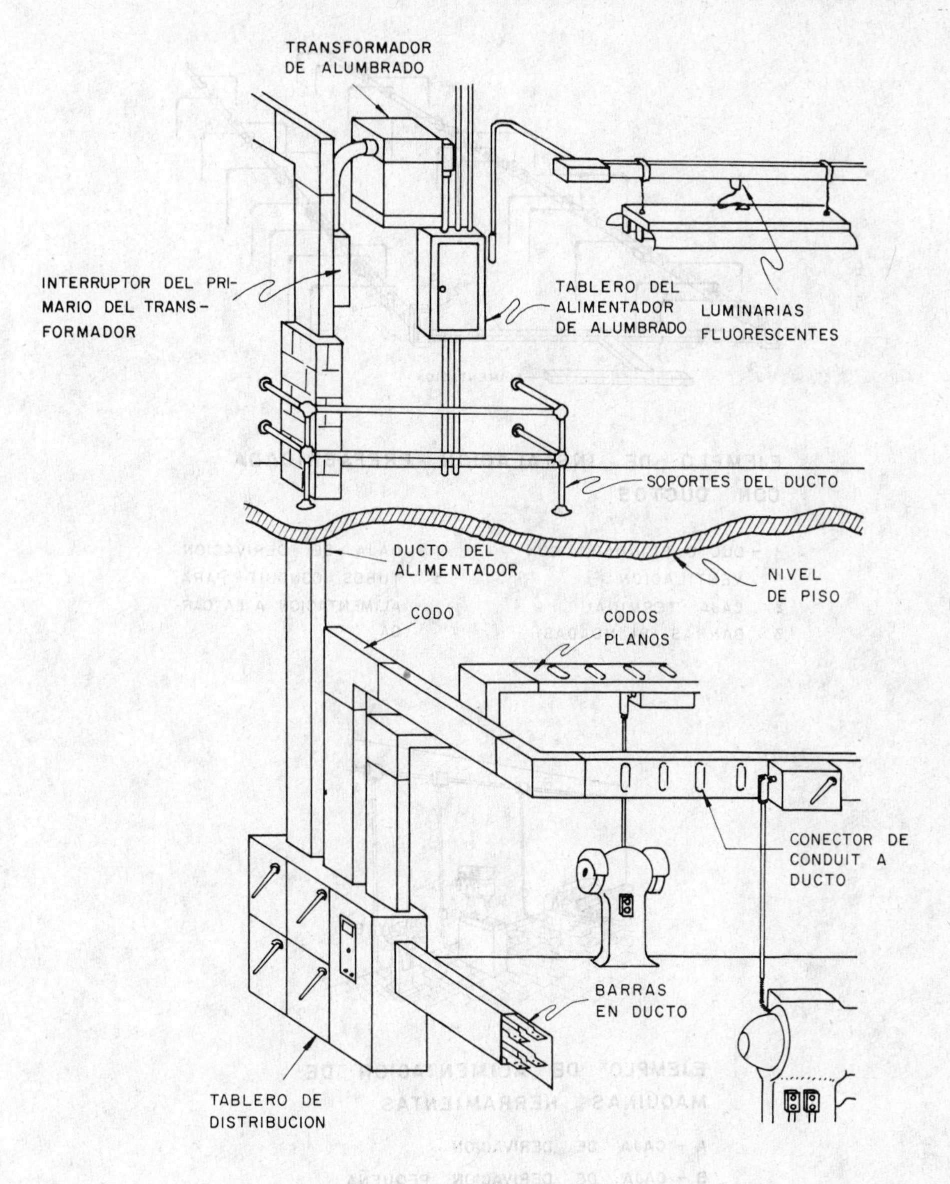

APLICACION DE DUCTOS ELECTRICOS

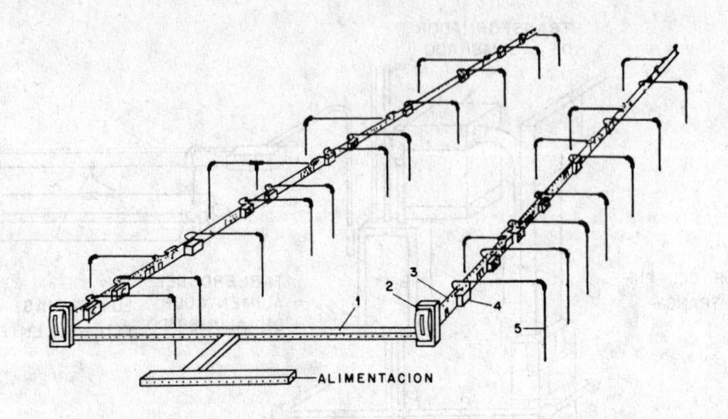

EJEMPLO DE INSTALACION PREFABRICADA CON DUCTOS

1 - DUCTO BLINDADO CON VENTILACION
2 CAJA TERMINAL
3 BARRAS BLINDADAS
4 CAJA DE DERIVACION
5 TUBOS CONDUIT PARA ALIMENTACION A LA CARGA

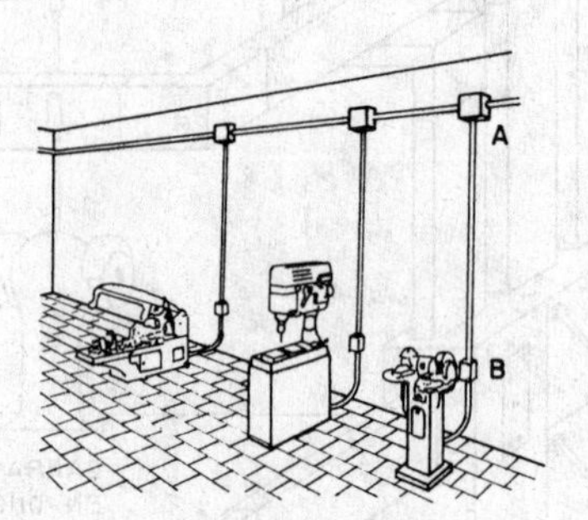

EJEMPLO DE ALIMENTACION DE MAQUINAS HERRAMIENTAS

A - CAJA DE DERIVACION
B - CAJA DE DERIVACION PEQUEÑA

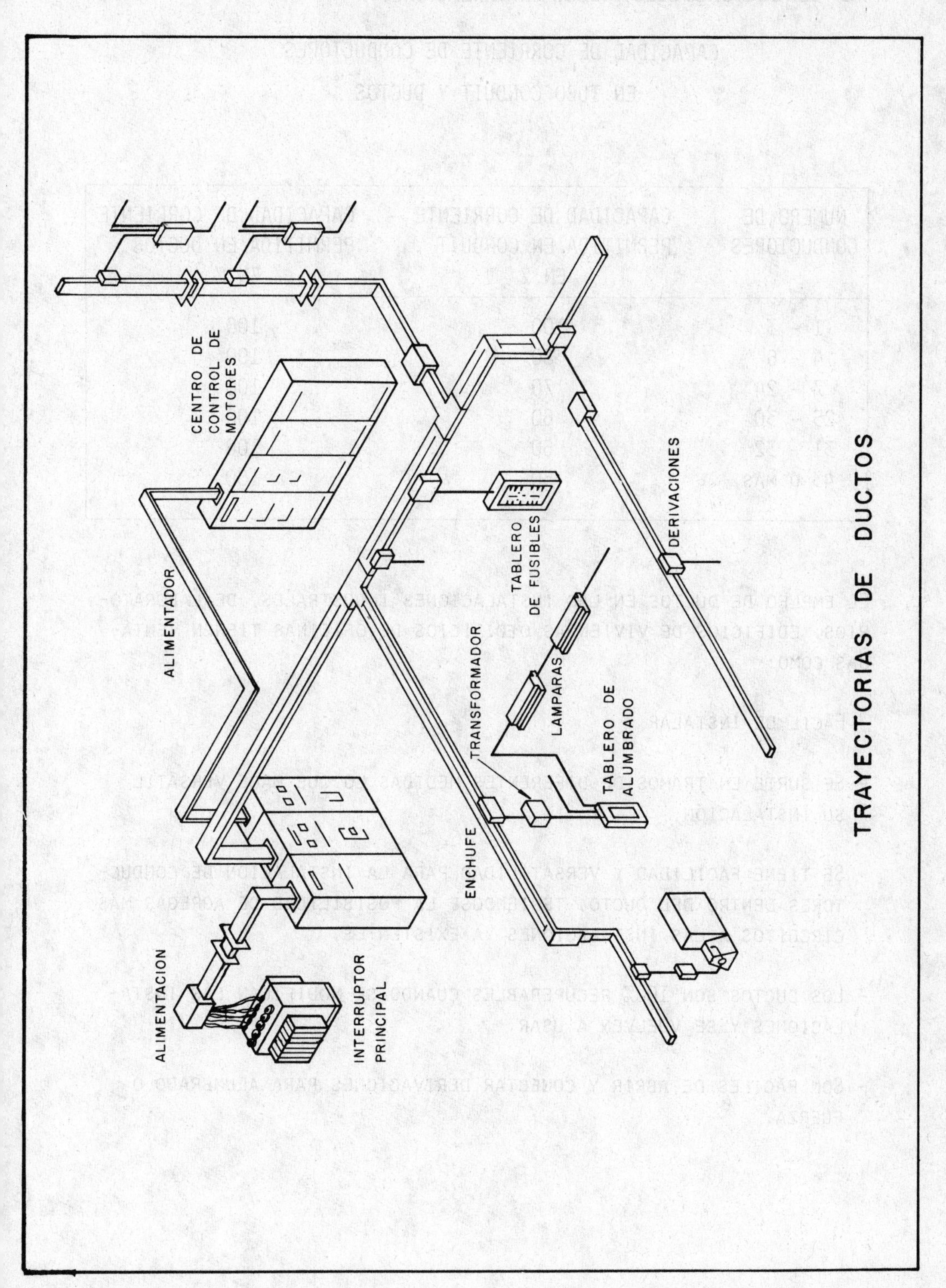

TRAYECTORIAS DE DUCTOS

CAPACIDAD DE CORRIENTE DE CONDUCTORES
EN TUBO CONDUIT Y DUCTOS.

NUMERO DE CONDUCTORES	CAPACIDAD DE CORRIENTE PERMITIDA EN CONDUIT EN %	CAPACIDAD DE CORRIENTE PERMITIDA EN DUCTOS. EN %
1 - 3	100	100
4 - 6	80	100
7 - 24	70	100
25 - 30	60	100
31 - 32	60	100
43 ó MÁS	50	100

EL EMPLEO DE DUCTOS EN LAS INSTALACIONES INDUSTRALES, DE LABORATORIOS, EDIFICIOS DE VIVIENDAS OEDIFICIOS DE OFICINAS TIENEN VENTAJAS COMO:

- FÁCIL DE INSTALAR

- SE SURTE EN TRAMOS DE DIFERENTES MEDIDAS LO QUE HACE VERSÁTIL SU INSTALACIÓN.

- SE TIENE FACILIDAD Y VERSATILIDAD PARA LA INSTALACIÓN DE CONDUCTORES DENTRO DEL DUCTO, TENIÉNDOSE LA POSIBILIDAD DE AGREGAR MÁS CIRCUITOS A LAS INSTALACIONES YA EXISTENTES.

- LOS DUCTOS SON 100% RECUPERABLES CUANDO SE MODIFICAN LAS INSTALACIONES Y SE VUELVEN A USAR.

- SON FÁCILES DE ABRIR Y CONECTAR DERIVACIONES PARA ALUMBRADO O FUERZA.

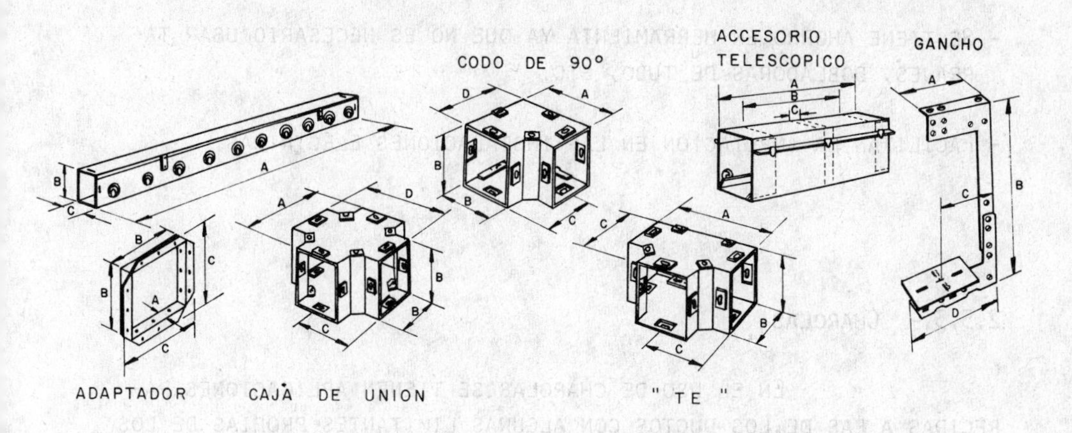

DUCTO METALICO Y ACCESORIOS

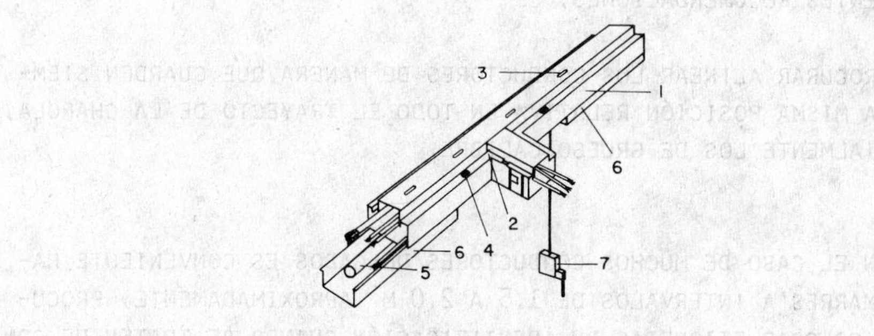

INSTALACION PREFABRICADA CON DUCTO PARA ALIMENTACION DE ALUMBRADO

1 – CANAL EN LAMINA DE ACERO
2 – DERIVACION
3y4 – CIERRE SUPERIOR
5 – TUBO FLUORESCENTE
6 – DIFUSOR DE LA LUMINARIA
7 – DERIVACION

- SE TIENE AHORRO EN HERRAMIENTA YA QUE NO ES NECESARIO USAR TARRAJES, DOBLADORAS DE TUBO, ETC.

- FACILITAN LA AMPLIACIÓN EN LAS INSTALACIONES ELÉCTRICAS.

2.5.3.- CHAROLAS.

EN EL USO DE CHAROLAS SE TIENEN APLICACIONES PARECIDAS A LAS DE LOS DUCTOS CON ALGUNAS LIMITANTES PROPIAS DE LOS LUGARES EN QUE SE HACE LA INSTALACIÓN.

EN CUANTO A LA UTILIZACIÓN DE CHAROLAS SE DAN LAS SIGUIENTES RECOMENDACIONES:

1.- PROCURAR ALINEAR LOS CONDUCTORES DE MANERA QUE GUARDEN SIEMPRE LA MISMA POSICIÓN RELATIVA EN TODO EL TRAYECTO DE LA CHAROLA, ESPECIALMENTE LOS DE GRUESO CALIBRE.

2.- EN EL CASO DE MUCHOS CONDUCTORES DELGADOS ES CONVENIENTE HACER AMARRES A INTERVALOS DE 1.5 A 2.0 M APROXIMADAMENTE, PROCURANDO COLOCAR ETIQUETAS DE IDENTIFICACIÓN CUANDO SE TRATEN DE CONDUCTORES DE VARIOS CIRCUITOS, EN EL CASO DE CONDUCTORES DE CALIBRE GRUESO LOS AMARRES SE PUEDEN HACER CADA 2.0 Ó 3.0 M.

3.- EN LA FIJACIÓN DE CONDUCTORES QUE VAYAN A TRAVÉS DE CHAROLAS POR TRAYECTORIAS VERTICALES MUY LARGAS ES RECOMENDABLE QUE LOS AMARRES SE HAGAN CON ABRAZADERAS ESPECIALES EN LUGAR DE USAR HILO DE CÁÑAMO

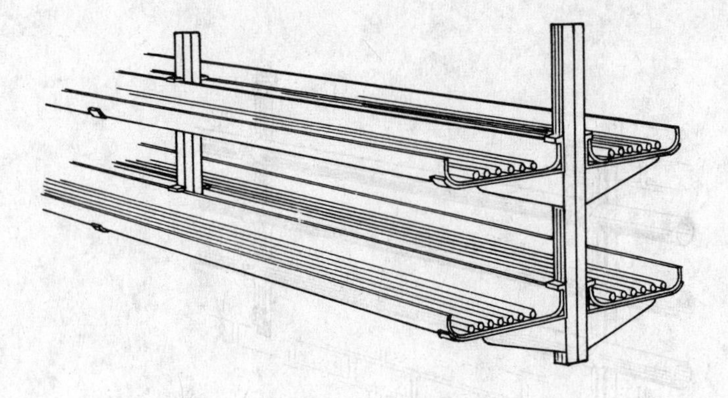

CHAROLAS PARA CABLES

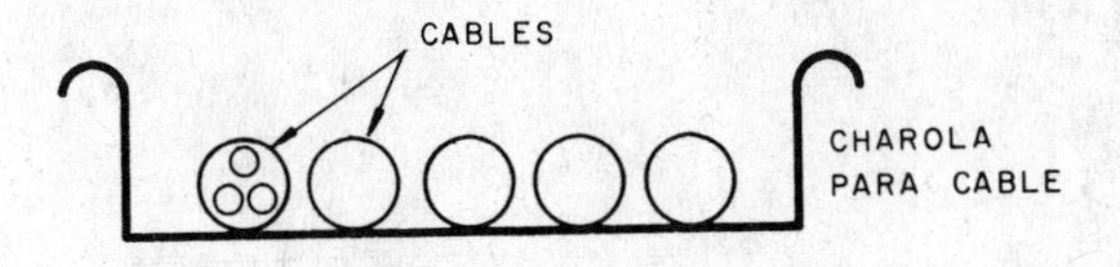

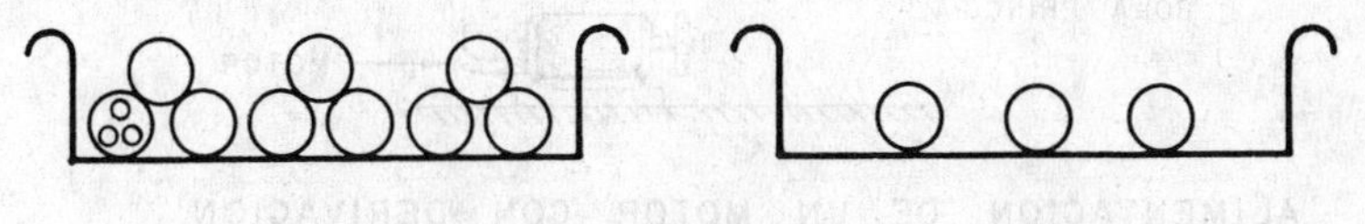

ARREGLOS DE CABLES EN CHAROLAS

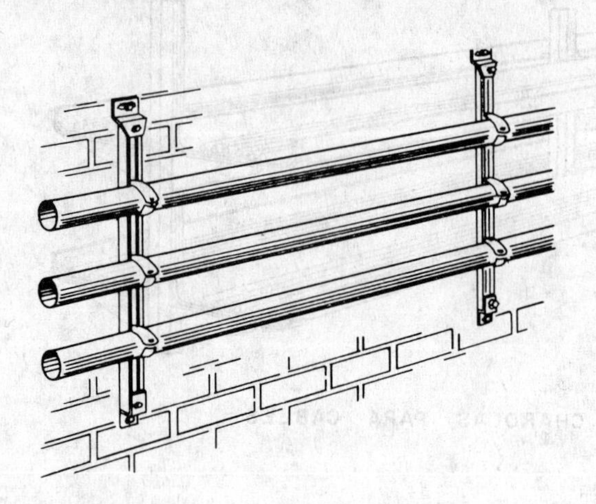

TUBERIAS METALICAS MONTADAS POR MEDIO DE ACCESORIOS

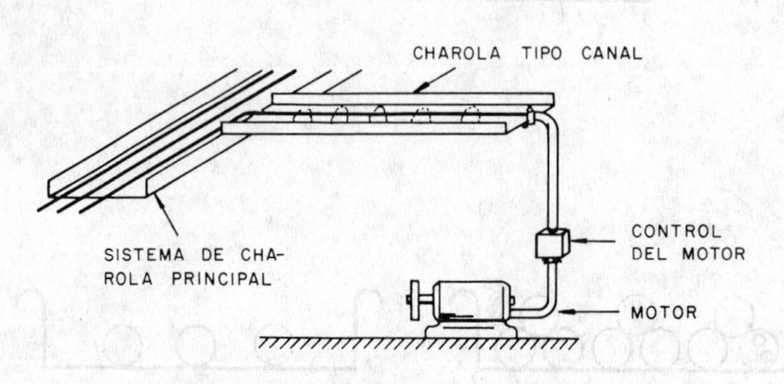

ALIMENTACION DE UN MOTOR CON DERIVACION DE UN SISTEMA DE CHAROLAS.

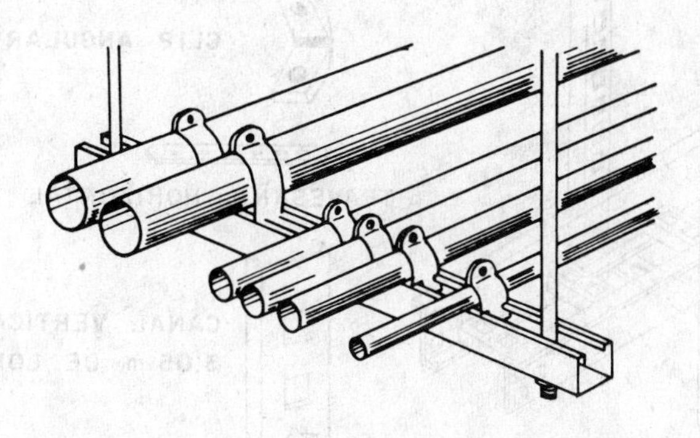

SOPORTES COLGANTES PARA TUBERIAS

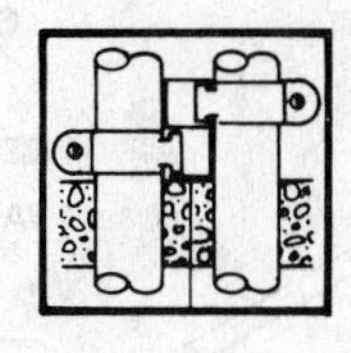

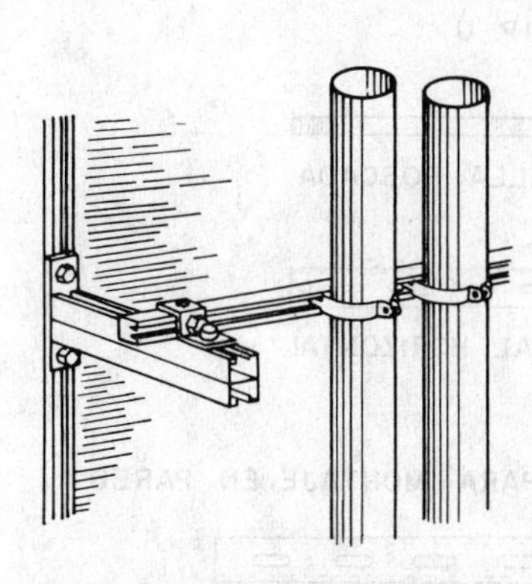

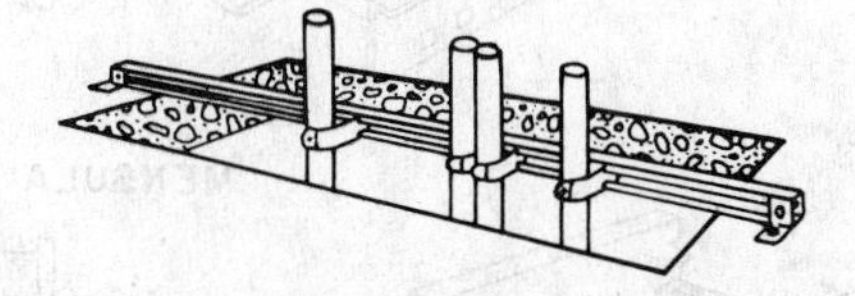

SUJECION DE TUBERIAS POR MURO

SUJECION CON GRAPA

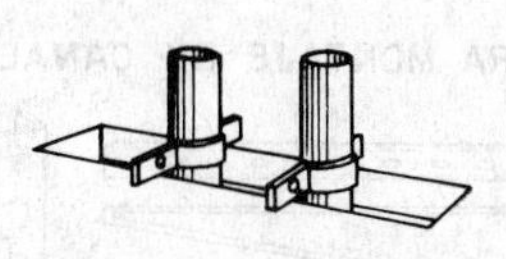

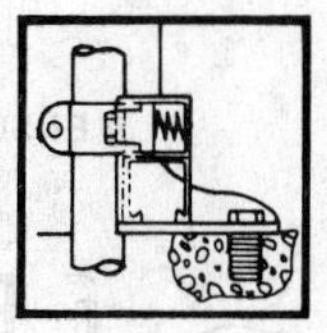

SOPORTES

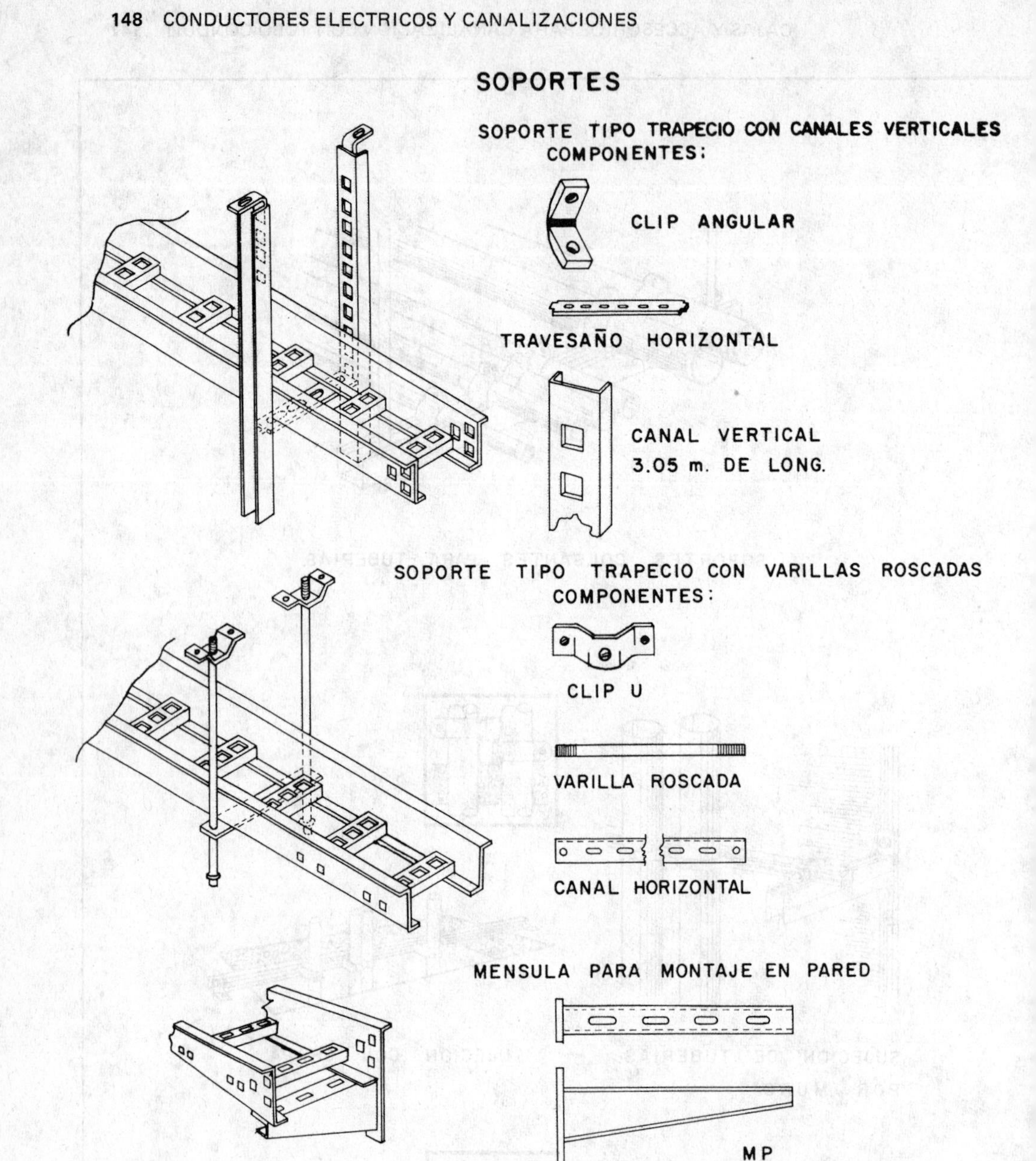
SOPORTE TIPO TRAPECIO CON CANALES VERTICALES
COMPONENTES:
CLIP ANGULAR
TRAVESAÑO HORIZONTAL
CANAL VERTICAL
3.05 m. DE LONG.
SOPORTE TIPO TRAPECIO CON VARILLAS ROSCADAS
COMPONENTES:
CLIP U
VARILLA ROSCADA
CANAL HORIZONTAL
MENSULA PARA MONTAJE EN PARED
MP

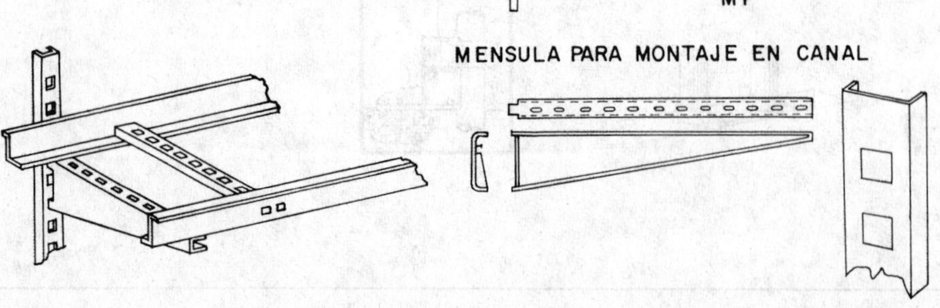
MENSULA PARA MONTAJE EN CANAL

De acuerdo con las normas técnicas para instalaciones eléctricas en ductos verticales (también aplicable a charolas) los conductores deberán estar sostenidos a intervalos no mayores que los indicados en la tabla siguiente:

SOSTEN DE CONDUCTORES EN DUCTOS VERTICALES

CALIBRES	SEPARACION DE SOSTENES
Hasta calibre 1/0	30 m.
Hasta calibre 4/0	25 m.
Hasta calibre 350 MCM	18 m.
Hasta calibre 500 MCM	15 m.
Hasta calibre 750 MCM	12 m.

Una variante de los ductos en donde se alojan los conductores que llevan corriente, son los llamados ELECTRODUCTOS en donde los conductores son barras ya integradas en fábrica para ser armados en la obra y se usan por lo general, para la conducción de grandes corrientes, por ejemplo del orden de 4000 amperes. Se fabrican en una gran variedad de estilos incluyendo los llamados enchufables o atornillables su uso se da en los mismos casos de aplicación de los ductos.

Ejemplo 2.9.- Cual es el máximo número de alambres No. 12 RHW que se pueden instalar en un ducto cuadrado de 6.35 cm (2.5 plg).

SOLUCIÓN

PARA ENCONTRAR EL ÁREA DE UN CONDUCTOR No. 12 RHW SE CONSULTA LA TABLA DE DIMENSIONES DE CONDUCTORES CON AISLAMIENTOS DE HULES O TERMOPLÁSTICOS Y OBSERVANDO EL TRIPLE ASTERISCO EN LA NOTA AL PIE DE LA TABLA, LAS COLUMNAS 3 Y 5 INDICAN QUE PARA EL No. 12 RHW, SIN RECUBRIMIENTO EL ÁREA ES LA MISMA QUE PARA EL No. 12 THW. DE LA COLUMNA 5 ESTA ÁREA ES 0.251 PLG^2. EL ÁREA DEL DUCTO CUADRADO DE 2.5 PLG POR LADO ES:

$$A = 2.5 \times 2.5 = 6.25 \text{ PLG}^2$$

AL 20% PERMISIBLE PARA SER UTILIZADO EL ÁREA DISPONIBLE ES:

$$A_R = 0.20 \times 6.25 = 1.25 \text{ PLG}^2$$

POR LO TANTO CON RELACIÓN AL ÁREA POR CONDUCTOR, EL NÚMERO TOTAL DE CONDUCTORES ES:

$$\text{No.COND.} = \frac{A_R}{A_C} = \frac{1.25}{0.0251} = 49.8 \text{ CONDUCTORES}$$

No. COND. = 50 DEL No. 12 RHW.

COMO SE PERMITE UN MÁXIMO DE 30 CONDUCTORES, ESTE ES EL NÚMERO QUE SE INSTALARÁ EN EL DUCTO.

SUPONIENDO QUE SE PERMITIRÁ DEJAR EL ÁREA COMPLETA CON 50 CONDUCTORES LA MÁXIMA CORRIENTE PERMISIBLE SERÍA: 20A A 75°C, REDUCIENDO SU CAPACIDAD AL 50% DEBIDO A QUE CUANDO EL NÚMERO DE CONDUCTORES EN EL DUCTO O CABLE EXCEDE A 3, SU CAPACI-

DAD SE DEBE REDUCIR DE ACUERDO CON LA TABLA SIGUIENTE:

NÚMERO DE CONDUCTORES	PORCIENTO DE REDUCCIÓN
4 A 6	80
7 A 24	70
25 A 42	60
MÁS DE 43	50

NUMERO DE CONDUCTORES QUE SE PUEDEN INSTALAR EN UN AERO-DUCTO

Tamaño del Conductor	Area en Cm2 Conductor con forro de goma tipos R, RW, RP y RH	NUMERO MAXIMO DE CONDUCTORES (DE UN SOLO TAMAÑO)		
		DUCTO DE 6.5 x 6.5 cms.	DUCTO DE 10 x 10 cms.	DUCTO DE 15 x 15 cms.
14	0.200	•80	•206	•460
12	0.245	•65	•170	•375
10	0.290	•55	•140	•318
8 (solido)	0.458	•35	•90	•201
6	0.839	19	•50	•110
4	1.032	15	•40	•89
2	1.355	11	30	•68
1	1.742	9	23	•52
0	1.999	8	20	•46
00	2.258	7	18	•40
000	2.645	6	15	•35
0000	3.096	5	13	•29
250 MCM	3.741	4	11	24
300 MCM	4.322	3	9	21
400 MCM	5.354	3	7	17
500 MCM	6.386	2	6	14

• DE ACUERDO CON EL REGLAMENTO DE OBRAS E INSTALACIONES ELECTRICAS.

EL REGLAMENTO LIMITA A 30 EL NUMERO DE CONDUCTORES QUE SE PUEDEN INSTALAR EN UN DUCTO, A NO SER QUE LOS QUE SEAN EN EXCESO DE 30 SE USEN PARA CIRCUITOS DE SEÑALES O DE CONTROL, ENTRE UN MOTOR Y SU ARRANCADOR EN — LOS PERIODOS DE ARRANQUE.

APENDICE DE TABLAS DEL CAPITULO 2.

TABLA No. 2.4

DIMENSIONES EN LOS CONDUCTORES CON AISLAMIENTOS DE HULES O TERMOPLASTICOS.

CALIBRE AWG ó KCM	TIPOS RFH-2, RH, RHH***, RHW***, SF-2 DIAMETRO APROX. PULG.	AREA APROX. PULG.	TIPOS TF, T, THW†, TW, RUH**, RUW** DIAMETRO APROX. PULG.	AREA APROX. PULG.	TIPOS TFN, THHN, THWN DIAMETRO APROX. PULG.	AREA APROX. PULG.	TIPOS**** FEP, FEPB, FEPW, TFE, PF, PFA, PFAH, FGF, PTF, Z, ZF, ZFF DIAMETRO APROX. PULG.	AREA APROX. PULG.	TIPOS XHHW, ZW †† DIAMETRO APROX. PULG.	AREA APROX. PULG.
18	0.146	0.0167	0.106	0.0088	0.089	0.0064	0.081	0.0052	—	—
16	0.158	0.0196	0.118	0.0109	0.100	0.0079	0.092	0.0066	—	—
14	2/64 in. 0.171	0.0230	0.131	0.0135	0.105	0.0087	0.105 0.105	0.0087 0.0087	—	—
14	3/64 in. 0.204*	0.0327*	—	—	—	—	— —	— —	—	—
14			0.162†	0.0206†	—	—	— —	— —	0.129	0.0131
12	2/64 in. 0.188	0.0278	0.148	0.0172	0.122	0.0117	0.121 0.121	0.0115 0.0115	—	—
12	3/64 in. 0.221*	0.0384*	—	—	—	—	— —	— —	—	—
12			0.179†	0.0251†	—	—	— —	— —	0.146	0.0167
10	— 0.242	0.0460	0.168	0.0224	0.153	0.0184	0.142 0.142	0.0159 0.0159	—	—
10	— —	—	0.199†	0.0311†	—	—	— —	— —	0.166	0.0216
8	— — 0.328	0.0854	0.245	0.0471	0.218	0.0373	0.206 0.186	0.0333 0.0272	—	—
8	— —	—	0.276†	0.0598†	—	—	— —	— —	0.241	0.0456
6	0.397	0.1238	0.323	0.0819	0.257	0.0519	0.244 0.302	0.0467 0.0716	0.282	0.0625
4	0.452	0.1605	0.372	0.1087	0.328	0.0845	0.292 0.350	0.0669 0.0962	0.328	0.0845
3	0.481	0.1817	0.401	0.1263	0.356	0.0995	0.320 0.378	0.0803 0.1122	0.356	0.0995
2	0.513	0.2067	0.433	0.1473	0.388	0.1182	0.352 0.410	0.0973 0.1316	0.388	0.1182
1	0.588	0.2715	0.508	0.2027	0.450	0.1590	0.420 —	0.1385 —	0.450	0.1590
0	0.629	0.3107	0.549	0.2367	0.491	0.1893	0.462 —	0.1676 —	0.491	0.1893
00	0.675	0.3578	0.595	0.2781	0.537	0.2265	0.498 —	0.1974 —	0.537	0.2265
000	0.727	0.4151	0.647	0.3288	0.588	0.2715	0.560 —	0.2463 —	0.588	0.2715
0000	0.785	0.4840	0.705	0.3904	0.646	0.3278	0.618 —	0.2999 —	0.646	0.3278
250	0.868	0.5917	0.788	0.4877	0.716	0.4026	— —	— —	0.716	0.4026
300	0.933	0.6837	0.483	0.5581	0.771	0.4669	— —	— —	0.771	0.4669
350	0.985	0.7620	0.895	0.6291	0.822	0.5307	— —	— —	0.822	0.5307
400	1.032	0.8365	0.942	0.6969	0.869	0.5931	— —	— —	0.869	0.5931
500	1.119	0.9834	1.029	0.8316	0.955	0.7163	— —	— —	0.955	0.7163
600	1.233	1.1940	1.143	1.0261	1.058	0.8792	— —	— —	1.073	0.9043
700	1.304	1.3355	1.214	1.1575	1.129	1.0011	— —	— —	1.145	1.0297
750	1.339	1.4082	1.249	1.2252	1.163	1.0623	— —	— —	1.180	1.0936
800	1.372	1.4784	1.282	1.2908	1.196	1.1234	— —	— —	1.210	1.1499
900	1.435	1.6173	1.345	1.4208	1.258	1.2449	— —	— —	1.270	1.2668
1000	1.494	1.7531	1.404	1.5482	1.317	1.3623	— —	— —	1.330	1.3893
1250	1.676	2.2062	1.577	1.9532	—	—	— —	— —	1.500	1.7672
1500	1.801	2.5475	1.702	2.2748	—	—	— —	— —	1.620	2.0612
1750	1.916	2.8895	1.817	2.5930	—	—	— —	— —	1.740	2.3779
2000	2.021	3.2079	1.922	2.9013	—	—	— —	— —	1.840	2.6590

* DIMENSIONES PARA LOS TIPOS RHH Y RHW.

** DEL No. 14 AL No. 2.

† DIMENSIONES DEL TIPO THW EN CALIBRES DEL 14 AL 8. EL TIPO THW DEL No. 6 Y MAYORES TIENEN LAS MISMAS DIMENSIONES QUE EL TIPO T.

*** LAS DIMENSIONES DEL TIPO RHH Y RHW SIN CUBIERTA EXTERIOR SON LAS MISMAS QUE LAS DEL TIPO THW; DEL No. 18 AL No. 6 SOLIDOS; Y DEL No. 8 EN ADELANTE, CABLEADOS.

**** LOS VALORES MOSTRADOS PARA CALIBRES DEL 1 AL 0000 SON PARA TIPOS TFE Y Z SOLAMENTE. LOS VALORES A MANO DERECHA EN LAS MISMAS COLUMNAS SON PARA FEPB, Z, ZF Y ZFF UNICAMENTE.

†† DEL CALIBRE 14 AL No. 2.

TABLA 2.4.1
RESISTENCIA Y REACTANCIA DE CONDUCTORES

CALIBRE AWG MCM	RESISTENCIA EN Ω/100 m A 60° C	REACTANCIA EN Ω/100 m	
		MINIMA	MAXIMA
14	1.0	0.0153	0.015
12	0.623	0.0133	0.015
10	0.393		
8	0.246	0.0153	0.015
6	0.155	0.0133	0.015
4	0.097	0.0123	0.0166
3	0.076	0.0120	0.0163
2	0.616	0.0116	0.0160
1	0.0486	0.0116	0.0160
0	0.0386	0.0113	0.0160
00	0.0306	0.0106	0.0146
000	0.0243	0.0103	0.0146
0000	0.0193	0.0100	0.0150
250	0.0163	0.0100	0.0150
300	0.0136	0.0096	0.0150
350	0.1160	0.0096	0.0146
400	0.0102	0.0096	0.0143
450	0.0090	0.0093	0.0133
500	0.0080	0.0093	0.0123
550	0.0074	0.0093	0.0133
600	0.0068	0.0093	0.0133
750	0.0054	0.0093	0.0133
1000	0.0041	0.0093	0.0133

NOTAS RELATIVAS A LA TABLA ANTERIOR.

1.- El factor de corrección por temperatura para la resistencia óhmica es de 0.34 por °C.

2.- Para conductores en ducto de acero, ó con armaduras de acero, la resistencia aumenta en 25%, por lo tanto multiplíquense - los valores por 1.25

3.- Los valores de la reactancia mínima se aplican para conducto res juntos dentro de un tubo conduit o ducto. Los valores - de la reactancia máxima se aplican para conductores separa- dos, en instalaciones aéreas, o en ménsulas en galerías de conductores.

4.- Para 50 ciclos, los valores de la reactancia deben multipli- carse por 5/6.

TABLA 2.5

DIMENSIONES DE LOS CONDUCTORES ELECTRICOS DESNUDOS

CALIBRE	SECCION		DIAMETRO	
A. W. G. K. C. M.	C. M.	MM^2	PULGS.	MM
20	1022	0.5176	0.03196	0.812
18	1624	0.8232	0.04030	1.024
16	2583	1.3090	0.05082	1.291
14	4107	2.0810	0.06408	1.628
12	6530	3.3090	0.08081	2.053
10	10380	5.2610	0.1019	2.588
8	16510	8.3670	0.1285	3.264
6	26250	13.3030	0.1620	4.115
4	41740	21.1480	0.2043	5.189
3	52630	26.6700	0.2294	5.827
2	66370	33.6320	0.2576	6.543
1	83690	42.4060	0.2893	7.348
0	105500	53.4770	0.3249	8.252
00	133100	67.4190	0.3648	9.266
000	167800	85.0320	0.4096	10.403
0000	211600	107.2250	0.4600	11.684

KCM = MILES DE CIRCULAR

Continuación de la Tabla 2.5

CALIBRE	SECCION		DIAMETRO	
A. W. G. K. C. M.	C. M.	MM^2	PULGS.	MM
250		126.644	0.575	14.605
300		151.999	0.630	16.002
350		177.354	0.681	17.297
400		202.709	0.728	18.491
500		253.354	0.814	20.675
600		303.999	0.893	22.682
700		354.708	0.964	24.685
800		405.160	1.031	26.187
750		379.837	0.998	25.349
900		455.805	1.093	27.762
1000		506.450	1.152	29.260
1250		633.063	1.289	32.741
1500		759.677	1.412	35.865
1750		886.286	1.526	38.760
2000		1012.901	1.631	41.427

TABLA 2.6

NUMERO DE CONDUCTORES TIPO TW,T,TWH,UF Y VINANEL 900 V,RH,RUH,V QUE PUEDEN INSTALARSE DENTRO DE UN TUBO CONDUIT DE ACUERDO CON LOS FACTORES DE RELLENO NO ESTABLECIDOS.

CALIBRE	DIAMETRO DEL TUBO CONDUIT											
A. W. G.	$\frac{1}{2}$"	$\frac{3}{4}$"	1"	$1\frac{1}{4}$"	$1\frac{1}{2}$"	2"	$2\frac{1}{4}$"	3"	$3\frac{1}{2}$"	4"	5"	6"
M. C. M.	13mm	19mm	25mm	31mm	38mm	51mm	64mm	76mm	89mm	101mm	127mm	152mm
18	13	24	39	68	92							
16	11	19	31	54	74							
14	9	13	25	44	60	99						
12	7	12	20	34	47	78						
10	5	9	15	26	36	60	85					
8	3	5	8	14	20	32	46	72				
6	1	2	4	7	10	16	23	36	48	62		
4	1	1	3	5	7	12	17	27	36	46	63	
2	1	1	1	4	5	9	12	20	26	34	54	78
1	0	1	1	2	4	6	8	14	19	25	39	57
0	0	1	1	2	3	5	8	12	16	21	33	45
00	0	1	1	1	3	4	6	10	14	18	28	41
000	0	0	1	1	1	4	4	9	12	15	24	35
0000	0	0	1	1	1	3	4	7	10	13	20	29
250				1	1	2	3	6	8	10	16	23
300				1	1	1	2	5	7	9	14	20

TABLA 2.6 A

CARACTERISTICAS DE ALAMBRES Y CABLES CON AISLAMIENTO DE CLORURO DE POLIVINILO TIPO TW										
CALIBRE MCM AWG	NO. DE CONDUCTORES QUE PUEDEN INSTALARSE EN TUBO CONDUIT DE									
	12 mm	19 mm	25 mm	32 mm	38 mm	51 mm	64 mm	76 mm	89 mm	102 mm
ALAMBRE										
4	1	1	3	6	8	15	24			
6	1	2	4	7	10	19				
8	1	4	8	12	18					
10	3	8	14	23						
12	4	10	19							
4	6	14	25							
16	9	21								
18	12									
20	14									
22	17									
CABLE										
500					1	1	1	3	4	6
400				1	1	1	2	4	5	7
350				1	1	1	3	4	6	8
300				1	1	1	3	5	7	9
250				1	1	2	4	6	8	11
4/0			1	1	1	3	5	7	10	13
3/0			1	1	1	4	6	9	12	16
2/0			1	1	2	4	7	10	14	19
1/0		1	1	1	3	5	8	12	7	22
1		1	1	1	3	6	10	15	20	
2		1	1	3	5	9	14	20		
4	1	1	2	4	7	12	19			
6	1	1	4	6	9	16	26			
8	1	3	6	10	15	27				
10	3	7	12	19						
12	4	9	16	26						
14	5	12	21							
16	8	19								
18	11									
20	13									

NO. DE CONDUCTORES	1	2	3	mas de 3
FACTOR DE RELLENO	55 %	30 %	40 %	40 %

TABLA 2.7

CAPACIDAD DE CORRIENTE DE CONDUCTORES DE COBRE BASADA EN UNA TEMPERATURA AMBIENTE DE 30° C.

CALIBRE	TIPO VF T.W.'T'TWH 60° C				VINANEL 900 RH,'RVH'V 75° C			
A.W.G. K.C.M.	1 a 3 CONDS. TUBO	4 a 6 CONDS. TUBO	6 a 9 CONDS. TUBO	1 CONDS. AIRE	1 a 3 CONDS. TUBO	4 a 6 CONDS. TUBO	6 a 9 CONDS. TUBO	1 CONDS. AIRE
14	15	12	10	20	15	12	10	20
12	20	16	14	25	20	16	14	25
10	30	24	21	40	30	24	21	40
8	40	32	28	55	45	36	31	65
6	55	44	38	80	65	52	45	95
4	70	56	49	105	85	68	59	125
2	95	76	66	140	115	92	80	170
0	125	100	87	195	150	120	105	230
00	145	116	110	225	175	140	122	265
000	165	132	115	260	200	160	140	310
0000	195	156	132	300	230	184	161	360
250	215	172	150	340	255	204	178	405
300	240	192	168	375	285	228	199	445
350	260	208	182	420	310	248	217	505
400	280	224	196	455	335	268	234	545
500	320	256	224	515	380	304	266	680

CONTINUACION DE LA TABLA **2.7**

CALIBRE	TIPO TW,T,TWH,UF 60°C				VINANEL 900 RH,RUH,V 75°C			
A. W. G.	1 a 3	4 a 6	6 a 9	1	1 a 3	4 a 6	6 a 9	1
M. C. M.	CONDS. TUBO	CONDS. TUBO	CONDS. TUBO	COND. AIRE	CONDS. TUBO	CONDS. TUBO	CONDS. TUBO	COND. AIRE
600	355	284	248	575				
750	400	320	280	655				
1000	455	364	318	780				
1250	495	396	346	890				
1500	520	416	364	980				
1750	545	436	382	1070				
2000	560	448	392	1155				
TEMP.°C	FACTOR DE CORRECCION PARA TEMPERATURA AMBIENTE MAYOR DE 30 °C.							
40	0.82	0.82	0.82	0.82	0.88	0.88	0.88	0.88
45	0.71	0.71	0.71	0.71	0.82	0.82	0.82	0.82
50	0.58	0.58	0.58	0.58	0.75	0.75	0.75	0.75
55	0.41	0.41	0.41	0.41	0.67	0.67	0.67	0.67
60	----	----	----	----	0.58	0.58	0.58	0.58

TABLA 2.8

CANTIDAD DE CONDUCTORES EN TUBERIA CONDUIT
DE ACERO DE PARED GRUESA Y TIPO COMERCIAL

CALIBRE	VINANEL NYLON 'KH' RVH									VINANEL 900 Y TW. T' TWH								
AWG	1/2"	3/4"	1"	11/4"	1 1/2"	2"	2 1/2"	3"	4"	1/2"	3/4	1"	11/4"	1 1/2"	2"	2 1/2"	3"	4"
Y KCM	13 mm	19 mm	25 mm	32 mm	38 mm	52 mm	63 mm	76 mm	102 mm	13 mm	29 mm	25 mm	32 mm	38 mm	52 mm	63 mm	76 mm	102 mm
14	16	26	42							11	18	30						
12	12	20	31	53						9	14	23	39					
10	8	12	20	34	46					6	11	17	30	40				
8	4	7	11	20	27	44				3	6	9	16	21	34			
6	3	4	7	12	16	27	40			1	3	5	8	11	18	27		
4	1	2	4	7	10	16	25	38			1	3	6	8	14	20	32	
2		1	3	5	7	12	17	27	46		1	2	4	6	10	15	23	28
1/0			1	3	4	7	11	17	29			1	2	3	6	9	14	17
2/0			1	2	3	6	9	14	24				1	3	5	8	12	15
3/0				1	3	5	7	12	20				1	2	4	6	10	12
4/0				1	2	4	6	10	16				1	1	3	5	8	10
250				1	1	3	5	8	13					1	3	4	7	8
300					1	3	4	7	11					1	2	4	6	7
400						1	3	5	9						1	3	4	6
500						1	3	4	7						1	2	4	5

TABLA 2.9

CANTIDAD DE CONDUCTORES ADMISIBLES EN TUBERIA CONDUIT
DE ACERO DE PARED DELGADA TIPO COMERCIAL

CALIBRE Y K.C.M.	VINANEL NYLON 'RH'RVH						VINANEL 900 TW'T'TWH					
	$\frac{1}{2}$" 13 mm	3/4" 19 mm	1" 25 mm	11/4" 32 mm	$1\frac{1}{2}$" 38 mm	2" 52 mm	$\frac{1}{2}$" 13 mm	3/4" 19 mm	1" 25 mm	11/4" 32 mm	$1\frac{1}{2}$ 38 mm	2" 52 mm
14	13	24	37				9	17	26			
12	9	18	27	49			7	13	20	36		
10	6	11	17	31	43		5	10	15	28	38	
8	3	6	10	18	25	40	2	5	8	24	20	32
6	1	4	6	11	15	25	1	2	4	7	10	17
4		1	4	7	9	15		1	3	5	8	13
2		1	2	5	6	11		1	1	4	5	9
1/0			1	3	4	5			1	2	3	6
2/0			1	1	3	4				1	3	5
3/0				1	3	4				1	1	4
4/0				1	1	3				1	1	3
250				1	1	2					1	2
300					1	2					1	1
400						1						1
500						1						1

TABLA 2.10

CANTIDAD DE CONDUCTORES ADMISIBLES EN TUBERIA
CONDUIT DE PVC RIGIDO TIPO PESADO

CALIBRE AWG y KCM	VINANEL NYLON 'RH'RVH									VINANEL 900 TW 'T'TWH								
	1/2" 13 mm	3/4" 19 mm	1" 25 mm	1 1/4" 32 mm	1 1/2" 38 mm	2" 52 mm	2 1/2" 63 mm	3" 76 mm	4" 102 mm	1/2" 13 mm	3/4" 19 mm	1" 25 mm	1 1/4" 32 mm	1 1/2" 38 mm	2" 52 mm	2 1/2" 63 mm	3" 76 mm	1[illegible]
14	17	29	49							12	21	34						
12	13	22	36	60						9	16	27	44					
10	8	14	23	38	50					7	12	20	34	44				
8	4	8	13	22	29	46				3	6	10	17	23	36			
6	3	5	8	13	18	28	41			1	3	5	9	12	19	28		
4	1	3	5	8	11	17	25	39		1	2	4	7	9	14	21	33	
2		1	3	6	8	12	18	28	48		1	3	5	6	10	15	24	4[illegible]
1/0			1	3	5	7	11	17	30			1	3	4	6	9	15	2[illegible]
2/0			1	3	4	6	9	14	25			1	2	3	5	8	12	2[illegible]
3/0			1	2	3	5	8	12	21				1	3	4	7	10	1[illegible]
4/0				1	2	4	6	10	17				1	1	4	5	9	1[illegible]
250				1	1	3	5	8	14				1	1	3	4	7	1[illegible]
300				1	1	3	4	7	12					1	2	4	6	1[illegible]
400					1	1	3	5	9						1	3	5	
500						1	3	4	8						1	2	4	

Nota: Del Calibre 6 en adelante se trata de cable.

TABLA 2.11

CANTIDAD DE CONDUCTORES ADMISIBLES EN TUBERIA CONDUIT DE PVC RIGIDO
TIPO LIGERO

CALIBRE	VINANEL NYLON 'RH'RUH						VINANEL 900 TW'T'TWH					
AWA ó KCM	$\frac{1}{2}$" 13 mm	3/4" 19 mm	1" 25 mm	1 1/4" 32 mm	$1\frac{1}{2}$" 38 mm	2" 52 mm	$\frac{1}{2}$" 13 mm	3/4" 19 mm	1" 25 mm	1 1/4" 32 mm	$1\frac{1}{2}$" 38 mm	2" 52 mm
14	13	24	39				9	17	27			
12	10	18	29	49			7	13	21	36		
10	6	11	18	31	43		5	10	16	27	38	
8	3	6	10	18	25	41	2	5	8	14	19	32
6	1	4	6	11	15	25	1	2	4	7	10	17
4		1	4	7	9	15		1	3	5	8	13
2		1	2	5	6	11		1	1	4	5	9
1/0			1	3	4	7			1	2	3	6
2/0				1	3	5				1	3	5
3/0				1	3	4				1	1	4
4/0				1	1	4				1	1	3
250					1	3					1	2
300					1	2					1	1
400						1						1
500						1						1

Nota: Del calibre 6 en adelante se trata de cable.

TABLA 2.12

NUMERO MAXIMO DE CONDUCTORES EN MEDIDAS COMERCIALES DE TUBERIA CONDUIT.

DIAMETRO DE LA TUBERIA (PULGADAS)		1/2	3/4	1	1 1/4	1 1/2	2	2 1/2	3	3 1/2	4	4 1/2	5	6
TIPO DE CONDUCTOR	CALIBRE CONDUCTOR AWG-KCM	13 mm	19 mm	25 mm	32 mm	38 mm	51 mm	63 mm	76 mm	89 mm	102 mm	114 mm	127 mm	152 mm
TW, T; RUH,	14	9	15	25	44	60	99	142						
RUW,	12	7	12	19	35	47	78	111	171					
XHHW (14 hasta 8)	10	5	9	15	26	36	60	85	131	176				
	8	2	4	7	12	17	28	40	62	84	108			
RHW and RHH	14	6	10	16	29	40	65	93	143	192				
(sin cubierta	12	4	8	13	24	32	53	76	117	157				
exterior)	10	4	6	11	19	26	43	61	95	127	163			
THW	8	1	3	5	10	13	22	32	49	66	85	106	133	
TW,	6	1	2	4	7	10	16	23	36	48	62	78	97	141
T,	4	1	1	3	5	7	12	17	27	36	47	58	73	106
THW,	3	1	1	2	4	6	10	15	23	31	40	50	63	91
RUH (6 a 2)	2	1	1	2	4	5	9	13	20	27	34	43	54	78
RUW (6 a 2)	1		1	1	3	4	6	9	14	19	25	31	39	57
FEPB (6 a 2)	0		1	1	2	3	5	8	12	16	21	27	33	49
RHW	00		1	1	1	3	5	7	10	14	18	23	29	41
RHH (sin cubierta	000		1	1	1	2	4	6	9	12	15	19	24	35
exterior)	0000			1	1	1	3	5	7	10	13	16	20	29
	250			1	1	1	2	4	6	8	10	13	16	23
	300			1	1	1	2	3	5	7	9	11	14	20
	350				1	1	1	3	4	6	8	10	12	18
	400				1	1	1	2	4	5	7	9	11	16
	500				1	1	1	1	3	4	6	7	9	14
	600					1	1	1	3	4	5	6	7	11
	700					1	1	1	2	3	4	5	7	10
	750					1	1	1	2	3	4	5	6	9
THWN,	14	13	24	39	69	94	154							
	12	10	18	29	51	70	114	164						
	10	6	11	18	32	44	73	104	160					
	8	3	5	9	16	22	36	51	79	106	136			
THHN,	6	1	4	6	11	15	26	37	57	76	98	125	154	
FEP (14 a 2)	4	1	2	4	7	9	16	22	35	47	60	75	94	137
FEPB (14 a 3)	3	1	1	3	6	8	13	19	29	39	51	64	80	116
PFA (14 a 4/0)	2	1	1	3	5	7	11	16	25	33	43	54	67	97
PFAH (14 a 4/0)	1		1	1	3	5	8	12	18	25	32	40	50	72
Z (14 a 4/0) XHHW (14 a 500 KCM)	0		1	1	3	4	7	10	15	21	27	33	42	61
	00		1	1	2	3	6	8	13	17	22	28	35	51
	000		1	1	1	3	5	7	11	14	18	23	29	42
	0000		1	1	1	2	4	6	9	12	15	19	24	35
	250			1	1	1	3	4	7	10	12	16	20	28
	300			1	1	1	3	4	6	8	11	13	17	24
	350			1	1	1	2	3	5	7	9	12	15	21
	400				1	1	1	3	5	6	8	10	13	19
	500				1	1	1	2	4	5	7	9	11	16
	600				1	1	1	1	3	4	5	7	9	13
	700					1	1	1	3	4	5	6	8	11
	750					1	1	1	2	3	4	6	7	11
XHHW	6	1	3	5	9	13	21	30	47	63	81	102	128	185
	600				1	1	1	1	3	4	5	7	9	13
	700					1	1	1	3	4	5	6	7	11
	750					1	1	1	2	3	4	6	7	10
RHW	14	3	6	10	18	25	41	58	90	121	155			
	12	3	5	9	15	21	35	50	77	103	132			
	10	2	4	7	13	18	29	41	64	86	110	138		
	8	1	2	4	7	9	16	22	35	47	60	75	94	137
RHH (Con cubierta	6	1	1	2	5	6	11	15	24	32	41	51	64	93
exterior)	4	1	1	1	3	5	8	12	18	24	31	39	50	72
	3	1	1	1	3	4	7	10	16	22	28	35	44	63
	2		1	1	3	4	6	9	14	19	24	31	38	56
	1		1	1	1	3	5	7	11	14	18	23	29	42
	0		1	1	1	2	4	6	9	12	16	20	25	37
	00			1	1	1	3	5	8	11	14	18	22	32
	000			1	1	1	3	4	7	9	12	15	19	28
	0000			1	1	1	2	4	6	8	10	13	16	24
	250				1	1	1	3	5	6	8	11	13	19
	300				1	1	1	3	4	5	7	9	11	17
	350				1	1	1	2	4	5	6	8	10	15
	400				1	1	1	1	3	4	6	7	9	14
	500				1	1	1	1	3	4	5	6	8	11
	600					1	1	1	2	3	4	5	6	9
	700					1	1	1	1	3	3	4	6	8
	750						1	1	1	3	3	4	5	8

TABLA 2.13

CALCULO DE CONDUCTORES AISLADOS POR CAIDA DE TENSION

DISTANCIA* EN METROS PARA UNA CAIDA DE TENSION MAXIMA DE 3 %
CIRCUITOS TRIFASICOS EQUILIBRADOS EN 220 VOLTS

CALIBRE AWG ó KCM	3 AMP	6 AMP	15 AMP	20 AMP	25 AMP	35 AMP	50 AMP	70 AMP	80 AMP	90 AMP	100 AMP	125 AMP
14	147.2	73.6	29.9									
12	232.3	117.3	46.0	34.5								
10	370.3	186.3	73.6	55.2	43.7							
8	588.8	294.4	117.3	87.4	69.0	50.6						
6	936.1	469.2	188.6	140.3	112.7	80.5	62.1					
4	1488.1	745.2	296.7	223.1	179.4	126.5	89.7	64.4				
2	2369.0	1184.5	476.1	366.5	265.2	202.4	147.6	101.2	87.4			
1/0	3760.5	1886.0	752.1	565.8	450.8	322.0	225.4	161.0	140.3	126.5	112.7	89.7
2/0	4749.5	2375.9	949.9	713.0	570.4	407.1	285.2	202.4	177.1	158.7	142.6	112.7
3/0		2990.0	1200.6	897.0	717.6	512.9	368.8	257.6	225.4	200.1	179.4	142.6
4/0		3772.0	1508.8	1131.6	906.2	646.3	453.1	322.0	282.9	253.0	227.7	181.7
250			1787.1	1340.9	1071.8	765.9	533.6	381.8	333.5	296.7	266.8	213.9
300			2143.6	1610.0	1283.4	917.7	641.7	460.0	400.2	366.5	322.0	257.6
350				1876.8	1501.9	1069.5	752.1	533.6	466.9	418.6	374.9	299.0
400				2143.6	1715.8	1225.9	855.6	611.8	533.6	476.1	427.8	342.7
500					2143.6	1527.2	1071.8	765.9	655.5	593.4	533.6	427.8
600						1835.4	1283.4	917.7	802.7	713.0	641.7	512.9
700						2143.6	1501.9	1071.8	936.1	834.9	752.1	600.3

CALIBRE AWG ó KCM	150 AMP	175 AMP	225 AMP	250 AMP	275 AMP	300 AMP	325 AMP	400 AMP	450 AMP	500 AMP	525 AMP
2/0	94.3										
3/0	119.6	103.5									
4/0	151.8	128.8	101.2								
250	179.4	151.8	119.6	105.8							
300	213.9	184.0	142.6	128.8	117.3						
350	248.4	213.9	165.6	149.5	135.7	124.2					
400	285.2	243.8	190.9	170.2	154.1	142.6	131.1				
500	356.5	305.9	236.9	213.9	195.5	179.4	165.6	133.4			
600	427.8	365.7	285.2	257.6	234.6	213.9	197.8	161.0	142.6		
700	499.1	427.8	333.5	299.0	273.7	248.4	230.0	188.6	165.6	149.5	
800	570.4	489.9	381.8	342.7	310.5	285.6	262.2	213.9	190.9	172.5	163.3
1000	713.0	611.8	476.1	427.8	388.7	356.5	331.2	266.8	239.2	213.9	204.7

* DISTANCIA MEDIDA DESDE EL PUNTO DE CONEXION DEL ALIMENTADOR HASTA EL PUNTO DE CONEXION DE LA CARGA.

LA TABLA ESTA CALCULADA CONSIDERANDO SOLO LA CAIDA DE TENSION POR RESISTENCIA EN CONDUCTORES DE COBRE, AISLADOS TIPO RHW, THW ó THWN PARA 600 VOLTS Y 30° C DE TEMPERATURA AMBIENTE.

PARA OTRAS CONDICIONES APLICAR LOS SIGUIENTES FACTORES A LA TABLA.

EN CIRCUITOS TRIFASICOS EQUILIBRADOS		PARA OTRAS CAIDAS DE TENSION PERMISIBLES	
TENSION	MULTIPLIQUE POR:	CAIDA DE TENSION	MULTIPLIQUE POR:
440 V	2.0	1 %	0.33
2300 V	10.435	2 %	0.66
4 160 V	19.30	3 %	1.00
CIRCUITOS MONOFASICOS 120 V	0.5	4 %	1.33
		5 %	1.66

TABLA 2.14

CONSTANTES PARA EL CALCULO DE LA CAIDA DE TENSION EN %

CALIBRE AWG Y KCM	CIRCUITOS MONOFASICOS A 127 V	CIRCUITOS MONOFASICOS A 220 V	CIRCUITOS TRIFASICOS A 220 V	CIRCUITOS TRIFASICOS A 440 V
14	0.01305	0.00754	0.00650	0.00326
12	0.00820	0.00474	0.00410	0.00205
10	0.00515	0.00298	0.00258	0.00129
8	0.00323	0.00187	0.00162	0.00081
6	0.00203	0.00117	0.00103	0.00051
4	0.00128	0.00074	0.00064	0.00032
2	0.00081	0.00047	0.00040	0.00020
1/0	0.00050	0.00029	0.00025	0.00013
2/0	0.00040	0.00023	0.00020	0.00010
3/0	0.00032	0.00018	0.00016	0.00008
4/0	0.00025	0.00015	0.00013	0.00006
250	0.00021	0.00012	0.00011	0.00005
300	0.00018	0.00010	0.00009	0.00004
400	0.00013	0.00008	0.00007	0.00003
500	0.00011	0.00006	0.00005	0.00002

NOTAS: RELATIVAS A LA TABLA

1.- Los valores de la tabla son aplicables a todos los tipos de conductores de baja tensión (VINANEL NYLON, VINANEL - 900, TW VULCANEL EP y VULCANEL XLP)

2.- Dado que los valores anotados en la tabla solamente expre san las constantes, para obtener la caida de tensión en %, es necesario multiplicar los valores de la tabla por la - longitud del circuito en metros, en un solo sentido y por la corriente en amperes que circule por el mismo.

TABLA 2.15

DIMENSIONES DE TUBO CONDUIT Y AREA DISPONIBLE PARA LOS CONDUCTORES

DIAMETRO NOMINAL		DIAMETRO INTERIOR	AREA INTERIOR TOTAL	AREA DISPONIBLE PARA CONDUCTORES (mm^2)	
mm	pulg.	(mm)	(mm^2)	40% (PARA 3 CONDUCTORES O MAS)	30% (PARA 2 CONDUCTORES)
13	$\frac{1}{2}$	15.81*	196	78	59
19	$\frac{3}{4}$	21.30*	356	142	107
25	1	26.50*	552	221	166
32	$1\frac{1}{4}$	35.31*	979	392	294
38	$1\frac{1}{2}$	41.16*	1 331	532	399
51	2	52.76*	2 186	874	656
63	$2\frac{1}{2}$	62.71**	3088	1 235	926
76	3	77.93**	4 769	1 908	1 431
89	$3\frac{1}{2}$	90.12**	6 378	2551	1 913
102	4	102.26**	8 213	3285	2464

* CORRESPONDE AL TUBO METALICO TIPO LIGERO

** CORRESPONDE AL TUBO METALICO TIPO PESADO

ALGUNOS TIPOS DE CAJAS

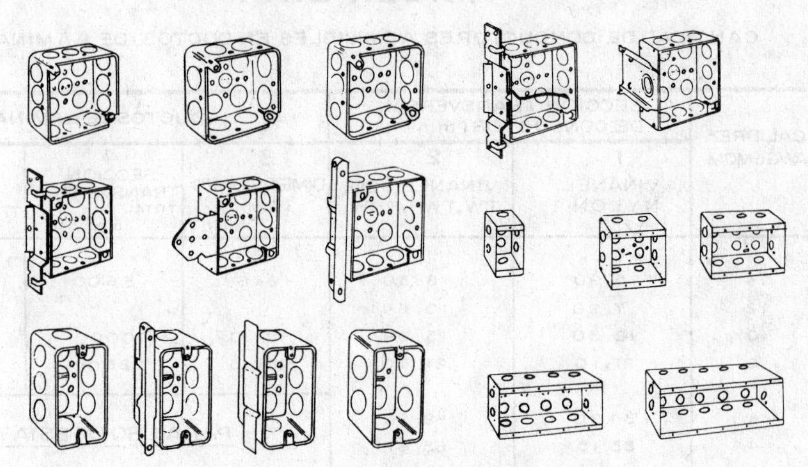

TABLA 2.16

NUMERO MAXIMO DE CONDUCTORES EN CAJAS DE CONEXION

DIMENSIONES DE LAS CAJAS	VOLUMEN (PULG.^{3})	MAXIMO NUMERO DE CONDUCTORES No. 14	No. 12	No. 10	No. 8
3¼ x 1½ Octogonal	10.9	5	4	4	3
3½ x 1½ "	11.9	5	5	4	3
4 x 1½ "	17.1	8	7	6	5
4 x 2⅛ "	23.6	11	10	9	7
4 x 1½ Cuadrada...........	22.6	11	10	9	7
4 x 2⅛ "	31.9	15	14	12	10
4 11/16 x 1½ Cuadrada	32.2	16	14	12	10
4 11/16 x 2⅛ "	46.4	23	20	18	15
3 x 2 x 1½ Dispositivo	7.9	3	3	3	2
3 x 2 x 2 "	10.7	5	4	4	3
3 x 2 x 2¼ "	11.3	5	5	4	3
3 x 2 x 2½ "	13	6	5	5	4
3 x 2 x 2¾ "	14.6	7	6	5	4
3 x 2 x 3½ "	18.3	9	8	7	6
4 x 2⅛ x 1½ "	11.1	5	4	4	3
4 x 2⅛ x 1⅞ "	13.9	6	6	5	4
4 x 2⅛ x 2⅛ "	15.6	7	6	6	5

TABLA 2.17

CANTIDAD DE CONDUCTORES ADMISIBLES EN DUCTOS DE LAMINA

CALIBRE AWG ó MCM	SECCION TRANSVERSAL DE CONDUCTOR (mm^2)		DUCTOS DE LAMINA		
	1 VINANEL NYLON	2 VINANEL 900, TW, TWH, RHW	3 DIMENSIONES (CM)	4 SECCION TRANSVERSAL TOTAL mm^2	5 30 % DE SECCION TRANSVERSAL
14	5.90	8.30	6x6	3600	1080
12	7.90	10.64			
10	12.30	13.99	10x10	10000	3000
8	21.10	26.70	15x15	22500	
6	34.20	49.26			
4	55.15	65.61			
2	77.00	89.42			
1/0	123.50	143.99			
2/0	147.60	169.72			
3/0	176.70	201.06			
4/0	211.20	239.98			
250	261.30	298.65			
300	302.60	343.07			
400	384.30	430.05			
500	463.00	514.72			

PARA USO DE ESTA TABLA.

I

Determinar cantidad tipo y calibre de conductores a canalizar.

II

Sumar sus secciones transversales de acuerdo con columnas 1 y 2.

III

Escoger ducto adecuado en Col. 5.

NOTA: Se recomienda usar el 30 % de la sección y 30 conductores máximo.

NOTA: Del calibre 6 en adelante se tratá de cable.

TABLA 2.18

CARACTERISTICAS DE APLICACION DE CONDUCTORES

ANTILLAMA 60 (TW) Y VINANEL ANTILLAMA 90

CALIBRE AWG. O MCM	ANTILLAMA 60 (TW) (60°C) 600V				VINANEL ANTILLAMA 90 (THW) (90°C 600V)					
	I AMPERES		DIAMETRO EXTERIOR NOMINAL (Pulg.)	PESO Kg/Km	I AMPERES				DIAMETRO EXTERIOR NOMINAL (Plg.)	PESO Kg/Km
	CONDUIT 1 A 3 CONDUCT.	AIRE LIBRE (CHAROLA) 1 CONDUCTOR			CONDUIT (1-3 COND)		AIRE LIBRE (CHAROLA) 1 CONDUCTOR			
			(1)	(2)	75°C	90°C	75°C	90°C	(1)	(2)
20	3	3	.088	9.3						
18	5	5	.098	12.9						
16	8	8	.107	18.4						
14	15	20	.1356	29.2	15	25	20	30	.1365	28.6
12	20	25	.1546	42.5	20	30	25	40	.1555	41.7
10	30	40	.1786	63	30	40	40	55	.1795	62.1
8	40	55	.240	105.3	45	50	65	70	.242	103.6
6	55	80	.309	170.4	65	70	95	100	.311	167.5
4	70	105	.357	252.9	85	90	125	135	.359	249.4
2	95	140	.417	380.9	115	120	170	180	.419	376.5
1/0	125	195	.537	606.3	150	155	230	245	.540	599.3
2/0	145	225	.583	747.1	175	185	265	285	.586	739.2
3/0	165	260	.634	922.5	200	210	310	330	.637	913.7
4/0	195	300	.692	1143.1	230	235	360	385	.695	1133.1
250					255	270	405	425	.769	1346.5
300					285	300	445	480	.824	1595.7
350					310	325	505	530	.875	1843.7
400					335	360	545	575	.922	2089.8
500					380	405	620	660	1.007	2580.4
600					420	455	690	740	1.117	3111.5
750					475	500	785	845	1.222	3844.4
1000					545	585	935	1000	1.376	5050.8

CABLE VULCANEL XLP, TIPO RHW-RHH, 600 VOLTS

CALIBRE	DIAMETROS		PESO	Capacidad de conducción de corriente (AMPERES)			
AWG o MCM	Conductor	Exterior	Kg./Km.	Hasta 3 cables en ducto o directamente enterrados		en charolas y al aire libre	
	mm	mm		a 75°C	a 90°C	a 75°C	a 90°C
14	1.6	4.0	30	16	16	20	20
12	2.0	4.4	40	22	21	25	25
10	2.6	4.9	65	33	32	40	40
8	3.7	6.8	102	55	59	70	80
6	4.3	7.4	156	71	81	95	105
4	5.4	8.5	234	93	102	125	140
2	6.8	9.9	356	126	140	170	190
1/0	8.6	12.7	560	165	183	230	260
2/0	9.6	13.7	692	192	210	265	300
3/0	10.8	14.9	853	220	243	310	350
4/0	12.1	16.2	1068	253	280	360	405
250	13.3	18.2	1278	280	313	405	455
300	14.5	19.5	1514	313	345	455	505
400	16.7	21.7	2000	368	410	545	615
500	18.8	23.7	2462	418	**464**	620	700
750	23.2	28.9	3715	522	**577**	785	885
1000	26.9	32.6	4905	599	**664**	935	1055

TABLA 2.19

FACTORES DE CAIDA DE TENSION UNITARIA MILIVOLTS/AMPER-METRO (Fc)

Calibre AWG o MCM	MONOFASICO		BIFASICO		TRIFASICO	
	CONDUIT		CONDUIT		CONDUIT	
	Metálico	No Metálico	Metálico	No Metálico	Metálico	No Metálico
14	21.54	21.54	10.77	10.77	18.65	18.65
12	13.56	13.56	6.78	6.78	11.74	11.74
10	8.52	8.52	4.26	4.26	7.38	7.38
8	5.36	5.36	2.68	2.68	4.64	4.64
6	3.37	3.37	1.69	1.69	2.92	2.92
4	2.12	2.12	1.06	1.06	1.84	1.84
2	1.35	1.33	0.68	0.67	1.18	1.16
1/0	0.86	0.84	0.43	0.42	0.74	0.73
2/0	0.68	0.67	0.34	0.34	0.59	0.59
3/0	0.55	0.53	0.28	0.27	0.48	0.47
4/0	0.44	0.42	0.22	0.21	0.38	0.36
250	0.38	0.36	0.19	0.18	0.33	0.31
300	0.32	0.30	0.16	0.15	0.28	0.26
350	0.27	0.26	0.14	0.13	0.24	0.23
400	0.24	0.22	0.12	0.11	0.21	0.19
500	0.20	0.18	0.10	0.09	0.17	0.16
600	0.17	0.15	0.09	0.08	0.16	0.14
750	0.14	0.12	0.07	0.06	0.12	0.10
1000	0.12	0.09	0.06	0.05	0.10	0.09

$$\% \; e = \frac{Fc \times L \times I}{10 \times Vn}$$

L= Longitud del circuito en metros

Fc=Factor de caida de voltaje en volts.

I = Corriente en amperes

%e=Porciento de caida de voltaje

TABLA 2.20

CARGAS 220 V TRIFASICAS 3% DE CAIDA DE TENSION

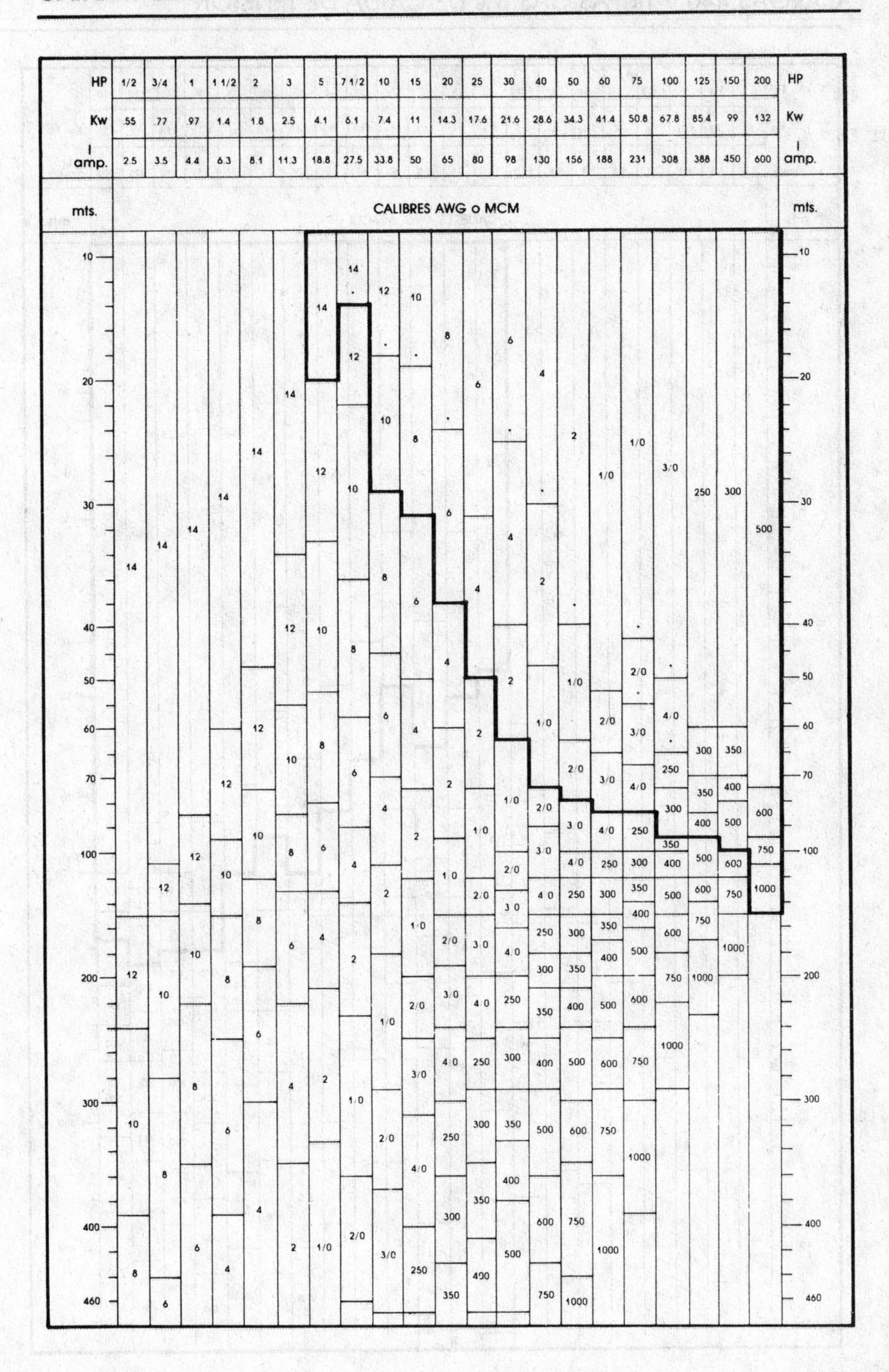

HP	Kw	I amp.	Calibres AWG o MCM (de 10 a 460 mts.)
1/2	.55	2.5	14, 12, 10, 8
3/4	.77	3.5	14, 12, 10, 8, 6
1	.97	4.4	14, 12, 10, 8, 6
1 1/2	1.4	6.3	14, 12, 10, 8, 6, 4
2	1.8	8.1	14, 12, 10, 8, 6, 4
3	2.5	11.3	14, 12, 10, 8, 6, 4, 2
5	4.1	18.8	14, 14, 12, 10, 8, 6, 4, 2, 1/0
7 1/2	6.1	27.5	14, ·, 12, 10, 8, 6, 4, 2, 1/0, 2/0
10	7.4	33.8	12, ·, 10, 8, 6, 4, 2, 1/0, 2/0, 3/0
15	11	50	10, ·, 8, 6, 4, 2, 1/0, 2/0, 3/0, 4/0, 250
20	14.3	65	8, ·, 6, 4, 2, 1/0, 2/0, 3/0, 4/0, 250, 300, 350
25	17.6	80	6, 4, 2, 1/0, 2/0, 3/0, 4/0, 250, 300, 350, 400
30	21.6	98	6, ·, 4, 2, 1/0, 2/0, 3/0, 4/0, 250, 300, 350, 400, 500
40	28.6	130	4, ·, 2, 1/0, 2/0, 3/0, 4/0, 250, 300, 350, 400, 500, 600, 750
50	34.3	156	2, ·, 1/0, 2/0, 3/0, 4/0, 250, 300, 350, 400, 500, 600, 750, 1000
60	41.4	188	1/0, 2/0, 3/0, 4/0, 250, 300, 350, 400, 500, 600, 750, 1000
75	50.8	231	1/0, ·, 2/0, ·, 3/0, 4/0, 250, 300, 350, 400, 500, 600, 750, 1000
100	67.8	308	3/0, ·, 4/0, ·, 250, 300, 350, 400, 500, 600, 750, 1000
125	85.4	388	250, 300, 350, 400, 500, 600, 750, 1000
150	99	450	300, 350, 400, 500, 600, 750, 1000
200	132	600	500, 600, 750, 1000

mts.: 10, 20, 30, 40, 50, 60, 70, 100, 200, 300, 400, 460

TABLA 2.21

CARGAS 440 V TRIFASICAS 3% DE CAIDA DE TENSION

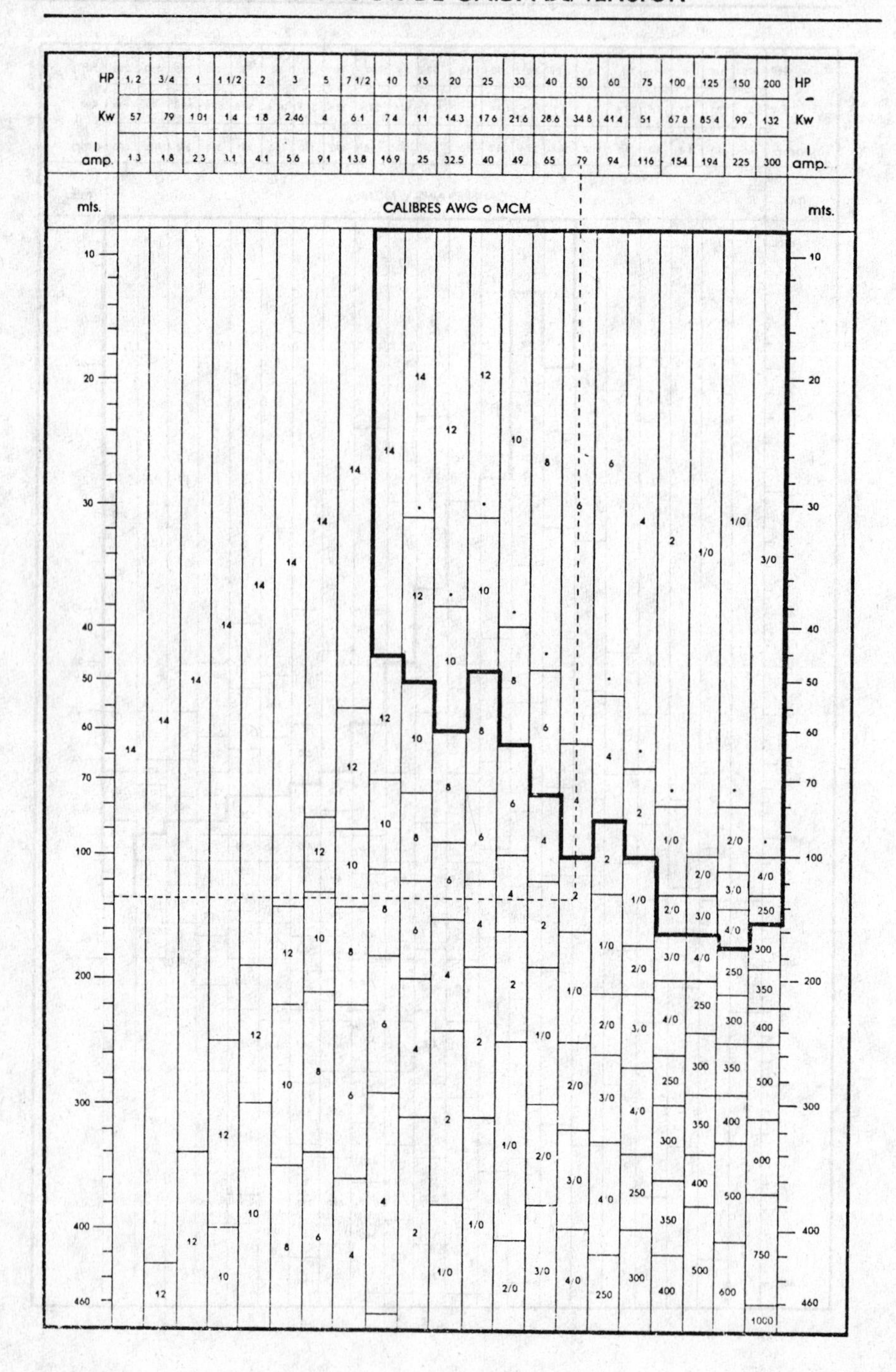

TABLA 2.22

CARGAS 110 V MONOFASICAS 3% DE CAIDA DE TENSION

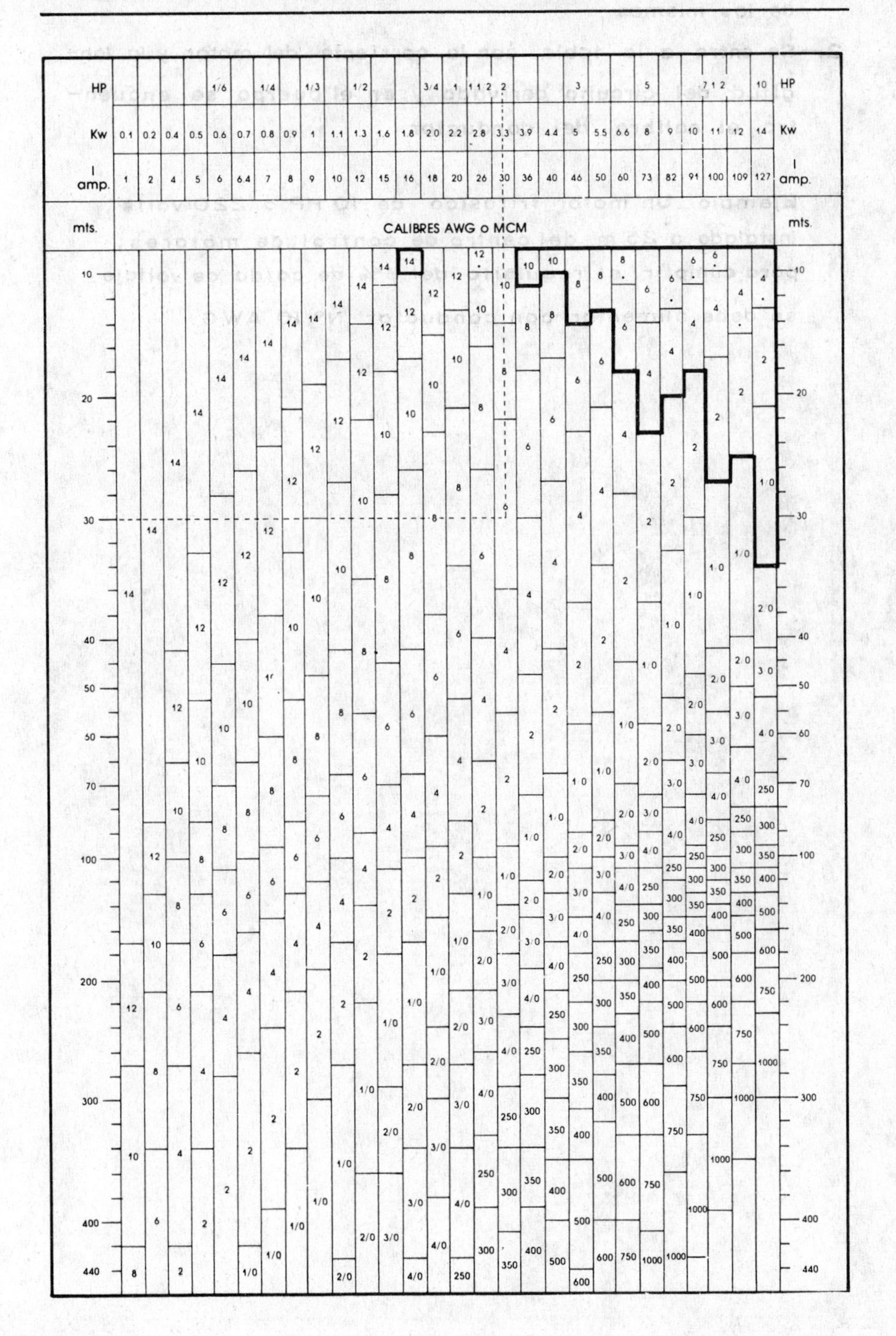

NOTAS RELATIVAS A LAS TABLAS ANTERIORES

1.— Las corrientes de los motores consideran la eficiencia de los mismos

2.— Se entra a la tabla con la corriente del motor y la longitud del circuito derivado y en el cuerpo se encuentra el calibre del conductor.

Ejemplo.— Un motor trifasico de 10 HP a 220 volts, instalado a 25 m. del centro de control de motores; para cumplir el requisito del 3% de caida de voltaje se debe alimentar con conductor N° 10 AWG.

CAPITULO 3

CALCULO DE CIRCUITOS DERIVADOS Y ALIMENTADORES PARA ALUMBRADO Y MOTORES ELECTRICOS

CAPITULO 3

CALCULO DE CIRCUITOS DERIVADOS Y ALIMENTADORES PARA ALUMBRADO Y MOTORES - ELECTRICOS:

3.1. LAS INSTALACIONES ELÉCTRICAS COMERCIALES E INDUSTRIALES BÁSICAMENTE CONSISTEN DE ELEMENTOS PARA ALIMENTAR, CONTROLAR Y PROTEGER DOS TIPOS DE CARGAS, ALUMBRADO Y FUERZA. LOS CONCEPTOS BÁSICOS PARA EL CÁLCULO DE INSTALACIONES ELÉCTRICAS DE ALUMBRADO O CARGAS PEQUEÑAS DE FUERZA HAN SIDO TRATADOS CON SUFICIENTE DETALLE EN EL LIBRO 'EL ABC DE LAS INSTALACIONES ELECTRICAS RESIDENCIALES' DEL AUTOR, POR LO QUE EN ESTA PARTE SÓLO SE HARÁ UNA BREVE MENCIÓN A ESTE TEMA, ENFOCANDO MÁS HACIA LAS INSTALACIONES ELÉCTRICAS DE ALUMBRADO EN OFICINAS Y COMERCIOS, PARA PONER MAYOR ATENCIÓN A LAS INSTALACIONES ELÉCTRICAS DE FUERZA.

EL CONCEPTO ELEMENTAL DE CIRCUITO DERIVADO Y ALIMENTADOR EN UNA INSTALACIÓN ELÉCTRICA SE HA TRATADO EN EL CAPÍTULO 2 EN DONDE POR MEDIO DE UN DIAGRAMA DE BLOQUES SE HACE MENCIÓN A ESTA PARTE DE LAS INSTALACIONES ELÉCTRICAS, UN BREVE RESUMEN SE DA EN LA FIGURA SIGUIENTE:

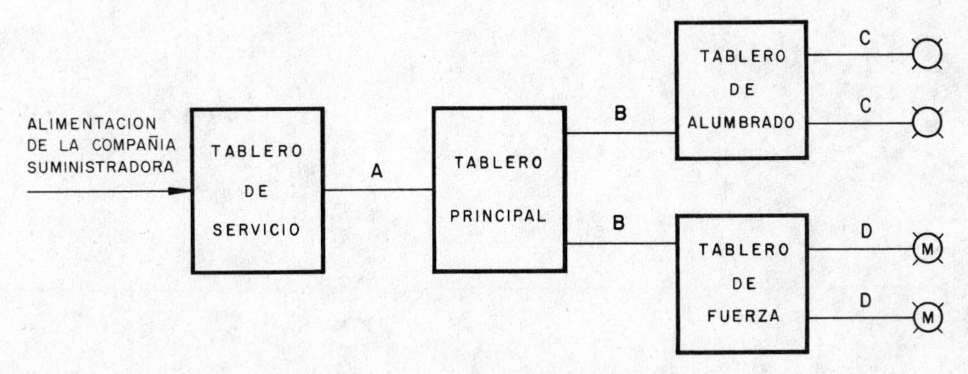

DE LA FIGURA ANTERIOR:

A- REPRESENTA A LOS CONDUCTORES QUE LLEVAN LA POTENCIA DE LA - COMPAÑIA SUMINISTRADORA AL TABLERO PRINCIPAL.

B- REPRESENTA A LOS CONDUCTORES QUE ALIMENTAN A LOS CIRCUITOS- DE ALUMBRADO Y FUERZA, DEL TABLERO PRINCIPAL

C- SON LOS"CIRCUITOS DERIVADOS" DEL TABLERO DE ALUMBRADO A LAS CARGAS DE ALUMBRADO.

D- SON LOS "CIRCUITOS DERIVADOS" DEL TABLERO DE FUERZA A LAS - CARGAS DE FUERZA (MOTORES).

LA ALIMENTACION DE ALUMBRADO A EDIFICIOS DE DEPARTAMENTOS, CENTROS COMERCIALES O EDIFICIOS DE OFICINAS SE HACE NORMALMENTE DE UN SISTEMA TRIFÁSICO, PARA LO CUAL SE PUEDE HACER USO DE TABLEROS DE ALUMBRADO QUE CONSISTEN BASICAMENTE DE TRES BARRAS DE COBRE MONTADAS EN UNA CAJA METALICA AISLADA USANDO UN NEUTRO COMO REFERENCIA.

ESTOS TABLEROS SE DENOMINAN POR LO GENERAL "TABLEROS DE ALUMBRADO" AUN CUANDO LAS RAMAS O CIRCUITOS QUE SALEN DE ESTE NO SEAN- SIEMPRE PARA ALIMENTAR ALUMBRADO YA QUE SE PUEDEN ALIMENTAR CARGAS PEQUEÑAS QUE SE CONECTAN EN CONTACTOS.

EL DIAGRAMA ELEMENTAL DE ESTOS TABLEROS DE ALUMBRADO TRIFASICO ES EL QUE SE MUESTRA A CONTINUACION.

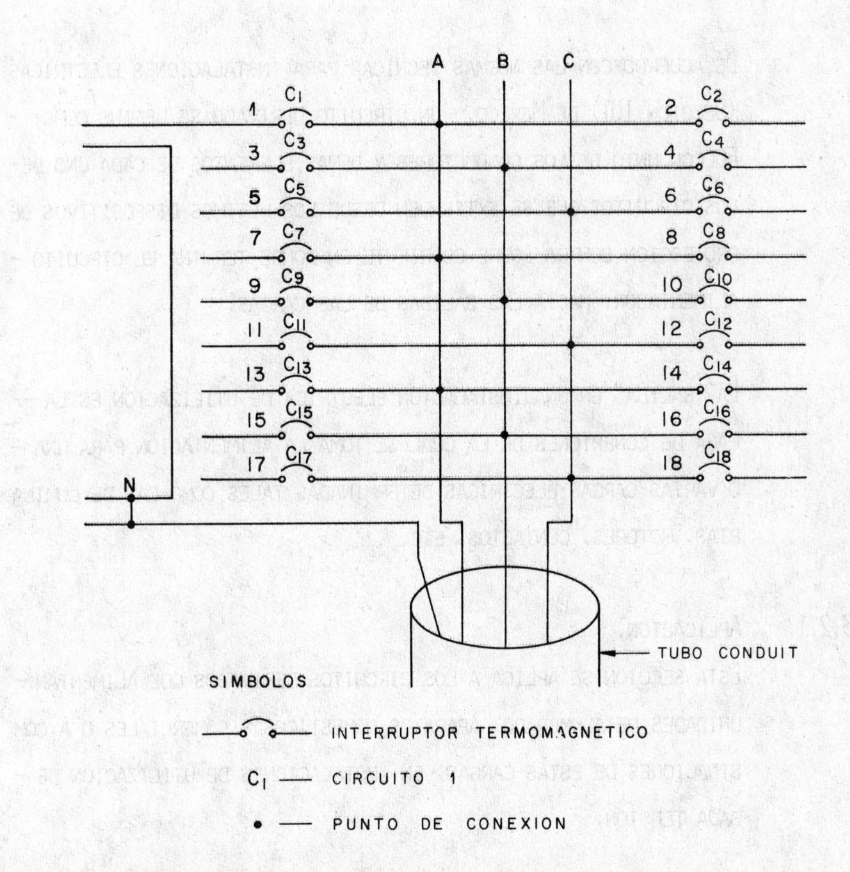

DIAGRAMA SIMPLIFICADO DE UN TABLERO DE ALUMBRADO

3.2 CIRCUITOS DERIVADOS: EXISTE UNA CLASIFICACION PARA LOS DISTINTOS TIPOS DE CIRCUITOS DERIVADOS TIPICOS Y LAS REGLAS DE REGLAMENTO DE OBRA E INSTALACIONES ELECTRICAS (NORMAS TECNICAS) ESTAN ORIENTADAS HACIA LOS METODOS DE CALCULO DE ESTOS CIRCUITOS.

DE ACUERDO CON LAS NORMAS TECNICAS PARA INSTALACIONES ELECTRICAS (SECCION 101) DE MEXICO. UN CIRCUITO DERIVADO SE DEFINE COMO: - EL CONJUNTO DE LOS CONDUCTORES Y DEMAS ELEMENTOS DE CADA UNO DE LOS CIRCUITOS QUE SE EXTIENDEN DESDE LOS ULTIMOS DISPOSITIVOS DE PROTECCION CONTRA SOBRE CORRIENTE EN DONDE TERMINA EL CIRCUITO - ALIMENTADOR, HACIA LAS SALIDAS DE LAS CARGAS.

LA "SALIDA" EN UNA INSTALACIÓN ELECTRICA DE UTILIZACION ES LA -- CAJA DE CONEXIONES DE LA CUAL SE TOMA LA ALIMENTACION PARA UNA - O VARIAS CARGAS ELECTRICAS DETERMINADAS TALES COMO LAS DE LUMINARIAS, MOTORES, CONTACTOS, ETC.

3.2.1. APLICACION.

ESTA SECCION SE APLICA A LOS CIRCUITOS DERIVADOS QUE ALIMENTAN - UNIDADES DE ALUMBRADO, APARATOS DOMESTICOS Y COMERCIALES O A COMBINACIONES DE ESTAS CARGAS, EN INSTALACIONES DE UTILIZACION DE - BAJA TENSION.

3.2.2. CLASIFICACION.

LOS CIRCUITOS DERIVADOS SE CLASIFICAN DE ACUERDO CON LA CAPACI - DAD O AJUSTE DE SU DISPOSITIVO DE PROTECCION CONTRA SOBRECORRIEN

TE, EL CUAL DETERMINA LA CAPACIDAD NOMINAL DEL CIRCUITO, AUNQUE POR ALGUNA RAZON SE USARAN CONDUCTORES DE MAYOR CAPACIDAD.

CON RELACION A LAS NORMAS TECNICAS PARA INSTALACIONES ELECTRICAS SE DEBEN ADOPTAR LAS SIGUIENTES RECOMENDACIONES:

3.2.3. IDENTIFICACION DE CONDUCTORES O TERMINALES QUE SE CONECTAN A -- TIERRA:

GENERAL. SE RECOMIENDA QUE CUANDO LOS SISTEMAS DE CANALIZACION INTERIORES TENGAN UN CONDUCTOR CONECTADO A TIERRA SE IDENTIFIQUE DICHO CONDUCTOR CONTINUAMENTE A TODO LO LARGO DEL SISTEMA CON UN COLOR BLANCO O GRIS.

CONEXIONES A PORTALAMPARAS. CUANDO UN CONDUCTOR CONECTADO A TIE-RRA ALIMENTE A UN PORTALAMPARAS, DEBERA CONECTARSE EL CASQUILLO-ROSCADO EN EL QUE SE ATORNILLA LA LAMPARA.

ESTO NO SE APLICA A CASQUILLOS ROSCADOS QUE SIRVAN COMO PORTAFU-SIBLES.

IDENTIFICACION DE TERMINALES.

EN TODOS LOS DISPOSITIVOS PROVISTOS DE TERMINALES PARA CONEXION-DE CONDUCTORES DEBERÁN MARCARSE CLARAMENTE LAS TERMINALES PARA - INDICAR A QUE CONDUCTOR DEBEN CONECTARSE, SALVO LOS CASOS EN QUE SEA INDIFERENTE O EVIDENTE A DONDE DEBE CONECTARSE CADA UNA DE -

ELLAS O QUE QUEDEN EXPRESAMENTE EXCEPTUADAS EN LAS NORMAS TECNICAS.

MANERA DE IDENTIFICAR LAS TERMINALES.

SE RECOMIENDA QUE LA IDENTIFICACION DE LAS TERMINALES QUE DEBAN CONECTARSE A TIERRA SE HAGA POR MEDIO DE UN BAÑO DE METAL BLANQUECINO, COMO NIQUEL O ZINC, O BIEN, QUE LAS TERMINALES O BORNES SEAN DE UN MATERIAL BLANQUECINO.

3.2.4. CAMPO DE APLICACION DE LOS CIRCUITOS DERIVADOS.

LAS DISPOSICIONES DE ESTE ARTICULO DEBERAN APLICARSE A CIRCUITOS DERIVADOS DE LOS CONDUCTORES ALIMENTADORES, QUE ABASTEZCAN CARGAS DE ALUMBRADO O DE APARATOS DOMESTICOS O COMERCIALES O A COMBINACIONES DE DICHAS CARGAS. CUANDO SE CONECTEN MOTORES, APARATOS ACCIONADOS POR MOTORES, U OTRAS CARGAS ESPECIALES, DEBERAN APLICARSE LAS DISPOSICIONES QUE SE ESTABLECEN EN LOS ARTICULOS REFERENTES A LAS CARGAS DE QUE SE TRATA Y LAS DE ESTE ARTICULO QUE LES SEAN APLICABLES.

CLASIFICACION.

LOS CIRCUITOS DERIVADOS PARA CARGAS DIVERSAS INDEFINIDAS SE CLASIFICAN, DE ACUERDO CON SU PROTECCION CONTRA SOBRECORRIENTE, COMO DE 15, 20, 30 Y 50 AMPERES. CUANDO LA CARGA POR CONECTARSE SEA CONOCIDA, PODRAN USARSE CIRCUITOS DE CAPACIDAD QUE CORRESPONDA A ESA CARGA. LAS CARGAS INDIVIDUALES MAYORES DE 50 AMPERES -

DEBERAN ALIMENTARSE POR CIRCUITOS DERIVADOS INDIVIDUALES.

CIRCUITOS DERIVADOS MULTIFILARES.

LOS CIRCUITOS DERIVADOS CONSIDERADOS EN ESTE ARTICULO PUEDEN -- INSTALARSE COMO CIRCUITOS MULTIFILARES. SE ENTIENDE POR CIRCUITO MULTIFILAR EL COMPUESTO DE DOS O MAS CONDUCTORES A DIFERENTE POTENCIAL ENTRE SI Y DE UN CONDUCTOR QUE TENGA LA MISMA DIFERENCIA DE POTENCIAL CON RESPECTO A CADA UNO DE LOS OTROS CONDUCTORES; COMO POR EJEMPLO, UN CIRCUITO DE 3 FASES Y CUATRO HILOS.

COLORES NORMALES DE IDENTIFICACION.

SE SUGIERE QUE AL INSTALAR LOS CONDUCTORES DE CIRCUITOS DERIVADOS MULTIFILARES, QUEDEN MARCADOS CON LOS COLORES SIGUIENTES:

- CIRCUITOS TRIFILARES: UNO NEGRO, UN BLANCO Y UNO ROJO.
- CIRCUITOS TETRAFILARES: UNO NEGRO, UNO BLANCO, UNO ROJO Y UNO AZUL.
- CIRCUITOS PENTAFILARES: UNO NEGRO, UNO BLANCO, UNO ROJO, - UNO AZUL Y UNO AMARILLO.

TODOS LOS CONDUCTORES DEL MISMO COLOR DEBERAN CONECTARSE AL MISMO CONDUCTO ALIMENTADOR A TODO LO LARGO DE LA INSTALACION.

VOLTAJE.

LOS CIRCUITOS DERIVADOS QUE ABASTEZCAN PORTALAMPARAS, APARATOS- O CONTACTOS DE CAPACIDAD NORMAL DE 15 AMPERES O MENOS, DEBERAN- EXCEDER DE 150 VOLTS A TIERRA, CON LAS EXCEPCIONES SIGUIENTES

(1) EN ESTABLECIMIENTOS INDUSTRIALES EL VOLTAJE PUEDE SER HASTA DE 300 VOLTS A TIERRA, PARA CIRCUITOS DERIVADOS QUE ABASTEZCAN UNICAMENTE UNIDADES DE ALUMBRADO QUE ESTEN COLOCADAS A MAS DE 2.40 METROS DE ALTURA SOBRE EL PISO Y QUE NO TENGAN INTERRUPTORES COMO PARTE INTEGRANTE DE LAS UNIDADES.

CIRCUITOS DERIVADOS PARA DISTINTAS CLASES DE CARGAS.

SE RECOMIENDA QUE SE INSTALEN CIRCUITOS DERIVADOS SEPARADOS PARA LAS CARGAS SIGUIENTES:

A) ALUMBRADO Y APARATOS PEQUEÑOS, COMO RELOJES, RADIOS, ETC.

B) APARATOS DE MAS DE 3 AMPERES, COMO PLANCHAS, PARRILAS, REFRIGERADORES, ETC. CARGAS INDIVIDUALES MAYORES DE 50 AMPERES DEBEN ALIMENTARSE POR CIRCUITOS DERIVADOS INDIVIDUALES, DE ACUERDO CON LA SECCION PARA CLASIFICACION.

CALCULO DE LA CARGA.

PARA DETERMINAR LA CAPACIDAD QUE DEBEN TENER LOS CIRCUITOS DERIVADOS SE CONSIDERARAN LAS CARGAS POR CONECTARSE, CON LOS MINIMOS SIGUIENTES:

A) ALUMBRADO Y APARATOS PEQUEÑOS. POR CADA METRO CUADRADO DEL AREA DEL PISO, UNA CARGA NO MENOR QUE LA INDICADA EN LA TABLA NUMERO 3.I SIGUIENTE:

TABLA 3.I

CARGAS MINIMAS DE ALUMBRADO Y APARATOS PEQUEÑOS:

LUGAR	CARGA RECOMENDADA EN WATTS POR METRO CUADRADO.
ANFITEATROS O AUDITORIOS	10
BANCOS	30
BODEGAS O ALMACENES	25
CASAS PARA HABITACION	20
CLUBES O CASINOS	20
EDIFICIOS INDUSTRIALES	20
EDIFICIOS DE OFICINAS	30
ESCUELAS	30
ESTACIONAMIENTOS COMERCIALES	5
HOSPITALES	20
HOTELES, INCLUYENDO CASA DE APARTAMIENTOS SIN APARATOS ELECTRICOS PARA COCINAR	20
IGLESIAS	10
PELUQUERIAS Y SALONES DE BELLEZA	30
RESTAURANTES	20
TIENDAS	30
APARADORES DE TIENDAS O COMERCIOS	60 WATTS/METRO

AL DETERMINAR LA CARGA SOBRE LA BASE DE WATTS POR METRO CUADRADO EL AREA DEL PISO DEBERA CALCULARSE CON LA SUPERFICIE CUBIERTA DEL EDIFICIO, APARTAMIENTO O LOCAL DE QUE SE TRATE,

Y EL NÚMERO DE PISOS, SIN INCLUIR PORTICOS, GARAGES ANEXOS O CASAS HABITACION, NI OTROS LUGARES DONDE SE NECESITE NORMALMENTE ALUMBRADO.

B) Aparatos de más de 3 amperes. Por cada contacto destinado a conectar aparatos de mas de 3 amperes, se considerara una -- carga no menor de 5 amperes. Cuando en un mismo cuarto se - instalen varios contactos que no se usen simultaneamente, se podra calcular una carga no menor de 5 amperes por cada tres contactos.

C) Hilo neutro. Cuando haya hilo neutro en el circuito derivado, la carga que se considere para el neutro no debera ser - menor que el desequilibrio maximo de la carga en el circuito.

3.2.5. Conductor de circuitos derivados.

Los conductores de circuitos derivados se sujetaran a lo siguiente:

A) Capacidad de conduccion. Seran de calibre suficiente para -- conducir la corriente del circuito derivado y deberan cumplir con las disposiciones de caida de voltaje y capacidad - termica.

B) Seccion minima. La seccion de los conductores no debera ser menor que la correspondiente al calibre numero 14, para circuitos de alumbrado y aparatos pequeños, ni menor que la del numero 12 para circuitos que alimenten aparatos de mas de 3- amperes.

LOS ALAMBRES Y CORDONES PERTENECIENTES A UNIDADES DE ALUMBRADO - O APARATOS Y QUE SE USEN PARA CONECTARLOS A LAS SALIDAS DE LOS - CIRCUITOS DERIVADOS PUEDEN SER DE MENOR SECCION, SIEMPRE QUE SU- CORRIENTE PERMITIDA SEGUN SEA SUFICIENTE PARA LA CARGA DE LAS -- UNIDADES O APARATOS Y QUE NO SEAN DE CALIBRE MAS DELGADO QUE EL- NUMERO 18 CUANDO SE CONECTEN A CIRCUITOS DERIVADOS DE 15 AMPERES, - NUMERO 16 CUANDO SE CONECTEN A CIRCUITOS DERIVADOS DE 20 AMPERES, - NUMERO 14 CUANDO SE CONECTEN A CIRCUITOS DE 30 AMPERES Y NUMERO 12 CUANDO SE CONECTEN A CIRCUITOS DE 50 AMPERES.

PROTECCION CONTRA SOBRECORRIENTE.

CADA CONDUCTOR NO CONECTADO A TIERRA DE UN CIRCUITO DERIVADO DE- BERA PROTEGERSE CONTRA CORRIENTES EXCESIVAS POR MEDIO DE DISPOSI TIVOS DE PROTECCION CONTRA SOBRECORRIENTE. LA CAPACIDAD DE ES - TOS DISPOSITIVOS CUANDO NO SEAN AJUSTABLES, O SU AJUSTE CUANDO - SI LO SEAN, DEBERA SER COMO SIGUE:

A) NO DEBERA SER MAYOR QUE LA CORRIENTE PERMITIDA PARA LOS CON- DUCTORES DEL CIRCUITO.

B) SI EL CIRCUITO ABASTECE UNICAMENTE A UN SOLO APARATO CON CA PACIDAD DE 10 AMPERES O MAS, LA CAPACIDAD O AJUSTE DEL DISPO SITIVO CONTRA SOBRECORRIENTE NO DEBERÁ EXCEDER DEL 150 POR - CIENTO DE LA CAPACIDAD DEL APARATO.

C) LOS ALAMBRES Y CORDONES PARA CIRCUITOS DERIVADOS PUEDEN CON- SIDERARSE PROTEGIDOS POR EL DISPOSITIVO DE PROTECCION CONTRA SOBRECORRIENTE DEL CIRCUITO DERIVADO.

DISPOSITIVOS DE SALIDA.

LOS DISPOSITIVOS DE SALIDA DE LOS CIRCUITOS DERIVADOS DEBERÁN - CUMPLIR CON LO SIGUIENTE:

A) PORTALAMPARAS. LOS PORTALAMPARAS DEBERAN TENER UNA CAPACIDAD NO MENOR QUE LA CARGA POR SERVIR Y SE RECOMIENDA QUE -- CUANDO ESTEN CONECTADOS A CIRCUITOS DERIVADOS CON CAPACIDAD DE 20 AMPERES O MAS, SEAN DEL TIPO PARA SERVICIO PESADO.

B) CONTACTOS. LOS CONTACTOS DEBERAN TENER UNA CAPACIDAD NO ME̲NOR QUE LA CARGA POR SERVIR Y SE RECOMIENDA QUE CUANDO ESTEN CONECTADOS EN CIRCUITOS DERIVADOS CON DOS O MAS SALIDAS, TEN̲GAN LAS SIGUIENTES CAPACIDADES:

CAPACIDAD DEL CIRCUITO	CAPACIDAD DE LOS CONTACTOS
15 AMPS.	NO MAYOR DE 15 AMPS.
20	20
30	20 O 30
50	50

LOS CONTACTOS CONECTADOS A CIRCUITOS DE MAS DE 150 VOLTS EN̲TRE CONDUCTORES DEBERAN SER DE UNA CONSTRUCCION TAL, QUE -- LAS CLAVIJAS USADAS EN CIRCUITOS DE OTROS VOLTAJES, EN LOS- MISMOS LUGARES, NO PUEDEN INSERTARSE EN ELLOS.

CONDUCTORES Y ALIMENTADORES

CALIBRE DE LOS CONDUCTORES ALIMENTADORES.

LOS CONDUCTORES ALIMENTADORES NO DEBERAN SER DE CALIBRE MAS DELGADO QUE EL QUE CORRESPONDA, DE ACUERDO A LA CARGA POR SERVIR Y DEBERAN CUMPLIR CON LA FRACCION SIGUIENTE

CAIDA DE VOLTAJE. LA CAIDA DE VOLTAJE DESDE LA ENTRADA DE SERVICIO HASTA EL ULTIMO PUNTO DE LA CANALIZACION, CORRESPONDIENTE A LA CARGA INDICADA EN LA TABLA NO DEBERA SER MAYOR DE CUATRO POR CIENTO PARA CARGAS DE ALUMBRADO Y 3% PARA CARGAS DE MOTORES ELECTRICOS.

3.3 CIRCUITOS DERIVADOS PARA ALUMBRADO.

LAS NORMAS TÉCNICAS PARA INSTALACIONES ELECTRICAS PERMITEN SOLO EL USO DE CIRCUITOS DERIVADOS DE 15 AMPERES O 20 AMPERES PARA ALIMENTAR UNIDADES DE ALUMBRADO CON PORTALAMPARAS ESTANDAR. LOS CIRCUITOS DERIVADOS MAYORES DE 20 AMPERES SE PERMITEN SOLO PARA ALIMENTAR UNIDADES DE ALUMBRADO FIJAS CON PORTALAMPARAS DE USO-RUDO. EN OTRAS PALABRAS LOS CIRCUITOS DERIVADOS DE MAS DE 20 AMPERES NO SE PERMITEN PARA ALIMENTAR HABITACIONES UNIFAMILIARES O EN EDIFICIOS DE DEPARTAMENTOS.

EN LA SOLUCION DE CIERTO TIPO DE PROBLEMAS EN LAS INSTALACIONES ELECTRICAS ES NECESARIO CALCULAR EL NUMERO DE CIRCUITOS DERIVADOS QUE SE REQUIEREN PARA ALIMENTAR UNA CARGA DADA. EL NÚMERO

DE CIRCUITOS DERIVADOS ESTA DETERMINADO POR LA CARGA Y SE CALCU LA COMO:

$$\text{No. DE CIRCUITOS} = \frac{\text{CARGA TOTAL EN WATTS}}{\text{CAPACIDAD DE CADA CIRCUITO EN WATTS}}$$

UN CIRCUITO DE 15 AMPERES A 127 VOLTS TIENE UNA CAPACIDAD DE -- 15 x 127 = 1905 WATTS, SI EL CIRCUITO ES PARA 20 AMPERES, A 127 VOLTS SU CAPACIDAD ES 20 x 127 = 2540 WATTS.

EJEMPLO 3.1.

CALCULAR EL NUMERO DE CIRCUITOS DERIVADOS DE 20 AMPERES A 127 - VOLTS PARA ALIMENTAR UNA CARGA TOTAL DE ALUMBRADO DE 60 000 - - WATTS. SI LAS LAMPARAS SON DE 150 WATTS, CALCULAR EL NUMERO DE LAMPARAS POR CIRCUITO.

SOLUCION

PARA CIRCUITOS DERIVADOS DE 20 AMPERES A 127 VOLTS LA CAPACIDAD EN WATTS ES DE 2540.

EL NUMERO DE CIRCUITOS DERIVADOS ES:

$$\text{No. DE CIRCUITOS DERIVADOS} = \frac{\text{CARGA TOTAL EN WATTS}}{\text{CAPACIDAD/CIRCUITO EN WATTS.}}$$

$$= \frac{60,000}{2540}$$

No. DE CIRCUITOS DERIVADOS = 23.62 o 24 CIRCUITOS

EL NÚMERO DE LÁMPARAS POR CIRCUITO ES:

$$\text{No. LÁMPARAS POR CIRCUITO} = \frac{\text{CAPACIDAD DE CADA CIRCUITO EN WATTS}}{\text{WATTS POR LÁMPARA}}$$

$$= \frac{2540}{150}$$

$$= 16.93 \text{ o } 17 \text{ LAMPARAS}$$

COMO VERIFICACION SE PUEDE HACER:

$$\text{LA CORRIENTE POR LÁMPARA} = \frac{150}{127} = 1.181 \text{ AMPERES.}$$

$$\text{No. DE LAMPARAS/CIRCUITO} = \frac{\text{CORRIENTE POR CIRCUITO}}{\text{CORRIENTE/LAMPARA}} = \frac{20}{1.181} = 16.93 \text{ o } 17 \text{ LAMPARAS}$$

B) PARA CARGAS ESPECIFICAS COMO SALIDAS PARA LAVADORAS O AIRE-ACONDICIONADO 1.5 AMPERES POR CADA 50 CENTIMETROS SE USAN -CIRCUITOS DE 15 AMPERES O 20 AMPERES.

EJEMPLO-3.2

UN PEQUEÑO EDIFICIO DE DEPARTAMENTOS TIENE LAS SIGUIENTES CARGAS CONECTADAS:

A) UNA CARGA DE 10 kW PARA ALUMBRADO INCANDESCENTE.

B) UNA CARGA DE 8 kW DE ALUMBRADO FLUORESCENTE QUE DEBE SER --

ALIMENTADA POR CIRCUITOS DE 30 AMPERES.

c) UNA ACCESORIA QUE TIENE UN APARADOR DE 3.0 M.

d) 100 CONTACTOS DOBLES (DUPLEX) CONTINUOS

SI LAS CARGAS SE CONSIDERAN CONTINUAS, CALCULAR EL NÚMERO DE -- CIRCUITOS DERIVADOS NECESARIOS, SUPONIENDO QUE SE USAN CIRCUITOS DE 20 AMPERES, EXCEPTO PARA LA CARGA DE ALUMBRADO FLUORESCENTE. EL VOLTAJE DE ALIMENTACION ES DE 127 VOLTS.

SOLUCION.

PARA EL ALUMBRADO.

CONSIDERANDO UN 25% POR CARGA CONTINUA O FUTURA A 20 A.

$$\text{No. DE CIRCUITOS} = \frac{1.25 \times 10{,}000}{20 \times 127} = 4.92 \text{ o } 5 \text{ CIRCUITOS}$$

PARA EL ALUMBRADO DE APARADORES (ACCESORIA)

$$\text{No. DE CIRCUITOS} = \frac{\text{WATTS/M} \times \text{LONGITUD (M)}}{20 \times 127}$$

$$= \frac{650 \times 3}{20 \times 127} = 0.77 \text{ o } 1 \text{ CIRCUITO}$$

CONTACTOS.

$$\text{No. DE CIRCUITOS} = \frac{1.25 \times 180 \text{ WATTS/SALIDA} \times 100 \text{ CONTACTOS}}{20 \text{ A} \times 127 \text{ V}}$$

$$= 8.85 \text{ ó } 9 \text{ CIRCUITOS}$$

LAMPARAS FLUORESCENTES ALIMENTADAS A 30 A.

$$\text{No. DE CIRCUITOS} = \frac{1.25 \times 8000}{30 \times 127} = 2.62 \text{ A 3 CIRCUITOS.}$$

3.5 CAIDA DE VOLTAJE PARA ALIMENTADORES DE ALUMBRADO.

EN LA CONSTRUCCION DE EDIFICIOS HABITACIONALES, DE OFICINAS O - BIEN DE AREAS INDUSTRIALES, LOS TABLEROS DE ALUMBRADO SE LOCALI ZAN DENTRO DE LOS NUEVOS O COLUMNAS O BIEN EN TABLEROS GENERA - LES CERRADOS Y PUEDEN QUEDAR EN ALGUNAS OCASIONES RELATIVAMENTE DISTANTES DE LAS CARGAS, DEBIDO A ESTO SE DEBE TOMAR EN CONSIDE RACION LA MAXIMA CAIDA DE VOLTAJE PERMISIBLE.

SI SE TOMA EN CONSIDERACION QUE LAS NORMAS TECNICAS PARA INSTA- LACIONES ELECTRICAS LIMITAN LA CAIDA DE VOLTAJE A UN TOTAL DE 5 PORCIENTO POR ALIMENTADOR MAS EL ALAMBRADO DEL CIRCUITO DERIVA- DO Y 3 PORCIENTO MAXIMO PERMITIDO POR CADA ALIMENTADOR O CIRCUI TO DERIVADO HASTA ALCANZAR EL TOTAL.

A MENOR LONGITUD DEL CONDUCTOR Y A MAYOR SECCION DEL MISMO, LA- CAIDA DE VOLTAJE (IR) ES MENOR, ESTO SE REFLEJA EN MENOR COSTO- DE OPERACION Y LOS SUBSECUENTES AHORROS DEBIDO A LAS MENORES -- PERDIDAS RI^2 EN LOS CONDUCTORES.

POR EJEMPLO, SI EN UN CIRCUITO DE 127 VOLTS MONOFASICOS, DIMEN- SIONADO PARA 15A, SE CONDUCEN 12A CONTINUOS A PLENA CARGA (QUE- ES UNA SUPOSICION GENERAL), LA PRACTICA GENERAL ES LIMITAR LA - LONGITUD DE LA TRAYECTORIA A UNOS 18 METROS, PARA LONGITUDES DE TRAYECTORIAS A LA CARGA MAS GRANDES, HASTA UNOS 27 METROS POR -

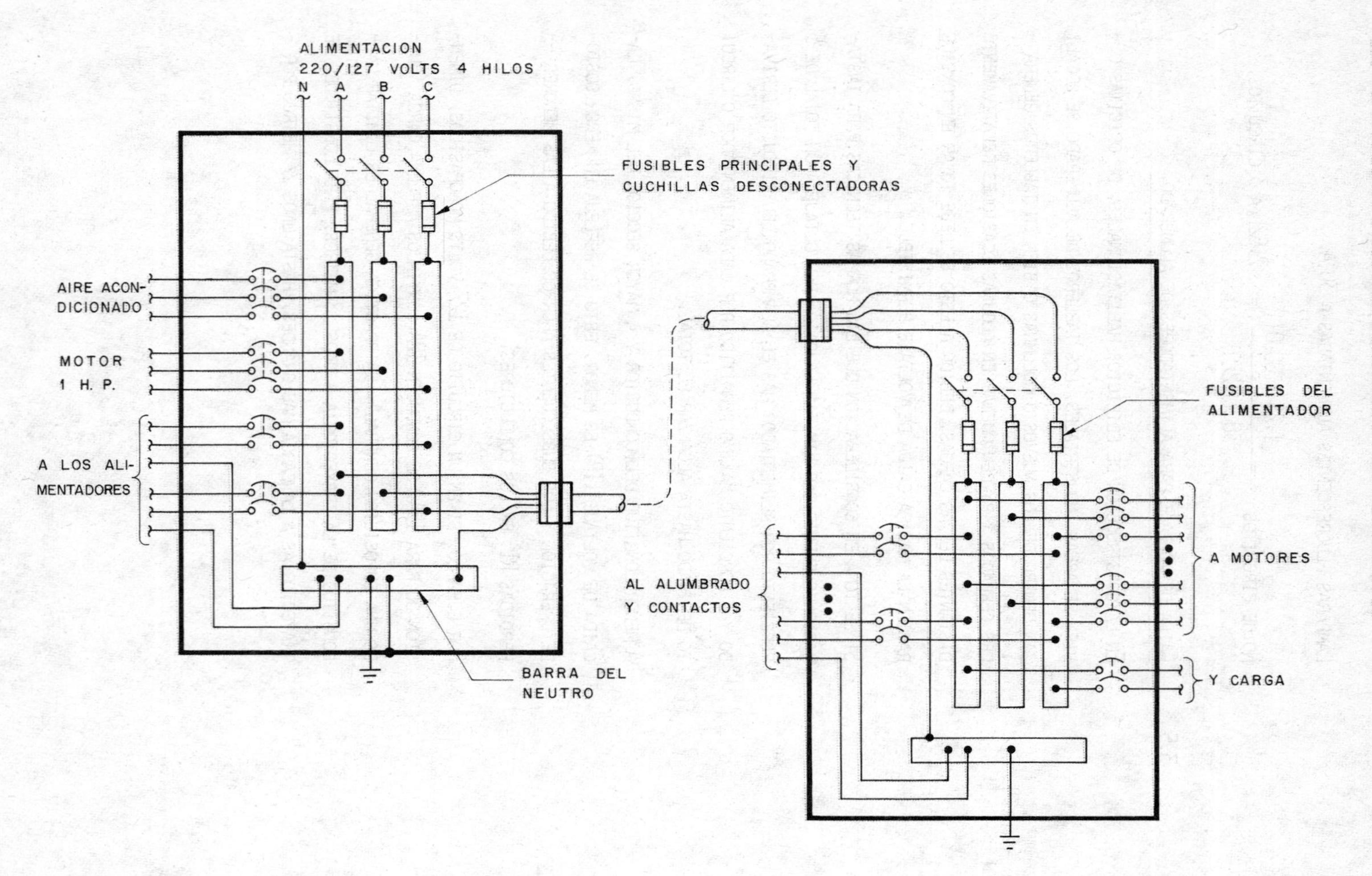

SISTEMA DE DISTRIBUCION EN UN EDIFICIO DE OFICINAS

EJEMPLO, CON LA MISMA CARGA EL CONDUCTOR SE DEBE CAMBIAR AL No. 10.

3.6. Circuitos derivados para motores.

El calculo del alumbrado para motores electricos, por lo general no de relaciona con la seleccion de los motores mismos. Los fabricantes de equipo motorizado (por ejemplo aire acondicionado, compresores, transportadores, ventiladores, etc.) especifican -- los tipos de motores y controles asociados que se requieren para una aplicacion dada. Estos motores por lo general los selecci - nan los ingenieros de aplicacion de la compañia fabricante. Como medida general para la seleccion de los motores electricos se deben tomar en consideracion los siguientes factores.

- Potencia en la entrada o la salida, expresada en HP o kilo - watts.
- Caracteristicas de la carga por accionar..
- Velocidad nominal en RPM.
- Tamaño de la carcaza.
- Clasificacion por velocidades.
- Efecto del ciclo de trabajo.
- Temperatura ambiente.
- Elevacion de temperatura en la maquina.
- Voltaje nominal.

- TIPO DE CARCAZA Y CONDICIONES AMBIENTALES.
- REQUERIMIENTOS DE MANTENIMIENTO Y ACCESIBILIDAD.
- FRECUENCIA DEL SISTEMA DEL CUAL SE VA A ALIMENTAR.
- NÚMERO DE FASES.

ALGUNOS CONCEPTOS BÁSICOS DE LOS FACTORES ANTERIORES SE MENCIONAN A CONTINUACION:

- POTENCIA A LA SALIDA.

TAMBIEN SE LE DESIGNA COMO POTENCIA EN LA FLECHA Y OBVIAMENTE DEBE SER SUFICIENTE PARA ACCIONAR LA CARGA QUE ESTARA CONECTADA A SU EJE. ESTE FACTOR SE COMPLICA LIGERAMENTE POR EL HECHO DE QUE UN MOTOR DEBE SOPORTAR POR PERIODOS BREVES SOBRECARGAS. POR EJEMPLO SE PUEDE TENER EL CASO DE QUE UN MOTOR CON POTENCIA NOMINAL DE 10 HP A 1750 RPM CON UN CICLO CONTINUA DE OPERACION A 50º C DE ELEVACION DE TEMPERATURA, DEBE PRODUCIR O ENTREGAR 15 HP A 1650 RPM PERO NO EN FORMA CONTINUA, ESTO QUIERE DECIR QUE SU DEVANADO DEBE ADMITIR UN SOBRECALENTAMIENTO DE 10 A 15 MINUTOS SIN DAÑO ALGUNO, POR LO QUE NO SE SELECCIONA PARA EL VALOR DE POTENCIA QUE DEBE ENTREGAR POR CORTO TIEMPO.

OTRA CONDICION PUEDE SER QUE EL CICLO DE TRABAJO SEA TAL QUE LA MAYOR PARTE DEL TIEMPO OPERE EL MOTOR CON CARGAS BAJAS, ENTONCES LA POTENCIA SE DEBE SELECCIONAR PARA LA CONSIDERACION DE CARGA A LA QUE EL MOTOR OPERE LA MAYOR PARTE DEL TIEMPO, SI SE CONSIDERA QUE A MENOR CARGA EL MOTOR ES MENOS EFICIENTE. EN EL NOMOGRAMA SIGUIENTE SE DA LA RELACION ENTRE EL PAR REQUERIDO Y LA POTENCIA QUE DEBE TENER EL MOTOR Y LA VELOCIDAD DE OPERACION.

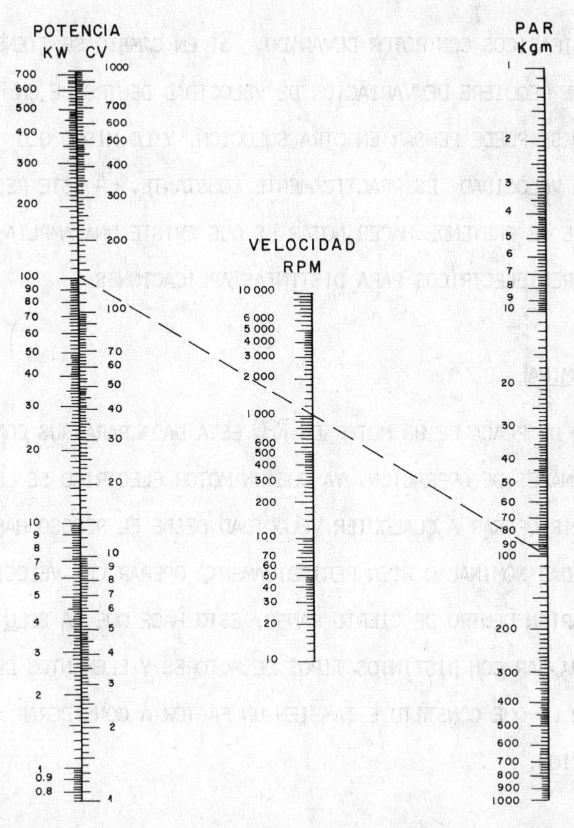

NOMOGRAMA PARA OBTENER LA RELACION ENTRE POTENCIA-VELOCIDAD Y PAR EJEMPLO: UN PAR DE 100 Kgm A LA VELOCIDAD DE 1000 RPM CORRESPONDE A 103 Kw.

O CARACTERÍSTICAS DE LA CARGA POR ACCIONAR.

SI UNA CARGA PUEDE REQUERIR DE 10HP A 1750 RPM EN FORMA CONTINUA PUEDE TENER OTRAS CARACTERISTICAS QUE DEPENDEN DEL TIPO PARTICULAR DE LA CARGA POR ACCIONAR, POR EJEMPLO, UN VENTILADOR NO REQUIERE DE UN ALTO PAR DE ARRANQUE, PERO EN CAMBIO HAY CARGAS QUE SI LO REQUIEREN Y ENTONCES DEPENDIENDO DE SU MAGNITUD SE PUEDEN USAR MOTORES MONOFASICOS DE CORRIENTE ALTERNA DEL LLAMADO TIPO UNIVERSAL O BIEN DE ARRANQUE CON CAPACITOR O TAMBIEN

O TAMBIEN TRIFASICOS CON ROTOR DEVANADO. SI EN CAMBIO SE TIENE UNA CARGA QUE REQUIERE DE VARIACION DE VELOCIDAD DENTRO DE UN - RANGO AMPLIO SE PUEDE PENSAR EN OTRA SOLUCION, Y LO MISMO OCU - RRIRA, SI LA VELOCIDAD ES PRACTICAMENTE CONSTANTE. A ESTE RESPECTO, LO QUE SE PRETENDE HACER NOTAR ES QUE EXISTE UNA AMPLIA-GAMA DE MOTORES ELECTRICOS PARA DISTINTAS APLICACIONES.

VELOCIDAD NOMINAL.

LA VELOCIDAD DE PLACA DE UN MOTOR EN RPM ESTA DADA PARA SUS CONDICIONES NORMALES DE OPERACION, YA QUE UN MOTOR ELECTRICO SE LE PUEDE REQUERIR OPERAR A CUALQUIER VELOCIDAD DESDE EL REPOSO HASTA SU VELOCIDAD NOMINAL O BIEN PERIODICAMENTE OPERAR CON VELOCIDADES QUE VARIEN DENTRO DE CIERTO RANGO, ESTO HACE QUE LA SOLUCION SE PUEDA DAR CON DISTINTOS TIPOS DE MOTORES Y ELEMENTOS DE CONTROL, POR LO QUE CONSTITUYE TAMBIEN UN FACTOR A CONSIDERAR - EN SU SELECCION.

TAMAÑO DE LA CARCAZA:

EL TAMAÑO DE LAS CARCAZAS EN LOS MOTORES ELECTRICOS SE ENCUENTRA NORALIZADO POR LA ASOCIACION DE FABRICANTES ELECTRICOS DE LOS ESTADOS UNIDOS (NEMA) Y ESTA CLASIFICACION HA SIDO ADOPTADA POR LA MAYORIA DE LOS PAISES QUE ESTAN DENTRO DE SU AREA DE INFLUENCIA-COMERCIAL. ESTA NORMALIZACION SE PUEDE RESUMIR COMO UNA SERIE - DE VALORES DE DIAMETROS DE CARCAZA ASOCIADOS A CIERTAS LONGITU - DES DE LAS MISMAS, Y RELACIONADOS CON LA TEMPERATURA DE OPERA --

CION Y ASPECTOS PARTICULARES, DANDOSE UNA DESIGNACION COMERCIAL A CADA TIPO, POR EJEMPLO LAS DESIGNACIONES QUE USAN LA SERIE T - SON LOS QUE OPERAN CON ALTAS TEMPERATURAS Y USAN ENTONCES MATE - RIALES AISLANTES MAS RESISTENTES A ESTES CONDICIONES, LOS DE CLA SE A Y B SON TOTALMENTE CERRADOS Y ENFIRADOS POR VENTILADOR. LA LETRA S SIGNIFICA CON TAMAÑO REDUCIDO DE EJE Y EXISTE TAMBIEN -- UNA CLASIFICACION CON RESPECTO AL TIPO DE MONTAJE.

EN LA TABLE SIGUIENTE SE MUESTRA ESTA CLASIFICACION GENERAL SE - GUN LAS NORMAS NEMA.

POTENCIA NOMINAL Y TAMAÑO DE CARCAZA SEGUN NORMA NEMA PARA MOTORES JAULA DE ARDILLA.

POTENCIA EN EL EJE		VELOCIDAD SINCRONA							
		3600		1800		1200		900	
H.P.	KW	TAMAÑO DE CARCAZA							
0.5	0.375							182	H143T
0.75	0.56					182	H143T	184	H145T
1	0.75			182	H143T	184	H145T	213	182T
1.5	1.12	182	H143T	184	H145T	184	182T	213	184T
2	1.5	184	K145T	184	K145T	213	184T	215	213T
3	2.24	184	182T	213	182T	215	213T	254U	215T
5	3.75	213	184T	215	184T	254U	215T	256U	254T
7.5	5.6	215	213T	254U	213T	256U	254T	284U	256T
10	7.5	254U	215T	256U	215T	284U	256T	286U	284T
15	11.2	256U	254T	284U	254T	324U	284T	326U	286T
20	15	286U	256T	286U	256T	326U	286T	364U	324T
25	19	324U	284TS	324U	284T	364U	324T	365U	326T
30	22.4	326S	286TS	326U	286T	365U	326T	404U	364T
40	31.5	364US	324TS	364U	324T	404U	364T	405U	365T
50	37.5	365US	326TS	365US	326T	405U	365T	444U	404T
60	45	405US	364TS	405US	364TS	444U	404T	445U	405T
75	56	444US	365TS	444US	365TS	445U	405T		444T
100	75	445US	405TS	445US	405TS		444T		445T
125	90		444TS		444TS		445T		
150	112		445TS		445TS				

CLASIFICACION POR VELOCIDAD.

EXISTE UNA CLASIFICACION POR VELOCIDAD RECONOCIDA TAMBIEN POR - LOS FABRICANTES DE MOTORES ELECTRICOS (NEMA) QUE SE AGRUPA COMO SIGUE:

. MOTORES DE VELOCIDAD CONSTANTE.

QUE TIENEN UNA VARIACION MAXIMA DEL 20% DE VACIO A PLENA -- CARGA: DENTRO DE ESTA CATEGORIA SE ENCUENTRA LA MAYORIA DE- LOS MOTORES DE INDUCCION.

. MOTORES DE VELOCIDAD VARIABLE.

EL CAMBIO DE VACIO A PLENA CARGA EN LA VELOCIDAD ES MUCHO -- MAYOR DEL 20% LA MAYORIA DE ESTOS MOTORES SON LOS CONOCIDOS COMO DEL TIPO UNIVERSAL.

. MOTORES DE VELOCIDAD AJUSTABLE.

ESTOS MOTORES SON LOS LLAMADOS DE INDUCCION CON MOTOR DEVA - NADO.

. MOTORES DE VELOCIDAD AJUSTABLE-VARIABLE.

SON MOTORES DE INDUCCION DE ROTOR DEVANADO CON MEDIOS EXTER NOS DE CONTROL COMO POR EJEMPLO RESISTENCIAS EN EL ROTOR.

. MOTORES DE MULTIVELOCIDAD.

. MOTORES REVERSIBLES.

. MOTORES NO REVERSIBLES.

. EFECTO DEL CICLO DE TRABAJO.

EL CICLO DE TRABAJO AFECTA EN FORMA CONSIDERABLE AL CICLO-DE OPERACION DE LOS MOTORES, YA QUE ESTE PUEDE SER CONTINUO O ALTERNATIVO, CON CARGA APLICADA EN FORMA DIRECTA AL EJE O A TRAVES DE MECANISMOS COMO POLEAS O CAJAS DE ENGRANES RE - DUCTORES DE VELOCIDAD, EL PAR EN EL MOTOR VARIA Y PUEDE HA-CER VARIAR AL VOLTAJE DE ALIMENTACION.

. TEMPERATURA AMBIENTE.

LOS MOTORES DE INDUCCION PUEDEN SER USADOS EN AMBIENTES PO-CO COMUNES, COMO POR EJEMPLO CERCANOS A HORNOS O EQUIPOS QUE OPERAN CON ALTAS TEMPERATURAS, O BIEN SUMERGIDOS COMO ES EL-CASO DE LOS MOTORES DE BOMBAS PARA POZO PROFUNDO. EN AMBOS - CASOS LA ELEVACION DE TEMPERATURA ES DISTINTA, Y EN CONSE -- CUENCIA SE REQUIERE DISTINTO TIPO DE MOTOR O DISTINTA APLICA CION DE UN CIERTO TIPO DE MOTOR.

. VOLTAJE Y CORRIENTE NOMINAL.

DEPENDIENDO DEL VOLTAJE Y LA CORRIENTE NOMINAL QUE SON FUN - CION DE LA POTENCIA DEL MOTOR, SE REQUIEREN DISTINTAS CARAC-TERISTICAS EN LA FUENTE DE ALIMENTACION.

. TIPO DE CARCAZA.

EL TIPO DE CARCAZA SE SELECCIONA SEGUN LAS CONDICIONES DE - OPERACION SEAN CONSODERADAS COMO NORMALES O ESPECIALES, POR EJEMPLO, SUMERGIDO EN AGUA, A PRUEBA DE GOTEO, A PRUEBA DE-

POLVO, EN AMBIENTE EXPLOSIVO, ETC.

- REQUERIMIENTOS DE MANTENIMIENTO Y ACCESIBILIDAD.

ESTOS ASPECTOS SE REFIEREN A LA CONDICION PARTICULAR DE APLICACION DE UN MOTOR ELECTRICO Y DEBEN SER CONSIDERADAS EN SU SELECCION.

3.6.1. TAMAÑOS COMUNES DE MOTORES.

LOS TAMAÑOS DE MOTORES SE ENCUENTRAN DISPONIBLES PARA LOS RANGOS DE VOLTAJES ESTANDAR DE ALIMENTACION EN CORRIENTE ALTERNA, EN MEXICO ES A 60 HZ. LOS FACTORES COMO SON LA EFICIENCIA Y COSTO SE CONSIDERAN, DE MANERA QUE EN LA PRACTICA GENERAL LOS TAMAÑOS DE LOS MOTORES ESTAN SIEMPRE LIMITADOS.

. PARA ALIMENTACION MONOFASICA A 127 VOLTS EL LIMITE MAXIMO PRACTICO ES DE 2HP.

. PARA ALIMENTACION TRIFASICA A 220 VOLTS O PARA ALIMENTACION TRIFASICA A 220 VOLTS., EL LIMITE ES 200 HP.

. PARA VOLTAJES MAYORES ES CONVENIENTE CONSULTAR LOS CATALOGOS DE FABRICANTES.

3.6.2. EL CIRCUITO DERIVADO DE UN MOTOR EN GENERAL:

EL DIAGRAMA GENERAL PARA EL CIRCUITO DERIVADO DE LOS MOTORES SE MUESTRA A CONTINUACION

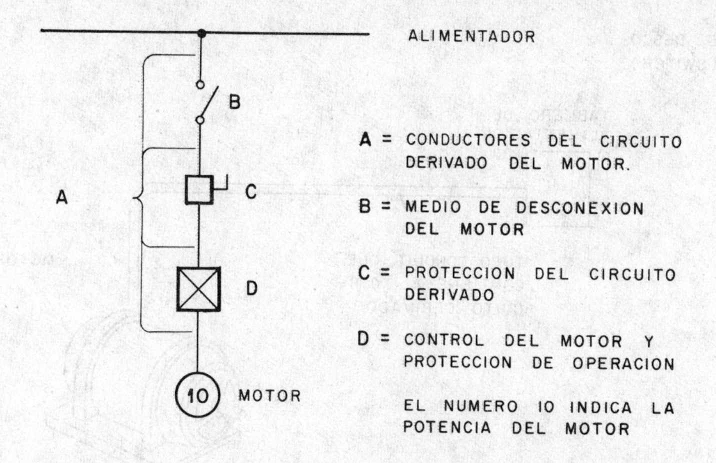

COMPONENTES DEL CIRCUITO DERIVADO DE UN MOTOR

BASÁNDOSE EN EL DIAGRAMA GENERAL ANTERIOR, POR CADA CIRCUITO ALIMENTADOR DE UN MOTOR SE REQUIERE LO SIGUIENTE:

UNA FUENTE DE ALIMENTACION (ALIMENTADOR), UN MEDIO DE DESCONEXION DE LA FUENTE, EL ALAMBRADO A LOS CIRCUITOS DERIVADOS Y SU PROTECCION, UN ELEMENTO CONTROLADOR PARA ARRANCAR Y PARAR AL MOTOR Y FINALMENTE UNA PROTECCION CONTRA SOBRECARGAS EN EL MOTOR, QUE SE REQUIERE ADICIONALMENTE A LA PROTECCION DEL CIRCUITO DERIVADO.

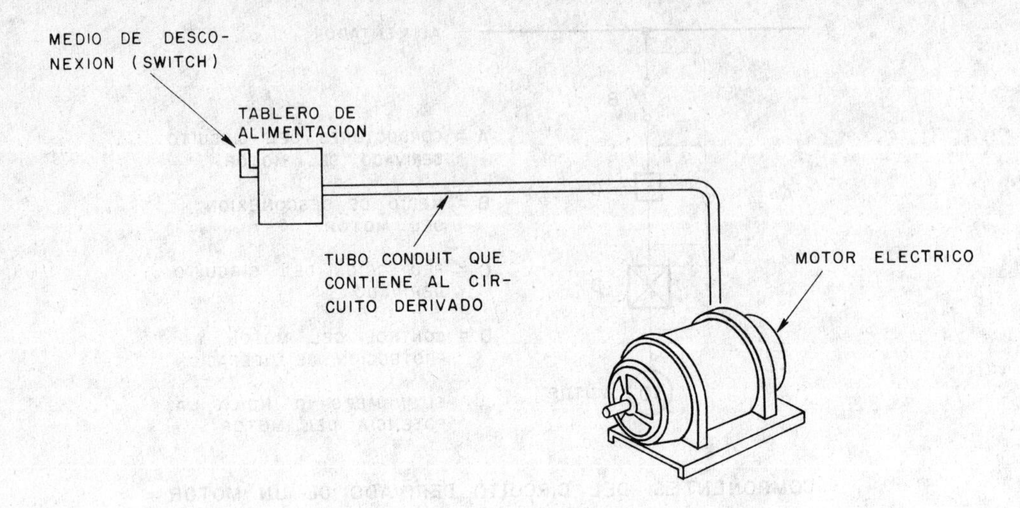

INSTALACION DE UN MOTOR ELECTRICO

LOS DATOS DE PLACA DEL MOTOR DEBEN SER:

- NOMBRE DEL FABRICANTE Y POTENCIA EN H.P. O KW
- VOLTAJE NOMINAL Y CORRIENTE A PLENA CARGA
- FRECUENCIA Y NUMERO DE FASES
- LETRA DE CODIGO

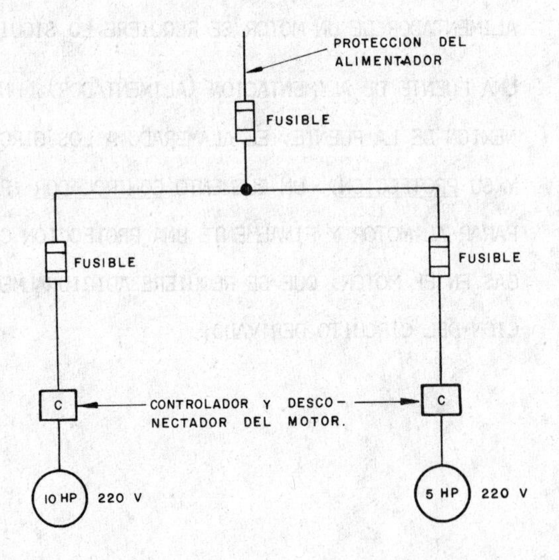

ALIMENTADOR PARA DOS MOTORES

COMO SE SABE, LOS MOTORES FRACCIONARIOS Y PEQUEÑOS, SE ARRANCAN DIRECTAMENTE DE LA LINEA, PERO LOS MOTORES GRANDES, DE ALGUNOS CIENTOS Y HASTA MILES DE HP REQUIEREN ARRANQUE INDIRECTO DE LA LINEA Y EN CONSECUENCIA ELEMENTOS DE CONTROL MAS O MENOS COMPLEJOS.

EN GENERAL, LOS MOTORES QUE SE ARRANCAN DIRECTAMENTE DE LA LINEA TIENEN UNA CORRIENTE DE ARRANQUE RELATIVAMENTE ALTA PARA ALGUNOS MOTORES ESTA CORRIENTE ALCANZA HASTA 8 VECES EL VALOR DE LA CORRIENTE NOMINAL (A PLENA CARGA), ESTE VALOR SE PRESENTA CUANDO EL MOTOR PARTE DE REPOSO HASTA ALCANZAR SU VELOCIDAD NOMINAL, EN ESTE PUNTO DECAE AL VALOR DE CORRIENTE NOMINAL.

SE REQUIEREN DOS TIPOS DE PROTECCION CONTRA SOBRECARGA. SI EL DISPOSITIVO DE PROTECCION CONTRA SOBRECARGA DEL CIRCUITO DERIVADO, ES FUSIBLE O INTERRUPTOR TERMOMAGNETICO, SON SUFICIENTEMENTE GRANDES Y PERMITEN EL PASO DE LAS CORRIENTES DE ARRANQUE Y POR LO TANTO PUEDEN SER DEMASIADO GRANDES Y PERMITIR QUE EL MOTOR SE SOBRECARGUE.

PARA PROTEGER AL MOTOR MISMO, SE REQUIERE QUE SE SEPARE LA PROTECCION CONTRA SOBRECORRIENTE, DE AQUI SE OBSERVA QUE SE REQUIEREN LOS DOS TIPOS DE PROTECCION CONTRA SOBRECARGA, EL DEL ALIMENTADOR, Y EL DEL MOTOR.

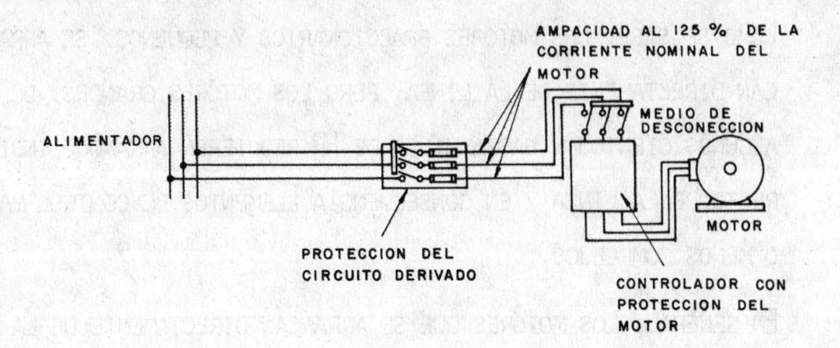

ELEMENTOS DE ALIMENTACION A UN MOTOR ELECTRICO DE C A.

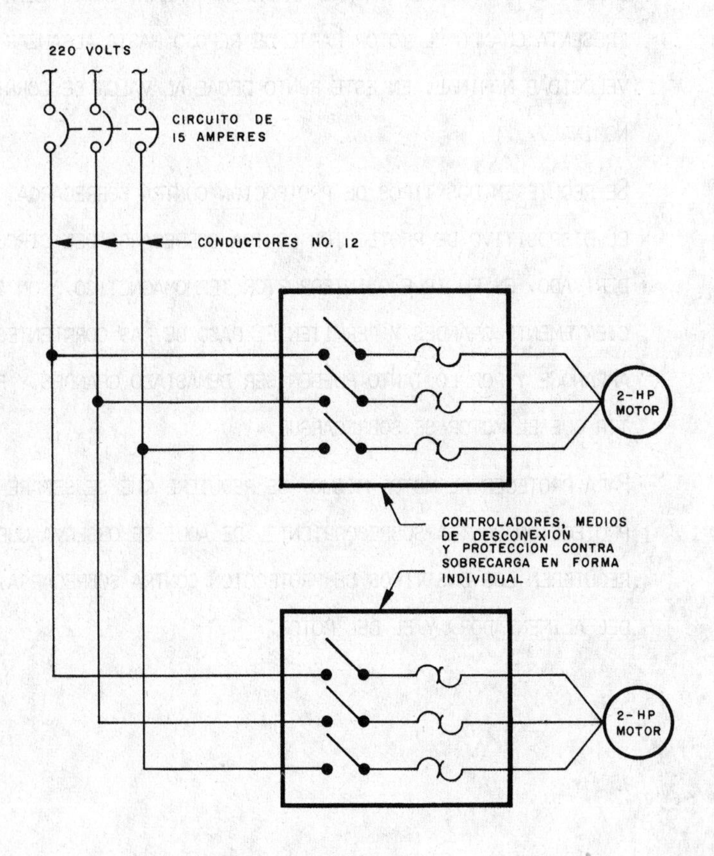

DOS MOTORES ALIMENTADOS POR UN CIRCUITO DERIVADO SENCILLO.

SE REQUIEREN DOS TIPOS DE PROTECCION CONTRA SOBRECARGA. SI EL - DISPOSITIVO DE PROTECCION CONTRA SOBRECARGA DEL CIRCUITO DERIVADO ES FUSIBLE O INTERRUPTOR TERMOMAGNETICO, SON SUFICIENTEMENTE-GRANDES Y PERMITEN EL PASO DE LAS CORRIENTES DE ARRANQUE Y POR LO TANTO PUEDEN SER DEMASIADO GRANDES Y PERMITIR QUE EL MOTOR SE SOBRECARGUE.

PARA PROTEGER AL MOTOR MISMO SE REQUIERE QUE SE SEPARE LA PROTECCION CONTRA SOBRECORRIENTE, DE AQUI SE OBSERVA QUE SE REQUIEREN-LOS DOS TIPOS DE PROTECCION CONTRA SOBRECARGA, EL DEL ALIMENTADOR Y EL DEL MOTOR.

PROTECCION CONTRA CORTO CIRCUITO DEL CIRCUITO DERIVADO DE UN MOTOR:

EL DIAGRAMA GENERAL PARA EL CIRCUITO DERIVADO DE MOTORES, MUESTRA AL ELEMENTO C QUE CONSTITUYE AL ELEMENTO DE PROTECCION CONTRA SOBRECORRIENTE, QUE PROPORCIONA PROTECCION CONTRA SOBRECORRIENTES - POR CORTO CIRCUITO, FALLAS A TIERRA O BIEN SOBRECARGAS SÚBITAS. ESTE DISPOSITIVO DE PROTECCION, ESENCIALMENTE PROTEGE AL ALUMBRADO-DEL CIRCUITO DERIVADO, ES DECIR ES BASICAMENTE UNA PROTECCION CONTRA CORTO CIRCUITO.

POR LO GENERAL, SE USAN FUSIBLES O BIEN INTERRUPTORES TERMOMAGNETICOS INSTANTANEOS PARA INTERRUMPIR CORRIENTES DE FALLA A GRANDES CORRIENTES DE SOBRECARGA, DE MANERA QUE SI LA CORRIENTE DE - ARRANQUE ESTA DENTRO DE SU RANGO NORMAL Y NO PERSISTE, LA PROTEC

CION DEL CIRCUITO DERIVADO DEL MOTOR PERMANECE CERRADA.

PROTECCION CONTRA SOBRECARGA EN EL MOTOR.

CUANDO EL MOTOR SE ENCUENTRA OPERANDO Y LA CARGA MECANICA QUE ACCIONA Y ESTA ACOPLADA A SU EJE SE INCREMENTA O ES EXCESIVA, LA CORRIENTE QUE DEMANDA EL MOTOR TAMBIEN ES EXCESIVA.

EN EL DIAGRAMA DE COMPONENTES DEL CIRCUITO DERIVADO DE UN MOTOR APARECE UN SEGUNDO ELEMENTO DE PROTECCION EN OPERACION DEL MOTOR JUNTO CON EL CONTROL DEL MOTOR D, A ESTA PROTECCION SE LE CONOCE COMO PROTECCION DE SOBRECARGA O DE SOBRECORRIENTE.

LA CORRIENTE EXCESIVA QUE DEMANDA EL MOTOR HACE ACTUAR AL DISPOSITIVO DE PROTECCION ACCIONADO TERMICAMENTE (ELEMENTO TERMICO)- QUE INTERRUMPEN EL CIRCUITO EN FORMA DIRECTA EN MOTORES PEQUEÑOS O DE POTENCIA MEDIA.

CORRIENTES DE ARRANQUE:

LOS MOTORES DE GRAN POTENCIA DEMANDAN DE LA LINEA DE ALIMENTACION VALORES DE CORRIENTE DE ARRABQUE ELEVADOS. LAS COMPAÑIAS- SUMINISTRADORAS HAN ENCONTRADO QUE ADEMAS DE AFECTAR EL ALUMBRADO (POR BAJO VOLTAJE) EN EL AREA EN DONDE SE ENCUENTRAN INSTALADOS, TALES CORRIENTES DE ARRANQUE PRODUCEN DISTURBIOS EN EL VOLTAJE QUE AFECTAN AL EQUIPO DE OTROS USUARIOS E INCLUSIVE SUS -- PROPIOS APARATOS ELECTRICOS.

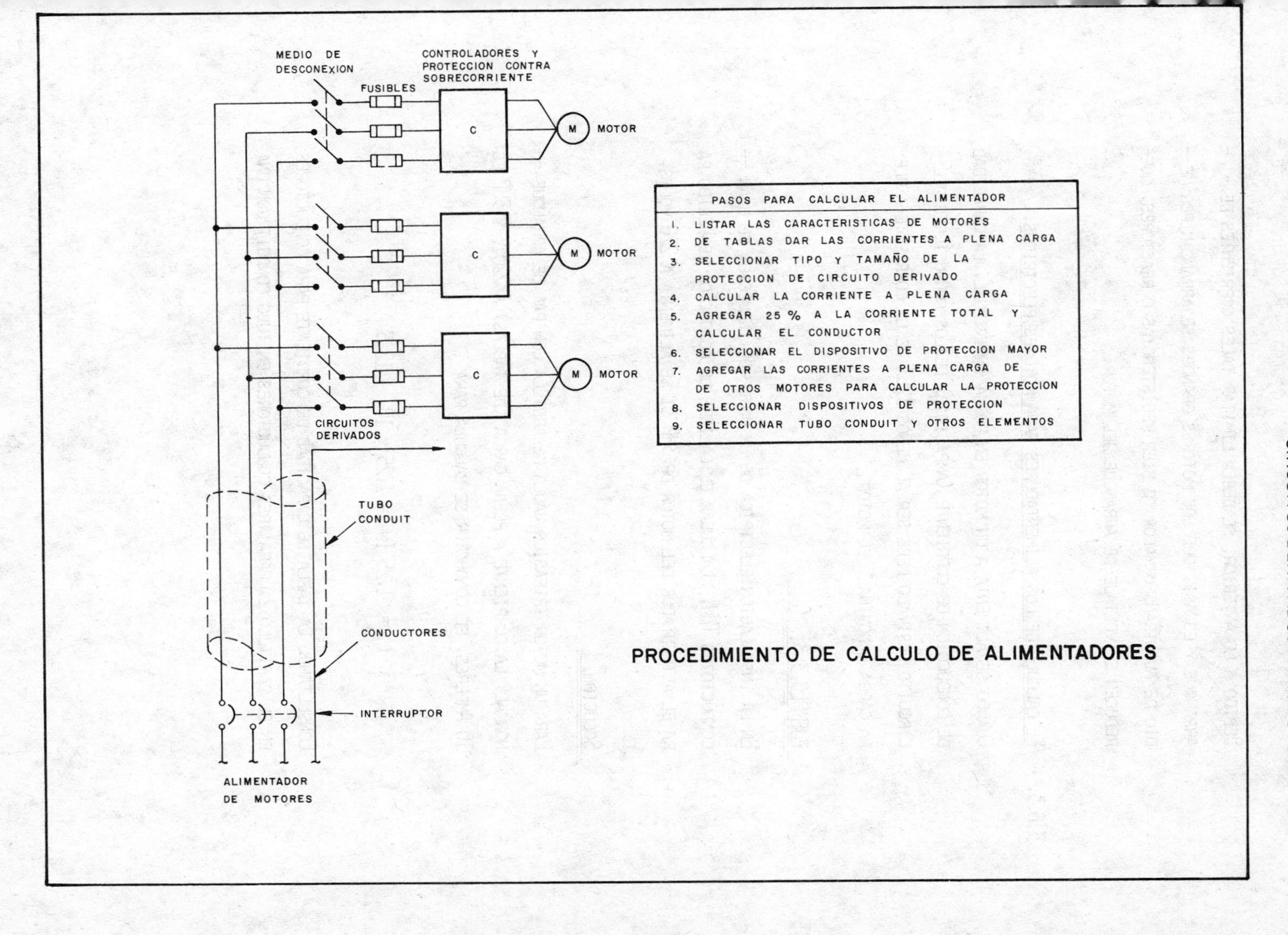

PROCEDIMIENTO DE CALCULO DE ALIMENTADORES

DEBIDO A LO ANTERIOR, SE DEBEN LIMITAR TALES CORRIENTES DE - - ARRANQUE Y ES ASI, QUE LOS MOTORES GRANDES SE ARRANCAN POR ME-- DIO DE AUTOTRANSFORMADOR, O BIEN RESISTENCIAS O REACTORES, QUE- REDUCEN EL VOLTAJE DE ARRANQUE DEL MOTOR.

3.6.3. EL CALCULO DE LOS ALIMENTADORES PARA MOTORES ELECTRICOS.

CUANDO SE ALIMENTA A UN MOTOR EN FORMA INDIVIDUAL, LA CAPACIDAD DE CONDUCCION DE CORRIENTE (AMPACIDAD) DE LOS CONDUCTORES DEL - CIRCUITO DERIVADO DEBE SER AL MENOS 125% DE LA CORRIENTE A PLE- NA CARGA O NOMINAL DEL MOTOR.

EJEMPLO 3.3.

EN LA INSTALACION ELECTRICA DE UN MOTOR DE INDUCCION SE USAN -- CONDUCTORES THW. CALCULAR EL CALIBRE DE CONDUCTOR REQUERIDO PA RA EL ALIMENTADOR DEL MOTOR DE 3HP SI SE ALIMENTA A 220 VOLTS.

SOLUCION.

PARA UN MOTOR TRIFASICO JAULA DE ARDILLA CON PAR DE ARRANQUE -- NORMAL, LA CORRIENTE A PLENA CARGA (DE TABLAS) A 220 V Y 3HP ES 10 AMPERES, EL CONDUCTOR SE CALCULA PARA

$$I = 1.25\ I_N = 1.25 \times 10 = 12.5\ A$$

CONSULTANDO LA TABLA SE CAPACIDAD DE CORRIENTE PARA CONDUCTORES EN EL CAPITULO 2, PARA TRES CONDUCTORES EN TUBO CONDUIT CON UNA

CORRIENTE DE 12.5A SE REQUIERE CONDUCTOR THW DEL No. 14, SIN EMBARGO EL MINIMO PERMISIBLE ES EL No. 12 THW.

CUANDO SE ALIMENTA MAS DE UN MOTOR, LA CAPACIDAD DE CORRIENTE (AMPACIDAD) DEL CONDUCTOR ES LA SUMA DE 1.25 VECES LA CORRIENTE A PLENA CARGA DEL MOTOR MAYOR MAS LA SUMA DE LAS CORRIENTES A PLENA CARGA DEL RESTO DE LOS MOTORES.

$$I_{T_{PC}} = 1.25\ I_{MPC} + \sum I_{MPC}$$

DONDE: $I_{T_{PC}}$ = CORRIENTE TOTAL A PLENA CARGA EN AMPERES

I_{MPC} = CORRIENTE A PLENA CARGA DEL MOTOR MAYOR DE AMPERES.

I_{MPC} = CORRIENTE A PLENA CARGA DE OTROS MOTORES EN AMPERES.

EMEMPLO 3.4.-

CALCULAR EL CALIBRE DEL CONDUCTOR THW REQUERIDO, SI AL MOTOR DE 3HP, 220 VOLTS, TRIFASICOS DEL EJEMPLO ANTERIOR, SE LE AGREGAN A SU CIRCUITO DERIVADO OTRO MOTOR TRIFASICO, SIMILAR DE 2HP CADA UNO.

SOLUCION

EL MOTOR MAS GRANDE DE LOS DOS ES EL DE 3HP, QUE COMO SE DETERMINO EN EL EJEMPLO 10 AMPERES. PARA EL MOTOR DE 2HP A 200 VOLTS

LA CORRIENTE A PLENA CARGA ES DE 7.1 AMPERES. POR LO TANTO LA CO RRIENTE TOTAL ES:

$$I_{TPC} = 1.25\ I_{MPC} + I_{MPC}$$
$$= 1.25 \times 10 + 7.1$$
$$= 19.6 \text{ AMPERES}$$

CONSULTANDO LA TABLA DE CONDUCTORES, PARA 3 CONDUCTORES THW EN- TUBO CONDUIT, SE REQUIERE CONDUCTOR No. 12 AWG.

3.6.4. MEDIOS DE DESCONEXION DEL CIRCUITO DERIVADO DEL MOTOR.

LOS MEDIOS DE DESCONEXION DEL CIRCUITO DERIVADO DEL MOTOR, ESTAN LOCALIZADOS LOS MAS CERCA POSIBLE A LA ALIMENTACION (ELEMENTO B DEL DIAGRAMA GENERAL) Y POR LO TANTO SON CAPACES DE DESCONECTAR AL MOTOR Y CONTROLADOR DEL ALIMENTADOR ASI COMO AL ALAMBRADO DEL PROPIO CIRCUITO DERIVADO.

CUANDO SE USAN DESCONECTADORES DE NAVAJAS (SWITCH), SE HACE CON- FUSIBLES POR LO GENERAL, DE OTRA FORMA SE USAN INTERRUPTORES, -- TERMOMAGNETICOS (CIRCUITO DERIVADO UN MEDIO DE DESCONEXION Y -- PROTECCION)

POR RAZONES DE SEGURIDAD EL ELEMENTO CONTROLADOR DEBE ESTAR SIEM PRE A LA VISTA DEL MEDIO DESCONECTADOR, ES DECIR QUE UN DISPOSI- TIVO Y OTRO ESTEN SIEMPRE A LA VISTA, ESTO QUIERE DECIR QUE LA - DISTANCIA ENTRE UNO Y OTRO NO SEA MAYOR DE 15 METROS.

ADICIONALMENTE SE REQUIERE QUE LOS MEDIOS DE DESCONEXION TENGAN-

CLARAMENTE INDICADAS LAS POSICIONES DE " ABIERTO " Y " CERRADO" CUANDO LOS MEDIOS DE DESCONEXION SON DESCONECTADORES DE NAVAJAS, ESTAN RELACIONADOS CON LA POTENCIA EN HP DEL MOTOR, MIENTRAS QUE SI USA DESCONECTADOR DE NAVAJAS O INTERRUPTOR TERMOMAGNETICO INDISTINTAMENTE, SE DIMENSIONAN PARA UN 115% DE LA CORRIENTE A PLENA CARGA CONTINUA DEL MOTOR.

POR LO GENERAL, CADA MOTOR TIENE UN MEDIO DE DESCONEXION INDIVIDUAL, YA POR MEDIO DE INTERRUPTOR TIPO NEVAJAS (SWITCH) O POR MEDIO DE INTERRUPTOR TERMOMAGNETICO Y SOLO EXCEPCIONALMENTE SE PERMITE EL USO DE ESTOS DISPOSITIVOS PARA GRUPOS.

3.6.5. PROTECCION DEL CIRCUITO DERIVADO DEL MOTOR.

EL MEDIO DE PROTECCION DEL CIRCUITO DERIVADO ES COMUN QUE SEA -- UN INTERRUPTOR TERMOMAGNETICO O BIEN FUSIBLES INSTALADOS EN LA - MISMA CAJA QUE LAS CUCHILLAS DESCONECTADORAS.

EL DISPOSITIVO DE PROTECCION DEL CIRCUITO DERIVADO, CUALQUIERA - QUE ESTE SEA, ESTA DISEÑADO PARA DESCONECTAR AL MOTOR DEL CIRCUITO EN EL CASO DE BRUSCOS CAMBIOS EN LA CORRIENTE QUE DEMANDA O - BIEN CORRIENTES DE ARRANQUE EXCESIVAS, A ESTE TIPO DE PROTECCIÓN SE LE CONOCE FRECUENTEMENTE COMO "PROTECCION CONTRA CORTO CIRCUITO".

3.6.6. EL SIGNIFICADO DE LAS LETRAS DE CODIGO EN LOS MOTORES ELECTRICOS.

LAS LETRAS DE CODIGO EN LOS MOTORES ELECTRICOS, REPRESENTAN UNA- MEDIDA DE LA CORRIENTE QUE DEMANDAN DURANTE EL ARRANQUE O SEA LO QUE

SE DICE A ROTOR BLOQUEADO, QUE SIGNIFICA CON VELOCIDAD INICIAL CERO Y SON CONSIDERADAS COMO UN ELEMENTO QUE INTERVIENE EN LA SELECCION DE LA PROTECCION DEL MOTOR.

ES COMUN QUE LAS LETRAS DE CODIGO SE EXPRESEN EN UNIDADES DE KILOVOLTAMPERES/CABALLO DE POTENCIA (KVA/HP). EN CONSECUENCIA, SI LA POTENCIA DE UN MOTOR EN HP Y SU LETRA DE CODIGO SE LEEN DE SUS DATOS DE PLACA, SE PUEDE CALCULAR EN FORMA MUY SENCILLA LOS KVA DE ARRANQUE Y LA CORRIENTE MAXIMA DE ARRANQUE. PARA UN MOTOR TRIFASICO LA POTENCIA APARENTE EN VA ES:

$$VA = 1.73\, V_L I_L$$

DONDE: VA = POTENCIA EN VOLT-AMPERES

VL = VOLTAJE DE FASE A FASE EN VOLTS.

IL = CORRIENTE DE LINEA EN AMPERES.

PARA EL PROPOSITO DEL CALCULO DE LA CAPACIDAD O TIPO DE LOS DISPOSITIVOS DE PROTECCION COMO SIGUE:

- MAS DE 1HP
- 1 HP O MENOS CON ARRANQUE MANUAL.
- 1 HP A MENOS CON ARRANQUE AUTOMATICO.

EJEMPLO 3.5.-

CALCULAR PARA UN MOTOR TRIFASICO DE INDUCCION DE 5HP, 60Hz, 220 VOLTS CON LETRA DE CODIGO H.

A) LA MINIMA Y MAXIMA CORRIENTE DE ARRANQUE POSIBLE.

B) LA CORRIENTE NORMAL DE OPERACION A PLENA CARGA.

c) LA MAXIMA CORRIENTE DE ARRANQUE COMO UNA RELACION DE LA CO-RRIENTE NOMINAL.

SOLUCION

A) DE TABLAS, PARA LA LETRA DE CODIGO H EL MOTOR TIENE DE 6.3 A 7.09 KVA/HP, POR LO TANTO:

LOS KVA MINIMOS QUE DEMANDA SON:

$$KVA_{MINIMOS} = \frac{6.3\ KVA}{HP} \times 5HP = 31.5$$

LOS KVA MAXIMOS QUE DEMANDA:

$$KVA_{MAXIMOS} = \frac{7.09\ KVA}{HP} \times 5\ HP = 35.45$$

COMO SE TRATA DE UN MOTOR TRIFASICO ENTONCES SU POTENCIA SE PUEDE EXPRESAR COMO:

$$P = \sqrt{3} \times V \times I_L \quad (VA)$$

DE DONDE PARA EL CASO DE LA MINIMA CORRIENTE DE LINEA

$$I_{MIN} = \frac{VA_{MIN.}}{\sqrt{3} \times V} = \frac{31.5 \times 1000}{\sqrt{3} \times 220} = 82.66\ A$$

$$I_{MAX} = \frac{VA_{MAX.}}{\sqrt{3} \times V} = \frac{35.45 \times 1000}{\sqrt{3} \times 220} = 93.03A$$

B) LA CORRIENTE NORMAL DE OPERACION A PLENA CARGA SE OBTIENE DE LA TABLA PARA CORRIENTE A PLENA CARGA DE MOTORES

De manera que para 5 HP a 220 volts la corriente es 1 5A.

c) La máxima corriente de arranque como una relación de la corriente nominal, es:

$$\frac{I\ MAX.}{I\ NOM.} = \frac{93.03}{15} = 6.202$$

Es decir, aproximadamente 6.2 veces mayor que la corriente de -- operacion.

EJEMPLO 3.6.-

Calcular las caracteristicas principales para los alimentadores de los motores trifasicos de induccion a 60HZ cuyos datos principales se dan a continuacion:

- Motor de 5 HP, 220 volts con letra de codigo A y corriente nominal de 15.9A, jaula de ardilla.
- Motor de 25 HP, 440 volts con una corriente nominal de 36 amperes.
- Motor de 30 HP a 440 volts. El motor tiene el rotor devanado.
- Motor de 50 HP, jaula de ardilla a 440 volts con corriente a -- plena carga de 68A.

SOLUCION

Para el motor jaula de ardilla de 5 HP, 220 volts con letra de- codigo A el circuito derivado se puede proteger por medio de un

INTERRUPTOR TERMOMAGNETICO DE 1.5 x 15.9 = 23.85 AMPERES, DEBIDO AL BAJO VALOR QUE DA SU LETRA DE CODIGO A ROTOR BLOQUEADO. - EL MAXIMO AJUSTE DEL DISPOSITIVO DE SOBRECARGA (ELEMENTO TERMICO) ES 1.15 x 15.9 = 18.29 AMPERES.

PARA EL MOTOR DE 25 HP A 440 VOLTS, COMO NO SE DAN DATOS DE LETRA DE CODIGO, SE PUEDE SUPONER UN FACTOR DE SERVICIO DE 1.2, CON LO QUE EL ELEMENTO DE PROTECCION CONTRA SOBRE CARGA SE PUEDE AJUSTAR A UN VALOR:

1.25 x 36 = 45 A

SE PUEDE USAR UN FUSIBLE DE TIEMPO NO RETARDADO PARA PROTEGER- EL CIRCUITO Y CUYO VALOR ES 3 x 36 = 108 AMPERES.

PARA EL MOTOR DE 30 HP A 440 VOLTS CON UNA ELEVACION MAXIMA DE- TEMPERATURA DE 40°C CON ROTOR DEVANADO SE HACEN LAS SIGUIENTES CONSIDERACIONES:

DEBIDO A QUE EL MOTOR TIENE ROTOR DEVANADO SE USA FUSIBLE DE - TIEMPO NO RETARDADO COMO DISPOSITIVO DE PROTECCIÓN DEL CIRCUITO DERIVADO, EL VALOR DE ESTE DISPOSITIVO NO SE PUEDE AJUSTAR A -- MAS DEL 150% DE LA CORRIENTE A PLENA CARGA, QUE ESTE CASO DE TABLAS SE SABE QUE ES: 42 AMPERES, ES DECIR QUE EL 150% ES ENTONCES: 1.5 x 42 = 63 A

EN ESTE CASO PROBABLEMENTE SEA RECOMENDABLE USAR UN ARRANCADOR- DE 30HP CON MEDIO DE DESCONEXION.

EN EL CASO DEL MOTOR DE 50 HP A 440 VOLTS, COMO SE TRATA DE UN- MOTOR JAULA DE ARDILLA, DE TABLAS, LA CORRIENTE A PLENA CARGA -

CALCULOS PARA DETERMINAR LAS CARACTERISTICAS DE LOS CIRCUITOS DERIVADOS DE ALGUNOS TIPOS DE MOTORES TRIFASICOS DE INDUCCION. EJEMPLO 3.6

TIPO DE MOTOR A 60 HZ	TIPO DE DISPOSITIVO DE PROTECCION DEL CIRCUITO DERIVADO	CORRIENTE A PLENA CARGA	CAPACIDAD MINIMA DEL DESCONECTADOR	CAPACIDAD MAXIMA DEL DISPOSITIVO DE PROTECCION	CAPACIDAD MINIMA PARA EL CALCULO DE CONDUCTORES	TIPO Y CALIBRE DEL CONDUCTOR THW (COBRE)	TAMAÑO DEL CONTROLADOR	MAXIMA CAPACIDAD DEL DISPOSITIVO DE SOBRECARGA
5 HP, LETRA DE CODIGO A, 220 VOLTS	INTERRUPTOR TERMOMAGNETICO	15.9 A	o PARA 5 HP LA CAPACIDAD DEL INTERRUPTOR ES: 1.15 x 15.9 = 18.29 A	1.5 x 15.9 = 23.85 A	1.25 x 15.9 = 19.87 A	No. 12 AWG	5 HP	1.15 x 15.9 = 18.29 A
25 HP, 440 VOLTS JAULA DE ARDILLA FACTOR DE SERVICIO FACTOR 2	FUSIBLES SIN RETARDO DE TIEMPO	36 A	o PARA 25 HP LA CAPACIDAD DEL INTERRUPTOR ES: 1.15 x 36 = 41.4 A	3 x 36 = 108 A	1.25 x 36 = 45 A	No. 8 AWG	25 HP	1.25 x 36 = 45 A
30 HP, 440 VOLTS ROTOR DEVANADO CON ELEVACION DE TEMPERATURA DE 40° C	FUSIBLE SIN RETARDO DE TIEMPO	42 A	o PARA 30 HP LA CAPACIDAD DEL INTERRUPTOR ES: 1.15 x 42 = 48.3 A	1.5 x 42 = 63 A	1.25 x 42 = 52.5 A	No. 8 AWG	30 HP	1.25 x 42 = 52.5 A
50 HP, 440 VOLTS JAULA DE ARDILLA	FUSIBLE SIN RETARDO DE TIEMPO	68 A	o PARA 50 HP LA CAPACIDAD DEL INTERRUPTOR ES: 1.15 x 68 = 78.2 A	3 x 68 = 204 A	1.25 x 68 = 85 A	No. 4 AWG	50 HP	1.15 x 68 = 78.2 A

ES 68 AMPERES, SE DEBE USAR UN ARRANCADOR PARA 50HP Y EL DISPOSITIVO DE PROTECCION NO SE DEBE AJUSTAR A UN VALOR MAYOR DE: -

$1.15 \times 68 = 78.2$ AMPARES.

UN RESUMEN DE LOS CALCULOS NECESARIOS PARA LOS ALIMENTADORES DE ESTE GRUPO DE MOTORES SE DA A CONTINUACION EN LA TABLA QUE SE - INDICA.

EJEMPLO 3.7.-

SE TIENE UN MOTOR TRIFASICO DE INDUCCION DE 5HP, 220 VOLTS CON- LETRA DE CODIGO H, SE DESEA CALCULAR:

A) LA CAPACIDAD MAXIMA DE UN FUSIBLE DE TIEMPO RETARDADO PARA- LA PROTECCION DEL CIRCUITO DERIVADO.

B) LA CAPACIDAD MAXIMA QUE TENDRIA UN INTERRUPTOR TERMOMAGNETICO DE TIEMPO INVERSO, PARA PROTEGER EL CIRCUITO DERIVADO.

SOLUCION

A) LA CORRIENTE MAXIMA A PLENA CARGA SE CALCULO EN EL EJEMPLO 3.5 DE ACUERDO CON LA LETRA DE CODIGO H, LOS KVA A ROTOR -- BLOQUEADO VARIAN DE 6.3 A 7.09 KVA/HP, TOMANDO EL VALOR - - MAXIMO.

$$\text{KVA MAXIMOS} = 7.09 \frac{\text{KVA}}{\text{HP}} \times 6 \text{ HP} = 35.45$$

LA CORRIENTE MAXIMA (CORRESPONDIENTE A ESTA POTENCIA) ES:

$$I_{MAX} = \frac{VI_{MAX}}{\sqrt{3} \times V} = \frac{35.45 \times 1000}{\sqrt{3} \times 220} = 93.03 \text{ A}$$

DE LA TABLA DE CAPACIDAD MAXIMA O AJUSTE DE LOS DISPOSITIVOS DE PROTECCION, PARA LETRA DE CODIGO H Y CORRIENTE NOMINAL DE 15A (DE TABLA) PARA USO DE FUSIBLE CON TIEMPO RETARDADO, LA CAPACIDAD MAXIMA ES 175% DE LA CORRIENTE DE PLENA-CARGA, ES DECIR:

$$1.75 \times 15.9 = 27.83 \text{ A}$$

EL FUSIBLE RECOMENDADO ES ENTONCES DE 30A.

B) SI SE USA INTERRUPTOR TERMOMAGNETICO, LA CAPACIDAD MAXIMA DE LA TABLA CORRESPONDIENTE ES 250% DE LA CORRIENTE A PLENA CARGA, ES DECIR:

$$2.5 \times 15.9 = 39.75 \text{ AMP.}$$

POR LO QUE SE PUEDE USAR UN INTERRUPTOR DE 40 A.

3.7 CALCULO DE ALIMENTADORES PARA MOTORES.

EN EL DIAGRAMA CORRESPONDIENTE AL CALCULO DE LOS CIRCUITOS DERIVADOS, EL ALIMENTADOR ALIMENTA AL CIRCUITO DERIVADO DEL MOTOR Y SE PROTEGE POR SEPARADO, DE MANERA QUE PARA INCLUIR AL ALIMENTADOR SE DEBE USAR EL DIAGRAMA QUE SE MUESTRA A CONTINUACION:

E

F

B

C

OTROS CIRCUITOS

OTRAS CARGAS

A

D

MOTOR

A = CONDUCTORES DEL CIRCUITO DERIVADO DEL MOTOR

B = MEDIO DE DESCONEXION DEL MOTOR

C = PROTECCION DEL CIRCUITO DERIVADO

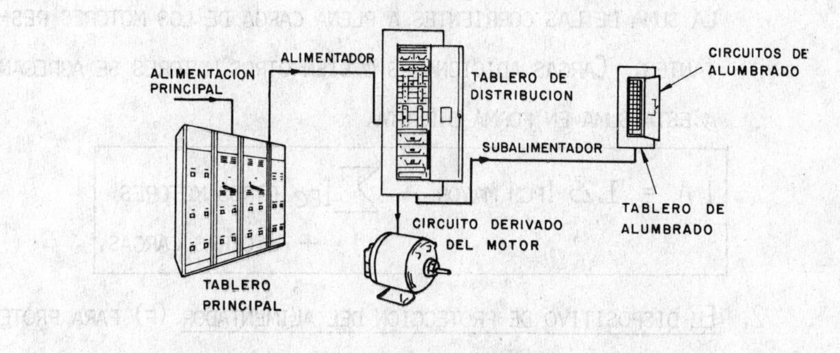

CIRCUITOS DE ALUMBRADO Y FUERZA

A = CONDUCTORES DEL CIRCUITO DERIVADO DEL MOTOR.

B = MEDIO DE DESCONEXION DEL MOTOR.

C = PROTECCION DEL CIRCUITO DERIVADO.

D = CONTROL DEL MOTOR Y PROTECCION DE OPERACION.

E = CONDUCTORES DEL ALIMENTADOR.

F = ELEMENTO DE PROTECCION DEL ALIMENTADOR.

5.7.1. CALCULO DE LAS COMPONENTES DEL ALIMENTADOR:

EL METODO DE CALCULO DE LAS COMPONENTES DEL ALIMENTADOR, ES DE-HECHO EL MISMO QUE EL USADO PARA CALCULAR LAS COMPONENTES DEL CIRCUITO DERIVADO DE UN MOTOR.

1. LA CAPACIDAD DE CONDUCCION DE CORRIENTE (AMPACIDAD) DE LOS CONDUCTORES DEL ALIMENTADOR (E) SE CALCULA CON 1.25 VECES LA CORRIENTE A PLENA CARGA DEL MOTOR DE MAYOR CAPACIDAD MAS LA SUMA DE LAS CORRIENTES A PLENA CARGA DE LOS MOTORES RESTANTES. CARGAS ADICIONALES O BIEN OTROS MOTORES SE AGREGAN A ESTA SUMA EN FORMA DIRECTA.

$$I\,A = 1.25\, I_{PCM\ MAYOR} + \sum I_{PC\ OTROS\ MOTORES} + I_{OTRAS\ CARGAS}.$$

2. EL DISPOSITIVO DE PROTECCION DEL ALIMENTADOR (F) PARA PROTEGERLO CONTRA CORTO CIRCUITO Y FALLAS A TIERRA, SE CALCULA AGREGANDO LA SUMA DE LAS CARGAS ADICIONALES A LA CORRIENTE MAXIMA PARA EL DISPOSITIVO DE PROTECCION DEL MOTOR CONTRA CORTO CIRCUITO O FALLA A TIERRA, QUE SE OBTIENE DE LA TABLA CORRESPONDIENTE, PARA EL MOTOR MAYOR.

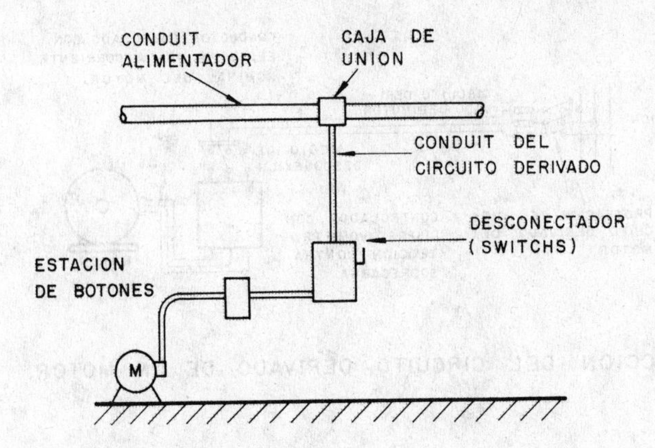

ESQUEMA TIPICO DE ALIMENTACION A UN MOTOR

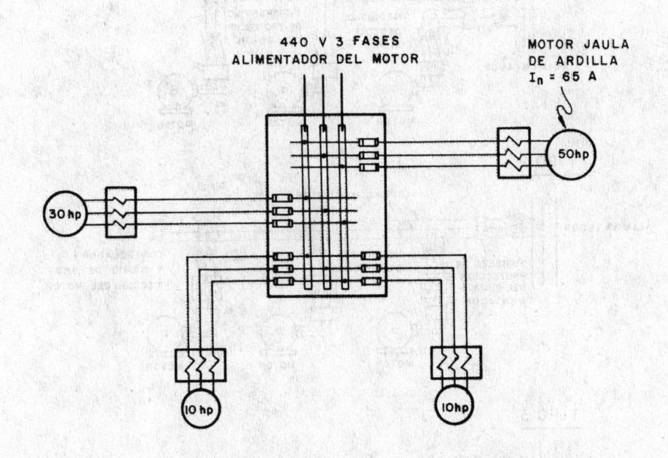

LOS CONDUCTORES DEL CIRCUITO DERIVADO DE LOS MOTORES SE CALCULAN AL 125 % DE LA CORRIENTE NOMINAL DEL MOTOR.

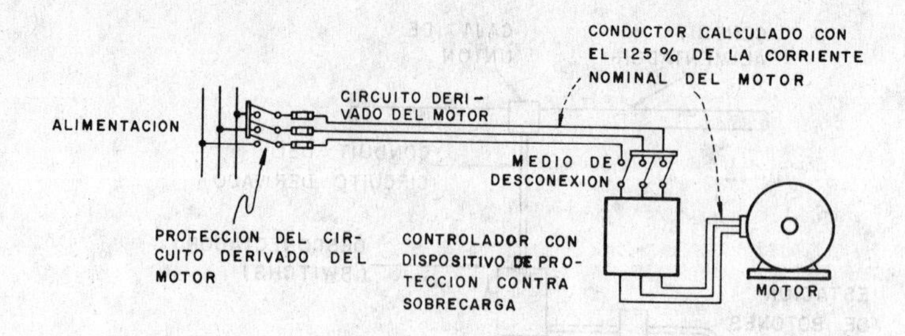

PROTECCION DEL CIRCUITO DERIVADO DE UN MOTOR.

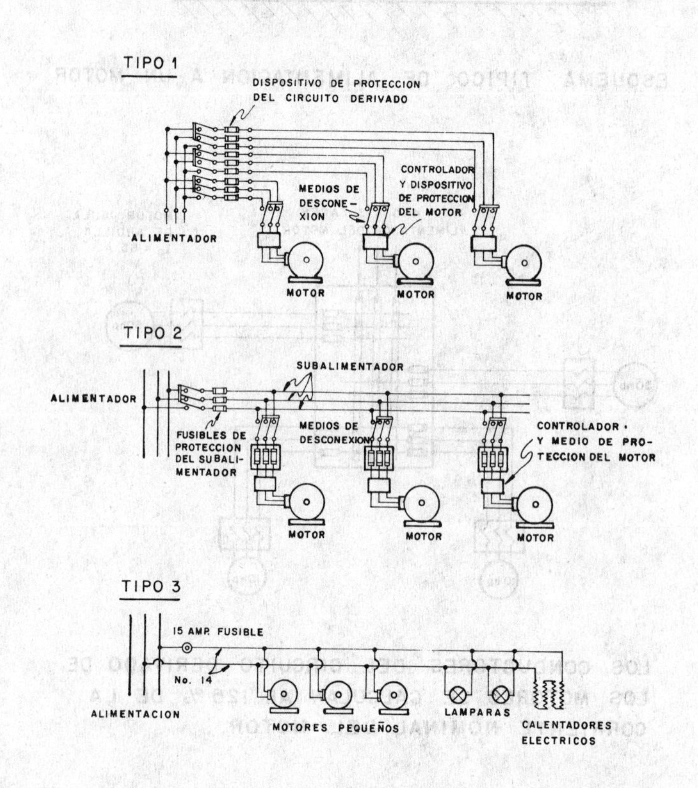

DISTINTOS METODOS DE PROTECCION DE CIRCUITOS DERIVADOS.

3. CUANDO SE CONSIDEREN CARGAS ADICIONALES PARA EL FUTURO, SE-INCLUYEN EN LOS CALCULOS PARA DETERMINAR LA CAPACIDAD APRO-PIADA DE LOS ALIMENTADORES Y LOS DISPOSITIVOS DE PROTECCION.

EL CIRCUITO ALIMENTADOR QUE ALIMENTA LA POTENCIA DESDE EL -SERVICIO HASTA EL CIRCUITO DERIVADO DE UN MOTOR, SE PUEDE -REALIZAR EN DISTINTAS FORMAS, DE HECHO EL DISEÑADOR DEBE --SELECCIONAR EL ARREGLO QUE SEA MAS FACILMENTE REALIZABLE, -EVALUANDO ALGUNAS CONSIDERACIONES COMO EL COSTO, VOLTAJE DE ALIMENTACION, DISPONIBILIDAD DE ESPACIO, FORMA DE CONTROL -DE LOS MOTORES, ETC.

3.7.1. CENTRO DE CONTROL DE MOTORES (CCM)

UN CENTRO DE CONTROL DE MOTORES (CCM) ES ESENCIALMENTE UN TABLERO QUE SE USA EN PRIMER TERMINO PARA MONTAR LAS COMPONENTES DEL ALIMENTADOR DE LOS MOTORES Y DE SUS CIRCUITOS DERIVADOS. DESDE LUEGO QUE NO NECESARIAMENTE TODAS LAS COMPONENTES SE DEBEN IN -CLUIR EN EL CENTRO DE CONTROL, POR EJEMPLO, LA PROTECCION DEL -ALIMENTADOR SE PUEDE INSTALAR EN EL TABLERO PRINCIPAL O BIEN --OTRO EJEMPLO, LA ESTACION DE BOTONES SE PUEDE LOCALIZAR EN AL -GUN LUGAR MAS CONVENIENTE.

EL NUMERO DE SECCIONES EN UN CENTRO DE CONTROL DE MOTORES DEPENDE DEL ESPACIO QUE TIENE CADA UNA DE SUS COMPONENTES, DE MANERA QUE SI EL DISEÑADOR SABE QUE COMPONENTES SE INCLUIRAN, SE PUEDE DISEÑAR EL CENTRO DE CONTROL DE MOTORES.

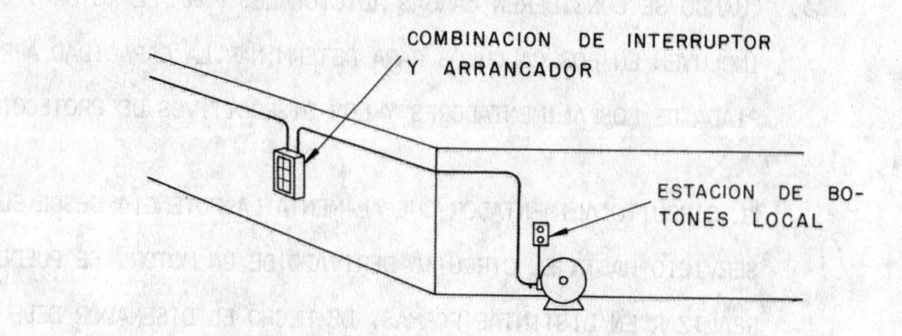

ARRANCADOR REMOTO Y LOCAL DE UN MOTOR

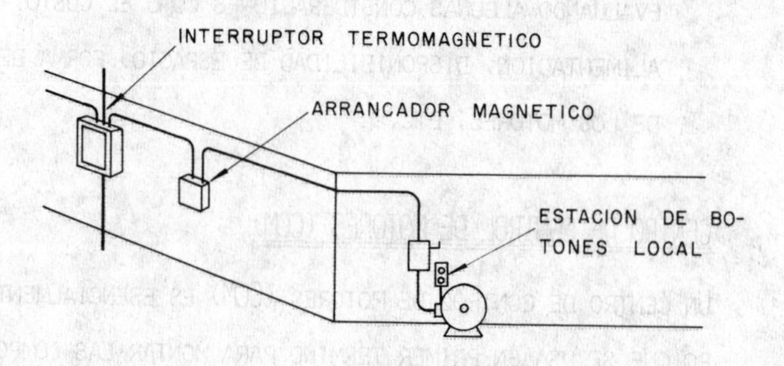

DESCONECTADOR MANUAL

EL CENTRO DE CONTROL DE MOTORES OFRECE LAS SIGUIENTES VENTAJAS:

- PERMITE QUE LOS APARATOS DE CONTROL SE ALEJEN DE LUGARES PELIGROSOS.
- PERMITE CENTRALIZAR EL EQUIPO EN EL LUGAR MAS APROPIADO.
- FACILITA EL MANTENIMIENTO Y EL COSTO DE LA INSTALACION ES MENOR.

PARA DISEÑAR EL CENTRO DE CONTROL DE MOTORES SE DEBE TENER EN CONSIDERACION LA SIGUIENTE INFORMACION:

1) ELABORAR UNA LISTA DE LOS MOTORES QUE ESTARAN CONTENIDOS EN EL CCM INDICANDO PARA CADA MOTOR:

- POTENCIA EN HP O KW
- VOLTAJE DE OPERACION.
- CORRIENTE NOMINAL A PLENA CARGA.
- FORMA DE ARRANQUE (TENSION PLENA A TENSION REDUCIDA)
- SI TIENE MOVIMIENTO REVERSIBLE.
- LÁMPARAS DE CONTROL E INDICADORAS.

2) ELABORAR UN DIAGRAMA UNIFILAR SIMPLIFICADO DE LAS CONEXIONES DE LOS MOTORES INDICANDO LA INFORMACION PRINCIPAL REFERENTE A CADA UNO.

3) TOMANDO COMO REFERENCIA LOS TAMAÑOS NORMALIZADOS PARA CENTROS DE CONTROL DE MOTORES, SE PUEDE HACER UN ARREGLO PRELI

MINAR DE LA DISPOSICION DE SUS COMPONENTES, DE ACUERDO CON EL DIAGRAMA UNIFILAR, Y CONSIDERANDO AMPLIACIONES FUTURAS.

4. LAS ESPECIFICACIONES PRINCIPALES PARA UN CENTRO DE CONTROL DE MOTORES (CCM) SON LAS SIGUIENTES:

- <u>CARACTERISTICAS DEL GABINETE Y DIMENSIONES PRINCIPALES.</u>

  GENERALMENTE SON DEL TIPO AUTO SOPORTADO DE FRENTE MUERTO PARA MONTAJE EN PISO CON PUERTAS AL FRENTE PARA PERMITIR EL ACCESO AL EQUIPO.

- <u>ARRANCADORES.</u>

  NORMALMENTE SON DEL TIPO MAGNETICO, CON CONTROL REMOTO Y/O LOCAL POR MEDIO DE BOTONES Y ELEMENTOS TERMICOS PARA PROTECCION DE LOS MOTORES.

- <u>INTERRUPTORES.</u>

  POR LO GENERAL SON DEL TIPO TERMOMAGNETICO EN CAJA MOLDEADA DE PLASTICO CON OPERACION MANUAL Y DISPARO AUTOMATICO Y QUE PUEDEN SER ACCIONADOS EXTERIORMENTE POR MEDIO DE PALANCAS. FRECUENTEMENTE SE INSTALA PARA CADA MOTOR UNA COMBINACION DE INTERRUPTOR Y ARRANCADOR.

- <u>BARRAS DE CONEXIONES.</u>

  CADA CENTRO DE CONTROL DE MOTORES TIENE SUS BARRAS ALIMENTADORAS QUE SON NORMALMENTE DE COBRE ELECTROLITICO. ESTAS BARRAS SE ENCUENTRAN EN LA PARTE SUPERIOR Y LAS CONEXIONES SE

HACEN EN LA PARTE INFERIOR.

EJEMPLO 3.8

SE TIENEN DOS MOTORES DE INDUCCION DE 5 HP Y 10 HP QUE SE ALIMENTAN DE UN CIRCUITO MONOFASICO A 127 VOLTS. SI SE VAN A PROTEGER POR MEDIO DE FUSIBLES DE TIEMPO NO RETARDADO, CALCULAR LAS CARACTERISTICAS PRINCIPALES PARA EL ALIMENTADOR.

SOLUCION.

PARA CALCULAR LA CAPACIDAD DE CORRIENTE (AMPACIDAD) DEL CONDUCTOR, SE DAN LOS VALORES DE CORRIENTE A PLENA CARGA PARA ESTOS MOTORES (DATOS DE TABLA).

PARA EL MOTOR MONOFASICO DE 5 HP A 127 VOLTS, $I_{PC} = 51$ AMPS.

PARA EL MOTOR DE 10 HP A 127 VOLTS.

$I_{PC} = 91$ AMPERES.

LA CORRIENTE PARA CALCULAR EL CALIBRE DEL ALIMENTADOR ES:

$$I_{AL} = 1.25\ I_{PC\ \text{MOTOR MAYOR}} + \sum I_{PC\ \text{OTROS MOTORES}}$$

$$I_{AL} = 1.25 \times 91 + 51 = 164.75 \text{ AMP.}$$

DE TABLAS DE CONDUCTORES, SE PUEDEN USAR 2 CONDUCTORES NO. 3/0-TIPO TW EN TUBO CONDUIT DE 51MM DE DIÁMETRO.

EJEMPLO 3.9

CALCULAR LAS CARACTERISTICAS PRINCIPALES DE LOS CIRCUITOS DERIVADOS Y EL ALIMENTADOR PARA UN CENTRO DE CONTROL DE MOTORES QUE ALIMENTARA LOS SIGUIENTES MOTORES:

1 MOTOR TRIFASICO DE INDUCCION 25HP A 220 VOLTS, TIPO JAULA DE ARDILLA CON LETRA DE CODIGO G.

1 MOTOR TRIFASICO DE INDUCCION DE 20 HP A 220 VOLTS, TIPO - JAULA DE ARDILLA CON LETRA DE CODIGO C.

SE CONSIDERA QUE SE USARAN INTERRUPTORES TERMOMAGNETICOS, ELEMENTOS TERMICOS Y CONDUCTORES TWH. SE SUPONE TAMBIEN QUE SE TRATA DE MOTORES ESTANDAR CON UNA ELEVACION DE TEMPERATURA NO MAYOR - DE 40 °C.

DETERMINAR

1. LA PROTECCION DEL ALIMENTADOR.
2. EL CONDUCTOR DEL ALIMENTADOR.
3. LA PROTECCION DEL CIRCUITO DERIVADO DE CADA MOTOR.
4. EL CONDUCTOR DEL CIRCUITO DERIVADO DE CADA MOTOR.
5. LOS ELEMENTOS TERMICOS DE CADA MOTOR.
6. LAS CAPACIDADES DE LOS MEDIOS DE DESCONEXION DE CADA MOTOR.

SOLUCION:

1. PARA UN MOTOR DE 25HP A 220 VOLTS, LA CORRIENTE NOMINAL ES- DE 71 AMPERES, PARA MOTORES DE INDUCCION CON LETRA DE CODIGO G Y CORRIENTE DE PLENA CARGA MAYOR DE 30A SE PUEDE USAR UN FACTOR DE 2.5 VECES LA CORRIENTE NOMINAL A PLENA CARGA, POR LO QUE LA PROTECCION DEL ALIMENTADOR SE CALCULA COMO:

$$\text{PROTECCION DEL ALIMENTADOR} = 2.5 \times I_{PC} \text{ MOTOR MAYOR} + \sum I_{PC} \text{ OTROS MOTORES}$$

PARA EL MOTOR DE 20HP A 220 VOLTS LA CORRIENTE A- PLENA CARGA ES:

1 PC = 56 AMPERES.

POR LO TANTO, LA PROTECCION DEL ALIMENTADOR SE -- CALCULA COMO:

PROTECCION DEL ALIMENTADOR = 2.5 x 71 + 56 = 233.5 AMPERES MAXIMOS.

POR LO TANTO, SE PUEDE USAR UN INTERRUPTOR TERMO- MAGNETICO DE 225 A.

2. <u>CALIBRE DEL CONDUCTOR DEL ALIMENTADOR</u>.

LA CAPACIDAD DE CONDUCCION DE CORRIENTE DEL ALI - MENTADOR (AMPACIDAD) ES:

$I = 1.25\ I_{PC}$ MOTOR MAYOR + $\sum I_{PC}$ OTROS MOTORES.

$I = 1.25 \times 71 + 56 = 144.75$ AMP.

PARA CONDUCTOR TWH DE TABLA 2.7 PARA 1 A 3 CONDUCTORES EN TUBO CONDUIT SE REQUIEREN 3 CONDUCTORES- No. 2/0 AWG:

3. <u>PROTECCION DEL CIRCUITO DERIVADO DE CADA MOTOR</u>.

A. $I = 2.5 \times I_{PC} = 2.5 \times 71 = 177.5$ AMP.

POR LO QUE SE PUEDE EMPLEAR INTERRUPTOR TER- MAGNETICO DE 175 A.

B. PARA EL MOTOR DE 20HP A 220 VOLTS CON IPC = 56 AMP. Y LETRA DE CODIGO C, SE PUEDE USAR - UN FACTOR DE 2 x IPC POR LO QUE:

I = 2 x IPC = 2 x 56 = 112 AMP.

SE PUEDE EMPLEAR UN INTERRUPTOR TERMOMAGNETI CO DE 110 AMP.

4. <u>CONDUCTORES DE LOS CIRCUITOS DERIVADOS.</u>

A. PARA EL MOTOR DE 25HP.

I = 1.25 x IPC = 1.25 x 71 = 88.75 AMP.

CON CONDUCTOR TWH (1 A 3 CONDUCTORES EN TUBO CONDUIT) SE REQUIEREN 3 CONDUCTORES NO. 2 -- AWG

B. PARA EL MOTOR DE 20HP

I = 1.25 IPC = 1.25 x 56 = 70 A.

CON CONDUCTOR TWH (1 A 3 CONDUCTORES EN TUBO CONDUIT) SE REQUIEREN 3 CONDUCTORES NO. 4AWG.

5. <u>ELEMENTOS TERMICOS.</u>

PARA MOTORES ESTANDAR CON ELEVACION DE TEMPERATURA NO SUPERIOR A 40 °C LA CAPACIDAD DE LOS ELEMENTOS TERMICOS ES 1.25 IPC.

A. PARA EL MOTOR DE 25HP A 220 VOLTS CON IPC = 71 AMP.

I ELEM. TERMICO = 1.25 x 71 = 88.75 AMP..

B. PARA EL MOTOR DE 20HP A 220 VOLTS CON IPC = 56 AMP.

I ELEM. TERMICO = 1.25 x 56 = 70 AMP.

6. DADO QUE LOS MOTORES NO ESTARAN A UN LADO DEL - - CCM, ES NECESARIO PROPORCIONAR UN DESCONECTADOR - POR SEPARADO, POR LO QUE SE DEBEN USAR DESCONECTA DORES DE 25HP Y 20HP.

O BIEN INTERRUPTORES TERMOMAGNETICOS DE 2.5 x - - IPC PARA EL MOTOR DE 25HP, ES DECIR: 2.5 x 71 = - 177.5 A (175 AMPERES) Y DE 2.5 x IPC PARA EL MOTOR DE 20 HP O SEA 2.5 x 56 = 140 AMPERES

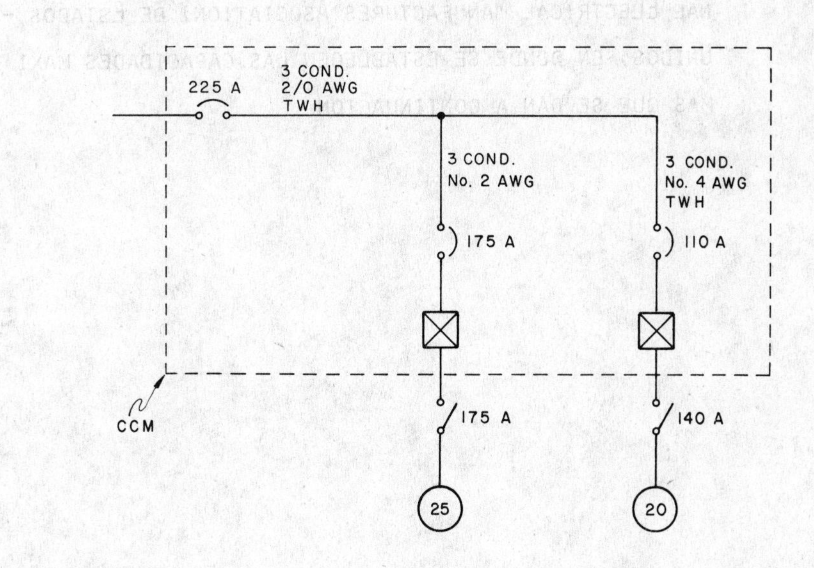

3.7.2. DATOS PARA EL DISEÑO DE UN CENTRO DE CONTROL DE MOTORES:

PARA DAR LA INFORMACION MAS PRECISA PARA EL DISEÑO DE UN CCM, ES CONVENIENTE TENER UNA IDEA DE LOS DATOS -- QUE SE MANEJAN PARA SUS COMPONENTES, COMO ES EL CASO- DE LOS ARRANCADORES Y LOS INTERRUPTORES TERMOMAGNETICOS, POR MENCIONAR DOS DE LOS MAS REPRESENTATIVOS A - DEMAS DE LOS ELEMENTOS DE CONTROL QUE SE ESTUDIARAN , MAS ADELANTE.

EN EL CASO DE INFORMACION PARA ARRANCADORES, NORMAL - MENTE SE HACE REFERENCIA A NORMAS NACIONALES, AUN - - CUANDO SE DEBEN SATISFACER CONDICIONES ESTABLECIDAS - POR NORMAS INTERNACIONALES COMO LAS DE LA NEMA (NATIONAL ELECTRICAL MANUFACTURES ASOCIATION) DE ESTADOS -- UNIDOS, EN DONDE SE ESTABLECEN LAS CAPACIDADES MAXI - MAS QUE SE DAN A CONTINUACION

TABLA I

CAPACIDADES MAXIMAS PARA ARRANCADORES A VOLTAJE PLENO Y PROTECCION CONTRA SOBRECARGA.

TAMAÑO NEMA	CORRIENTE POR 8 HORAS (A)	HP MAXIMOS PARA MOTORES - TRIFASICOS	
		220 V	440 V
00		1 1/2	2
0	15	3	5
1	25	7 1/2	10
2	50	15	25
3	100	30	50
4	150	50	100
5	300	100	200

LA TABLA ANTERIOR ES APLICABLE A MOTORES TRIFASICOS - DE INDUCCION DE UNA SOLA VELOCIDAD, CON JAULA DE ARDILLA.

TABLA II

DIMENSIONES GENERALES DE ARRANCADORES A VOLTAJE PLENO Y PROTECCION CONTRA SOBRECARGA.

TAMAÑO NEMA	CAPACIDAD PARA MAXIMA POTENCIA	DIMENSIONES (cm)				
		ANCHO A	ALTO B	FONDO C	D	E
00	1 HP a 220 V	13	12	10	8	4
0	2 HP a 220 V	13	12	10	13	5
1	3 HP a 220 V	13	12	10	15	5
2	7/ HP a 220 V	16	17	14	17	5
3	50 HP a 440 V	22	25	17	22	7
4	75 HP a 440 V	22	25	17	25	10

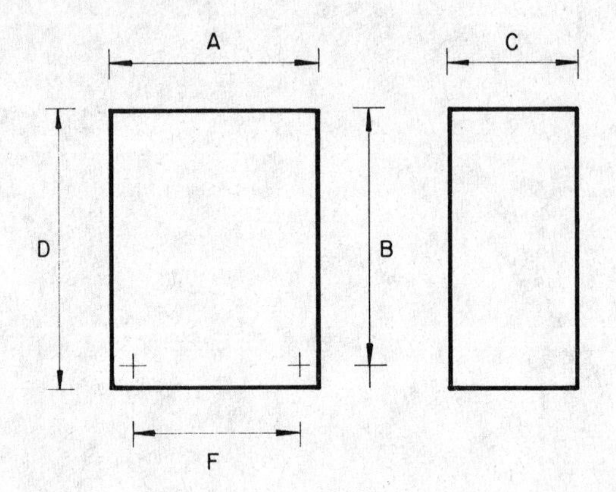

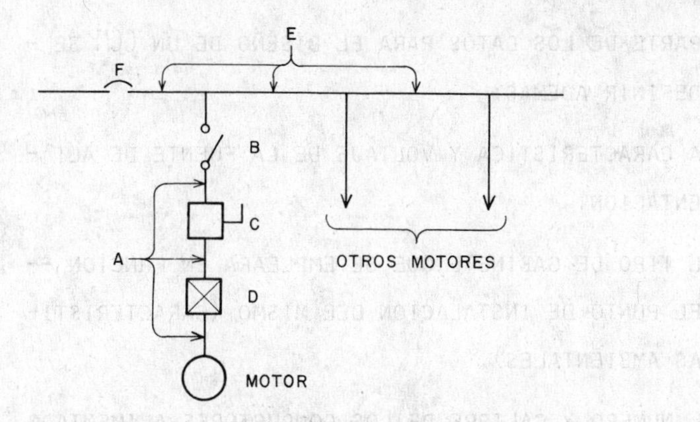

DIAGRAMA COMPLETO DEL CIRCUITO DE UN MOTOR

A – CONDUCTORES DEL CIRCUITO DERIVADO DEL MOTOR
B – DESCONECTADOR DEL MOTOR
C – PROTECCION DEL CIRCUITO DEL MOTOR
D – PROTECCION DEL MOTOR EN OPERACION
E – ALIMENTADOR
F – PROTECCION DEL MOTOR EN OPERACION

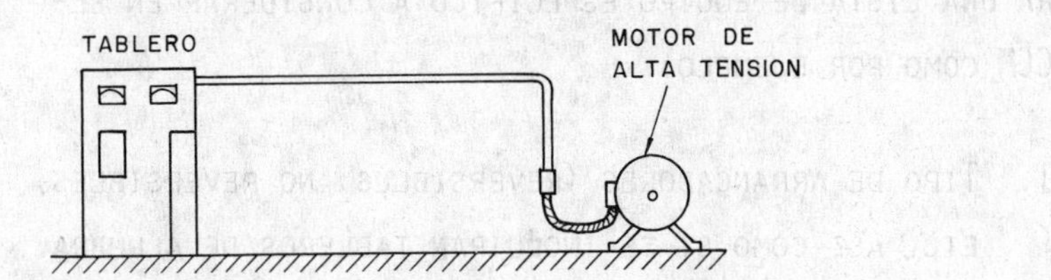

ALIMENTACION DE UN MOTOR EN ALTA TENSION

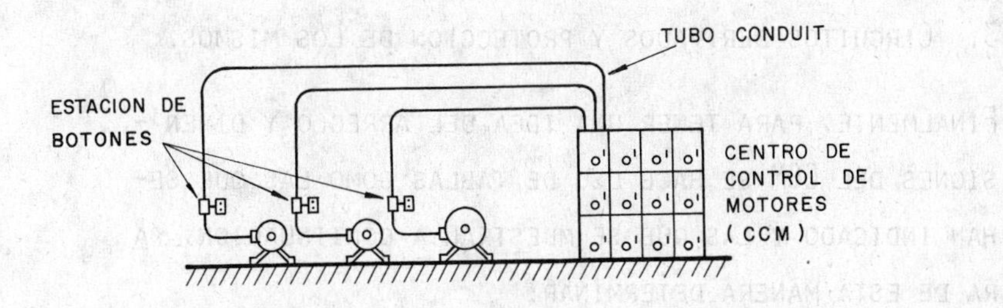

ALIMENTACION A MOTORES DE UN CCM

COMO PARTE DE LOS DATOS PARA EL DISEÑO DE UN CCM SE - DEBE DEFINIR ADEMAS:

1. LA CARACTERISTICA Y VOLTAJE DE LA FUENTE DE ALI - MENTACION.
2. EL TIPO DE GABINETE QUE SE EMPLEARA EN FUNCION -- DEL PUNTO DE INSTALACION DEL MISMO (CARACTERISTI- CAS AMBIENTALES).
3. EL NUMERO Y CALIBRE DE LOS CONDUCTORES ALIMENTADO RES.
4. LA FORMA DE CONSTRUCCION DE LOS GABINETES, ES DE- CIR ESTANDAR O RESPALDO CONTRA RESPALDO.

LA FUNCION DE LAS CARGAS QUE SE ALIMENTARA, SE ELABO- RA UNA LISTA DE EQUIPO ESPECIFICO A CONSIDERAR EN EL- CCM COMO POR EJEMPLO:

1. TIPO DE ARRANCADORES (REVERSIBLES, NO REVERSIBLES, ETC.) ASI COMO SI SE INCLUIRAN TABLEROS DE ALUMBRA DO.
2. NUMERO DE UNIDADES REQUERIDAS.
3. CIRCUITOS DERIVADOS Y PROTECCION DE LOS MISMOS.

FINALMENTE, PARA TENER UNA IDEA DEL ARREGLO Y DIMEN - SIONES DEL CCM SE HACE USO DE TABLAS COMO LAS QUE SE- HAN INDICADO Y LAS QUE SE MUESTRAN A CONTINUACION, PA RA DE ESTA MANERA DETERMINAR:

1. LA ALTURA DE LAS UNIDADES INDIVIDUALES.
2. EL MEJOR AGRUPAMIENTO DE LAS UNIDADES.
3. LA MEJOR UTILIZACION DE LOS ESPACIOS PARA CADA -- UNIDAD.

TABLA III

DATOS PARA COMBINACION DE INTERRUPTOR TERMOMAGNETICO Y ARRANCADOR.*

TAMAÑO NEMA	POTENCIA MAXIMA EN HP (TRIFASICO)		ALTURA DE LA UNIDAD (CM)	
TIPO	220 V	440 V	ARRANCADOR REVERSIBLE	ARRANCADOR NO REVERSIBLE
1	7½	10	30	48
2	15	25	30	61
3	20 30	40 50	15 30	76 107
4	50	100	30	122
5	100	200	45 +	199 +

* TODAS LAS UNIDADES SE PUEDEN ALOJAR EN UN UN ANCHO DE 50 cm.

+ SE REFIERE AL TIPO NO ENCHUFABLE

TABLA IV

DATOS PARA INTERRUPTOR DE NAVAJAS CON FUSIBLES DE 3 POLOS (INTERRUPTOR GENERAL O DERIVADO)*

CAPACIDAD EN AMPERES	PORTA FUSIBLE PARA AMPERES	ALTURA DE LA UNIDAD (CM)	
		220 V	600 V
30	30 60	30 30	30
60	60 100	38 38	38 38
100	100 200	54 61	54 61
200	200 400	61 99	61 105

* TODAS LAS UNIDADES SE ALOJAN EN 50 cm DE ANCHO

TABLA V

DATOS PARA COMBINACION DE INTERRUPTOR DE FUSIBLES Y ARRANCADOR*

TAMAÑO NEMA	POTENCIA MAXIMA TRIFASICA EN HP		PORTA FUSIBLE AMPERES	ALTURA DE LA UNIDAD (CM)	
	220 V	440 V		NO REVERSIBLE	REVERSIBLE
1	3	7½	30	31	45
	7½		60	31	45
		10	60	38	45
2	10	15	60	61	83
	15	25	100	61	83
3		30	100	83	122
		50	200	91	130
	30		200	83	122
	30		400	105	145
4		60	200	99	145
		100	400	130	175
	50		400	122	160

* TODAS LAS UNIDADES SE PUEDEN ALOJAR EN UN ANCHO DE 50 cm.

TABLA VI

INTERRUPTORES TERMOMAGNETICOS GENERALES O DERIVADOS DE 3 POLOS *

AMPERES CONTINUOS MAXIMOS	MARCO	CAPACIDAD INTERRUPTIVA EN AMPERES (VALOR EFICAZ)		ALTURA DE LA UNIDAD (CM)
		240 V	480 V	
100	FA	18 000	14 000	31
225	KA	25 000	22 000	45
400	LA	42 000	30 000	45
800	MA	42 000	30 000	53

* TODAS LAS UNIDADES SE PUEDEN ALOJAR EN 50 CM DE ANCHO

TABLA VII

DATOS PARA TABLEROS DE ALUMBRADO CON INTERRUPTOR TERMOMAGNETICO *

NUMERO DE CIRCUITOS DERIVADOS	ALTURA DE LA UNIDAD (CM)
8 - 12	46
14 - 20	53
22 - 30	61
32 - 42	76

* TODAS LAS UNIDADES SE PUEDEN ALOJAR EN 50 CM DE ANCHO

CON EL OBJETO DE FACILITAR LA SELECCION DE LAS CARACTERISTICAS PRINCIPALES DE LOS ELEMENTOS DEL CIRCUITO DERIVADO PARA MOTORES DE INDUCCION, BASANDOSE EN LOS PROCEDIMIENTOS DESCRITOS ANTERIORMENTE, SE ELABORAN TABLAS COMO LA 3.9 AL FINAL DE ESTE CAPITULO.

EJEMPLO 3.10.

EN UNA INSTALACION ELECTRICA INDUSTRIAL SE INSTALARAN LOS MOTORES ELECTRICOS DE INDUCCION QUE SE INDICAN A CONTINUACION.

CON LOS DSTOS INDICADOS, SE DESEA DAR LAS CARACTERISTICAS GENERALES QUE SE DEBEN TENER EN EL CCM, CALCULANDO LAS CARACTERISTICAS PRINCIPALES PARA LOS ALIMENTADORES DE LOS CIRCUITOS DERIVADOS Y PARA EL ALIMENTADOR PRINCIPAL DEL CCM.

DATOS DE LOS MOTORES A INSTALAR

NUMERO	POTENCIA EN HP	LETRA DE CODIGO	VOLTAJE DE OPERACION (VOLTS)	CORRIENTE A PLENA CARGA (AMPERES)	TIPO DE ARRANCADOR	TIPO DE MOVIMIENTO	LAMPARA PILOTO LOCAL
1	3	A	220	10	TENSION COMPLETA	NO REVERSIBLE	SI
2	3	A	220	10	TENSION COMPLETA	NO REVERSIBLE	SI
3	2	A	220	7.1	TENSION COMPLETA	NO REVERSIBLE	SI
4	7½	C	220	23	TENSION COMPLETA	NO REVERSIBLE	SI
5	10	C	220	29	TENSION COMPLETA	NO REVERSIBLE	NO
6	15	G	220	44	TENSION COMPLETA	NO REVERSIBLE	SI
7	20	G	220	56	TENSION COMPLETA	NO REVERSIBLE	NO
8	25	G	220	71	TENSION COMPLETA	NO REVERSIBLE	NO

SOLUCION

CON LOS DATOS ANTERIORES SE PUEDE PROCEDER AL CALCULO DE LAS CARACTERISTICAS PARA LOS CIRCUITOS DERIVADOS Y EL ALIMENTADOR.

CONSIDERANDO QUE SE USARAN INTERRUPTORES TERMOMAGNETICOS Y CONDUCTORES VINANEL 900 PARA EL MOTOR DE 3HP A 220 VOLTS CON LETRA DE CODIGO A Y QUE TOMA UNA CORRIENTE A PLENA CARGA DE 10 AMPERES SE PUEDE CALCULAR LA PROTECCION DEL CIRCUITO DERIVADO DE ACUERDO CON LA TABLA 3.7 COMO:

$$I = 1.5\ I_{PC} = 1.5 \times 10 = 15 \text{ AMPERES.}$$

SE PUEDE SELECCIONAR INTERRUPTOR TERMOMAGNETICO PARA 30 A. DE ACUERDO CON LA TABLA 2.7 SE PUEDEN USAR CONDUCTORES VINANEL 900 CALIBRE No. 12 AWG (TABLA 2.7) - EN TUBO CONDUIT DE 13 MM (1/2 PULG). (TABLA 2.12)

PARA EL MOTOR DE 2HP CON CORRIENTE NOMINAL DE 7.1A Y LETRA DE CODIGO A, LA PROTECCION DEL CIRCUITO DERIVADO USANDO INTERRUPTOR TERMOMAGNETICO (DE TIEMPO INVERSO) DE TABLA 3.7 SE OBTIENEN QUE LA PROTECCION SE - - CALCULA COMO:

$$I = 1.5 \times I_{PC} = 1.5 \times 7.1 = 10.65 \text{ A.}$$

SE PUEDE USAR INTERRUPTOR TERMOMAGNETICO PARA 20 AMPERES, EL CIRCUITO DERIVADO TENDRA 3 CONDUCTORES VINANEL 900 CALIBRE No. 12 AWG (TABLA 2.7) EN TUBO CONDUIT

DE 13 MM. (TABLA 2.12)

PROCEDIENDO EN LA MISMA FORMA SE CALCULAN LAS CARACTERISTICAS DE LOS DEMAS CIRCUITOS DERIVADOS QUE SE INDICAN EN LA TABLE SIGUIENTE:

MOTORES A 220 VOLTS

MOTOR NO.	POTENCIA	CORRIENTE A PLENACARGA "A"	INTERRUPTOR TERMOMAGNETICO	ARRANCADOR NEMA	CIRCUITO DERIVADO	
					CONDUCTOR AWG	TUBO CONDUIT
1	3	10	30	0	3 No. 12	13 mm
2	3	10	30	0	3 No. 12	13 mm
3	2	7.1	20	00	3 No. 12	13 mm
4	7½	23	50	1	3 No. 10	19 mm
5	10	29	50	1	3 No. 10	19 mm
6	15	44	70	2	3 No. 8	19 mm
7	20	56	100	3	3 No. 6	25 mm
8	25	71	100	3	3 No. 4	32 mm

PARA LA PROTECCION DEL ALIMENTADOR SE PUEDE HACER USO DE:

$$I = 2.5\ I_{PC}\ \text{MOTOR MAYOR} + \sum I_{PC}\ \text{OTROS MOTORES.}$$

EN ESTE CASO EL MOTOR MAYOR ES DE 25HP CON UNA CORRIENTE A PLENA CARGA DE: $I_{PC} = 71$ AMP. POR LO TANTO:

$$I = 2.5 \times 71 + (10+10+7.1+23+29+44+56)$$

$$I = 356.6\ \text{AMPERES}$$

SE PUEDE USAR UN INTERRUPTOR TERMOMAGNETICO DE 400 A.

PARA 3 CONDUCTORES VINANEL 900 POR LOS QUE CIRCULA UNA CORRIENTE DE 356.6 AMPERES, SE PUEDE USAR CALIBRE AWG No. 500 MCM, CONDUIT DE 76 MM.

UN DIAGRAMA UNIFILAR CORRESPONDIENTE EN FORMA SIMPLIFICADA ES EL SIGUIENTE:

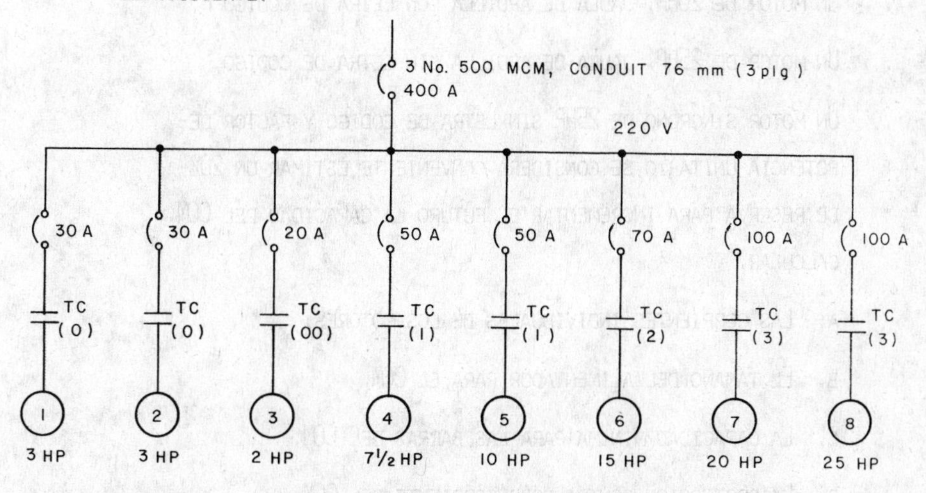

UN ARREGLO PRELIMINAR DE LOS ELEMENTOS DEL CCM PUEDE SER EL SIGUIENTE:

<table>
<tr><td colspan="4">BARRAS</td></tr>
<tr><td rowspan="2">INT
400 A
220 V</td><td>3 HP
(1)</td><td>3 HP
(2)</td><td>2 HP
(3)</td></tr>
<tr><td>7/ HP
(4)</td><td>10 HP
(5)</td><td>15 HP
(6)</td></tr>
<tr><td>20 HP
(7)</td><td>ESPACIO</td><td>ESPACIO</td><td>ESPACIO</td></tr>
<tr><td rowspan="2">25 HP
(8)</td><td>ESPACIO</td><td>ESPACIO</td><td>ESPACIO</td></tr>
<tr><td colspan="3">CONEXIONES</td></tr>
</table>

EJEMPLO 3.11.

DE UN CENTRO DE CONTROL DE MOTORES SE ALIMENTAN LAS SIGUIENTES-CARGAS A 220 VOLTS.

. UN MOTOR DE 15HP JAULA DE ARDILLA CON LETRA DE CODIGO A.

. UN MOTOR DE 20HP, JAULA DE ARDILLA CON LETRA DE CODIGO F.

. UN MOTOR DE 25HP, JAULA DE ARDILLA SIN LETRA DE CODIGO.

. UN MOTOR SINCRONO DE 25HP SIN LETRA DE CODIGO Y FACTOR DE-POTENCIA UNITARIO. SE CONSIDERA CONVENIENTE ESTIMAR UN 20%-DE RESERVA PARA INCREMENTAR EL FUTURO LA CAPACIDAD DEL CCM, CALCULAR.

A. LAS CORRIENTES INDIVIDUALES DE LOS MOTORES.

B. EL TAMAÑO DEL ALIMENTADOR PARA EL CCM.

C. LA CAPACIDAD MINIMA PARA LAS BARRAS DEL CCM.

D. LA PROTECCION CONTRA SOBRECORRIENTE DEL CCM.

SOLUCION:

A) LAS CORRIENTES INDIVIDUALES DE LOS MOTORES SE OBTIENEN DE - LA TABLA 3.4 .

. PARA EL MOTOR DE 15HP Y LETRA DE CODIGO A.
$I1 = 44A.$

. PARA EL MOTOR DE 20HP, LETRA DE CODIGO F
$I2 = 56 A.$

. PARA EL MOTOR DE INDUCCION DE 25 HP SIN LETRA DE CODIGO.

$I3 = 71$ A

. PARA EL MOTOR SINCRONO DE 25HP A FACTOR DE POTENCIA UNITARIO Y SIN LETRA DE CODIGO.

$I4 = 54$ A

LA SUMA DE LAS CORRIENTES A PLENA CARGA DE LOS MOTORES ES:

$I = 44+56+71+54 = 225$ A.

B) EL TAMAÑO DEL ALIMENTADOR PARA EL CCM SE CALCULA COMO:

$I = 1.25\ I_{PC}$ MOTOR MAYOR $+ \sum I_{PC}$ OTROS MOTORES

EL MOTOR MAYOR ES DESDE LUEGO AQUEL QUE TOMA LA CORRIENTE MAYOR, POR LO TANTO

$I = 1.25 \times 71 + (44+56+54) = 242.75$ A.

C) LA CAPACIDAD DE CORRIENTE DE LAS BARRAS, DEBE SER LA MISMA QUE PARA LOS CONDUCTORES; ES DECIR, PARA UNA CORRIENTE DE 287.75 A.

D) PARA LA PROTECCIÓN CONTRA SOBRECORRIENTE DEL CCM, SUPÓNGASE QUE SE USA UN INTERRUPTOR TERMOMAGNÉTICO, Y DE LA TABLA CORRESPONDIENTE (TABLA 3.7). SE APLICA PARA EL MOTOR MAYOR, 250 % , POR LO QUE :

$I = 2.5\ I_{PC}$ MOTOR MAYOR $+ \sum I_{PC}$ OTROS MOTORES.

$I = 2.5 \times 71 + (44 + 56 + 54) = 331.5$ A

SE PUEDE USAR INTERRUPTOR PARA 400 A.

APENDICE DE TABLAS DEL CAPITULO 3.

TABLA 3.1

NUMERO MAXIMO DE CONDUCTORES QUE PUEDEN ALOJARSE EN TUBO CONDUIT

TIPO DE CONDUCTOR	CALIBRE DE CONDUCTOR AWG MCM	DIAMETRO NOMINAL DE TUBO (mm)									
		13	19	25	32	38	51	63	76	89	102
T, TW y THW	14*	9	16	25	45	61					
	14	8	14	22	39	54					
	12*	7	12	20	35	48	78				
	12	6	11	17	30	41	68				
	10*	5	10	15	27	37	61				
	10	4	8	13	23	32	52				
	8	2	4	7	13	17	28	40			
RHW y RHH (SIN CUBIERTA EXTERIOR)	14*	6	10	16	29	40	65				
	14	5	9	15	26	36	59				
	12*	4	8	13	24	33	54				
	12	4	7	12	21	29	47				
	10*	4	7	11	19	26	43	61			
	10	3	6	9	17	23	38	53			
	8	1	3	5	10	13	22	32	49		
T, TW y THW RHW y RHH (SIN CUBIERTA EXTERIOR)	6	1	2	4	7	10	16	23	36	48	
	4	1	1	3	5	7	12	17	27	36	47
	2	1	1	2	4	5	9	13	20	27	34
	1/0	–	1	1	2	3	5	8	12	16	21
	2/0	–	1	1	1	3	5	7	10	14	18
	3/0	–	1	1	1	2	4	6	9	12	15
	4/0	–	–	1	1	1	3	5	7	10	13
	250	–	–	1	1	1	2	4	6	8	10
	300	–	–	–	1	1	2	3	5	7	9
	350	–	–	–	1	1	1	3	4	6	8
	400	–	–	–	1	1	1	2	4	5	7
	500	–	–	–	1	1	1	1	3	4	6

* ALAMBRES

NUMERO MAXIMO DE CONDUCTORES QUE PUEDEN ALOJARSE EN TUBO CONDUIT

Tipo de conductor	Calibre de conductor AWG MCM	Diametro nominal de tubo (mm)									
		13	19	25	32	38	51	63	76	89	102
RHW y RHH (con cubierta exterior)	14*	3	6	10	18	25	41	58			
	14	3	6	9	17	23	38	53			
	12*	3	5	9	16	21	35	50			
	12	3	5	8	14	19	32	45			
	10*	2	4	7	13	18	29	41			
	10	2	4	6	12	16	26	37			
	8	1	2	4	7	9	16	22	35	47	
	6	1	1	2	5	7	11	15	24	32	41
	4	1	1	1	3	5	8	12	18	24	31
	2	–	1	1	3	4	7	9	14	19	24
	1/0	–	1	1	1	2	4	6	9	12	16
	2/0	–	–	1	1	2	3	5	8	11	14
	3/0	–	–	1	1	1	3	4	7	9	12
	4/0	–	–	1	1	1	2	4	6	8	10
	250	–	–	–	1	1	1	3	5	6	8
	300	–	–	–	1	1	1	3	4	5	7
	350	–	–	–	1	1	1	2	4	5	6
	400	–	–	–	1	1	1	1	3	4	6
	500	–	–	–	–	1	1	1	3	4	5

* ALAMBRES

CONTINUACION DE LA TABLA 3.1

NUMERO MAXIMO DE CONDUCTORES QUE PUEDEN ALOJARSE EN TUBO CONDUIT

TIPO DE CONDUCTOR	CALIBRE DE CONDUCTOR AWG MCM	DIAMETRO NOMINAL DE TUBO (mm)									
		13	19	25	32	38	51	63	76	89	102
	14*	13	24	37	66						
	14	11	20	32	57						
	12*	10	18	28	49	67					
	12	8	15	23	42	57					
	10*	6	11	18	32	43	71				
	10	5	9	15	26	36	59				
	8	3	5	9	15	21	35	49			
	6	2	4	6	11	15	25	36	56		
THWN y THHN	4	1	2	4	7	9	16	22	34	46	
	2	1	1	3	5	7	11	16	25	33	42
	1/0	–	1	1	3	4	7	10	15	20	26
	2/0	–	1	1	2	3	6	8	13	17	22
	3/0	–	1	1	1	3	5	7	11	14	18
	4/0	–	–	1	1	2	4	6	9	12	15
	250	–	–	1	1	1	3	4	7	10	12
	300	–	–	1	1	1	3	4	6	8	11
	350	–	–	–	1	1	2	3	5	7	9
	400	–	–	–	1	1	1	3	5	6	8
	500	–	–	–	1	1	1	2	4	5	7

*ALAMBRES

NOTAS:

– ESTA TABLA ESTA BASADA EN FACTORES DE RELLENO DE 40% PARA 3 CONDUCTORES O MAS, 30% PARA 2 CONDUCTORES Y 55 % EN EL CASO DE UN SOLO CONDUCTOR.

– DEBE TENERSE EN CUENTA QUE PARA MAS DE 3 CONDUCTORES EN UN TUBO, LA CAPACIDAD DE CORRIENTE PERMISIBLE EN LOS MISMOS SE VE REDUCIDA DE ACUERDO CON LOS FACTORES DE CORRECCION DE LA TABLA ______

TABLA 3.2

CORRIENTE A PLENA CARGA EN AMPERES, DE MOTORES DE CORRIENTE DIRECTA

C. P.	TENSION NOMINAL DE ARMADURA		
	120 V.	240 V.	500 V.
1/4	3.1	1.6	
1/3	4.1	2.0	
1/2	5.4	2.7	
3/4	7.6	3.8	
1	9.5	4.7	
1½	13.2	6.6	
2	17.0	8.5	
3	25.0	12.2	
5	40.0	20.0	
7½	58.0	29.0	13.6
10	76.0	38.0	18.0
15		55.0	27.0
20		72.0	34.0
25		89.0	43.0
30		106.0	51.0
40		140.0	67.0
50		173.0	83.0
60		206.0	99.0
75		255.0	123.0
100		341.0	164.0
125		425.0	205.0
150		506.0	246.0
200		675.0	330.0

LOS VALORES DADOS EN ESTA TABLA PARA MOTORES FUNCIONANDO A SU VELOCIDAD NORMAL.

TABLA 3.3

CORRIENTE A PLENA CARGA EN AMPERES, DE MOTORES MONOFASICOS DE CORRIENTE ALTERNA.

LOS SIGUIENTES VALORES DE CORRIENTE A PLENA CARGA SON PARA MOTORES QUE FUNCIONEN A VELOCIDADES NORMALES Y CON CARACTERISTICAS DE PAR TAMBIEN NORMALES. LOS MOTORES DE VELOCIDAD ESPECIALMENTE BAJA O DE ALTO PAR MOTOR PUEDEN TENER CORRIENTES A PLENA CARGA MAYORES, Y LOS DE VELOCIDADES MULTIPLES TENDRAN UNA CORRIENTE A PLENA CARGA QUE VARIA CON LA VELOCIDAD; EN ESTOS CASOS DEBE USARSE LA CORRIENTE A PLENA CARGA INDICADA EN LA PLACA DE DATOS.

C.P.	127 V.	220 V.
1/6	4.0	2.3
1/4	5.3	3.0
1/3	6.5	3.8
1/2	8.9	5.1
3/4	11.5	7.2
1	14.0	8.4
$1\frac{1}{2}$	18.0	10.0
2	22.0	13.0
3	31.0	18.0
5	51.0	29.0
$7\frac{1}{2}$	72.0	42.0
10	91.0	52.0

TABLA 3.4

CORRIENTE A PLENA CARGA DE MOTORES TRIFASICOS DE CORRIENTE ALTERNA

C.P.	MOTOR DE INDUCCION DE JAULA DE ARDILLA Y ROTOR DEVANADO (AMPERES)			MOTOR SINCRONO, CON FACTOR DE POTENCIA UNITARIO (AMPERES)		
	220 V.	440 V.	2 400 V.	220 V.	440 V.	2 400 V.
1/2	2.1	1.0				
3/4	2.9	1.5				
1	3.8	1.9				
$1\frac{1}{2}$	5.4	2.7				
2	7.1	3.6				
3	10.0	5.0				
5	15.9	7.9				
$7\frac{1}{2}$	23.0	11.0				
10	29.0	15.0				
15	44.0	22.0				
20	56.0	28.0				
25	71.0	36.0		54	27	
30	84.0	42.0		65	33	
40	109.0	54.0		86	43	
50	136.0	68.0		108	54	
60	161.0	80.0	15	128	64	11
75	201.0	100.0	19	161	81	14
100	259.0	130.0	25	211	106	19
125	326.0	163.0	30	264	132	24
150	376.0	188.0	35	—	158	29
200	502.0	251.0	47	—	210	38

ESTOS VALORES DE CORRIENTE A PLENA CARGA SON PARA MOTORES QUE FUNCIONEN A VELOCIDADES NORMALES PARA TRANSMISION POR BANDA Y CON CARACTERISTICAS DE PAR TAMBIEN NORMALES. LOS MOTORES DE VELOCIDAD ESPECIALMENTE BAJA O DE ALTO PAR MOTOR PUEDEN TENER CORRIENTES A PLENA CARGA MAYORES, Y LOS DE VELOCIDADES MULTIPLES TENDRAN UNA CORRIENTE A PLENA CARGA QUE VARIA CON LA VELOCIDAD; EN ESTOS CASOS DEBE USARSE LA CORRIENTE A PLENA CARGA INDICADA EN LA PLACA DE DATOS.

TABLA 3.5

LETRAS DE CLAVE PARA INDICAR LOS KVA POR C. P. DE LOS MOTORES CON ROTOR BLOQUEADO

LETRA DE CLAVE	KVA POR C.P. CON ROTOR BLOQUEADO	LETRA DE CLAVE	KVA POR C.P. CON ROTOR BLOQUEADO
A	0 — 3.14	L	9.0 — 9.99
B	3.15 — 3.54	M	10.0 — 11.19
C	3.55 — 3.99	N	11.2 — 12.49
D	4.0 — 4.49	P	12.5 — 13.99
E	4.5 — 4.99	R	14.0 — 15.99
F	5.0 — 5.59	S	16.0 — 17.99
G	5.6 — 6.29	T	18.0 — 19.99
H	6.3 — 7.09	U	20.0 — 22.39
J	7.1 — 7.99	V	22.4 — y más
K	8.0 — 8.99		

NOTA 1 LOS MOTORES DE VELOCIDADES MULTIPLES DEBEN MARCARSE CON LA LETRA DE CLAVE QUE INDIQUE LOS KVA POR CABALLO DE POTENCIA CON ROTOR BLOQUEADO PARA LA VELOCIDAD MAS ALTA, EXCEPTO LOS MOTORES DE POTENCIA CONSTANTE, LOS CUALES DEBEN MARCARSE CON LA LETRA DE CLAVE QUE DE EL MAYOR NUMERO DE KVA POR CABALLO DE POTENCIA CON ROTOR BLOQUEADO.

NOTA 2 LOS MOTORES DE UNA SOLA VELOCIDAD QUE ARRANQUEN ESTRELLA Y TRABAJEN EN MARCHA NORMAL EN DELTA, DEBEN IDENTIFICARSE CON LA LETRA DE CLAVE CORRESPONDIENTE A LOS KVA POR CABALLO DE POTENCIA CON ROTOR BLOQUEADO EN LA CONEXION ESTRELLA.

NOTA 3 LOS MOTORES DE DOS TENSIONES QUE TENGAN DISTINTOS KVA POR CABALLO DE POTENCIA CON ROTOR BLOQUEADO EN LAS DOS TENSIONES, DEBEN IDENTIFICARSE CON LA LETRA DE CLAVE PARA LA TENSION QUE DE EL MAYOR NUMERO DE KVA POR CABALLO DE POTENCIA CON ROTOR BLOQUEADO.

NOTA 4 LOS MOTORES CON ALIMENTACION PARA 50 Y 60 HERTZ DEBEN IDENTIFICARSE CON LA LETRA DE CLAVE QUE DESIGNE LOS KVA POR CABALLO DE POTENCIA CON ROTOR BLOQUEADO A 60 HERTZ.

NOTA 5 LOS MOTORES QUE ARRANQUEN CON UNA PARTE DEL DEVANADO, DEBEN MARCARSE CON LA LETRA DE CLAVE QUE DESIGNE LOS KVA POR CABALLO DE POTENCIA CON ROTOR BLOQUEADO CORRESPONDIENTES A TODO EL DEVANADO DEL MOTOR.

TABLA 3.6

FACTORES PARA SELECCIONAR LOS CONDUCTORES PARA MOTORES QUE NO SEAN DE SERVICIO CONTINUO

TIPO DE SERVICIO QUE REQUIERE LA CARGA	POR CIENTO DE LA CORRIENTE NOMINAL INDICADA EN LA PLACA DE DATOS. REGIMEN DE TRABAJO PARA EL CUAL FUE DISEÑADO EL MOTOR			
	5 MINUTOS	15 MINUTOS	30 Y 60 MINUTOS	CONTINUO
DE CORTO TIEMPO: ACCIONAMIENTO DE VALVULAS, ELEVACION O DESCENSO DE RODILLOS, ETC.	110	120	150	
INTERMITENTE: ASCENSORES Y MONTACARGAS, MAQUINAS-HERRAMIENTAS, BOMBAS, PUENTES LEVADISOS O GIRATORIOS, PLATAFORMAS GIRATORIAS, ETC. (PARA SOLDADORAS DE ARCO VEASE EL ARTICULO 518.12)	85	85	90	140
PERIODICO: RODILLOS, MAQUINAS PARA MANIPULACION DE MINERALES, ETC	85	90	95	140
VARIABLE:	110	120	150	200

CUALQUIER APLICACION DE UN MOTOR SE CONSIDERA COMO DE SERVICIO CONTINUO, A MENOS QUE LA NATURALEZA DE LA MAQUINA O APARATO ACCIONADO SEA TAL QUE EL MOTOR NO OPERE CONTINUAMENTE CON CARGA BAJO CUALQUIER CONDICION DE USO.

TABLA 3.7

CAPACIDAD MAXIMA O AJUSTE DEL DISPOSITIVO DE PROTECCION CONTRA CORTO CIRCUITO Y FALLA A TIERRA PARA EL CIRCUITO DERIVADO DE MOTORES.

TIPO DE MOTOR	PORCIENTO DE LA CORRIENTE A PLENA CARGA			
	FUSIBLE SIN RETRASO DE TIEMPO	ELEMENTO DUAL (FUSIBLE CON RETRASO)	INTERRUPTOR CON DISPARO INSTANTANEO	INTERRUPTOR DE TIEMPO INVERSO
MONOFASICO, TODOS LOS TIPOS SIN LETRA DE CODIGO.	300	175	700	250
TODOS LOS MOTORES MONOFASICOS Y POLIFASICOS JAULA DE ARDILLA CON ARRANQUE A VOLTAJE PLENO, O ARRANQUE POR REACTOR O RESISTOR.				
SIN LETRA DE CODIGO	300	175	700	250
LETRAS DE CODIGO F a V	300	175	700	250
LETRAS DE CODIGO B a E	250	175	700	200
LETRA DE CODIGO A	150	150	700	150
TODOS LOS MOTORES DE JAULA DE ARDILLA Y SINCRONOS CON ARRANQUE POR AUTOTRANSFORMADOR NO MAYORES DE 30 AMPERES SIN LETRA DE CODIGO.	250	175	700	200
MAYORES DE 30 AMPERES SIN LETRA DE CODIGO	200	175	700	200
LETRAS DE CODIGO F a V	250	175	700	200
LETRAS DE CODIGO B a E	200	175	700	200
LETRA DE CODIGO A	150	150	700	150
JAULA DE ARDILLA CON ALTA REACTANCIA NO MAYORES DE 30 AMPERES SIN LETRA DE CODIGO.	250	175	700	250
MAYORES DE 30 AMPERES SIN LETRA DE CODIGO.	200	175	700	200
ROTOR DEVANADO SIN LETRA DE CODIGO.	150	150	250	150

DATOS PARA ELEMENTOS TERMICOS
(TABLA TIPICA)

TABLA 3.8

CORRIENTE A PLENA CARGA (TABLA TIPICA)			UNIDAD TERMICA NUMERO
2 T. U. 1 Ø	2 T. U. 2 Ø	3 T. U.	
0.37 - 0.39	0.37 - 0.39	0.30 - 0.31	AR .45
0.40 - 0.42	0.40 - 0.42	0.32 - 0.34	AR .49
0.43 - 0.46	0.43 - 0.46	0.35 - 0.37	AR .54
0.47 - 0.50	0.47 - 0.50	0.38 - 0.41	AR .59
0.51 - 0.54	0.51 - 0.54	0.42 - 0.45	AR .65
0.55 - 0.59	0.55 - 0.59	0.46 - 0.49	AR .71
0.60 - 0.65	0.60 - 0.65	0.50 - 0.54	AR .78
0.66 - 0.71	0.66 - 0.71	0.55 - 0.56	AR .86
0.72 - 0.78	0.72 - 0.78	0.57 - 0.62	AR .95
0.79 - 0.86	0.79 - 0.86	0.63 - 0.68	AR 1.05
0.87 - 0.94	0.87 - 0.94	0.69 - 0.75	AR 1.15
0.95 - 1.04	0.95 - 1.04	0.76 - 0.82	AR 1.26
1.05 - 1.14	1.05 - 1.14	0.83 - 0.91	AR 1.39
1.15 - 1.25	1.15 - 1.25	0.92 - 1.00	AR 1.53
1.26 - 1.42	1.26 - 1.42	1.01 - 1.18	AR 1.68
1.43 - 1.62	1.43 - 1.62	1.19 - 1.30	AR 1.85
1.63 - 1.75	1.63 - 1.75	1.31 - 1.41	AR 2.04
1.76 - 1.91	1.76 - 1.91	1.42 - 1.53	AR 2.24
1.92 - 2.07	1.92 - 2.07	1.54 - 1.69	AR 2.46
2.08 - 2.25	2.08 - 2.25	1.70 - 1.79	AR 2.71
2.26 - 2.47	2.26 - 2.47	1.80 - 2.02	AR 2.98
2.48 - 2.73	2.48 - 2.73	2.03 - 2.19	AR 3.28
2.74 - 2.99	2.74 - 2.99	2.20 - 2.43	AR 3.62
3.00 - 3.31	3.00 - 3.31	2.44 - 2.81	AR 3.98
3.32 - 3.71	3.32 - 3.71	2.82 - 3.12	AR 4.37
3.72 - 4.15	3.72 - 4.15	3.13 - 4.47	AR 4.80
4.16 - 4.65	4.16 - 4.65	3.48 - 3.89	AR 5.30
4.66 - 5.11	4.66 - 5.11	3.90 - 4.30	AR 5.80
5.12 - 5.68	5.12 - 5.68	4.31 - 4.69	AR 6.40
5.69 - 6.24	5.69 - 6.24	4.70 - 5.19	AR 7.00
6.25 - 7.15	6.25 - 7.15	5.20 - 5.93	AR 7.70
7.16 - 7.84	7.16 - 7.84	5.94 - 6.45	AR 8.50
7.85 - 8.56	7.85 - 8.56	6.46 - 7.08	AR 9.30
8.57 - 9.40	8.57 - 9.40	7.09 - 7.71	AR 10.20
9.41 - 10.20	9.41 - 10.20	7.72 - 8.39	AR 11.20
10.30 - 10.70	10.30 - 10.70	8.40 - 8.64	AR 12.40
10.80 - 12.20	10.80 - 12.00	8.65 - 9.74	AR 13.60
12.30 - 14.10		9.75 - 11.00	AR 15.40
14.20 - 15.90		11.10 - 12.00	AR 17.60
16.00 - 18.00			AR 20.50
SELECCION PARA TAMAÑO 1 UNICAMENTE			
	10.80 - 12.20		AR 13.60
	12.30 - 14.10		AR 15.40
	14.20 - 15.90	11.10 - 12.40	AR 17.60
16.00 - 18.10	16.00 - 18.10	12.50 - 13.90	AR 20.50
18.20 - 20.80	18.20 - 20.80	14.00 - 15.90	AR 23.00
20.90 - 23.60	20.90 - 23.60	16.00 - 17.70	AR 27.00
23.70 - 26.00	23.70 - 26.00	17.80 - 20.30	AR 30.00
		20.40 - 22.80	AR 35.00
		22.90 - 26.00	AR 40.00

TABLA 3.9

DATOS PARA MOTORES TRIFASICOS DE INDUCCION Y ELEMENTOS DEL CIRCUITO DERIVADO								
CAP. MAX.		CORR. NOR. AMPS	INTERRUPTOR		ARRANCADOR TAMAÑO NEMA	CONDUCTOR TW (AWG o MCM)	DIAM. TUBO CONDUIT	
HP.	V		AMP.	MARCO			m.m.	Pulg.
1/4	220	1	15	TE	00	3 Nº 12	13	1/2
1/2	220	2	15	TE	00	3 Nº 12	13	1/2
3/4	220	2.8	15	TE	00	3 Nº 12	13	1/2
1	220	3.5	15	TE	00	3 Nº 12	13	1/2
	440	1.8	15	TEF	00	3 Nº 12	13	1/2
1 1/2	220	5	15	TE	00	3 Nº 12	13	1/2
	440	2.5	15	TEF	00	3 Nº 12	13	1/2
2	220	6.5	20	TE	00	3 Nº 12	13	1/2
	440	3.3	15	TEF	00	3 Nº 12	13	1/2
3	220	9	30	TE	0	3 Nº 12	13	1/2
	440	4.5	15	TEF	0	3 Nº 12	13	1/2
5	220	15	30	TE	1	3 Nº 12	13	1/2
	440	7.5	20	TEF	0	3 Nº 12	13	1/2
7 1/2	220	22	50	TE	1	3 Nº 10	19	3/4
	440	11	20	TEF	1	3 Nº 12	13	1/2
10	220	27	50	TE	2	3 Nº 10	19	3/4
	440	14	30	TEF	1	3 Nº 12	13	1/2
15	220	40	70	TE	2	3 Nº 8	19	3/4
	440	20	30	TEF	2	3 Nº 10	19	3/4
20	220	52	100	TE	3	3 Nº 6	25	1
	440	26	50	TEF	2	3 Nº 8	19	3/4
25	220	64	100	TE	3	3 Nº 4	32	1 1/4
	440	32	50	TEF	2	3 Nº 8	19	3/4
30	220	78	125	TFJ	3	3 Nº 2	32	1 1/4
	440	39	70	TEF	3	3 Nº 8	19	3/4
40	220	104	200	TFJ	4	3 Nº 0	51	2
	440	52	100	TEF	3	3 Nº 6	25	1
50	220	125	200	TFJ	4	3 Nº 0	51	2
	440	63	100	TEF	3	3 Nº 4	32	1 1/4
60	220	150	225	TFJ	5	3 Nº 2/0	51	2
	440	75	125	TFJ	4	3 Nº 2	32	1 1/4
75	220	185	300	TJJ	5	3 Nº 4/0	64	2 1/2
	440	93	150	TFJ	4	3 Nº 2	32	1 1/4
100	220	246	400	TJJ	5	3 Nº 300 MCM	64	2 1/2
	440	123	200	TFJ	4	3 Nº 0	51	2
125	220	310	400	TJJ	—	—	—	
	440	155	225	TFJ	5	3 Nº 3/0	51	2
150	220	360	600	TKM	—	—	—	
	440	180	300	TJJ	5	3 Nº 4/0	64	2 1/2
200	220	480	800	TKM	—	—	—	
	440	240	400	TJJ	5	3 Nº 300 MCM	64	2 1/2

* Para longitudes de conductor de hasta 60 m.

TABLA 3.10

efecto de las variaciones de voltaje y frecuencia en los motores eléctricos de inducción

CARACTERISTICA QUE VARIA		PAR DE ARRANQUE Y EN MARCHA	VELOCIDAD SINCRONICA	% DE DESLIZAMIENTO	VELOCIDAD A PLENA CARGA	EFICIENCIA A PLENA CARGA	FACTOR DE POTENCIA A PLENA — CARGA	CORRIENTE DE PLENA CARGA	CORRIENTE CON ROTOR FRENADO	ELEVACION DE TEMPERATURA A PLENA CARGA	CAPACIDAD MAXIMA DE SOBRECARGA	RUIDO MAGNETICO EN VACIO
Voltaje	120%	Aumenta 44%	No. Varia	Decrece 30%	Aumenta 1.5%	Aumenta Ligeramente	Disminuye 5 a 15 puntos	Decrece 11%	Aumenta 25%	Decrece 5 a 6°C	Aumenta 44%	Notable aumento
	110%	Aumenta 21%	No Varía	Decrece 17%	Aumenta 1%	Aumenta 1/2 a 1 punto	Disminuye 3 puntos	Decrece 7%	Aumenta 10 a 12%	Decrece 3 a 4°C	Aumenta 21%	Aumenta ligeramente
	90%	Decrece 19%	No Varía	Aumenta 23%	Decrece 1 1/2%	Disminuye 2 puntos	Aumenta 1 punto	Aumenta 11%	Decrece 10 a 12%	Aumenta 6 a 7°C	Decrece 19%	Decrece ligera — mente
Frecuencia	105%	Decrece 10%	Aumenta 5%	Practica mente no varía	Aumenta 5%	Aumenta ligeramente	Aumenta ligeramente	Decrece ligereramente	Decrece 5 a 6%	Decrece ligeramente	Decrece Ligeramente	Decrece ligeramente
	95%	Aumenta 11%	Decrece 5%	Practicamente no varía	Decrece 5%	Decrece ligeramente	Decrece ligeramente	Aumenta ligeramente	Aumenta ligeramente 5a 6%	Aumenta ligeramente	Aumenta ligeramente	Aumenta ligeramente

Los motores estandar soportan correctamente su carga normal cuando la tensión es 10% menor que la especificada, y cuando la frecuencia es 5% mayor o menor que la especificada.

CAPITULO 4

ELEMENTOS DE CONTROL DE MOTORES ELECTRICOS DE CORRIENTE ALTERNA

CAPITULO 4

ELEMENTOS DE CONTROL DE MOTORES ELECTRICOS DE CORRIENTE ALTERNA

4.1.- INTRODUCCIÓN.

EN TODAS LAS INSTALACIONES ELÉCTRICAS INDUSTRIALES EN DONDE APARECEN MOTORES ELÉCTRICOS LA INSTALACIÓN ELÉCTRICA DE LOS MISMOS, NO SÓLO ES LLEVAR LA ENERGÍA HASTA ELLOS, TAMBIÉN REQUIERE DE MEDIOS DE CONEXIÓN Y DESCONEXIÓN ASÍ COMO EL CONTROL DE LOS MISMOS, DEPENDIENDO DE LA APLICACIÓN ESPECÍFICA PARA LA CUAL FUERON SELECCIONADOS. DE HECHO EN EL CAPÍTULO ANTERIOR SE HAN MENCIONADO EN FORMA BREVE ALGUNOS DE ESTOS ELEMENTOS Y SU FUNCIÓN DESDE EL PUNTO DE VISTA DE LA INSTALACIÓN ELÉCTRICA DEL MOTOR.

ESTOS ELEMENTOS EN LA FORMA QUE APARECEN EN LAS NORMAS TÉCNICAS PARA INSTALACIONES ELÉCTRICAS SE MUESTRAN EN LA FIGURA SIGUIENTE.

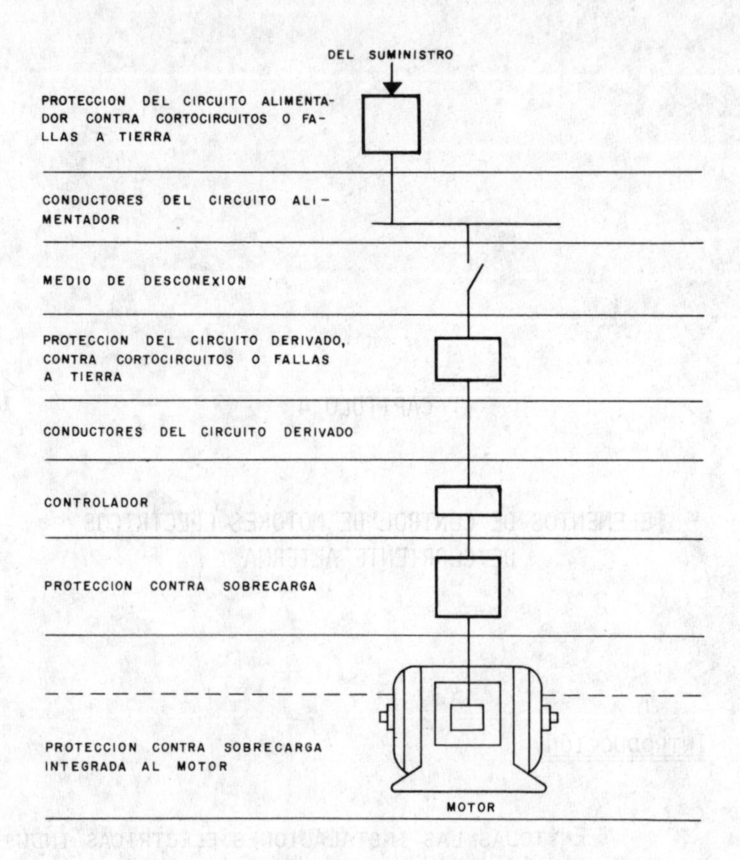

El concepto de control de motores eléctricos en su sentido más amplio comprende todos los métodos usados para el control del comportamiento de un sistema eléctrico. En el sentido que se pretende usar en este capítulo está relacionado con el arranque, aceleración, reversa, decelaración y frenado de un motor y su carga.

Por otra parte el control de motores eléctricos se ha asociado tradicionalmente con el estudio de los dispositivos eléctricos que intervienen para cumplir con las fun-

CIONES DESCRITAS EN EL PÁRRAFO ANTERIOR, SIN EMBARGO, EN LA ACTUALIDAD EL CONCEPTO DE CONTROL DE MOTORES ELÉCTRICOS NO SÓLO SE REFIERE A LOS DISPOSITIVOS ELÉCTRICOS CONVENCIONALES, TAMBIÉN A DISPOSITIVOS ELECTRÓNICOS CUYO ESTUDIO SE RELACIONA CON LA LLAMADA ELECTRÓNICA DE POTENCIA, LO CUAL DA UN MAYOR GRADO DE COMPLEJIDAD A LOS CIRCUITOS DE CONTROL Y POR LO QUE SU ESTUDIO REQUERIRÍA DE MAYOR DETALLE NO SÓLO EN LAS COMPONENTES, TAMBIÉN EN LA VARIEDAD DE CIRCUITOS PARA DISTINTAS FUNCIONES QUE SE PRESENTAN EN LAS INSTALACIONES INDUSTRIALES.

4.2.- DISPOSITIVOS DE CONTROL.

EL CONTROLADOR DE UN MOTOR ELÉCTRICO ES UN DISPOSITIVO QUE SE USA NORMALMENTE PARA ARRANCAR UN MOTOR QUE VA A DESEMPEÑAR UN COMPORTAMIENTO EN UNA FORMA DETERMINADA EN CONDICIONES NORMALES DE OPERACIÓN, Y PARA PARARLO CUANDO ASÍ SE REQUIERA.

EL CONTROLADOR PUEDE SER UN SIMPLE DESCONECTADOR PARA ARRANCAR Y PARAR EL MOTOR (SWITCH), PUEDE SER TAMBIÉN UNA ESTACIÓN DE BOTONES PARA ARRANCAR AL MOTOR EN FORMA LOCAL O A CONTROL REMOTO O PUEDE SER UN DISPOSITIVO QUE ARRANQUE AL MOTOR POR PASOS O INVIRTIENDO SU SENTIDO DE ROTACIÓN O BIEN HACIENDO USO DE LAS SEÑALES DE LOS ELEMENTOS POR CONTROLAR COMO PUEDEN SER TEMPERATURA, PRESIÓN, NIVEL DE UN LÍQUIDO O CUALQUIER OTRO CAMBIO FÍSICO QUE REQUIERA ARRANCAR O PARAR UN MOTOR Y QUE EVIDENTEMENTE LE DAN MAYOR GRADO DE COMPLEJIDAD AL CIRCUITO DE CONTROL.

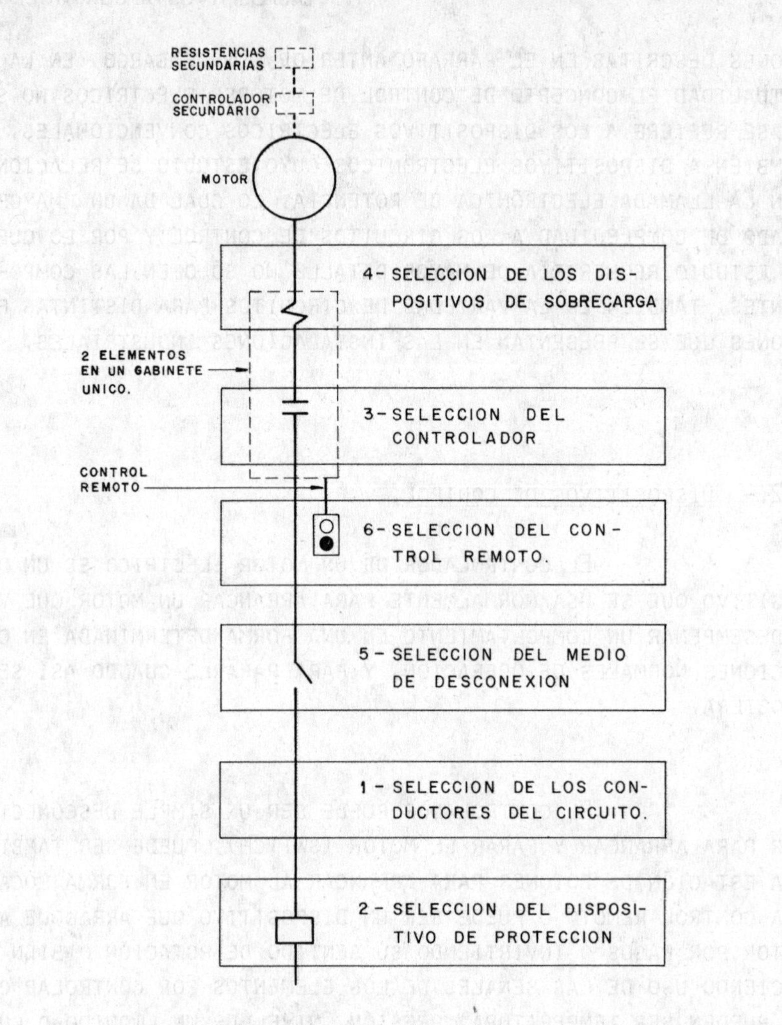

PASOS A SEGUIR EN EL CALCULO DE LOS ELEMENTOS DE ALIMENTACION Y CONTROL A UN MOTOR DE C. A.

CADA CIRCUITO DE CONTROL, POR SIMPLE O COMPLEJO QUE SEA, ESTÁ COMPUESTO DE UN CIERTO NÚMERO DE COMPONENTES BÁSICAS CONECTADAS ENTRE SÍ PARA CUMPLIR CON UN COMPORTAMIENTO DETERMINADO. EL PRINCIPIO DE OPERACIÓN DE ESTOS COMPONENTES ES EL MISMO Y SU TAMAÑO VARÍA DEPENDIENDO DEL TAMAÑO DEL MOTOR QUE VAN A CONTROLAR. AUN CUANDO LA VARIEDAD DE COMPONENTES PARA LOS CIRCUITOS DE CONTROL ES AMPLIA, LOS PRINCIPALES ELEMENTOS ELÉCTRICOS DE CONTROL SON LOS QUE A CONTINUACIÓN SE MENCIONAN:

1).- DESCONECTADORES (SWITCHES).

2).- INTERRUPTORES TERMOMAGNÉTICOS.

3).- DESCONECTADORES (SWITCHES) TIPO TAMBOR.

4).- ESTACIONES DE BOTONES.

5).- RELEVADORES DE CONTROL.

6).- CONTACTORES MAGNÉTICOS.

7).- FUSIBLES Y RELEVADORES

8).- LÁMPARAS PILOTO.

9).- SWITCH DE NIVEL, LÍMITE Y OTROS TIPOS.

10).- RESISTENCIAS, REACTORES, AUTOTRANSFORMADORES, TRANSFORMADORES Y CAPACITORES.

1).- <u>DESCONECTADORES (SWITCHES).</u>

LOS DESCONECTADORES TAMBIÉN CONOCIDOS COMO SWITCH, CONSTITUYEN UNO DE LOS MEDIOS MÁS ELEMENTALES DE CONTROL DE LOS MOTORES ELÉCTRICOS YA QUE CONECTA O DESCONECTA A UN MOTOR DE LA FUENTE DE ALIMENTACIÓN, SE CONSTRUYEN CON NAVAJAS PARA DOS LÍNEAS (MOTORES MONOFÁSICOS) O TRES LÍNEAS (MOTORES TRIFÁSICOS), LAS NAVAJAS ABREN O CIERRAN SIMULTÁNEAMENTE POR MEDIO DE UN MECANISMO. POR LO GENERAL SE ENCUENTRAN

ALOJADOS EN UNA CAJA METÁLICA Y TIENEN UN FUSIBLE POR CONDUCTOR. ESTÁN DISEÑADOS PARA CONDUCIR LA CORRIENTE NOMINAL POR UN TIEMPO INDEFINIDO Y PARA SOPORTAR LA CORRIENTE DE CORTO - CIRCUITO POR PERÍODOS BREVES DE TIEMPO.

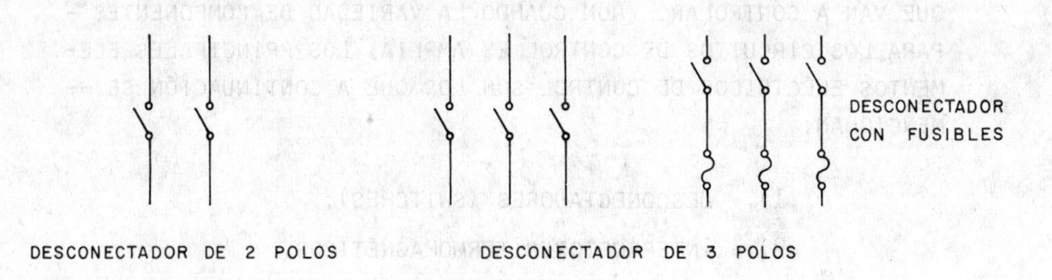

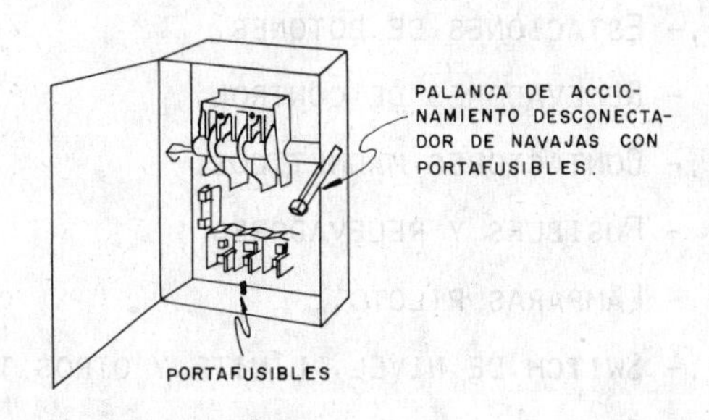

2).- INTERRUPTORES TERMOMAGNÉTICOS.

UN INTERRUPTOR TERMOMAGNÉTICO MANUAL PERMITE - ABRIR Y CERRAR UN CIRCUITO, EN FORMA ANÁLOGA A LAS CUCHILLAS DESCONECTADORAS (SWITCH), EXCEPTO QUE EN ESTOS INTERRUPTORES SE PUEDE ABRIR EN FORMA AUTOMÁTICA CUANDO EL VALOR DE LA CORRIENTE QUE CIRCULA POR ELLOS, EXCEDE A UN CIERTO VALOR PREVIAMENTE FIJADO. DESPUÉS DE QUE ESTOS INTERRUPTORES ABREN (DISPARAN) SE DEBEN RESTABLECER EN FORMA MANUAL, TIENEN LA VENTAJA SOBRE LOS DESCONECTADORES (SWITCH) QUE NO REQUIEREN DEL USO DE FUSIBLES.

LAS NORMAS TÉCNICAS PARA INSTALACIONES ELÉCTRICAS ESTABLECEN QUE LAS VENTAJAS DEL DESCONECTADOR ESTÉN COLOCADAS O MONTADAS EN TAL FORMA QUE CUANDO SE ABRA TIENDEN A SEGUIR EL SENTIDO DE LA GRAVEDAD COMO SE MUESTRA EN LA FIGURA SIGUIENTE.

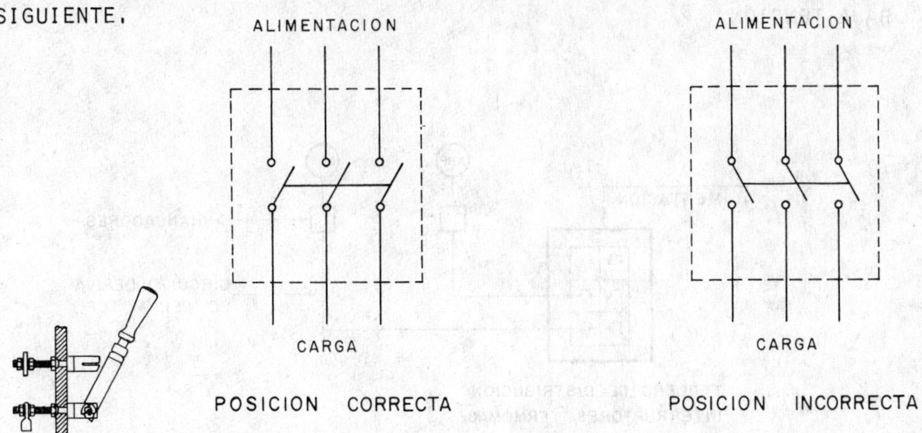

POSICION CORRECTA DE LAS CUCHILLAS DESCONECTADORAS.

LA ALTURA CON RESPECTO AL NIVEL DEL SUELO A QUE SE DEBE MONTAR LA CAJA QUE CONTIENE AL DESCONECTADOR NO DEBE SER INFERIOR A 1.80 M.

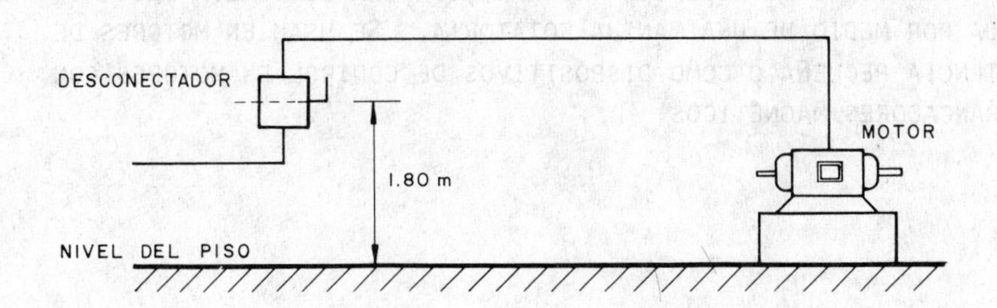

LA REGLA APLICADA A LOS DESCONECTADORES ES -- APLICABLE A LOS INTERRUPTORES TERMOMAGNÉTICOS EN CUANTO A LA ALTURA DE INSTALACIÓN SOBRE EL NIVEL DEL SUELO, AUN CUANDO ESTOS EN MUCHAS OCASIONES VAN MONTADOS EN TABLEROS DE FUERZA EN BAJA TENSIÓN.

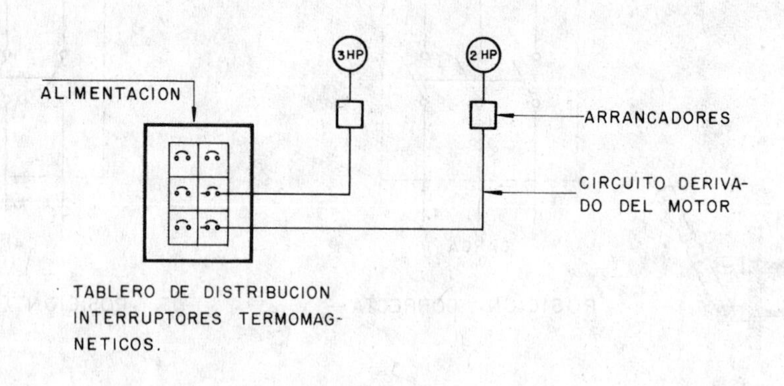

3).- <u>DESCONECTADOR (SWITCH) TIPO TAMBOR.</u>

LOS DESCONECTADORES TIPO TAMBOR SON DISPOSITIVOS MANUALES QUE TIENEN UN GRUPO DE CONTACTOS FIJOS E IGUAL - NÚMERO DE CONTACTOS MÓVILES. ESTOS CONTACTOS PERMITEN OBTENER LAS POSICIONES DE ABIERTO Y CERRADO CON UNA SECUENCIA DETERMINADA POR MEDIO DE UNA MANIJA ROTATORIA. SE USAN EN MOTORES DE POTENCIA PEQUEÑA O COMO DISPOSITIVOS DE CONTROL EN MOTORES CON ARRANCADORES MAGNÉTICOS.

4).- ESTACIONES DE BOTONES.

UNA ESTACIÓN DE BOTONES ES BÁSICAMENTE UN DESCONECTADOR (SWITCH) QUE SE ACTIVA POR MEDIO DE LA PRESIÓN DE LOS DEDOS DE MANERA QUE DOS O MÁS CONTACTOS CIERRAN O ABREN CUANDO SE QUITA LA PRESIÓN DE LOS BOTONES. NORMALMENTE SE USAN RESORTES EN LOS BOTONES PARA REGRESARLOS A SU POSICIÓN ORIGINAL DESPUÉS DE SER PRESIONADOS.

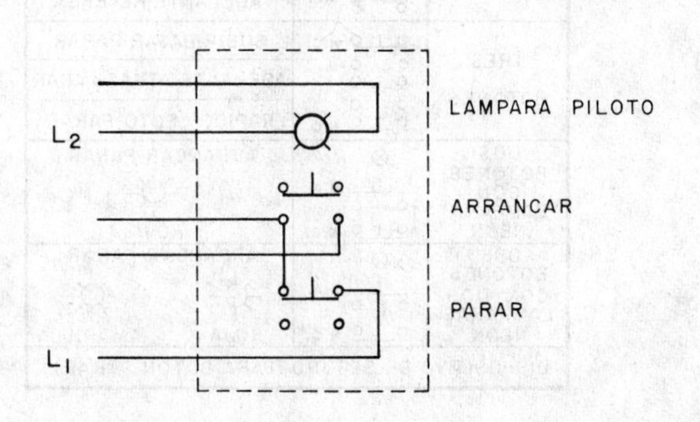

DIAGRAMA DE ALAMBRADO DE UNA ESTACION DE BOTONES CON LAMPARA PILOTO.

EN UNA INSTALACIÓN ELÉCTRICA SE PUEDE USAR MÁS DE UNA ESTACIÓN DE BOTONES DE MANERA QUE SE PUEDE CONTROLAR UN MOTOR DESDE TANTOS PUNTOS COMO ESTACIONES SE TENGAN Y SE PUEDEN FABRICAR PARA USO NORMAL O PARA USO PESADO, CUANDO SE USAN CON MUCHA FRECUENCIA.

DATOS DE ESTACIONES DE BOTONES

EN CAJA NEMA 1 DE USOS GENERALES

DESCRIPCION	CONTACTOS	LEYENDA
UN BOTON	N.A.	ARRANCAR
	N.C.	PARAR
		PARAR CON SEGURO
DOS BOTONES	N.A.	ARRANCAR-PARAR
	N.C	ARRANCAR-PARAR (CON SEGURO EN PARAR)
	N.A.	SUBIR-BAJAR
	N.A.	ADELANTE-REVERSA
TRES BOTONES	N.C.	SUBIR-BAJAR-PARAR
		ADELANTE-ATRAS-PARAR
	N.C.	RAPIDO-LENTO-PARAR
DOS BOTONES CON LAMPARA NEON	N.A. N.C.	ARRANCAR-PARAR ROJA
DOS BOTONES CON DOS LAMPARAS NEON	N.A. N.C.	ARRANCAR-PARAR ROJA AMARILLA
DISPOSITIVO DE SEGURO (PARA BOTON PARAR)		

EN CAJA NEMA 4-5 A PRUEBA DE AGUA Y POLVO

DOS BOTONES	N.A. N.C.	ARRANCAR-PARAR

EN CAJA NEMA 7-9 A PRUEBA DE EXPLOSION

DOS BOTONES		ARRANCAR-PARAR

5).- RELEVADORES DE CONTROL.

UN RELEVADOR DE CONTROL ES UN SWITCH ELECTROMAGNÉTICO QUE SE EMPLEA COMO DISPOSITIVO AUXILIAR EN LOS CIRCUITOS DE CONTROL DE ARRANCADORES DE MOTORES GRANDES O DIRECTAMENTE COMO ARRANCADORES EN MOTORES PEQUEÑOS.

EL RELEVADOR ELECTROMAGNÉTICO ABRE Y CIERRA UN CONJUNTO DE CONTACTOS CUANDO SU BOBINA SE ENERGIZA. LA BOBINA PRODUCE UN CAMPO MAGNÉTICO FUERTE QUE ATRAE UNA ARMADURA MÓVIL, ACCIONANDO LOS CONTACTOS. LOS RELEVADORES DE CONTROL SE USAN POR LO GENERAL EN CIRCUITOS DE BAJA POTENCIA Y PUEDEN INCLUIR RELEVADORES DE TIEMPO RETARDADO QUE CIERRAN Y ABREN SUS CONTACTOS EN INTERVALOS DE TIEMPO DEFINIDOS.

LA REPRESENTACIÓN DE LOS RELEVADORES SE HACE POR MEDIO DE SÍMBOLOS CONVENCIONALES COMO SE MUESTRA A CONTINUACIÓN.

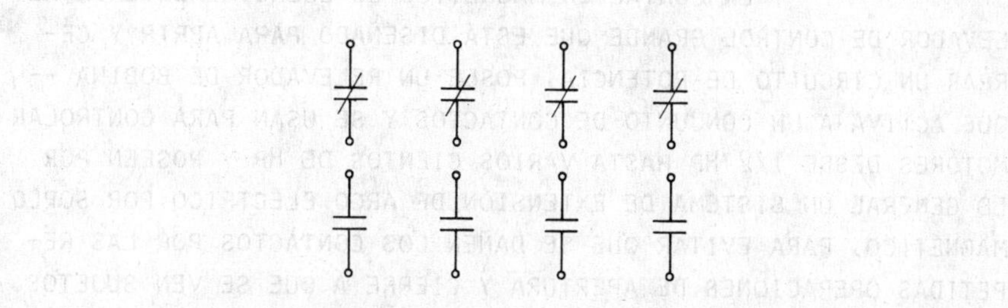

RELEVADOR CON 4 CONTACTOS NORMALMENTE ABIERTOS Y 4 NORMALMENTE CERRADOS.

6).- Relevadores Térmicos.

Un relevador térmico, también conocido como relevador de sobrecarga, es un dispositivo sensible a la temperatura cuyos contactos abren o cierran cuando la corriente del motor excede a un límite preestablecido. La corriente circula a través de un elemento de calentamiento pequeño que alcanza la temperatura del relevador. Los relevadores térmicos son dispositivos de retardo de tiempo en forma inherente debido a que la temperatura no puede seguir en forma instantánea a los cambios de la corriente.

Existen relevadores del tipo aleación fusible que no se pueden graduar, pero que ofrecen una protección confiable contra sobrecarga. Estos fusibles existen en una gran variedad y son intercambiables alojándose en el arrancador.

7).- Contactores magnéticos.

Un contactor magnético es esencialmente un relevador de control grande que está diseñado para abrir y cerrar un circuito de potencia, posee un relevador de bobina -- que activa a un conjunto de contactos y se usan para controlar motores desde 1/2 Hp hasta varios cientos de Hp y poseen por lo general un sistema de extensión de arco eléctrico por soplo magnético, para evitar que se dañen los contactos por las repetidas operaciones de apertura y cierre a que se ven sujetos.

Existen también contactores que operan con corriente alterna, que están sostenidos mecánicamente, estos son dispositivos electromecánicos que proporcionan un medio seguro y eficiente en los circuitos de interrupción.

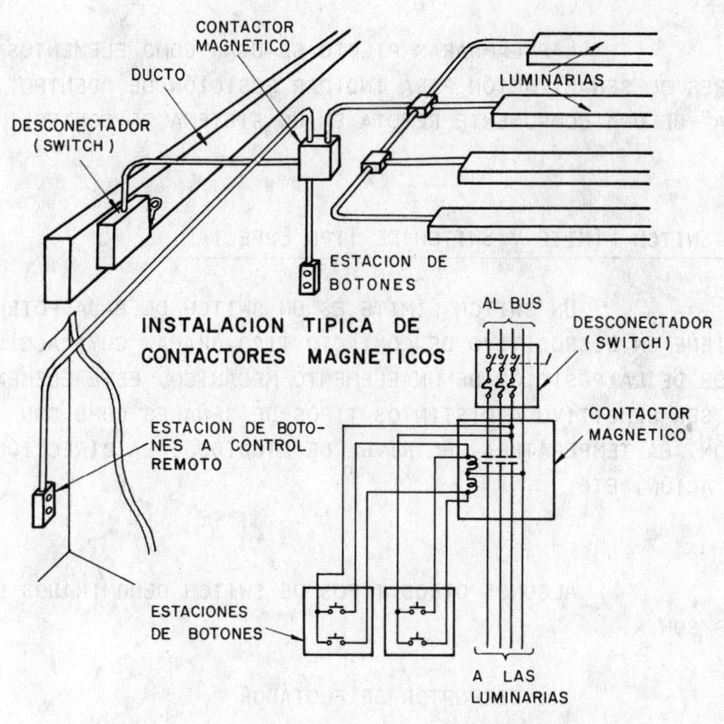

DIAGRAMA DE ALAMBRADO

8).- LÁMPARAS PILOTO.

LAS LÁMPARAS PILOTO SE USAN COMO ELEMENTOS AUXILIARES DE SEÑALIZACIÓN PARA INDICAR POSICIÓN DE "DENTRO" O "FUERA" DE UNA COMPONENTE REMOTA EN UN SISTEMA DE CONTROL.

9).- SWITCH LÍMITE Y SWITCH DE TIPO ESPECIAL.

UN SWITCH LÍMITE ES UN SWITCH DE BAJA POTENCIA QUE TIENE UN DISPOSITIVO DE CONTACTO TIPO GRAPA, CUYA ACCIÓN DEPENDE DE LA POSICIÓN DE UN ELEMENTO MECÁNICO, ESTE ELEMENTO PUEDE SER SENSITIVO A DISTINTOS TIPOS DE SEÑALES COMO SON LA PRESIÓN, LA TEMPERATURA, EL NIVEL DE LÍQUIDOS, LA DIRECCIÓN DE ROTACIÓN, ETC.

ALGUNOS OTROS TIPOS DE SWITCH DENOMINADOS ESPECIALES SON:

. INTERRUPTOR DE FLOTADOR

. INTERRUPTOR DE PRESIÓN

. TERMOSTATOS

. RELOJ DE CONTROL DE TIEMPO

. VÁLVULAS DE SOLENOIDE

4.3.- DIAGRAMAS DE CONTROL.

EN LAS INSTALACIONES ELÉCTRICAS PARA MOTORES DE CORRIENTE ALTERNA QUE CUMPLEN CON DISTINTAS FUNCIONES DE CONTROL, PARA FACILITAR EL DISEÑO E INSTALACIÓN, SE ACOSTUMBRA

ELABORAR DIAGRAMAS DE CONTROL, LOS CUALES EN ALGUNOS CASOS HACEN USO DE SÍMBOLOS CONVENCIONALES COMO LOS MOSTRADOS EN LA TABLA SIGUIENTE.

TABLA 4.1
SIMBOLOS GRAFICOS PARA DIAGRAMAS ELECTRICOS

	CONDUCTORES QUE SE CRUZAN
	CONDUCTORES CONECTADOS
M	BOBINA DE OPERACION
	CONTACTOR
	CONTACTO NORMALMENTE ABIERTO
	CONTACTO NORMALMENTE CERRADO
	DESCONECTADOR
	ESTACION DE BOTONES NORMALMENTE ABIERTA (CIERRE MOMENTANEO)
	ESTACION DE BOTONES NORMALMENTE CERRADA (DE APERTURA MOMENTANEA)
	FUSIBLE
	ELEMENTO TERMICO
M	MOTOR DE INDUCCION JAULA DE ARDILLA
M	MOTOR DE INDUCCION DE ROTOR DEVANADO
	INTERRUPTOR
	TRANSFORMADOR
	BATERIA
	TRANSFORMADOR DE CORRIENTE
	TRANSFORMADOR DE POTENCIAL
	DIODO
	TIRISTOR O RECTIFICADOR CON SEMICONDUCTOR

UN SISTEMA DE CONTROL SE PUEDE REPRESENTAR POR CUATRO TIPOS DE DIAGRAMAS DEPENDIENDO DEL GRADO DE DETALLE QUE SE LE QUIERA - DAR, ESTOS DIAGRAMAS SON LOS SIGUIENTES:

1).- DIAGRAMA DE BLOQUES
2).- DIAGRAMA UNIFILAR
3).- DIAGRAMA DE ALAMBRADO
4).- DIAGRAMA ESQUEMÁTICO

1).- EL DIAGRAMA DE BLOQUES.

ESTE DIAGRAMA ESTÁ FORMADO POR UN CONJUNTO DE RECTÁNGULOS DENTRO DE LOS CUALES SE DESCRIBE EN FORMA BREVE LA FUNCIÓN DE CADA UNO DE ELLOS. LOS RECTÁNGULOS SE CONECTAN POR MEDIO DE FLECHAS QUE INDICAN LA DIRECCIÓN DE LA CIRCULACIÓN DE CORRIENTE O FLUJO DE POTENCIA, COMO UN EJEMPLO DE ELABORACIÓN DE UN DIAGRAMA DE BLOQUES, SE MUESTRA EL QUE CORRESPONDE AL - ARRANQUE DE UN MOTOR POR MEDIO DE ARRANCADOR Y ESTACIÓN DE BO TONES DE ARRANQUE - PARO.

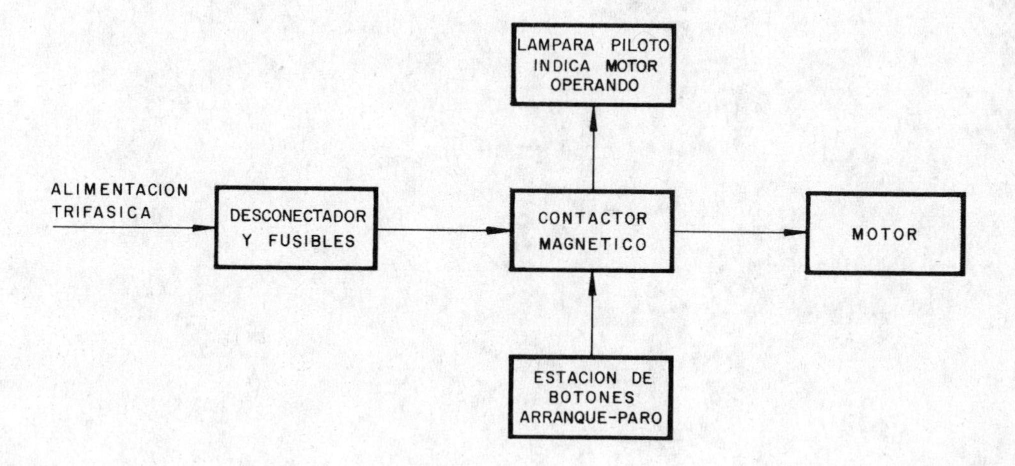

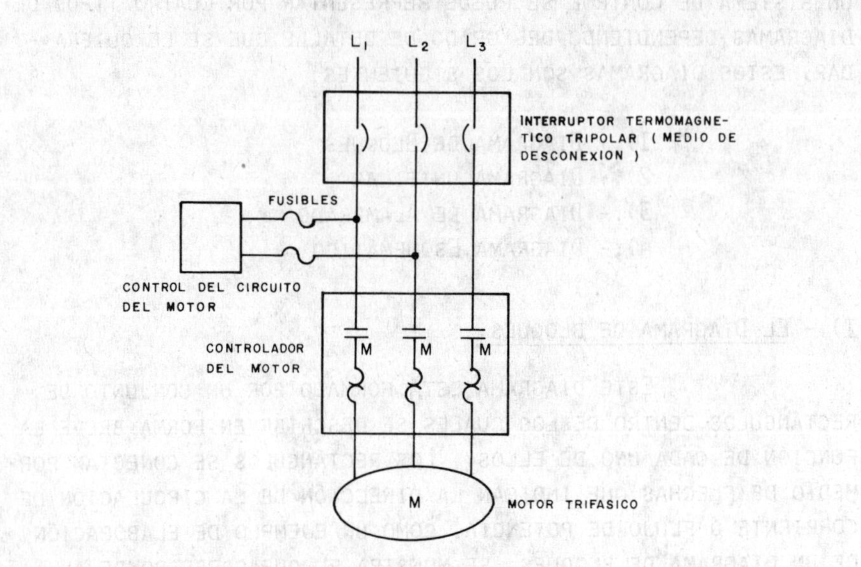

ILUSTRACION DE LA LOCALIZACION DEL CIRCUITO DE CONTROL DE UN MOTOR.

2).- EL DIAGRAMA UNIFILAR.

DE HECHO EL LLAMADO DIAGRAMA UNIFILAR YA HA SIDO USADO EN LOS CAPÍTULOS PRECEDENTES, HACIENDO USO DE UNA SIMBOLOGÍA SIMPLIFICADA, YA QUE DE HECHO ES SIMILAR A UN DIAGRAMA DE BLOQUES, SÓLO QUE EN LUGAR DE REPRESENTAR A LAS COMPONENTES POR UN BLOQUE CON SU DESCRIPCIÓN, SE HACE USO DE LOS SÍMBOLOS DE CADA COMPONENTE.

SE ESPERA QUE CON EL USO DE SÍMBOLOS SE TENGA UNA IDEA DE SUS COMPONENTES DE TAL FORMA QUE SE PUEDE OBTENER MAYOR INFORMACIÓN DE UN DIAGRAMA UNIFILAR QUE DÉ UN DIAGRAMA DE BLOQUES. EN EL DIAGRAMA UNIFILAR LA LÍNEA USADA PUEDE REPRESENTAR DOS O MÁS CONDUCTORES.

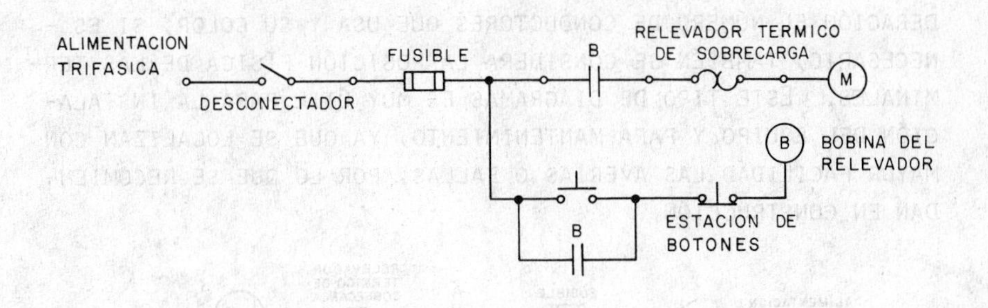

UN EJEMPLO DE APLICACIÓN DE ESTOS DIAGRAMAS UNIFILARES A UN DIAGRAMA ESQUEMÁTICO SE DA PARA EL ARRANQUE DE UN MOTOR DE INDUCCIÓN TIPO JAULA DE ARDILLA.

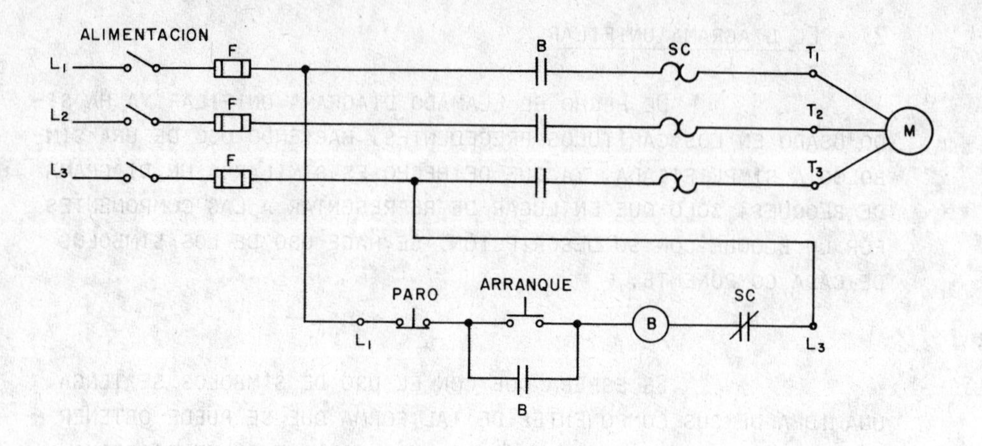

3).- EL DIAGRAMA DE ALAMBRADO.

EN UN DIAGRAMA DE ALAMBRADO SE MUESTRA LA CONEXIÓN ENTRE LAS COMPONENTES DE UN CIRCUITO, TOMANDO EN CONSIDERACIÓN EL NÚMERO DE CONDUCTORES QUE USA Y SU COLOR, SI ES NECESARIO, TAMBIÉN SE CONSIDERA LA POSICIÓN FÍSICA DE LAS TERMINALES. ESTE TIPO DE DIAGRAMAS ES MUY ÚTIL PARA LA INSTALACIÓN DEL EQUIPO Y PARA MANTENIMIENTO, YA QUE SE LOCALIZAN CON MAYOR FACILIDAD LAS AVERÍAS O FALLAS, POR LO QUE SE RECOMIENDAN EN CONSTRUCCIÓN.

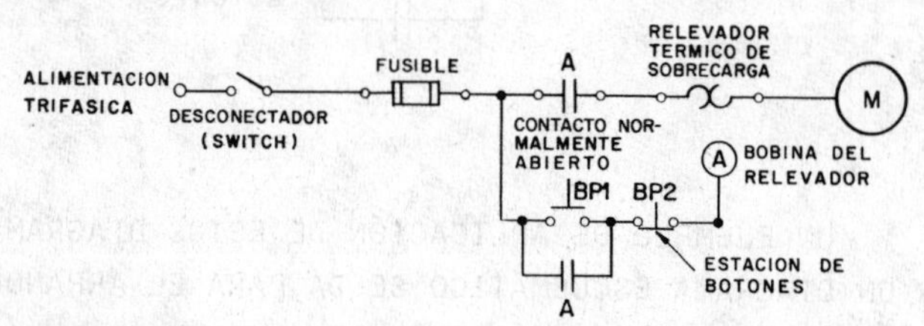

DIAGRAMA UNIFILAR DE UNA COMBINACION DE ARRANCADOR

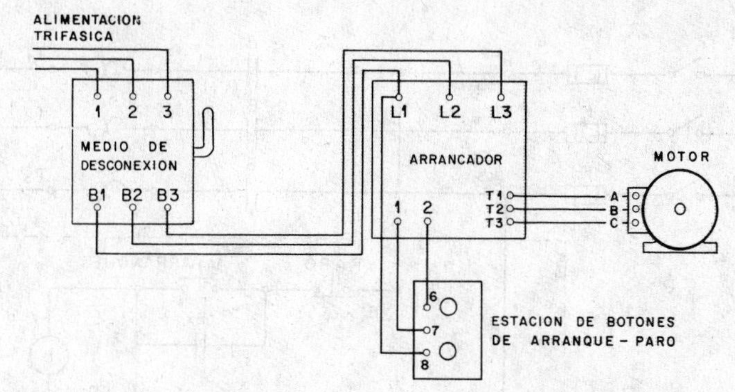

DIAGRAMA DE ALAMBRADO DE UNA COMBINACION DE ARRANCADOR

4).- DIAGRAMA ESQUEMÁTICO.

EL DIAGRAMA ESQUEMÁTICO ES UNA VARIANTE ENTRE EL DIAGRAMA UNIFILAR Y EL DIAGRAMA DE ALUMBRADO, YA QUE MUESTRA TODAS LAS CONEXIONES ELÉCTRICAS ENTRE LAS COMPONENTES, SIN QUE SE PONGA INTERÉS EN LA LOCALIZACIÓN FÍSICA DE SUS COMPONENTES O AL ARREGLO DE SUS TERMINALES, CON ESTE TIPO DE DIAGRAMAS SE PUEDE ALAMBRAR FÁCILMENTE, TAMBIÉN ES ÚTIL PARA ANALIZAR LA FORMA DE OPERACIÓN O LOCALIZAR FALLAS EN LAS INSTALACIONES.

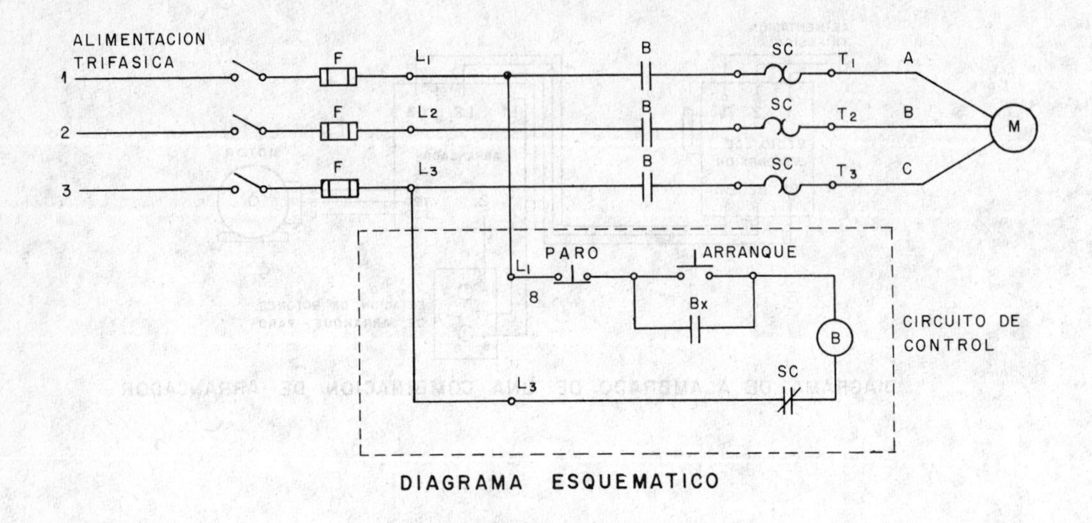

DIAGRAMA ESQUEMATICO

4.4.- MÉTODOS DE ARRANQUE DE MOTORES DE CORRIENTE ALTERNA.

EN LAS DISTINTAS APLICACIONES INDUSTRIALES QUE SE TIENEN PARA LOS MOTORES DE CORRIENTE ALTERNA, PUEDEN APARECER MOTORES TRIFÁSICOS (DEL TIPO JAULA DE ARDILLA O ROTOR DEVANADO) O BIEN MOTORES MONOFÁSICOS DEPENDIENDO DE ESTO VARÍA EL MÉTODO DE ARRANQUE, TAMBIÉN EXISTEN VARIANTES PARA CADA TIPO DE ALIMENTACIÓN MONOFÁSICA O TRIFÁSICA, DEPENDIENDO DE LA POTENCIA DEL MOTOR POR ALIMENTAR Y DE LA FUNCIÓN ESPECÍFICA A DESARROLLAR.

UNO DE LOS MÉTODOS MÁS SENCILLOS DE ARRANQUE ES EL LLAMADO INTERRUPTOR DE ACCIÓN RÁPIDA DE "CERRADO" ---

"ABIERTO" EN ESTE TIPO DE ARRANCADOR EL MOTOR SE CONECTA DIRECTAMENTE A TRAVÉS DE LA LÍNEA DURANTE EL ARRANQUE, LO CUAL ES VÁLIDO PARA MOTORES MONOFÁSICOS PEQUEÑOS, HASTA DE 1 HP, ESTO SE PUEDE LOGRAR TAMBIÉN CON UN SIMPLE DESCONECTADOR DE NAVAJAS, PERO EN ESTE CASO NO SE TIENE PROTECCIÓN CONTRA SOBRECARGA. EL DIAGRAMA DE UN DIAGRAMA DE UN ARRANCADOR MANUAL DE UN POLO SE MUESTRA A CONTINUACIÓN.

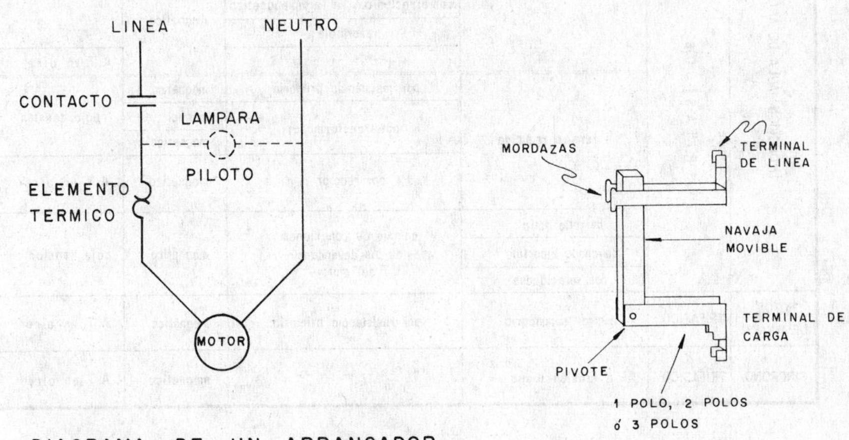

DIAGRAMA DE UN ARRANCADOR MANUAL DE UN POLO

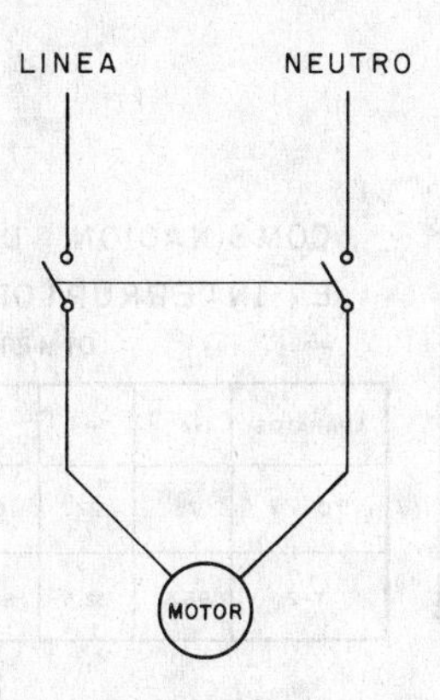

DIAGRAMA DE ARRANQUE CON CONEXION DIRECTA A LA LINEA POR MEDIO DE DESCONECTADOR DE NAVAJAS.

METODOS DE ARRANQUE PARA MOTORES DE C.A.

MOTOR					
TIPO	No. DE FASES	METODO DE ARRANQUE	TIPO DE ARRANCADOR	OPERACION	VOLTAJE
INDUCCION JAULA DE ARDILLA	MONOFASICO	a tension plena	----------	manual	baja tension
				magnetico	
	TRIFASICOS	a tension plena	----------	manual	baja tension
				magnetico	
			combinacion con Int. de fusibles	magnetico	
			combinacion con Int Termomagnetico		
			reversible		
			----------		A.T. en aire
		a tension reducida	por resistencia primaria	magnetico	baja tension
			autotransformador	manual	
				magnetico	
			por reactor	magnetico	A.T. en aire
		Estrella delta	cambio de conexiones de los devanados del motor	magnetico	baja tension
		devanado bipartido			
		dos velocidades			
ROTOR DEVANADO	TRIFASICO	control secundario	por resistencia primaria	magnetico	A.T. en aire
SINCRONO	TRIFASICO	a tension plena	----------	magnetico	A.T. en aire

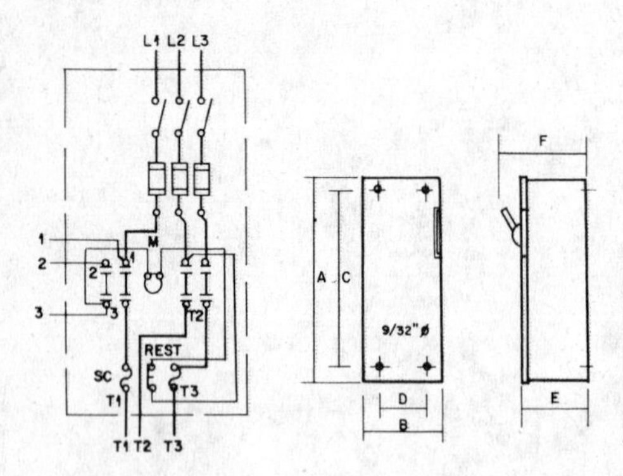

COMBINACION DE ARRANCADOR E INTERRUPTOR.

DIMENSIONES

APARATOS	A	B	C	D	E	F	Peso Kg.
TO y 1	75	27	68	19.7	17.5	26	17.1
T-2	96.5	32.5	88.5	25	18.5	26.5	30.3

TABLA DE SELECCION DE ARRANCADORES MAGNETICOS A TENSION REDUCIDA C. A.

CARACTERISTICA PREDOMINANTE	TIPO DE ARRANCADOR (EN ORDEN RECOMENDABLE)
Aceleracion suave	a) Resistencia primaria b) Estrella-Delta c) Autotransformador d) Embobinado dividido
Alto par de arranque	a) Autotransformador b) Resistencia primaria c) Embobinado dividido
Bajo costo	a) Embobinado dividido b) Estrella-Delta c) Autotransformador d) Resistencia primaria
Conveniencia por frecuentes arranques	a) Resistencia primaria b) Autotransformador c) Estrella-Delta
Conveniencia por larga aceleracion	a) Autotransformador b) Estrella-Delta c) Resistencia primaria
Para faciles cargas de arranque	a) Embobinado dividido b) Estrella-Delta c) Resistencia primaria d) Autotransformador
Minima corriente de linea	a) Autotransformador b) Estrella-Delta c) Embobinado dividido d) Resistencia primaria

EN EL CASO DE LOS MOTORES TRIFÁSICOS DE INDUCCIÓN DEL TIPO JAULA DE ARDILLA, SE PUEDEN ARRANCAR CONECTÁNDOLOS DIRECTAMENTE AL VOLTAJE DE LA LÍNEA DE ALIMENTACIÓN O BIEN APLICANDO VOLTAJE REDUCIDO AL ESTATOR. EL MÉTODO DE ARRANQUE EN ESTE TIPO DE MOTORES DEPENDE DE VARIOS FACTORES COMO SON: EL VOLTAJE Y CAPACIDAD DE LA LÍNEA DE ALIMENTACIÓN, ASÍ COMO EL TIPO DE CARGA.

EL ARRANQUE A VOLTAJE PLENO, ES DECIR, CONECTANDO EL MOTOR DIRECTAMENTE AL CIRCUITO QUE LO ALIMENTA. LA PRINCIPAL DESVENTAJA DE ESTE MÉTODO DE ARRANQUE ES LA CORRIENTE DE ARRANQUE QUE ES ELEVADA YA QUE ES DE 5 A 6 VECES LA CORRIENTE A PLENA CARGA DEL MOTOR, ESTA CORRIENTE DE ARRANQUE PUEDE PRODUCIR CAÍDAS DE VOLTAJE SIGNIFICATIVAS QUE PUEDEN AFECTAR A OTRAS CARGAS CONECTADAS AL MISMO ALIMENTADOR Y EXISTEN ALGUNOS DISPOSITIVOS COMO LAS LÁMPARAS INCANDESCENTES, MÁQUINAS HERRAMIENTAS DE ALTA PRECISIÓN, ETC., QUE SON MUY SENSIBLES AL CAMBIO DE VOLTAJE. OTRO ASPECTO A CUIDAR ES EL IMPACTO MECÁNICO QUE SE PUEDE PRODUCIR EN CIERTAS CARGAS ACCIONADAS POR MOTORES ELÉCTRICOS CUANDO SE PRESENTAN CORRIENTES DE ARRANQUE MUY ELEVADA EN ESTOS.

TANTO LOS FUSIBLES COMO LOS INTERRUPTORES TERMOMAGNÉTICOS SE DEBEN CALCULAR PARA PODER CONDUCIR LAS CORRIENTES DE ARRANQUE DURANTE EL PERÍODO DE ACELERACIÓN.

LOS ARRANCADORES A VOLTAJE PLENO PARA MOTORES TRIFÁSICOS PUEDEN SER DE DISTINTO TIPO, DESDE UN SIMPLE DESCONECTADOR DE NAVAJAS, UN INTERRUPTOR DE PALANCA, UN INTERRUPTOR DE PRESIÓN, UN INTERRUPTOR TIPO FLOTADOR, UN INTERRUPTOR LÍMITE, UN TERMOSTATO, ETC., Y PUEDEN SER DE LOS LLAMADOS CONTROLES DE DOS ALAMBRES O DE TRES ALAMBRES, LA MAYORÍA DE LOS -

MENCIONADOS ANTERIORMENTE, CORRESPONDE A LOS DENOMINADOS CONTROLES DE DOS ALAMBRADOS COMO SE MUESTRA EN LA FIGURA.

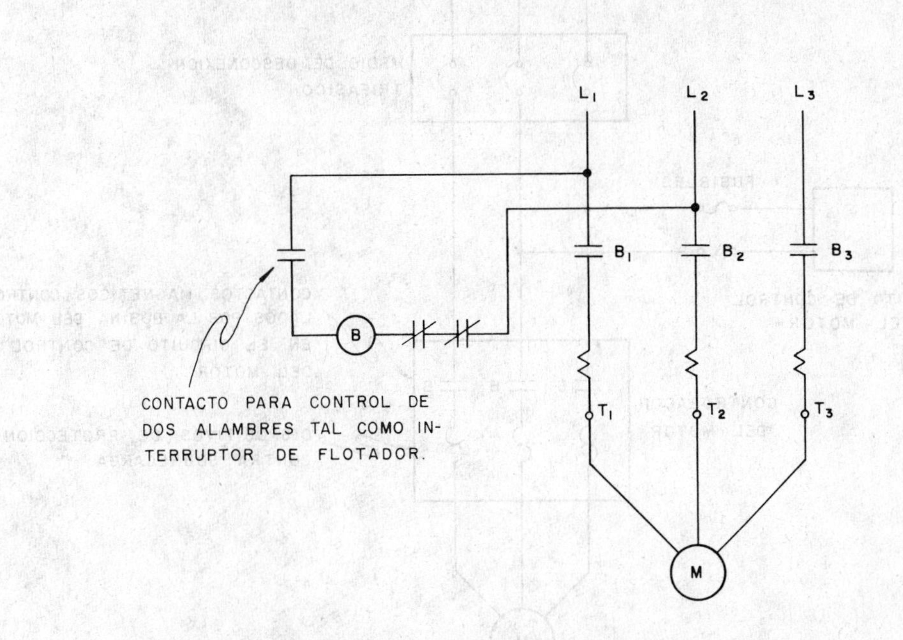

CIRCUITO DE CONTROL DE DOS ALAMBRES PARA MOTOR TRIFASICO CON ARRANQUE A VOLTAJE PLEÑO.

EL CONTROL DE DOS ALAMBRES O DOS CONDUCTORES ES COMÚN EN CIRCUITOS EN DONDE SE USAN MOTORES TRIFÁSICOS QUE NO TIENEN GRAN POTENCIA COMO SE MENCIONÓ ANTERIORMENTE EL DIAGRAMA BÁSICO ES EL QUE SE MUESTRA A CONTINUACIÓN.

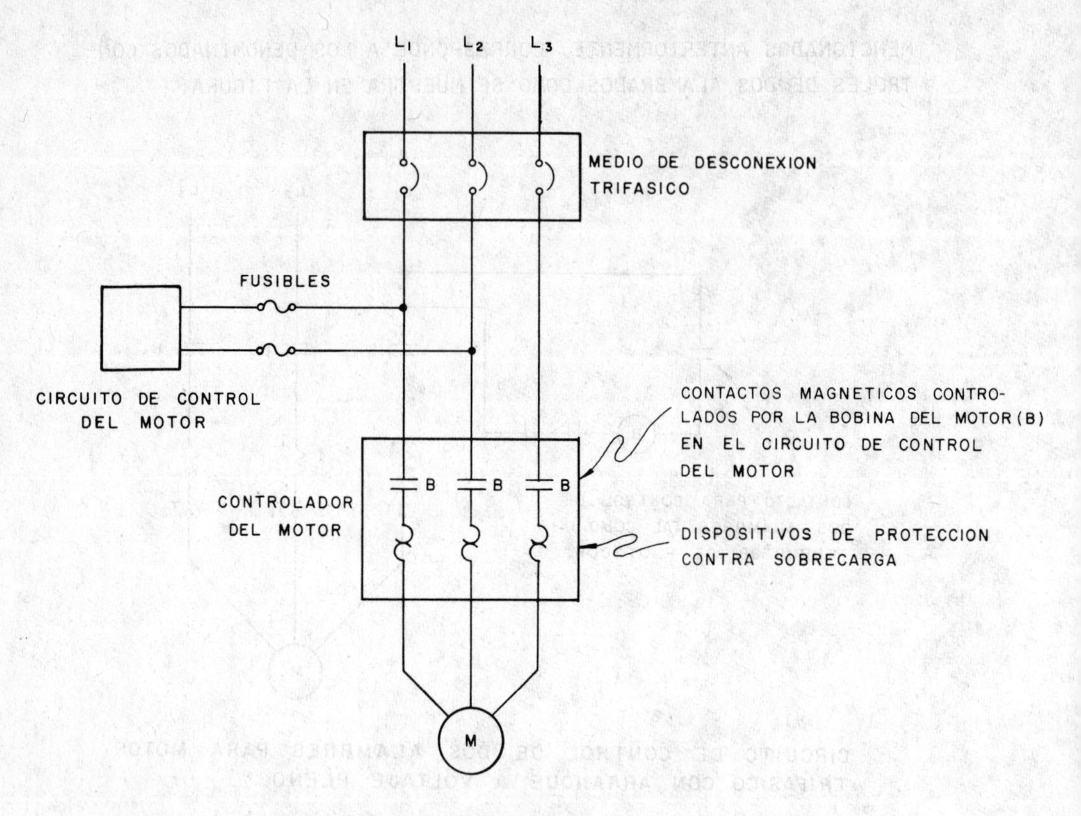

CIRCUITO DEL MOTOR TRIFASICO

ALGUNOS CIRCUITOS PRÁCTICOS DE CONTROL DEL MOTOR TRIFÁSICO PUEDEN DESEMPEÑAR MUCHAS FUNCIONES. UN CIRCUITO BÁSICO DE CONTROL ES EL QUE SE MUESTRA A CONTINUACIÓN.

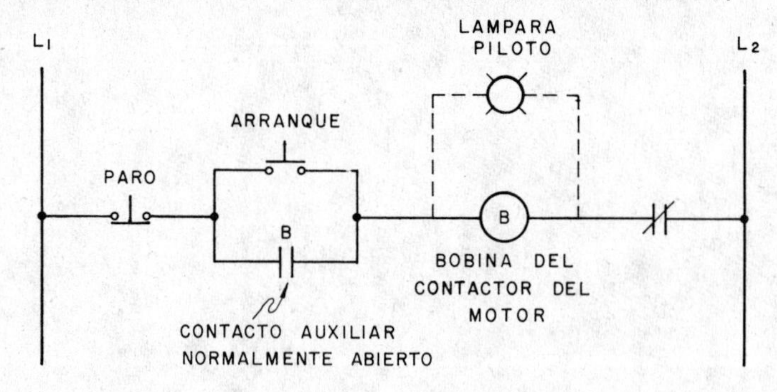

CIRCUITO DEL CONTROL DEL MOTOR

Un circuito del motor trifásico se controla por la bobina del contactor magnético (B) en la figura correspondiente al circuito de control, ya que energizando la bobina se cierran los contactos del motor.

Cuando el botón de arranque se oprime y se desoprime, la corriente por L_1 y L_2 circula a través de la bobina del contactor del motor B, entonces a través del botón de paro normalmente cerrado, y los contactos de los relevadores de sobrecarga, normalmente cerrados. La bobina energizada del contactor del motor cierra los contactos principales del motor y el motor ARRANCA la bobina del motor (B) cierra simultáneamente el contacto auxiliar B el cual se cierra a través del botón de arranque, de manera que el circuito permanece energizado.

El motor PARA únicamente con interrumpir momentáneamente el circuito de control, el cual desactiva la bobina (B) del contactor del motor y suelta los contactos B a través del botón de arranque. El motor se para y no vuelve a arrancar hasta que el botón de arranque se oprima y desoprima nuevamente.

La operación del motor se puede lograr por -- cualquiera de las formas siguientes:

1.- Desoprimiendo el botón de arranque.

2.- Por sobrecarga del motor; con lo cual se sobrecalientan los elementos térmicos localizados en las líneas de alimentación del motor y entonces abren al menos uno de los contactos normalmente cerrados, con lo que se deben interrumpir las tres fases.

3.- CUANDO EL VOLTAJE BAJA SUFICIENTEMENTE, AUNQUE SEA MOMENTÁNEAMENTE, LA BOBINA DEL CONECTADOR DEL MOTOR SUELTA EL BLOQUEO (INTERLOCK) DEL BOTÓN DE ARRANQUE. EL MOTOR NO PUEDE ARRANCAR OTRA VEZ, AUN CUANDO EL VOLTAJE SEA NORMAL, HASTA QUE SE OPRIMA OTRA VEZ EL BOTÓN DE ARRANQUE.

UNA APLICACIÓN CLÁSICA DEL CONTROL POR DOS -- ALAMBRES ES EL DEL SWITCH FLOTADOR O DE NIVEL QUE SE USA PARA EL BOMBEO DE AGUA EN EDIFICIOS, INDUSTRIAS Y CASAS HABITACIÓN. ESTE CIRCUITO ESTÁ DISEÑADO PARA OPERAR EN FORMA AUTOMÁTICA.

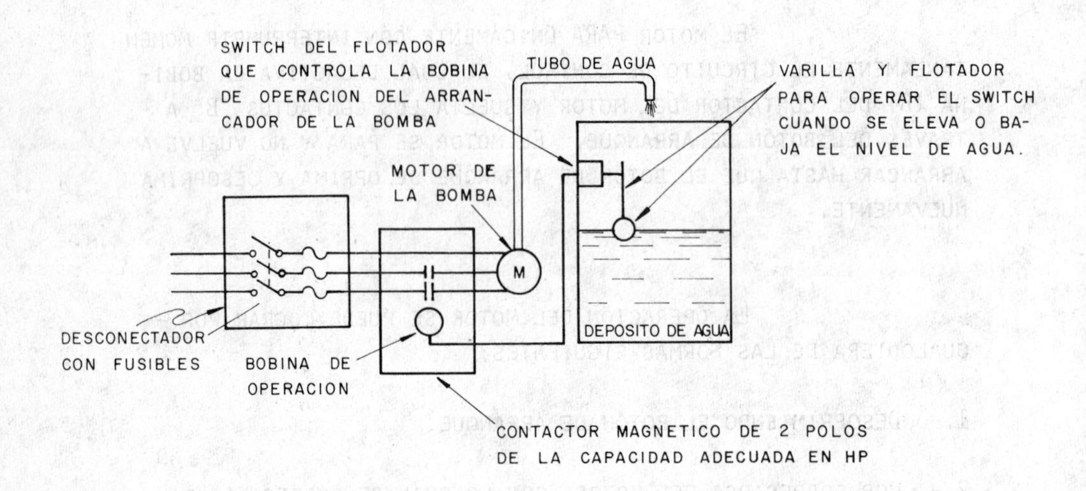

EL CIRCUITO DE CONTROL CORRESPONDIENTE SE PUEDE REPRESENTAR PARA OPERACIÓN EN FORMA AUTOMÁTICA EN LA FORMA SIGUIENTE:

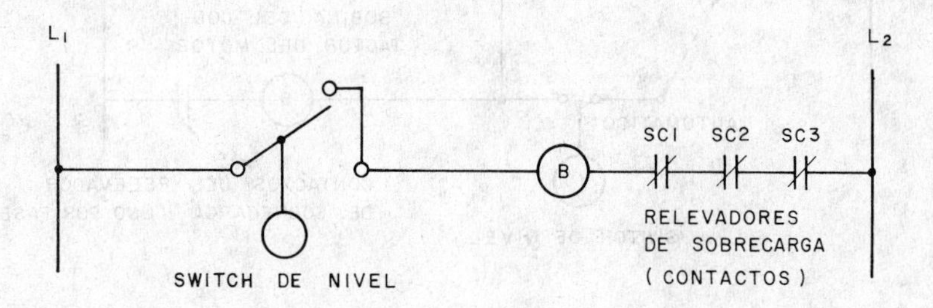

CUANDO EL NIVEL DEL AGUA SE ELEVA, EL SWITCH DEL FLOTADOR CIERRA, COMPLETANDO EL CIRCUITO A TRAVÉS DE L_1 Y L_2. LA CORRIENTE A TRAVÉS DE LA BOBINA (B) CIERRA EL CONTACTOR DEL MOTOR Y DE ESTA MANERA ARRANCA EL MISMO. CUANDO EL NIVEL DE AGUA DESCIENDE, EL SWITCH FLOTADOR REABRE EL CIRCUITO Y EL MOTOR PARA.

UNA SOBRECARGA EN EL MOTOR PRODUCE QUE LA UNIDAD TÉRMICA DEL RELEVADOR OPERE ABRIENDO LOS CONTACTOS NORMALMENTE CERRADOS, LOS CUALES TAMBIÉN PARAN AL MOTOR. LAS SOBRECARGAS SE RESTABLECEN NORMALMENTE EN FORMA MANUAL, DE MANERA QUE PERMITE VERIFICAR Y CORREGIR LA CAUSA DE LA SOBRECARGA.

UNA VARIANTE DEL SWITCH DE NIVEL ES EL LLAMADO EL "MANUAL - FUERA - AUTOMÁTICO" QUE ES UN SELECTOR QUE SOSTIENE AL CONTACTO DEL SWITCH.

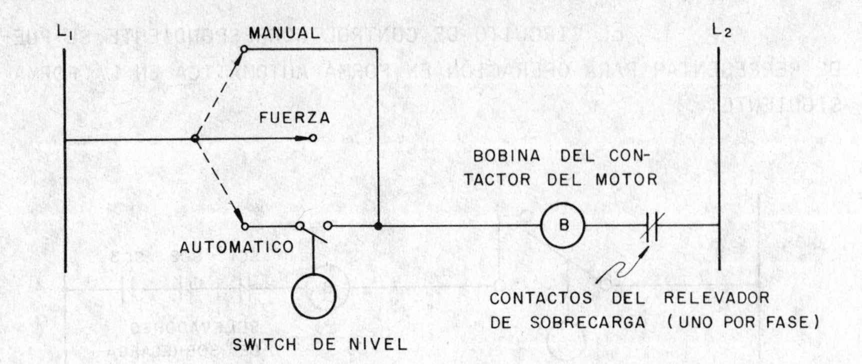

EN LA POSICIÓN DE FUERA, EL CIRCUITO ENTRE L_1 Y L_2 NO ESTÁ COMPLETO Y EL MOTOR NO OPERA. EN LA POSICIÓN DE AUTOMÁTICO EL CIRCUITO ES EL MISMO QUE EL DESCRITO ANTERIORMENTE.

EN LA POSICIÓN MANUAL EL SWITCH-FLOTADOR SE PUENTEA PARA PODER PROBAR EL MOTOR O BIEN PARA QUE OPERE CON CONTROL MANUAL EN FORMA INDEPENDIENTE DEL SWITCH-FLOTADOR.

CONTROLES DE TRES ALAMBRES.-

LOS CONTROLES DE TRES ALAMBRES O DE TRES CONDUCTORES SON ESPECÍFICAMENTE CIERTO TIPO DE DISPOSITIVOS COMO ESTACIONES DE BOTONES DEL TIPO "ARRANQUE-PARO" Y TERMOSTATOS DE DOBLE ACCIÓN.

EL CIRCUITO BÁSICO PARA ESTE SISTEMA DE CONTROL ES EL QUE SE MUESTRA A CONTINUACIÓN:

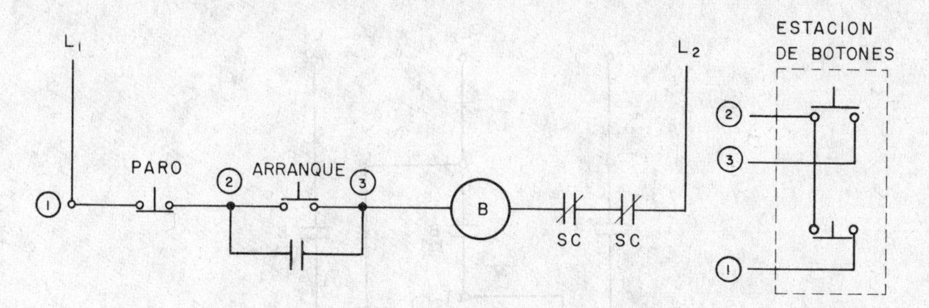

CIRCUITO BASICO DE CONTROL DE TRES ALAMBRES

AL OPRIMIR EL BOTÓN DE ARRANQUE, EL CIRCUITO SE CIERRA A TRAVÉS DE LA BOBINA (B) Y ENTONCES SE CIERRAN LOS CONTACTOS B EN EL CIRCUITO DEL MOTOR. CUANDO SE OPRIME EL BOTÓN DE PARADA, EL CIRCUITO SE ABRE, LA BOBINA (B) PIERDE ENERGÍA Y SE ABREN LOS CONTACTOS DEL MOTOR, QUEDANDO DESENERGIZADO EL CIRCUITO.

EN LA FIGURA ANTERIOR, EL DIAGRAMA DE LA ESTACIÓN DE BOTONES ES UNA REPRESENTACIÓN FÍSICA DE LOS ELEMENTOS INTERNOS Y SUS CONEXIONES CON EL ARRANCADOR EN LOS PUNTOS NUMERADOS. EL DIAGRAMA DE ALAMBRADO DEL ARRANCADOR SE MUESTRA A CONTINUACIÓN, INDICÁNDOSE LOS PUNTOS DE REFERENCIA.

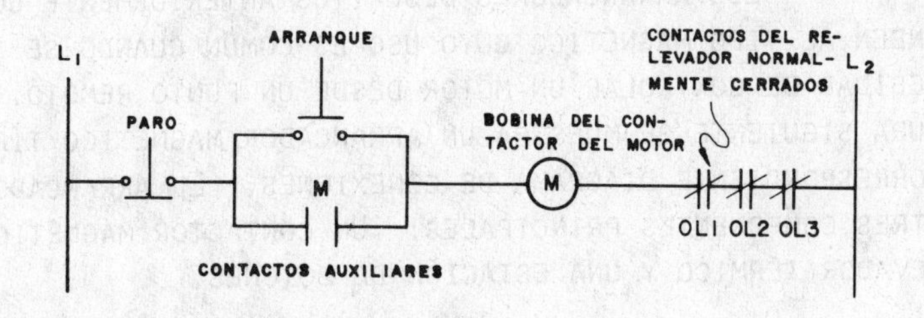

CIRCUITO TIPICO DE UNA ESTACION DE BOTONES

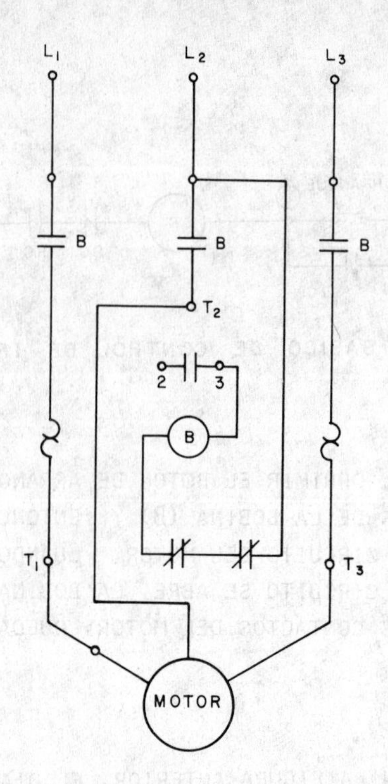

ARRANCADORES MAGNÉTICOS DE LÍNEA.

LOS ARRANCADORES DESCRITOS ANTERIORMENTE CORRESPONDEN AL TIPO MAGNÉTICO CUYO USO ES COMÚN CUANDO SE TIENE NECESIDAD DE CONTROLAR UN MOTOR DESDE UN PUNTO REMOTO. EN LA FIGURA SIGUIENTE SE MUESTRA UN ARRANCADOR MAGNÉTICO TÍPICO Y SU CORRESPONDIENTE DIAGRAMA DE CONEXIONES. EL ARRANCADOR TIENE TRES COMPONENTES PRINCIPALES: UN CONTACTOR MAGNÉTICO, UN RELEVADOR TÉRMICO Y UNA ESTACIÓN DE BOTONES.

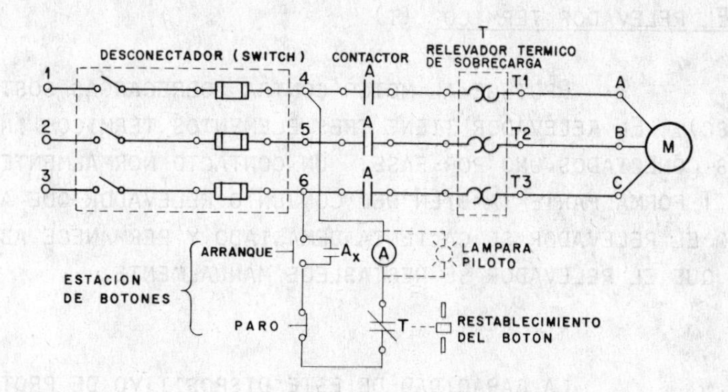

DIAGRAMA ESQUEMATICO DE UN ARRANCADOR MAGNETICO

1.- <u>EL CONTACTOR MAGNÉTICO</u> <u>A</u>.

TIENE TRES CONTACTOS DE USO RUDO Y UN PEQUEÑO CONTACTO AUXILIAR AX. LOS CONTACTOS A DEBEN SER SUFICIENTEMENTE GRANDES COMO PARA CONDUCIR LA CORRIENTE DE ARRANQUE Y LA CORRIENTE NOMINAL DE PLENA CARGA SIN QUE SE SOBRECALIENTEN. LA BOBINA DEL RELEVADOR SE PUEDE REPRESENTAR COMO EN LA FIGURA ANTERIOR POR LA LETRA (A) O BIEN POR LA LETRA (B). TANTO LOS CONTACTOS A COMO LOS AUXILIARES AX PERMANECEN CERRADOS MIENTRAS LA BOBINA (A) ESTÁ ENERGIZADA.

2.- EL RELEVADOR TÉRMICO (T)

PROTEGE AL MOTOR CONTRA SOBRECARGAS SOSTENIDAS (SC). EL RELEVADOR TIENE TRES ELEMENTOS TÉRMICOS INDIVIDUALES CONECTADOS UNO POR FASE. UN CONTACTO NORMALMENTE CERRADO T FORMA PARTE TAMBIÉN DEL CONJUNTO RELEVADOR QUE ABRE CUANDO EL RELEVADOR SE CALIENTA DEMASIADO Y PERMANECE ABIERTO HASTA QUE EL RELEVADOR SE RESTABLECE MANUALMENTE.

LA CAPACIDAD DE ESTE DISPOSITIVO DE PROTECCIÓN CONTRA SOBRECARGA ESTÁ ASOCIADA TAMBIÉN AL LLAMADO FACTOR DE SERVICIO QUE IDENTIFICA LA SOBRECARGA CONTINUA QUE UN MOTOR DE UNA POTENCIA DADA PUEDE SOPORTAR CON SEGURIDAD. POR EJEMPLO, UN MOTOR DE 10 HP PUEDE OPERAR CON SEGURIDAD CON 10 HP Y TIENE UN FACTOR DE SERVICIO DE 1.0 COMO MÍNIMO. ALGUNOS MOTORES DE 10 HP PUEDEN TAMBIÉN IMPULSAR CON SEGURIDAD CARGAS DE 11 HP Ó 12 HP EN FORMA CONTINUA, EN ESTE CASO DICE QUE TIENEN FACTORES DE SERVICIO DE 1.1 Ó 1.2 RESPECTIVAMENTE.

LOS VALORES DE FACTORES DE SERVICIO SE DAN EN TABLAS Y ESTÁN EN FUNCIÓN DE LAS MÁQUINAS IMPULSADAS.

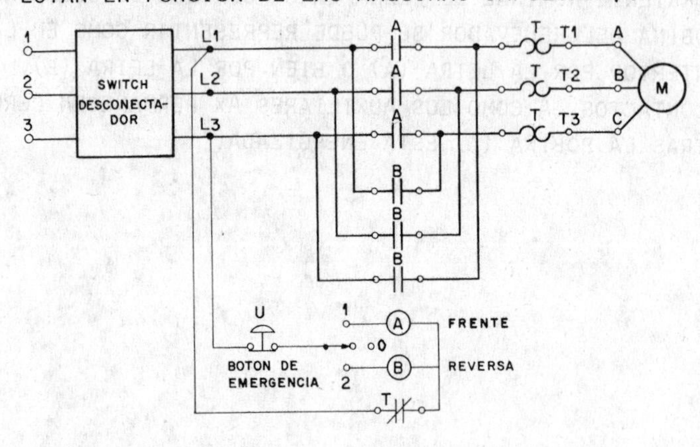

DIAGRAMA ESQUEMATICO SIMPLIFICADO DE UN ARRANCADOR MAGNETICO REVERSIBLE

TABLA 4.I

VALORES DE FACTORES DE SERVICIO

MÁQUINAS IMPULSADAS	MÁQUINAS IMPULSORAS	
	MOTORES ELÉCTRICOS FASE DIVIDIDA C.A. JAULA DE ARDILLA, TORSIÓN NORMAL Y SÍNCRONOS C.C. DEVANADOS HUNT MOTORES DE COMBUSTION	MOTORES ELÉCTRICOS MONOFÁSICOS DEVANADOS SENÉ C.A. ALTO DESLIZAMIENTO O ALTO PAR DE ARRANQUE C.A. DE ROTOR DEVANADO C.C. INDUCCIÓN REPULSIÓN C.A. TIPO CAPACITOR C.C. DEVANADO COMPOUND
VENTILADORES HASTA 10 HP BOMBAS CENTRÍFUGAS AGITADORES PARA LÍQUIDOS COMPRESORES CENTRÍFUGOS TRANSPORTADORES	1.1	1.2
TRANSPORTADORES DE BANDA GENERADORES PRENSAS Y TROQUELADORAS MÁQUINAS HERRAMIENTAS MÁQUINAS IMPRESORAS	1.2	1.4
MOLINOS DE MARTILLOS PULVERIZADORES COMPRESORES BOMBAS DE PISTÓN MÁQUINAS INDUSTRIALES MAQUINARIA TEXTIL MÁQUINAS LADRILLADORAS	1.4	1.6

CONTINUACION DE LA TABLA 4.I.

TRITURADORES ROTATORIOS TRITURADORAS DE RODILLAS MOLINOS DE BOLAS ROLADORAS DE LÁMINA APAREJOS Y MALACOTES	1.6	1.8

POR LO GENERAL LOS DISPOSITIVOS DE PROTECCIÓN CONTRA SOBRECARGA SE AJUSTAN AL 125% DE LA CORRIENTE DE PLACA A PLENA CARGA PARA FACTORES DE SERVICIO DE HASTA 1.15. SI EL MOTOR SE VE AFECTADO EN FORMA ADVERSA EN SU ARRANQUE O EN SU OPERACIÓN, EL DISPOSITIVO DE SOBRECARGA SE AVANZA GRADUALMENTE HASTA UN MÁXIMO DE 140 PORCIENTO.

EL DISPOSITIVO DE PROTECCIÓN CONTRA SOBRECARGA SE DEBE SELECCIONAR PARA DISPARAR O CON UNA CAPACIDAD NO MAYOR DEL SIGUIENTE PORCENTAJE DE LA CORRIENTE A PLENA CARGA DEL MOTOR.

MOTORES CON FACTOR DE SERVICIO NO MENOR DE 1.15 ------	125%
MOTORES CON ELEVACIÓN DE TEMPERATURA NO SUPERIOR A 40 °C --	125%
PARA OTROS MOTORES ----------------------------------	115%

CUANDO EL RELEVADOR DE SOBRECARGA SELECCIONADO DE ACUERDO CON LAS RECOMENDACIONES ANTERIORES NO SON SUFICIENTES PARA ARRANCAR EL MOTOR O PARA CONDUCIR LA CARGA, SE PUEDEN SELECCIONAR LOS SIGUIENTES VALORES MÁS ALTOS DE RELEVADORES DE SOBRECARGA, CON LA LIMITANTE DE QUE NO EXCEDAN LOS SIGUIENTES

PORCENTAJES DE LAS CORRIENTES A PLENA CARGA DE LOS MOTORES.

MOTORES CON FACTORES DE SERVICIO NO MENORES DE 1.15 ----	140%
MOTORES CON ELEVACIÓN DE TEMPERATURA NO SUPERIOR A 40 °C --	140%
PARA OTROS MOTORES --------------------------------------	130%

EN EL CASO DE LOS ELEMENTOS TÉRMICOS LOS FABRICANTES PUBLICAN TABLAS DE SELECCIÓN PARA CONSULTA CUANDO SE ORDENAN DISPOSITIVOS DE SOBRECARGA, ESTAS TABLAS SON COMO LA 3.8 DEL CAPÍTULO ANTERIOR.

CUANDO SE USA RELEVADOR DE SOBRECARGA, EL AJUSTE DE CORRIENTE DEL RELEVADOR SE SELECCIONA PARA PROTEGER AL MOTOR CONTRA SOBRECARGAS SOSTENIDAS. EN LA FIGURA ANTERIOR EL CONTACTO T SE ABRE DESPUÉS DE UN LAPSO DE TIEMPO QUE DEPENDE DE LA MAGNITUD DE LA CORRIENTE DE SOBRECARGA. ESTA RELACIÓN DE TIEMPO DE DISPARO CONTRA EL VALOR DE AJUSTE DE LA CORRIENTE DE DISPARO SE DAN EN CURVAS COMO LA SIGUIENTE:

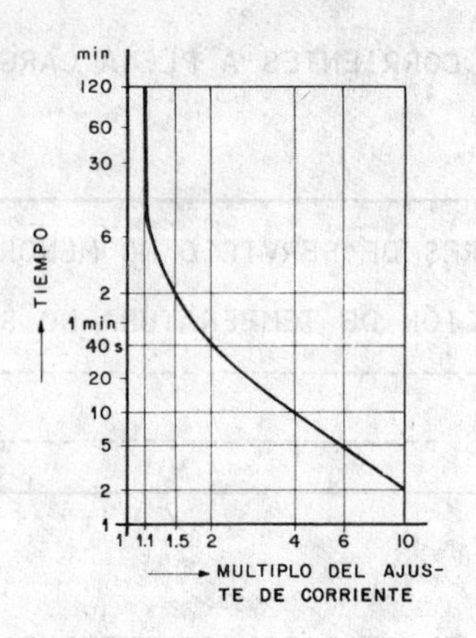

CURVA TIPICA DE UN RELEVADOR DE SOBRECARGA.

De la figura anterior se puede observar que a corriente nominal (múltiplo 1), el relevador nunca dispara, pero a 2 veces el valor de la corriente nominal, el relevador dispara después de un intervalo de 40 segundos. El relevador térmico está normalmente provisto de un botón de restablecimiento para recerrar al contacto T, después de una sobrecarga. Para esto, es preferible esperar algunos minutos antes de presionar el botón de recierre, para permitir que se enfrie el relevador.

3.- La estación de control.

Está compuesta por la estación de botones de ARRANQUE-PARO que puede estar localizada cerca o distante del motor y tener una lámpara piloto opcional.

CONTROL SEPARADO.-

EN EL ARRANQUE A VOLTAJE PLENO ALGUNAS VECES, LOS ARRANCADORES ESTÁN EQUIPADOS CON PEQUEÑOS TRANSFORMADORES REDUCTORES PARA SEPARAR EL CIRCUITO DE POTENCIA DEL CIRCUITO DE CONTROL. LAS CONEXIONES PARA CONTROL NO SE HACEN EN L_1 Y L_2, YA QUE SE TOMAN DE UNA FUENTE SEPARADA INDEPENDIENTE DE LA ENERGÍA PRINCIPAL DE ALIMENTACIÓN AL MOTOR.

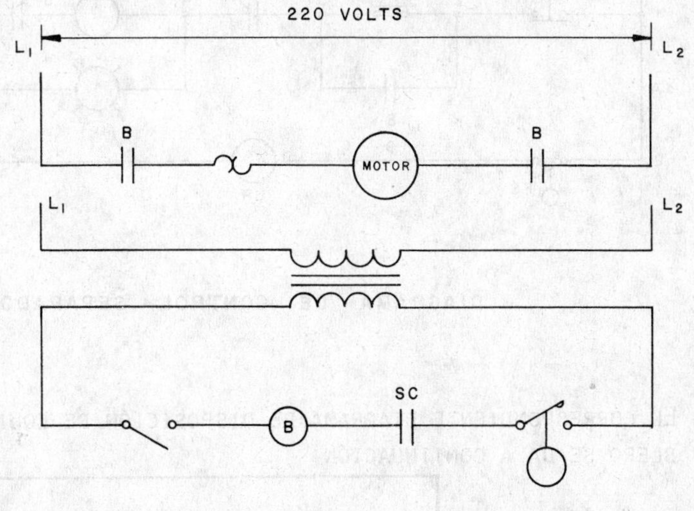

FORMA DE CONTROL SEPARADO

UN DIAGRAMA COMPLETO PARA CONTROL SEPARADO CON UN CONTROL DE NIVEL SE MUESTRA EN LA FIGURA SIGUIENTE.

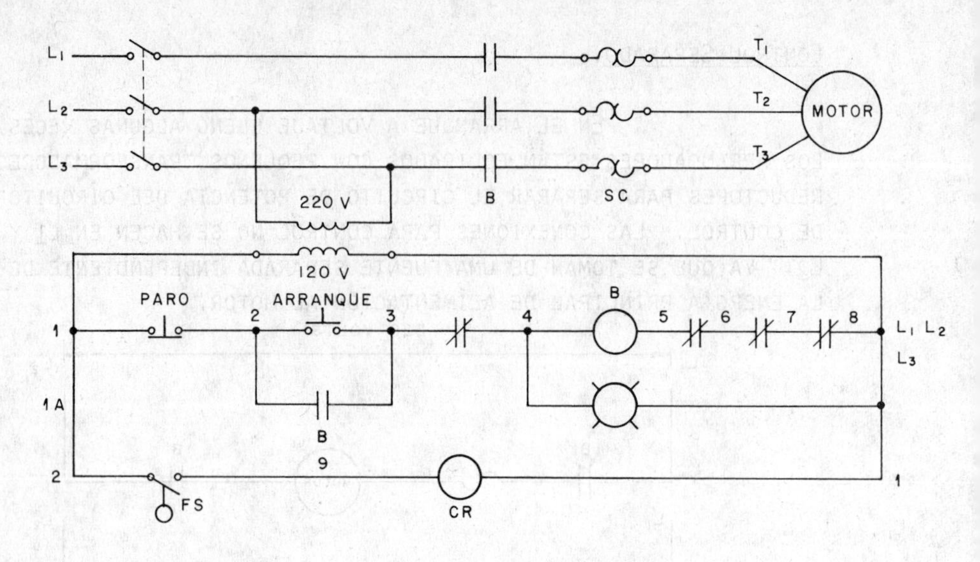

DIAGRAMA DE CONTROL SEPARADO

EL CORRESPONDIENTE DIAGRAMA DE DISPOSICIÓN DE EQUIPO EN EL TABLERO SE DA A CONTINUACIÓN

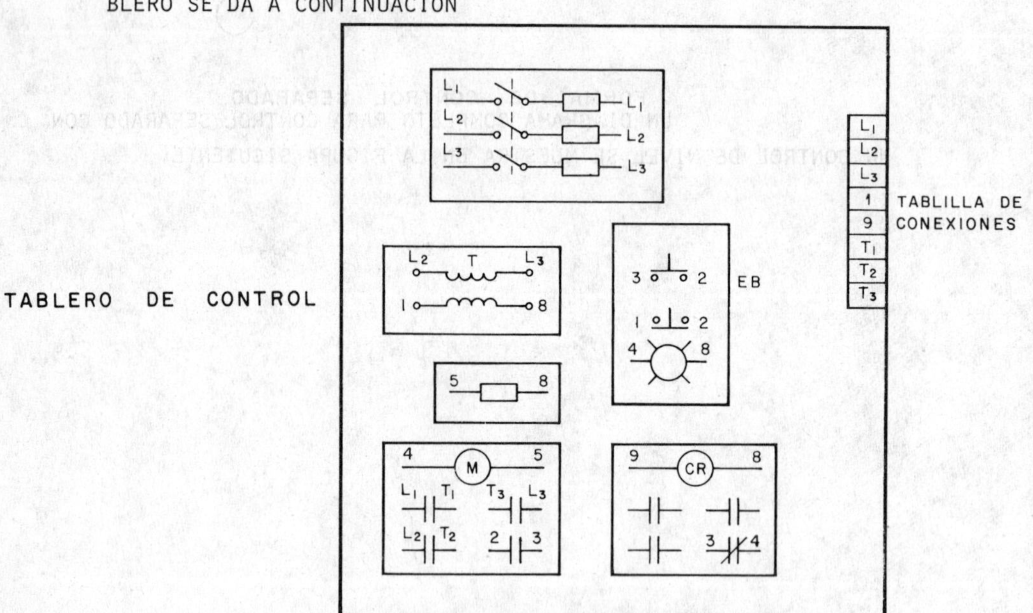

EL DIAGRAMA DE CONEXIÓN ENTRE LAS DISTINTAS COMPONENTES DEL -- ARRANCADOR SE MUESTRA A CONTINUACIÓN.

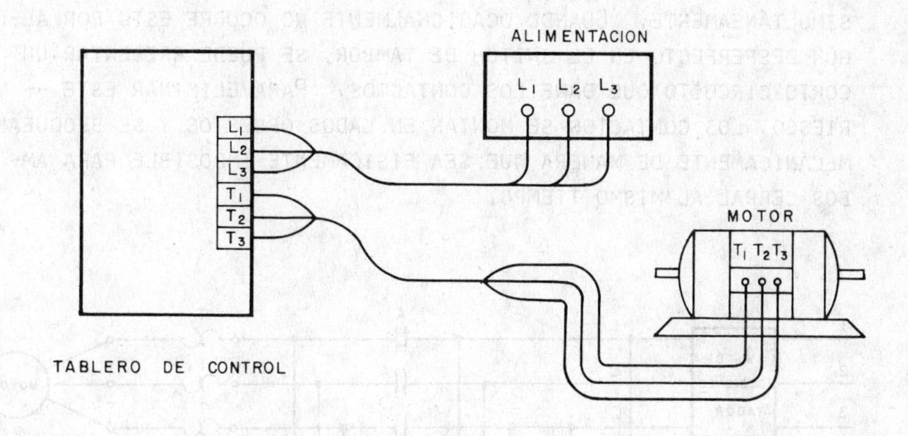

CONTROL PARA INVERSIÓN DEL SENTIDO DE ROTACIÓN DEL MOTOR.

EN ALGUNAS APLICACIONES INDUSTRIALES DE LOS -- MOTORES ELÉCTRICOS, ES NECESARIO QUE SE DISPONGA DE LA POSIBILIDAD DE INVERTIR EL SENTIDO DE ROTACIÓN. EN EL ESTUDIO DE LOS MOTORES DE CORRIENTE ALTERNA SE SABE QUE PARA INVERTIR EL SENTIDO DE ROTACIÓN ES SUFICIENTE CON INTERCAMBIAR DOS CONDUCTORES DE FASE, LO CUAL SE PUEDE LOGRAR MEDIANTE EL USO DE DOS JUEGOS DE CONTACTORES MAGNÉTICOS A Y B Y UN SWITCH MANUAL DE POSICIÓN DEL TIPO TAMBOR, EN LA DIRECCIÓN DE MARCHA DE FRENTE, EL SWITCH DE TAMBOR CIERRA LOS CONTACTOS 1, LOS CUALES ENERGIZAN A SU VEZ LA BOBINA A DEL RELEVADOR (VER FIGURA SIGUIENTE), PRODUCIENDO QUE EL CONTACTOR A CIERRE.

PARA INVERTIR EL SENTIDO DE ROTACIÓN, SE MUEVE EL SWITCH A LA POSICIÓN 2, PARA LO CUAL SE TIENE QUE PASAR POR LA POSICIÓN DE DESCONECTADO O FUERA (POSICIÓN 0), POR LO QUE ES PRÁCTICAMENTE IMPOSIBLE ENERGIZAR LAS BOBINAS A Y B SIMULTÁNEAMENTE. CUANDO OCASIONALMENTE NO OCURRE ESTO POR ALGÚN DESPERFECTO EN EL SWITCH DE TAMBOR, SE PUEDE PRESENTAR UN CORTO CIRCUITO QUE DAÑE LOS CONTACTOS. PARA ELIMINAR ESTE -- RIESGO, LOS CONTACTOS SE MONTAN EN LADOS OPUESTOS Y SE BLOQUEAN MECÁNICAMENTE DE MANERA QUE SEA FÍSICAMENTE IMPOSIBLE PARA AMBOS CERRAL AL MISMO TIEMPO.

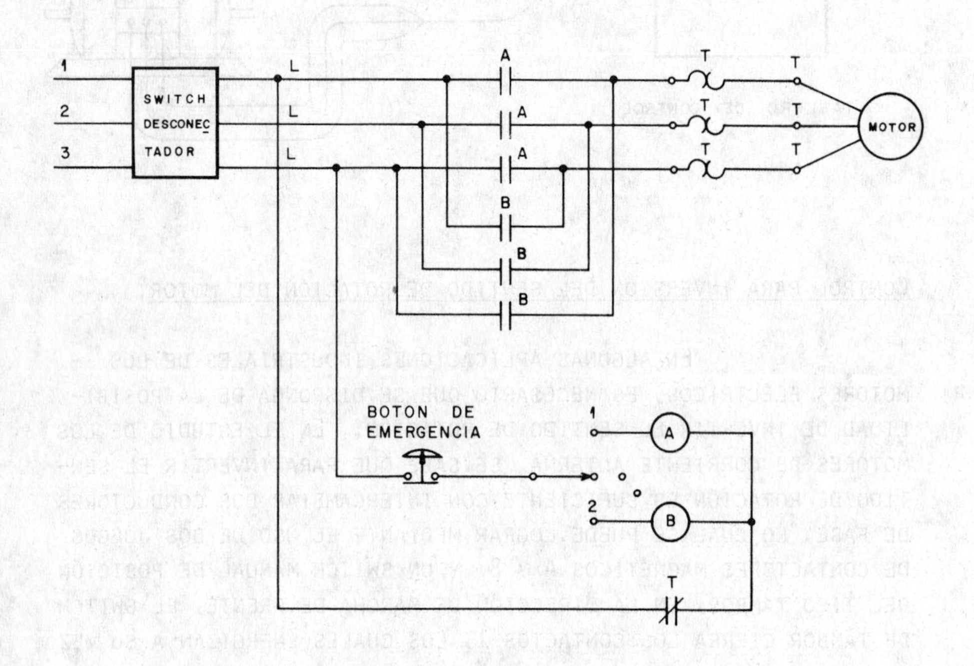

DIAGRAMA SIMPLIFICADO DE UN ARRANCADOR MAGNETICO CON INVERSION DE SENTIDO DE ROTACION

UNA VARIANTE EN EL CIRCUITO DE CONTROL PARA INVERSIÓN EN EL SENTIDO DE ROTACIÓN DEL MOTOR, SE MUESTRA A CONTINUACIÓN:

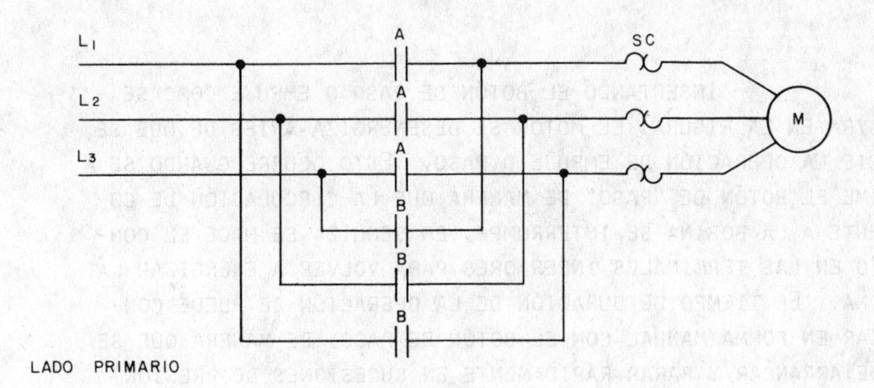

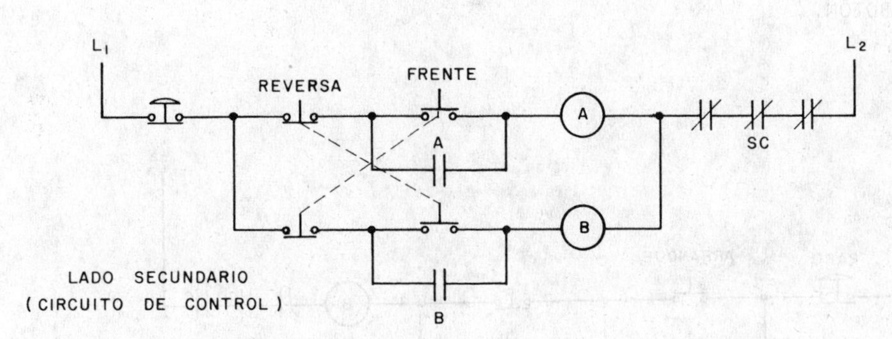

CONTROL REVERSIBLE DE MOTORES DE INDUCCION

<u>CONTROL DE EMPUJE LIGERO</u>.

EN CIERTAS APLICACIONES DE LOS MOTORES ELÉCTRICOS PARA AJUSTAR CON PRECISIÓN LA POSICIÓN, ES NECESARIO CONTROLAR UN MOTOR DE MANERA QUE PUEDA ARRANCAR Y PARAR RÁPIDAMENTE PARA MOVIMIENTOS PEQUEÑOS. ESTO SE CONOCE COMO UNA OPERACIÓN DE "EMPUJE" O DE "PASO". UN CIRCUITO DE CONTROL DE PASO EN SU FORMA ELEMENTAL SE MUESTRA EN LA FIGURA SIGUIENTE. PARA OPE-

RACIÓN NORMAL LA BOBINA DE ARRANQUE DEL MOTOR (B) SE ENERGIZA OPRIMIENDO MOMENTÁNEAMENTE EL BOTÓN DE ARRANQUE LOS CONTACTOS SE CONSERVAN EN ESTA POSICIÓN PARA MANTENER AL MOTOR EN OPERACIÓN.

INSERTANDO EL BOTÓN DE PASO O EMPUJE COMO SE MUESTRA EN LA FIGURA, EL MOTOR SE DESENERGIZA ANTES DE QUE SE INICIE LA OPERACIÓN DE EMPUJE O PASO. ESTO OCURRE CUANDO SE OPRIME EL BOTÓN DE "PASO" DE MANERA QUE LA CIRCULACIÓN DE CORRIENTE A LA BOBINA SE INTERRUMPE, EN SEGUIDA SE HACE EL CONTACTO EN LAS TERMINALES INFERIORES PARA VOLVER A ENERGIZAR LA BOBINA. EL TIEMPO DE DURACIÓN DE LA OPERACIÓN SE PUEDE CONTROLAR EN FORMA MANUAL CON EL BOTÓN DE PASO, DE MANERA QUE SE PUEDE ARRANCAR Y PARAR RÁPIDAMENTE EN SUCESIONES DE PRESIÓN DEL BOTÓN.

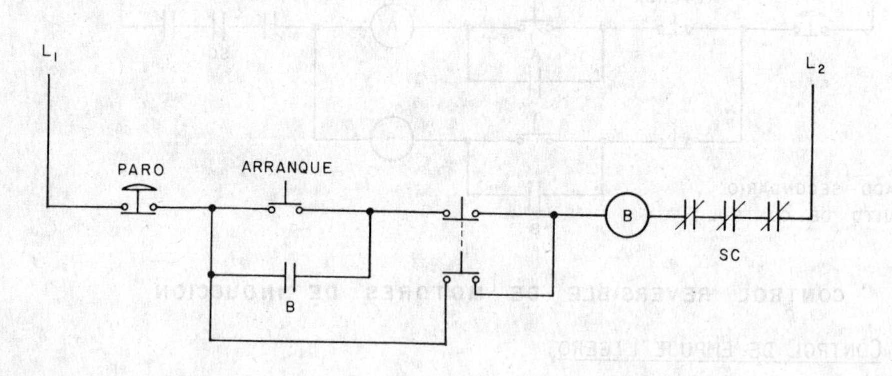

DIAGRAMA SIMPLIFICADO DE UN CIRCUITO DE CONTROL DE PASO

4.5.- ARRANCADORES A VOLTAJE REDUCIDO.

ALGUNAS CARGAS INDUSTRIALES SE DEBEN ARRANCAR EN FORMA GRADUAL, COMO ES EL CASO DE MÁQUINAS QUE PROCESAN PRODUCTOS FRÁGILES, OTRAS APLICACIONES INDUSTRIALES, NO SE PUEDEN CONECTAR LOS MOTORES DIRECTAMENTE A LA LÍNEA DEBIDO A QUE LA CORRIENTE DE ARRANQUE ES MUY ELEVADA, EN ESTE TIPO DE CASOS EL VOLTAJE DE ARRANQUE APLICADO AL MOTOR SE DEBE REDUCIR YA SEA CONECTANDO RESISTENCIAS (TAMBIÉN REACTANCIAS) EN SERIE CON LA LÍNEA DE ALIMENTACIÓN AL MOTOR, O BIEN EMPLEANDO UN AUTOTRANSFORMADOR.

EN EL ARRANQUE A VOLTAJE REDUCIDO SE DEBE TENER EN CONSIDERACIÓN QUE:

A).- LA CORRIENTE A ROTOR BLOQUEADO ES PROPORCIONAL AL VOLTAJE, ES DECIR, SI SE REDUCE EL VOLTAJE A LA MITAD LA CORRIENTE SE REDUCE A LA MITAD.

B).- EL PAR A ROTOR BLOQUEADO ES PROPORCIONAL AL CUADRADO DEL VOLTAJE, ES DECIR, SI SE REDUCE EL VOLTAJE A LA - MITAD, EL PAR SE REDUCE A LA CUARTA PARTE.

4.5.1.- ARRANQUE CON RESISTENCIA PRIMARIA.

COMO SE HA INDICADO ANTES, LOS MOTORES ELÉCTRICOS MÁS GRANDES PUEDEN TOMAR UNA CORRIENTE DE ARRANQUE DE 5 A 8 VECES. LA CORRIENTE DE OPERACIÓN, SE PUEDE USAR COMO UNA ALTERNATIVA EL ARRANQUE POR MEDIO DE RESISTENCIAS. UNA DE LAS

VARIANTES DEL ARRANQUE POR RESISTENCIA ES EL LLAMADO ARRANQUE CON RESISTENCIA PRIMARIA, MEDIANTE EL CUAL EL LADO PRIMARIO - (DE ALIMENTACIÓN) DE UN MOTOR SE CONTROLA POR DOS GRUPOS DE - CONTACTOS LOCALIZADOS EN CADA CONDUCTOR DE ENTRADA. EL CONJUNTO QUE SE CERRARÁ PRIMERO ESTÁ EN SERIE CON LAS RESISTENCIAS. LA CORRIENTE DE ENTRADA DEBE PASAR A TRAVÉS DE ESTAS RESISTENCIAS DE MANERA QUE SE PRODUCE UNA CAÍDA DE VOLTAJE, REDUCIENDO DE ESTA MANERA EL VOLTAJE APLICADO AL MOTOR, ARRANCANDO ÉSTE BAJO CARGA CON UNA VELOCIDAD REDUCIDA. DESPUÉS DE UN TIEMPO PREDETERMINADO EL OTRO CONJUNTO DE CONTACTOS CERRARÁ, CORTOCIRCUITANDO Y DEJANDO FUERA LAS RESISTENCIAS, APLICANDO ASÍ VOLTAJE PLENO PARA ACELERAR EL MOTOR A PLENA VELOCIDAD.

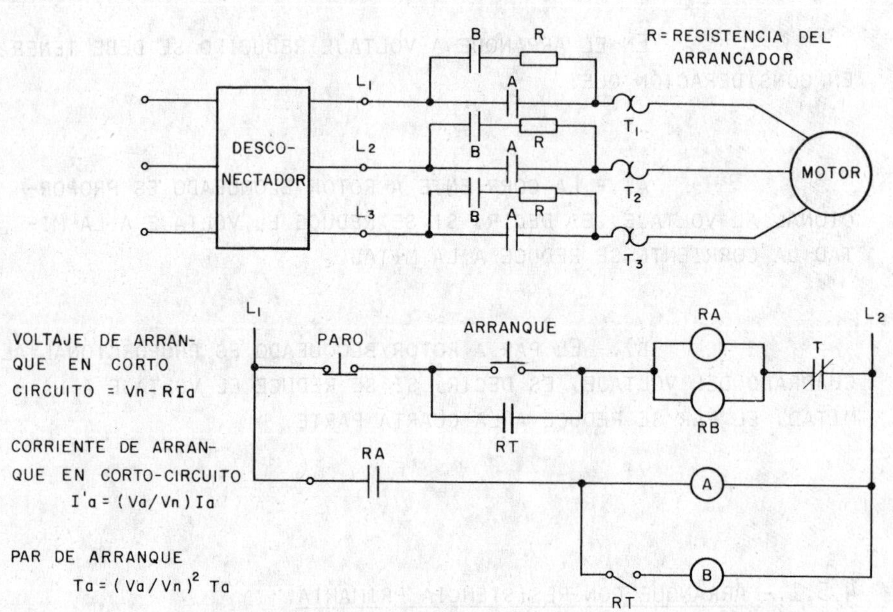

DIAGRAMA ESQUEMATICO SIMPLIFICADO DE UN ARRANCADOR A VOLTAJE REDUCIDO CON RESISTENCIAS RRIMARIAS Y CIRCUITO DE CONTROL.

RA - REPRESENTA UN PEQUEÑO RELEVADOR AUXILIAR QUE TIENE DOS CONTACTOS NORMALMENTE ABIERTOS.

RT - RELEVADOR DE TIEMPO RETARDADO QUE CIERRA EL CIRCUITO DE LA BOBINA (B) DESPUÉS DE UN TIEMPO DETERMINADO.

A_1B - SON CONTACTORES MAGNÉTICOS, CON SUS CONTACTOS ASOCIADOS.

UN SEGUNDO MÉTODO PARA VARIAR LA VELOCIDAD DE UN MOTOR DE INDUCCIÓN DE ROTOR DEVANADO SE MUESTRA EN LA FIGURA SIGUIENTE, EN DONDE APARECE EL LADO PRIMARIO DE UN MOTOR CON CONTROL DE TRES VELOCIDADES. SE USAN 6 RESISTENCIAS Y SE ALAMBRAN DE TAL MANERA QUE CUANDO LOS CONTACTOS DEL RELEVADOR DE ARRANQUE DEL MOTOR CIERRAN, LA CORRIENTE CIRCULA POR LAS 6 RESISTENCIAS PARA ARRANCAR EL MOTOR A BAJA VELOCIDAD. DESPUÉS DE UN TIEMPO PREDETERMINADO, LOS CONTACTOS 1A CIERRAN PARA DEJAR FUERA TRES DE LAS RESISTENCIAS (PONIÉNDOLAS EN CORTO CIRCUITO) ESTO INCREMENTA LA VELOCIDAD DEL MOTOR. SI SE DESEA UNA VELOCIDAD MAYOR, SE CERRARÁN LOS CONTACTOS 2A PARA ELIMINAR EL EFECTO DE LAS OTRAS TRES RESISTENCIAS, POR MEDIO DEL MISMO PROCEDIMIENTO DE CONECTAR EN CORTO CIRCUITO A TRAVÉS DE LOS CONTACTOS. EL MOTOR AHORA OPERA A PLENA VELOCIDAD.

EL MOTOR PUEDE NUEVAMENTE REDUCIR SU VELOCIDAD REABRIENDO CUALQUIERA DE LOS CONJUNTOS DE RESISTENCIAS 1A ó 2A. TODAS LAS RESISTENCIAS Y LOS CONTACTOS 1A Y 2A CON SUS BOBINAS ASOCIADAS 1A Y 2A SON PREALAMBRADOS COMO PARTE DEL ARRANCADOR DEL MOTOR A TRES VELOCIDADES.

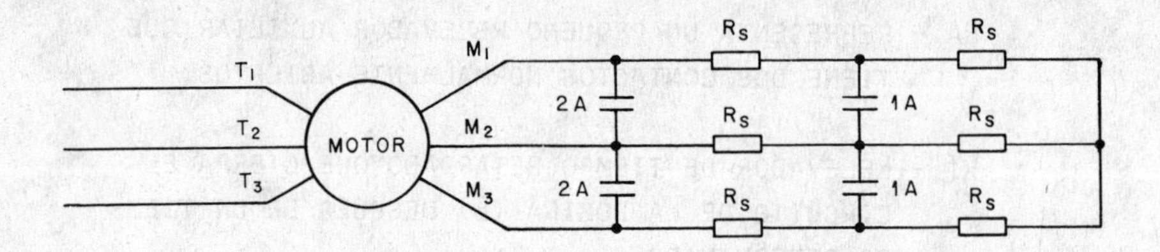

DIAGRAMA DE ARRANQUE DEL MOTOR CON RESISTENCIAS SECUNDARIAS.

4.5.2.- ARRANQUE CON AUTOTRANSFORMADOR.

PARA UN PAR DADO, EL ARRANQUE POR AUTOTRANSFORMADOR DEMANDA UNA CORRIENTE DE LÍNEA MÁS BAJA QUE LA QUE SE OBTIENE CON EL ARRANQUE POR RESISTENCIA PRIMARIA. LA DESVENTAJA PRINCIPAL ES QUE EL COSTO DE LOS AUTOTRANSFORMADORES ES SUPERIOR AL OBTENIDO CON ARRANQUE POR RESISTENCIA Y POR OTRA PARTE LA TRANSICIÓN DEL VOLTAJE REDUCIDO DEL ARRANQUE AL VOLTAJE PLENO NO ES SUFICIENTEMENTE "SUAVE".

LOS AUTOTRANSFORMADORES TIENEN POR LO GENERAL, DERIVACIONES (TAPS) PARA DAR VOLTAJES DE SALIDA DE 80, 65 Y 50 PORCIENTO DEL VOLTAJE NOMINAL. LOS VALORES DEL PAR DE ARRANQUE CORRESPONDIENTES SON RESPECTIVAMENTE 64, 42 Y 25 PORCIENTO DE LA CORRIENTE A ROTOR BLOQUEADO.

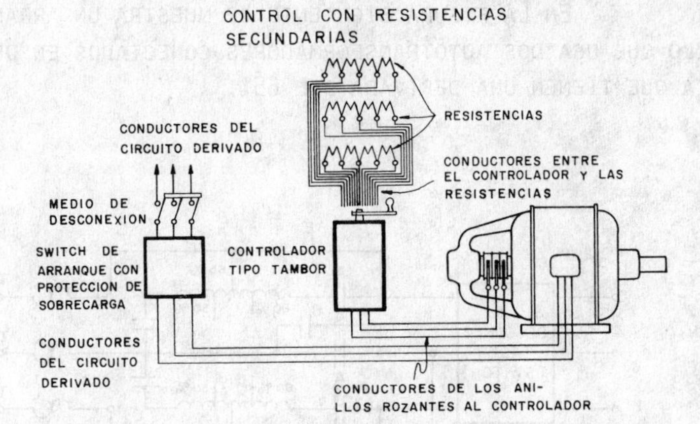

MOTOR DE C. A. DE ROTOR DEVANADO PARA CONTROL DE VELOCIDAD.

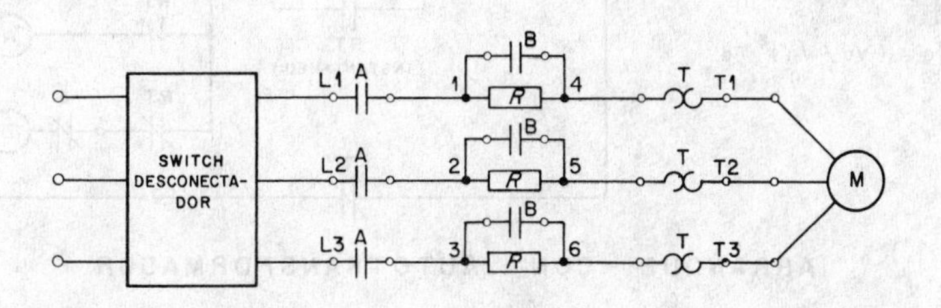

DIAGRAMA ESQUEMATICO SIMPLIFICADO DE LA SECCION DE POTENCIA DE UN ARRANCADOR A VOLTAJE REDUCIDO CON RESISTENCIAS PRIMARIAS

En la figura siguiente se muestra un arrancador sencillo que usa dos autotransformadores conectados en delta abierta que tienen una derivada del 65%.

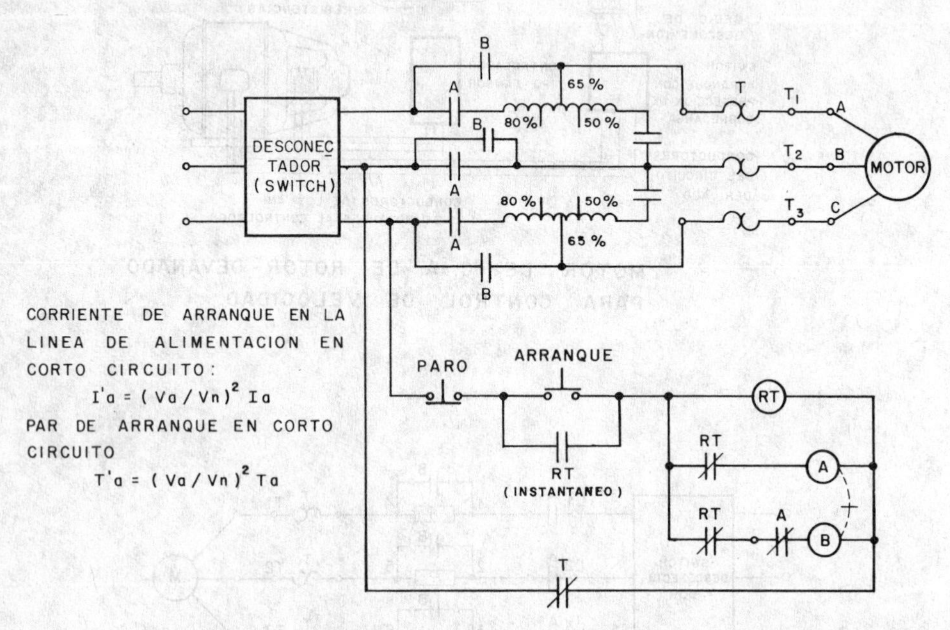

ARRANQUE CON AUTOTRANSFORMADOR

De la figura anterior RT es un relevador de -- tiempo retardado que tiene tres contactos. El contacto en - paralelo con el botón de arranque se cierra tan pronto como la bobina RT se energiza. Los otros dos contactos operan después de un cierto retraso que depende del ajuste que se dé al relevador, los contactores A y B se bloquean mecánicamente para -

PREVENIR QUE SE CIERREN SIMULTÁNEAMENTE.

EL CONTACTOR A PUEDE CERRAR TAN PRONTO COMO EL BOTÓN DE ARRANQUE SE DEJE DE PRESIONAR, ESTA OPERACIÓN EXCITA AL AUTOTRANSFORMADOR Y APARECE UN VOLTAJE REDUCIDO EN LAS TERMINALES DEL MOTOR. ALGUNOS SEGUNDOS DESPUÉS LOS DOS CONTACTOS RT QUE ESTÁN EN SERIE CON LAS BOBINAS A Y B RESPECTIVAMENTE, ABREN Y CIERRAN.

EL CONTACTOR A QUEDA FUERA SEGUIDO EN FORMA -- CASI INMEDIATA POR EL CIERRE DEL CONTACTOR B CON ESTA ACCIÓN SE APLICA VOLTAJE PLENO AL MOTOR Y EN FORMA SIMULTÁNEA SE DESCONECTA EL AUTOTRANSFORMADOR DE LA LÍNEA. EN LA TRANSFERENCIA DEL CONTACTOR A AL CONTACTOR B, EL MOTOR SE DESCONECTA MOMENTÁNEAMENTE DE LA LÍNEA, ESTO CREA UN PROBLEMA DEBIDO A QUE CUANDO EL CONTACTOR B CIERRA SE PRESENTA UN TRANSITORIO A -- TRAVÉS DE LA LÍNEA. ESTE TRANSITORIO ES SEVERO PARA LOS CONTACTOS Y PRODUCE UN SHOCK MECÁNICO TAMBIÉN.

CUANDO EL MOTOR ALCANZA EL 90% DE SU VELOCIDAD SÍNCRONA, CON RESISTENCIAS DE ARRANQUE SE ALCANZA UN PAR ELEVADO DEBIDO A QUE EL VOLTAJE TERMINAL ES ENTONCES MAYOR QUE EL 65% QUE ES EL VALOR QUE EXISTE EN EL MOMENTO DEL ARRANQUE.

TANTO EN EL CASO DE LOS ARRANCADORES CON AUTOTRANSFORMADOR, COMO EN EL DE LOS ARRANCADORES CON RESISTENCIAS, DEBIDO A QUE ESTOS ELEMENTOS OPERAN SÓLO POR PERÍODOS CORTOS DE TIEMPO, SE PUEDE OBTENER UNA REDUCCIÓN CONSIDERABLE EN SU TAMAÑO.

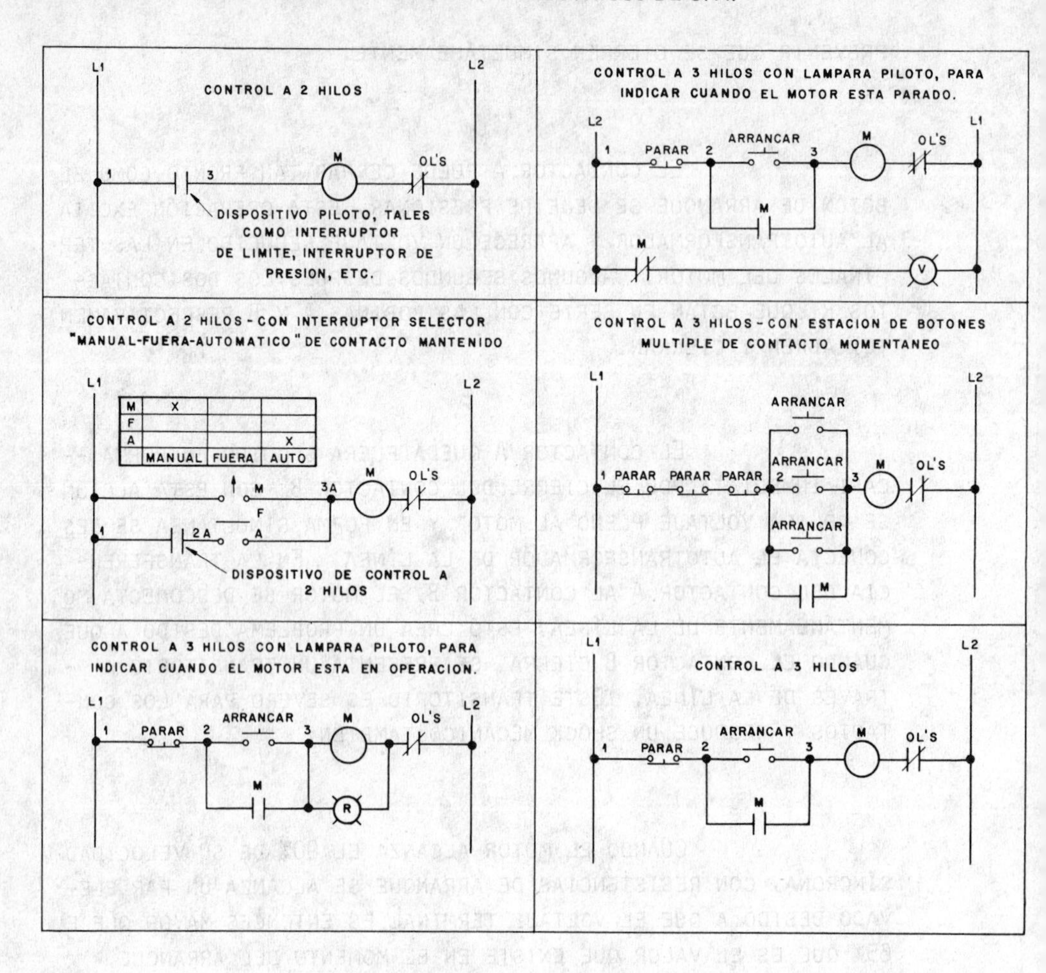

DIAGRAMAS ELEMENTALES PARA CIRCUITOS DE CONTROL.

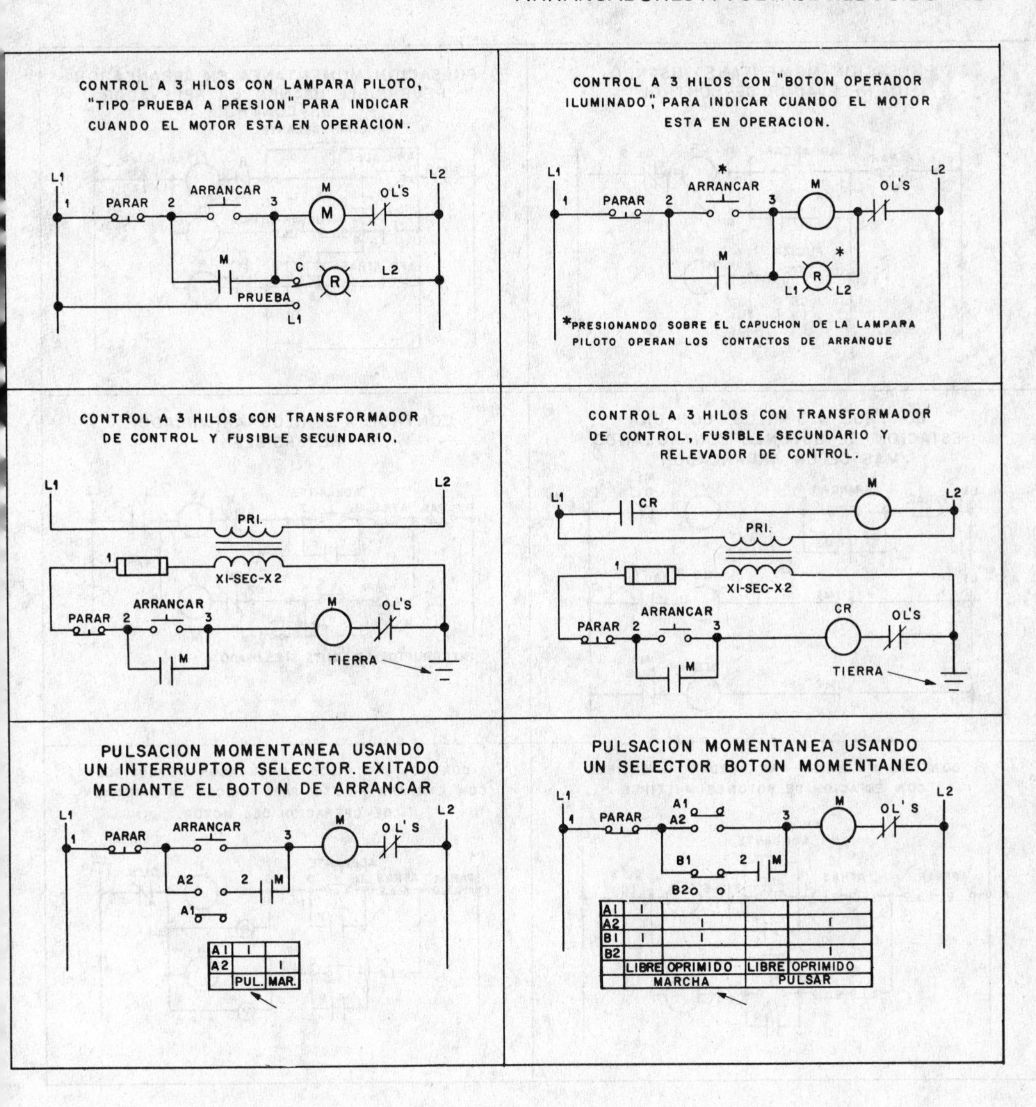
CONTROL A 3 HILOS CON LAMPARA PILOTO, "TIPO PRUEBA A PRESION" PARA INDICAR CUANDO EL MOTOR ESTA EN OPERACION.
L1
L2
PARAR
ARRANCAR
M
OL'S
PRUEBA
CONTROL A 3 HILOS CON "BOTON OPERADOR ILUMINADO", PARA INDICAR CUANDO EL MOTOR ESTA EN OPERACION.
*PRESIONANDO SOBRE EL CAPUCHON DE LA LAMPARA PILOTO OPERAN LOS CONTACTOS DE ARRANQUE
CONTROL A 3 HILOS CON TRANSFORMADOR DE CONTROL Y FUSIBLE SECUNDARIO.
PRI.
XI-SEC-X2
TIERRA
CONTROL A 3 HILOS CON TRANSFORMADOR DE CONTROL, FUSIBLE SECUNDARIO Y RELEVADOR DE CONTROL.
CR
PULSACION MOMENTANEA USANDO UN INTERRUPTOR SELECTOR. EXITADO MEDIANTE EL BOTON DE ARRANCAR
PUL.
MAR.
PULSACION MOMENTANEA USANDO UN SELECTOR BOTON MOMENTANEO
LIBRE
OPRIMIDO
MARCHA
PULSAR

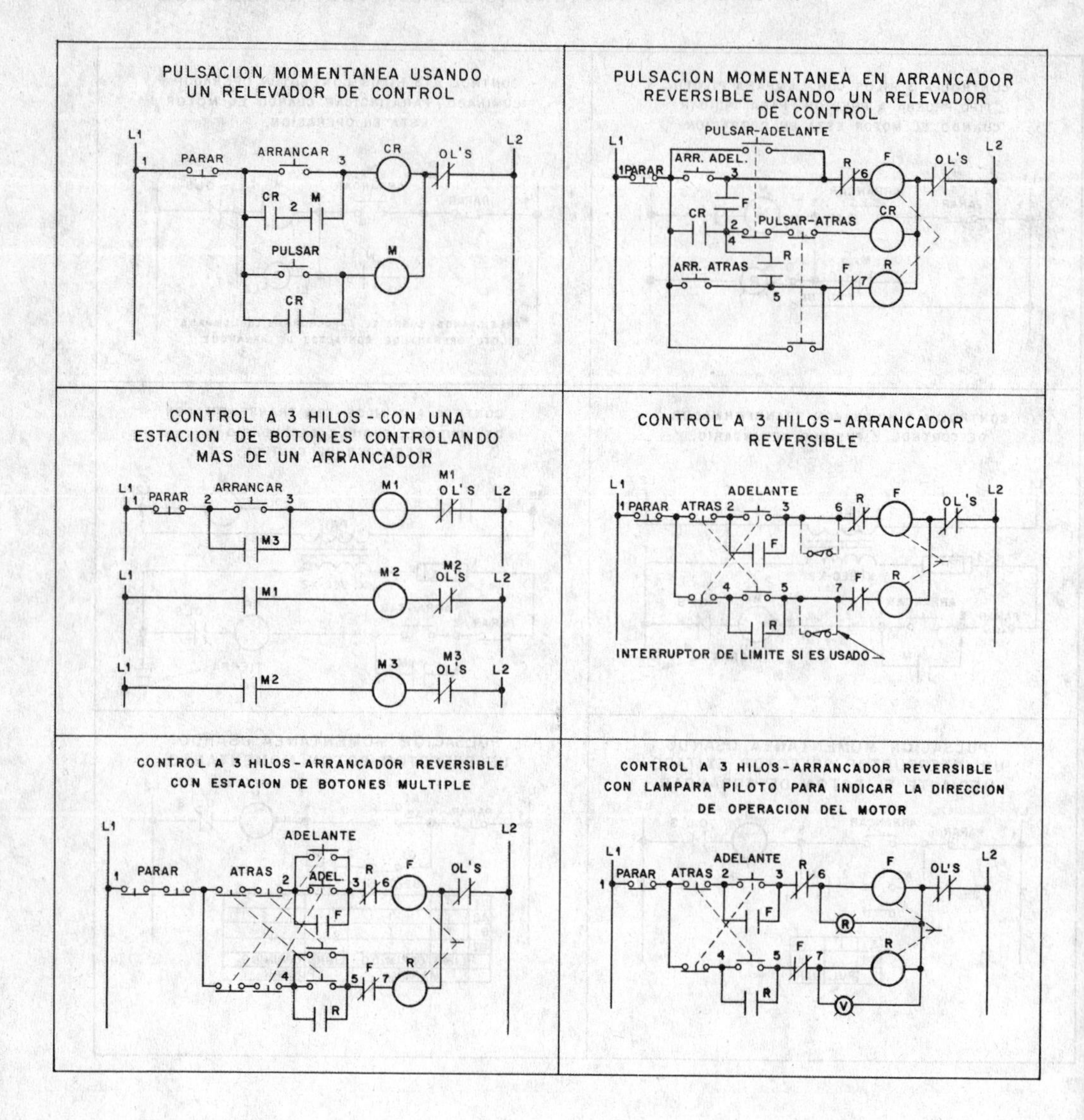
PULSACION MOMENTANEA USANDO UN RELEVADOR DE CONTROL
L1
PARAR
ARRANCAR
CR
OL'S
L2
CR
M
PULSAR
M
CR
PULSACION MOMENTANEA EN ARRANCADOR REVERSIBLE USANDO UN RELEVADOR DE CONTROL
PULSAR-ADELANTE
ARR. ADEL.
PARAR
R
F
OL'S
CR
PULSAR-ATRAS
ARR. ATRAS
CONTROL A 3 HILOS - CON UNA ESTACION DE BOTONES CONTROLANDO MAS DE UN ARRANCADOR
ARRANCAR
M1
M1 OL'S
M2
M2 OL'S
M3
M3 OL'S
CONTROL A 3 HILOS - ARRANCADOR REVERSIBLE
ADELANTE
ATRAS
INTERRUPTOR DE LIMITE SI ES USADO
CONTROL A 3 HILOS - ARRANCADOR REVERSIBLE CON ESTACION DE BOTONES MULTIPLE
ADEL.
CONTROL A 3 HILOS - ARRANCADOR REVERSIBLE CON LAMPARA PILOTO PARA INDICAR LA DIRECCION DE OPERACION DEL MOTOR
V

CAPITULO 5

PROTECCION CONTRA SOBRECORRIENTES Y CORTO CIRCUITO

CAPITULO 5.

PROTECCION CONTRA SOBRECORRIENTES Y CORTO CIRCUITO

5.1. INTRODUCCION.

EN TODAS LAS INSTALACIONES ELÉCTRICAS EN FORMA INVA - RIABLE, TANTO LOS EQUIPOS COMO LOS CONDUCTORES ELÉC - TRICOS TIENEN UN LÍMITE TÉRMICO DADO PRINCIPALMENTE - POR LA NATURALEZA Y TIPO DE MATERIALES AISLANTES. COMO SE SABE, LA CORRIENTE ELÉCTRICA PRODUCE LAS LLAMADAS PÉRDIDAS POR EFECTO JOULE (RI^2) QUE SE MANIFIESTAN EN FORMA DE CALOR, DEBIDO A ESTO EN UN CONDUCTOR ELÉCTRICO, DEBIDO A SU RESISTENCIA, SE CALIENTA Y ES POR - ESTA RAZÓN QUE LAS NORMAS TÉCNICAS PARA INSTALACIONES ELÉCTRICAS, Y EL REGLAMENTO PARA OBRAS E INSTALACIONES ELÉCTRICAS LIMITAN LA CANTIDAD DE CORRIENTE PERMISIBLE EN UN CONDUCTOR (AMPACIDAD) A UN VALOR EN EL QUE EL -- CALOR SE PUEDA DISIPAR EN FORMA SEGURA, Y ES ASÍ COMO- EN LAS TABLAS DE CAPACIDAD DE CONDUCCIÓN DE CORRIENTE- ELÉCTRICA DE LOS CONDUCTORES SE ASOCIA LA SECCIÓN O -- CALIBRE DEL CONDUCTOR, CON LA CORRIENTE QUE PUEDEN -- CONDUCIR EN TUBO CONDUIT, PARA CONSIDERAR EL ESPACIO - O CANTIDAD DE AIRE DISPONIBLE. TAMBIÉN SE CONSIDERA - LA ELEVACIÓN DE TEMPERATURA AMBIENTE.

COMO SE MENCIONÓ, SI UN CONDUCTOR QUE TIENE UNA RESISTENCIA R CONDUCE UNA CORRIENTE I, EL CALENTAMIENTO RESULTANTE ES PROPORCIONAL A RI^2, DE MANERA QUE SI POR -

EJEMPLO EL CONDUCTOR CONDUCE UNA CORRIENTE DEL DOBLE-(2I) EL CALENTAMIENTO ES $R\ (2I)^2 = 4RI^2$, ES DECIR SE-INCREMENTA CUATRO VECES ESTO SIGNIFICA QUE AL AUMENTAR LA CORRIENTE EN UN CONDUCTOR, EL CALENTAMIENTO SUBE MUCHO MÁS, DEBIDO A QUE CRECE CON EL CUADRADO DE - LA CORRIENTE.

EL CALENTAMIENTO EXCESIVO COMO RESULTADO DE UNA CO -- RRIENTE EXCESIVA, CAUSA QUE EL AISLAMIENTO DEL CONDUCTOR SE DEGRADE (DETERIORE) RÁPIDAMENTE, LO QUE CONDUCE A UNA FALLA DEL AISLAMIENTO Y AL SUBSECUENTE CORTO CIRCUITO DE LINEA A TIERRA O DE LINEA A LÍNEA (ENTRE-CONDUCTORES), TAMBIÉN EL CALENTAMIENTO EXCESIVO PUEDE PRODUCIR FUEGO E INCENDIOS CUANDO SE ENCUENTRA CERCA - DE MATERIAL INFLAMABLE.

POR OTRA PARTE, LAS CORRIENTES DE CORTOCIRCUITO PUE - DEN TENER TAL MAGNITUD QUE PRODUCEN EXPLOSIONES EN -- LOS TABLEROS Y GRANDES DAÑOS EN EQUIPO, CON RIESGO -- FRECUENTE PARA EL PERSONAL. ESTOS DAÑOS EN EL EQUIPO Y RIESGO PARA EL PERSONAL SE PUEDE PREVENIR CON UNA - ADECUADA PROTECCIÓN CONTRA SOBRECORRIENTES Y CORTO -- CIRCUITO.

LOS FUSIBLES E INTERRUPTORES SON LOS DISPOSITIVOS QUE E USAN NORMALMENTE PARA PROTEGER LAS INSTALACIONES Y-EQUIPOS CONTRA SOBRECORRIENTES Y CONTRA CORTO RICRUITO OPERAN BÁSICAMENTE ABRIENDO (LIBERANDO) LOS CIRCUI

TOS EN LOS QUE ESTÁN CONECTADOS ANTES DE QUE LOS VALO RES DE CORRIENTE EXCEDAN LA CORRIENTE PERMISIBLE EN LOS CONDUCTORES.

ANTES DE INICIAR EL ESTUDIO DE CORTO CIRCUITO SE HARÁ UNA BREVE REVISIÓN DE LAS CARACTERÍSTICAS DE LOS ELEMENTOS DE PROTECCIÓN Y SUS APLICACIONES RECOMENDADAS EN LAS INSTALACIONES ELECTRICAS.

5.2. LOS DISPOSITIVOS DE PROTECCIÓN.

ENTRE LOS DISPOSITIVOS DE PROTECCIÓN Y CONTROL EN LAS INSTALACIONES SE TIENEN AQUELLOS QUE DEBEN SATISFACER LAS NORMAS Y RECOMENDACIONES DADAS PARA LAS INSTALACIONES Y DISEÑO DE LOS CIRCUITOS, QUE EN TÉRMINOS GENERALES SON LOS SIGUIENTES^

- SE DEBE PROVEER DE CIRCUITOS SEPARADOS PARA ALUMBRADO GENERAL, PARA CONTACTOS Y APLICACIONES ESPECIALES.
- LAS RAMAS DE LOS CIRCUITOS CON MÁS DE UNA SALIDA NO DEBEN TENER UNA CARGA QUE EXCEDA AL 50% DE LA CAPACIDAD DE CONDUCCIÓN.
- LOS RAMALES DEBEN SER INDIVIDUALES POR CADA CIRCUITO RESPETANDO LOS VALORES MÁXIMOS DE CARGA INDICADOS EN EL CAPÍTULO 3.
- EL TAMAÑO MENOR DE CONDUCTOR EN ALUMBRADO NO DEBE

SER MENOR DEL No. 12 AWG.

DE ACUERDO CON LA CAPACIDAD DE CARGA DE CADA CIRCUITO NO DEBEN INSTALAR TABLEROS DE DISTRIBUCIÓN CON TANTOS CIRCUITOS COMO SEA NECESARIO.

PARA CUMPLIR CON LAS DISPOSICIONES ANTERIORES SE DEBE CONTAR COMO SE INDICA ANTERIORMENTE CON LOS SIGUIENTES ELEMENTOS.

1) INTERRUPTORES EN CAJA DE LÁMINA.

TAMBIÉN CONOCIDOS COMO INTERRUPTORES DE SEGURIDAD SON INTERRUPTORES DE NAVAJA CON PUERTA Y PALANCA EXTERIOR PARA LA OPERACIÓN DEL INTERRUPTOR Y CON FUSIBLES INTEGRADOS.

2) TABLEROS DE DISTRIBUCIÓN.

ESTOS TABLEROS TAMBIÉN SON CONOCIDOS COMO CENTROS DE CARGA, CONSISTEN DE DOS O MÁS INTERRUPTORES DE NAVAJA CON PALANCA O CON INTERRUPTORES AUTOMÁTICOS TERMOMAGNÉTICOS.

ESTOS INTERRUPTORES SE INSTALAN CERCA DE LOS CENTROS DE CARGA, EN LUGARES ACCESIBLES DONDE LA APARIENCIA DEL TABLERO NO PERJUDIQUE LA DECORACIÓN Y RESULTE PRÁCTICO.

3) FUSIBLES.

LOS FUSIBLES SON ELEMENTOS DE PROTECCIÓN QUE CONSTAN DE UN ALAMBRE O CINTA DE UNA ALEACIÓN DE PLO-

MO Y ESTAÑO CON UN BAJO PUNTO DE FUSIÓN, QUE SE - FUNDE CUANDO SE EXCEDE EL LÍMITE PARA EL CUAL FUE DISEÑADO INTERRUMPIENDO EL CIRCUITO. SE FABRICAN PARA OPERACIÓN EN DOS TIPOS:

. FUSIBLE DE TAPÓN. USADOS PRINCIPALMENTE EN CASAS HABITACIÓN CON CAPACIDADES DE 10, 15, 20 Y 30 AMPERES.

. FUSIBLES TIPO CARTUCHO, QUE A SU VEZ PUEDEN SER - TIPO CASQUILLO PARA CAPACIDADES DE 3 A 60 AMPERES Y TIPO NAVAJA PARA CAPACIDADES DE 75 A 600 AMPE - RES, ESTOS FUSIBLES SON RENOVABLES YA QUE SI SE - FUNDE EL ELEMENTO FUSIBLE, PUEDE SER REEMPLAZADO. DE ACUERDO CON SUS CARACTERÍSTICAS ELÉCTRICAS, LOS ELEMENTOS FUSIBLES PUEDEN SER DE TIPO NORMAL Y DE-ACCIÓN RETARDADA. EL TIPO NORMAL ESTÁ FORMADO POR-CINTA O ALAMBRE, EL DE ACCIÓN RETARDADA QUE TIENE-FORMAS DIVERSAS PARA RETARDAR EL TIEMPO DE FUSIÓN.

4) INTERRUPTORES TERMOMAGNÉTICOS.

ESTOS INTERRUPTORES ESTÁN DISEÑADOS PARA ABRIR EL-CIRCUITO EN FORMA AUTOMÁTICA CUANDO OCURRE UNA SO-BRECARGA ACCIONADO POR UNA COMBINACIÓN DE UN ELE - MENTO TÉRMICO Y UN ELEMENTO MAGNÉTICO.

EL ELEMENTO TÉRMICO CONSTA ESENCIALMENTE DE LA - - UNIÓN DE DOS ELEMENTOS METÁLICOS DE DIFERENTE COE-

FICIENTE DE DILATACIÓN, CONOCIDO TAMBIÉN COMO PAR TÉRMICO, EL CUAL AL PASO DE LA CORRIENTE SE CALIENTA Y POR LO TANTO SE DEFORMA, HABIENDO UN CAMBIO DE POSICIÓN QUE ES APROVECHADO PARA ACCIONAR EL MECANISMO DE DISPARO DEL INTERRUPTOR. OPERAN DESDE EL PUNTO DE VISTA DE TIEMPO DE APERTURA CON CURVAS CARACTERÍSTICAS DE TIEMPO-CORRIENTE.

EL ELEMENTO MAGNÉTICO CONSTA DE UNA BOBINA CUYO NÚCLEO ES MOVIBLE Y QUE PUEDE OPERAR O DISPARAR EL MECANISMO DEL INTERRUPTOR, EL CIRCUITO SE ABRE EN FORMA INSTANTÁNEA CUANDO OCURRE SOBRE UNA CORRIENTE, OPERAN CON SOBRECARGAS CON ELEMENTO TÉRMICO Y POR SOBRECORRIENTES CON EL ELEMENTO MAGNÉTICO PARA FALLAS.

5) INTERRUPTORES TERMOMAGNÉTICOS INSTANTÁNEOS.

LOS INTERRUPTORES TERMOMAGNÉTICOS LLAMADOS INSTANTÁNEOS PARA UNO DE LOS DOS TIPOS QUE SE USAN NORMALMENTE EN LAS INSTALACIONES ELÉCTRICAS, SON ENERGIZADOS POR EL CIRCUITO MAGNÉTICO, DE LAS CORRIENTES DE SOBRECARGA O DE CORTO CIRCUITO Y SE USAN NORMALMENTE COMO ELEMENTOS DE PROTECCIÓN DE LOS CIRCUITOS DERIVADOS DE MOTORES, YA QUE LA PROTECCIÓN CONTRA SOBRECARGA DEL MOTOR ES EL ELEMENTO TÉRMICO EN UN ELEVADOR, QUE SE CONSIDERA POR SEPARADO.

LOS INTERRUPTORES TERMOMAGNÉTICOS ESPECIALES SE - DISEÑAN PARA SOPORTAR UN 100% DE LA CORRIENTE NOMINAL DE CARGA Y PARA DISPARAR ENTRE 101 Y 120% - DE LA CORRIENTE NOMINAL DE CARGA.

6) INTERRUPTORES TERMOMAGNÉTICOS DE TIEMPO INVERSO.

UN INTERRUPTOR TERMOMAGNÉTICO DE TIEMPO INVERSO, ES EL TIPO DE INTERRUPTOR TERMOMAGNÉTICO, EQUIVALENTE AL FUSIBLE DE TIEMPO RETARDADO TIENE UN -- ELEMENTO MAGNÉTICO QUE RESPONDE EN FORMA INSTANTÁNEA A LAS CORRIENTES DE CORTO CIRCUITO SEVERAS O A VALORES EXCESIVOS DE SOBRECARGA EN EL ARRANQUE. EL ELEMENTO TÉRMICO PROPORCIONA PROTECCIÓN PARA LOS CIRCUITOS DERIVADOS (A EXCEPCIÓN DE LOS CIRCUITOS DERIVADOS PARA MOTORES GRANDES) CUANDO SE PRESENTAN SOBRECARGAS, ESTA PROTECCIÓN LA REALIZA POR MEDIO DE DISPOSITIVOS TÉRMICAMENTE ACTIVADOS, TAL COMO OCURRE CON LOS ELEMENTOS BIMETÁLICOS.

PARA LOS CIRCUITOS DERIVADOS DE MOTORES, LA PROTECCIÓN CONTRA SOBRECARGA SE SEPARA FRECUENTEMENTE.

7) OTRAS CARACTERISTICAS CONSTRUCTIVAS DE INTERRUPTORES TERMOMAGNÉTICOS.

A) LAS CARACTERÍSTICAS PRINCIPALES DE LOS INTERRUPTORES DE SEGURIDAD PARA SERVICIO NORMAL, DE NAVAJA-

PARA FUSIBLE TIPO CARTUCHO, TIRO SENCILLO EN CAJA DE USOS GENERALES SON LOS SIGUIENTES

1. MECANISMO RÁPIDO DE DESCONEXIÓN PARA CAPACIDADES- SUPERIORES A LOS 30 AMPERES.
2. TIENEN BASE DE PORCELANA DE 30 AMPERES HASTA 100- AMPERES CON BASE DE PIZARRA EN LOS OTROS.
3. LA MANIJA PUEDE SER ASEGURADA EN LAS POSICIONES - DE ABIERTO Y CERRADO.

SE FABRICAN EN 2 POLOS PARA 250 VOLTS C. A. DE -- 30 A 600 AMPERES, Y EN TRES POLOS PARA 240 VOLTS- C.A. TAMBIÉN DE 30 A 600 AMPERES, EN AMBOS CASOS- LAS CAPACIDADES COMERCIALES SON 30, 60, 100, 200 400 Y 600 AMPERES.

ESTOS INTERRUPTORES DE SEGURIDAD SE FABRICAN TAMBIÉN PARA SERVICIO PESADO DE NAVAJAS PARA FUSI -- BLES TIPO CARTUCHO, TIRO SENCILLO, PARA USOS GENERALES HASTA 600 VOLTS MÁXIMOS EN CORRIENTE ALTERNA CON LAS CARACTERÍSTICAS PRINCIPALES SIGUIEN- - TES:

1) PUERTA CON SEGURO PARA EVITAR ABRIRLO EN LA POSICIÓN DE CERRADO.
2) MECANISMOS RÁPIDO DE CONEXIÓN Y DESCONEXIÓN.
3) SUPRESIÓŃ DE ARCO.
4) PARTES OONDUCTORAS PLATEADAS.

DISPOSITIVOS DE PROTECCION CONTRA SOBRECORRIENTES

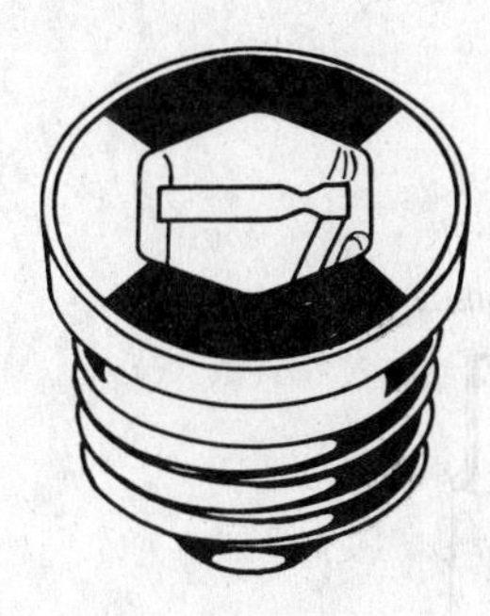

FUSIBLE DE TAPON

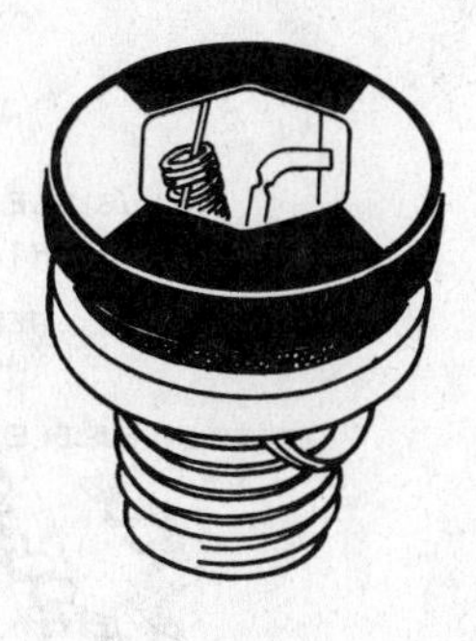

FUSIBLE DE TAPON NO INTERCAMBIABLE

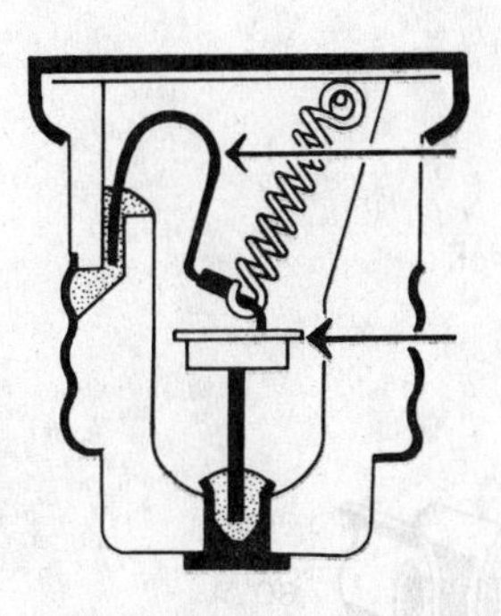

FUSIBLE CON ELEMENTO DUAL

ADAPTADOR

FUSIBLE DE CARTUCHO

FUSIBLE DE CARTUCHO TIPO NAVAJA

FUSIBLE DE CARTUCHO TIPO NAVAJA CON ELEMENTO RENOVABLE

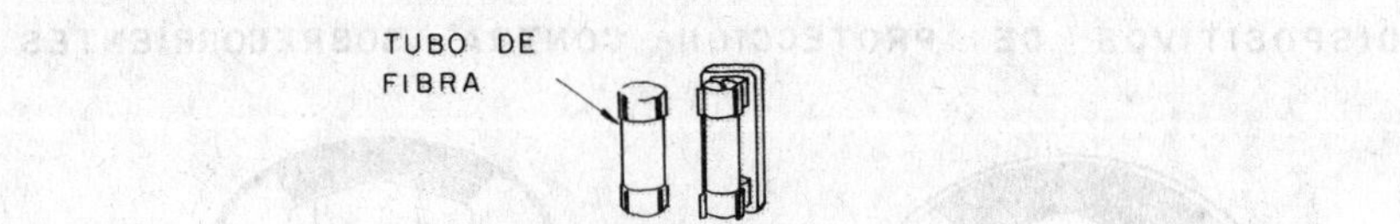

FUSIBLE NO RENOVABLE
Y PORTAFUSIBLE

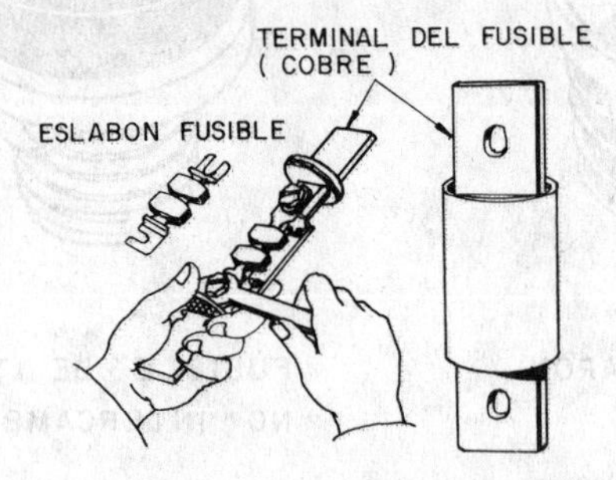

FUSIBLE RENOVABLE

FUSIBLE DE TAPON

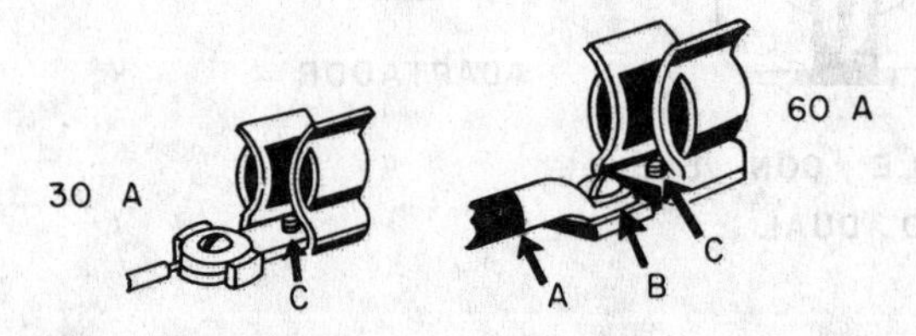

BASES DE FUSIBLES

TABLA 5.1

DIMENSIONES Y CAPACIDADES DE FUSIBLES DE CARTUCHO RENOVABLES

CAPACIDAD DE CORRIENTE EN AMPERES	FUSIBLES TIPO DE CASQUILLO			
	250 VOLTS		600 VOLTS	
	LARGO MM	DIAMETRO MM	LARGO MM	DIAMETRO MM
3, 5, 6, 10, 15 20, 25, 30	53	14	125	19
35, 40, 45 50, 60	76	21	139	26
	FUSIBLES TIPO NAVAJA			
	250 VOLTS		600 VOLTS	
	LARGO MM	DIAMETRO MM	LARGO MM	DIAMETRO MM
75, 90, 100	151	30	200	35
125, 150, 175 200	181	42	244	47
225, 250, 300	219	56	295	65
500 – 600	263	67	340	76

LAS CAPACIDADES COMERCIALES PARA 600 VOLTS C.A. - SON 30, 60, 100, 200, 400 Y 600 AMPERES.

B) LOS INTERRUPTORES TERMOMAGNÉTICOS SE FABRICAN SEGÚN SUS APLICACIONES Y CAPACIDAD PARA PRESTAR SERVICIO EN:

A) TIPO INDUSTRIAL.
B) CENTROS DE CARGA.
C) TABLEROS DE ALUMBRADO

A) TIPO INDUSTRIAL

COMO SE HA MENCIONADO ANTERIORMENTE LOS INTERRUPTORES TERMOMAGNÉTICOS SON ELEMENTOS DE PROTECCIÓN CUYAS FUNCIONES SON CONECTAR Y DESCONECTAR MANUALMENTE EL CIRCUITO AL CUAL SE ENCUENTRAN INSTALADOS Y PROTEGERLO CONTRA SOBRE CARGAS SOSTENIDAS Y CORTO CIRCUITO.

SE FABRICAN PARA DISTINTAS TENSIONES Y CAPACIDADES DE CORRIENTE COMO SE INDICA EN LA TABLA SIGUIENTE:

TABLA 5.2

TENSIONES Y CAPACIDADES DE INTERRUPTORES TERMOMAGNETICOS

TENSION C. A. TENSION C. D.	NUMERO DE POLOS	CORRIENTE EN AMPERES
240 Volts C.A. 125/250 volts C.A.	2	15, 20, 30, 40, 50, 70, 100
	3	15, 20, 30, 40, 50, 70, 100
480 volts C.A. 250 volts C.D.	3	15, 20, 30, 40, 50, 70, 100
600 volts C.A. 250 volts C.D.	2	15, 20, 30, 40, 50, 70
	3	15, 20, 30, 40, 50, 70, 100, 125, 150.

8 – 10 – 12,5 – 16 – 20 – 25 – 31,5 – 40 – 50 – 63

CURVA DE TIEMPO DE APERTURA DE UN FUSIBLE DE ACCION RETARDADA
DE 30 AMPERES 600 VOLTS A UNA TEMPERATURA AMBIENTE DE 25° C

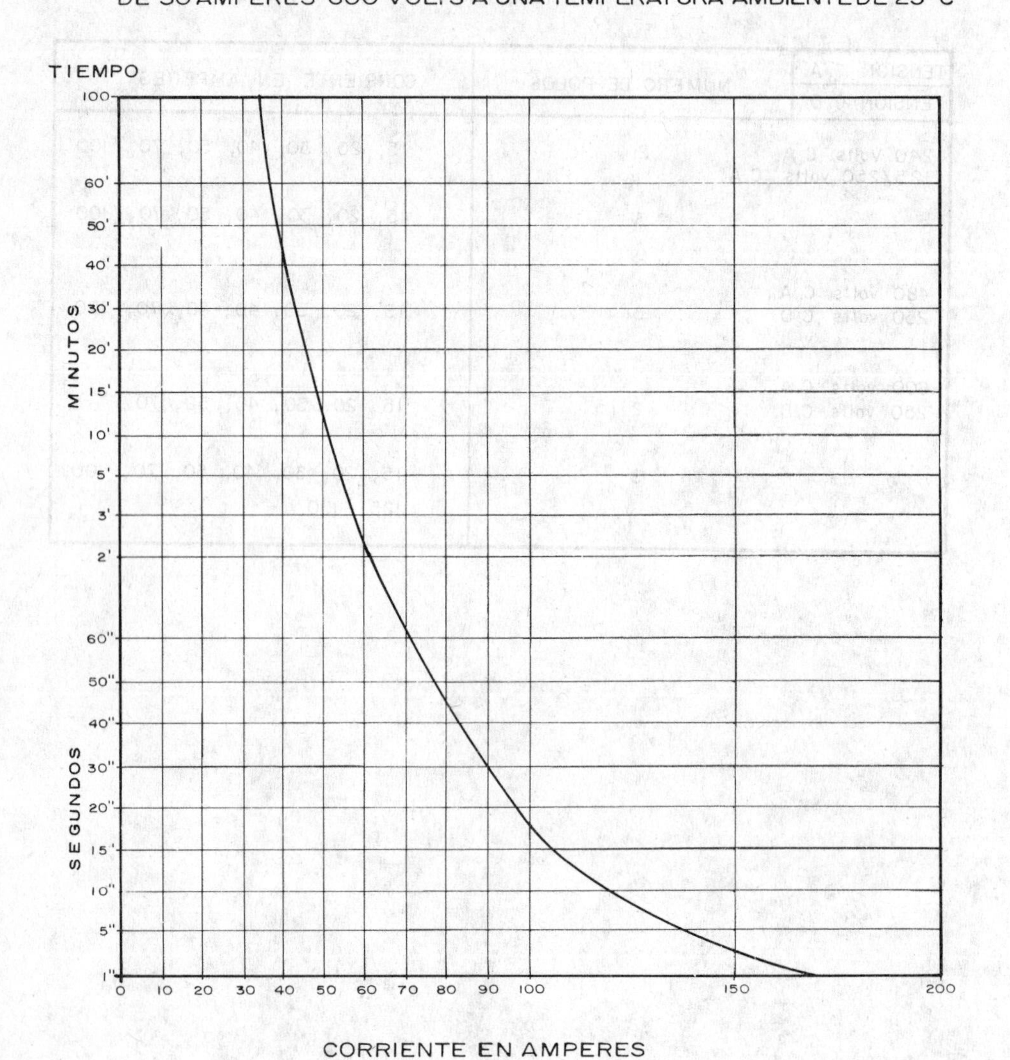

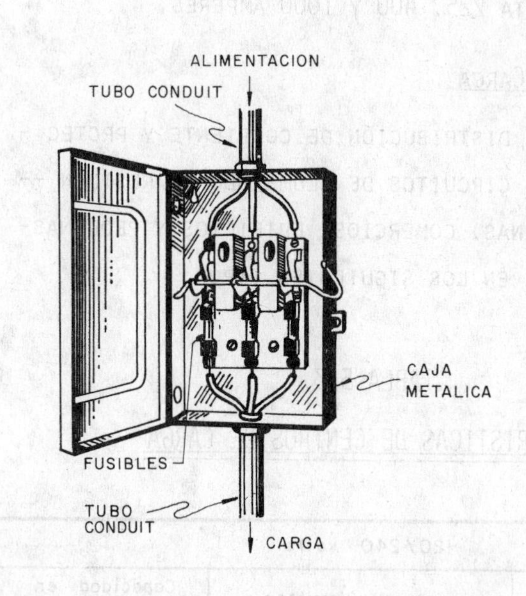

DESCONECTADOR CON FUSIBLES (3 FASES)

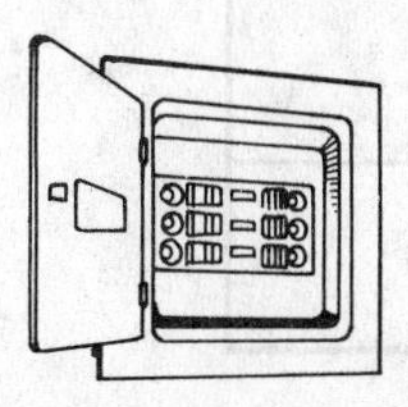

TABLERO CON FUSIBLES E INTERRUPTORES DE PALANCA.

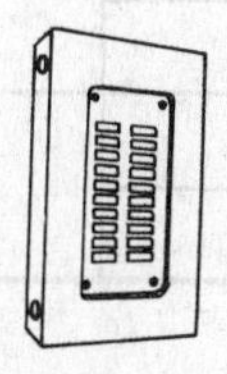

TABLERO DE DISTRIBUCION

PARA 600 VOLTS C.A. EN TRES POLOS DEPENDIENDO DE LA CAJA NEMA SE FABRICAN EN CAPACIDADES DE CO- - RRIENTE HASTA 225, 400 Y 1000 AMPERES.

B) CENTROS DE CARGA

USADOS PARA DISTRIBUCIÓN DE CORRIENTE Y PROTEC - CIÓN DE LOS CIRCUITOS DE ALUMBRADO EN RESIDEN -- CIAS, OFICINAS, COMERCIOS, EDIFICIOS Y PEQUEÑAS- INDUSTRIAS, EN LOS SIGUIENTES TIPOS:

TABLA 5.3

CARACTERISTICAS DE CENTROS DE CARGA

120/240 volts		
Tipo de montaje	Numero de circuitos	Capacidad en Amperes.
Sobreponer	2	40
Embutir		
Sobreponer	4	70
Embutir		
Sobreponer	8	100
Embutir		

TRIFÁSICO, 4 HILOS CON NEUTRO SÓLIDO 120/240 - -- VOLTS.

PARA 12 CIRCUITOS 100 AMPERES

PARA 20 CIRCUITOS 100 AMPERES

PARA 30 CIRCUITOS 100 AMPERES

MONOFÁSICO 3 HILOS CON NEUTRO SÓLIDO 120/240 - -- VOLTS.

PARA 12 CIRCUITOS 100 AMPERES

LOS INTERRUPTORES TERMOMAGNÉTICOS PARA ESTOS CENTROS DE CARGA Y TABLEROS DE ALUMBRADO SE FABRICAN EN LAS SIGUIENTES CAPACIDADES.

TABLA 5.4

CARACTERISTICAS DE INTERRUPTORES TERMOMAGNETICOS PARA CENTROS DE CARGA

Volts C. A.	Número de Polos	Capacidad en Amperes
120	1	15, 20, 30, 40, 50
120/240	2	15, 20, 30, 40, 50, 70, 100
240	3	15, 20, 30, 50, 70

ESTOS INTERRUPTORES BAJO CONDICIONES SEVERAS DE - CORTO CIRCUITO O SOBRE CARGA OPERAN SU PROTECCIÓN MAGNÉTICA EN 8/1000 DE SEGUNDO.

BAJO CONDICIONES NO SEVERAS Y TEMPORALES DE SOBRE CARGA SE EFECTUA EL DISPARO TÉRMICO AL PERSISTIR- LA SOBRECARGA.

c) TABLEROS DE ALUMBRADO:

ESTOS TABLEROS SON USADOS PARA LA DISTRIBUCIÓN DE CORRIENTES Y PROTECCIÓN DE CIRCUITOS DE ALUMBRADO Y MOTORES PEQUEÑOS EN HOSPITALES, EDIFICIOS, OFICINAS E INDUSTRIA EN GENERAL.

TABLA 5.5

DATOS PARA TABLERO DE ALUMBRADO

MONOFÁSICOS, 2 FASE, 3 HILOS, 2 NEUTRO C.A.

Número de Circuitos	Capacidad en Amperes
14	100
20	100
30	200
42	200
Con Interruptor general de dos polos	
14	70
20	100
30	200
42	200

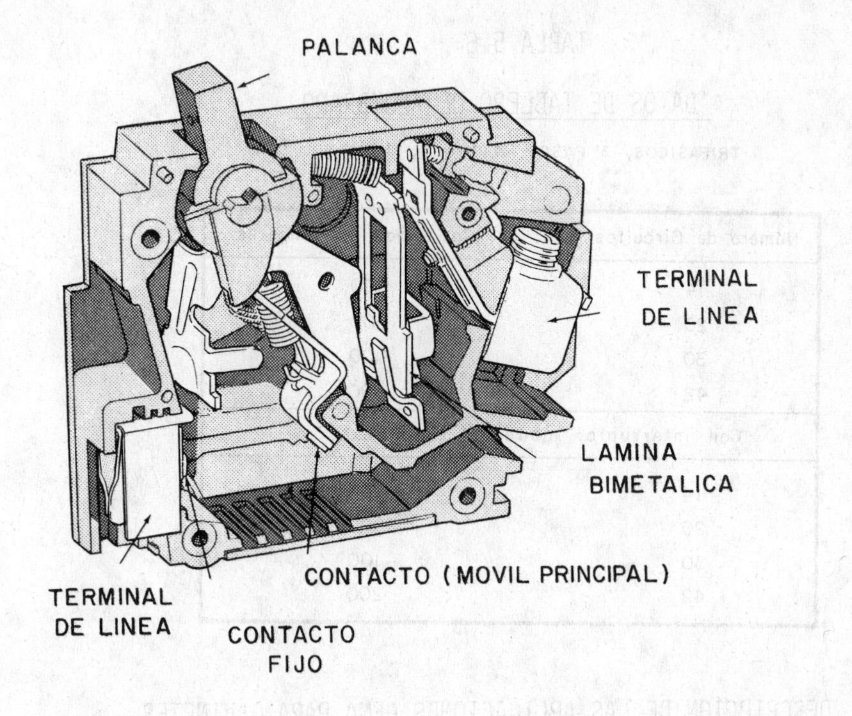

PARTES CONSTITUTIVAS DE UN INTERRUPTOR TERMOMAGNETICO

TABLA 5.6

DATOS DE TABLERO DE ALUMBRADO

TRIFASICOS, 3 FASES, 4 HILOS, NEUTRO, C. A.

Número de Circuitos	Capacidad en Amperes
14	100
20	100
30	100
42	200
Con interruptor general de 3 polos.	
14	50
20	100
30	100
42	200

DESCRIPCION DE LAS APLICACIONES NEMA PARA GABINETES.

NEMA 1. USOS GENERALES.

SERVICIO INTERIOR, CONDICIONES ATMOSFÉRICAS NORMALES, CONSTRUÍDO DE LÁMINA METÁLICA.

NEMA 2. A PRUEBA DE GOTEO.

SERVICIO INTERIOR, OFRECE PROTECCIÓN CONTRA GOTEO DE - LÍQUIDOS CORROSIVOS, LAS ENTRADAS DE CONDUIT REQUIEREN DE CONECTORES ESPECIALES TIPO GLÁNDULA.

NEMA 3. SERVICIO INTEMPERIE.

SERVICIO EXTERIOR, PROTECCIÓN CONTRA AIRE HÚMEDO Y -- POLVO, RESISTENTE A LA CORROSIÓN.

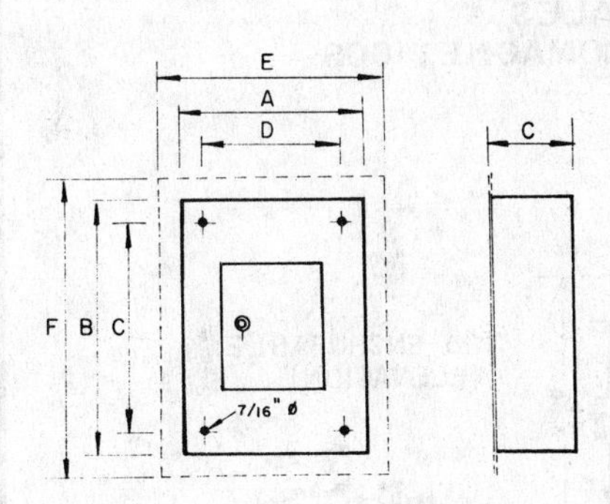

TABLEROS DE ALUMBRADO

DIMENSIONES (EN cms.)

A	B	C	D	E	F	G	Kgs.
41	54	43	30.5	44.5	57	12.5	20.0
41	77	66	30.5	44.5	80	12.5	27.7
41	97	86.5	30.5	44.5	99.5	12.5	32.5
41	122.5	112	30.5	44.5	125	15	48.5

INTERRUPTORES DE SEGURIDAD (DESCONECTADOR) 3 POLOS, 600 VOLTS

DIMENSIONES (EN Cm.)

A	B	C	D	E	F	G	Peso Kg.	AMPERES
27	45	21.5	36.3	14		.6	9.1	30
27	45	21.5	36.3	14		.6	9.2	60
32.5	60	26.5	54	17		.7	14.6	100
39.5	63.5	30	53.5	24	5.0	.7	28.1	200
52.5	105.5	56	66.5	28		1.4	71.0	400
62	122.5	49.5	113.5	29		1.4	91.0	600

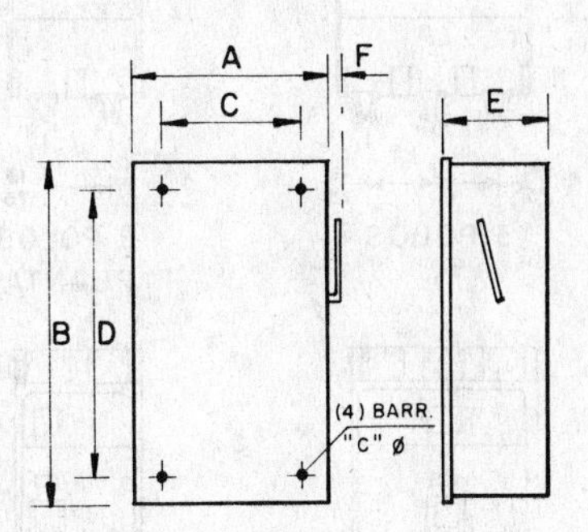

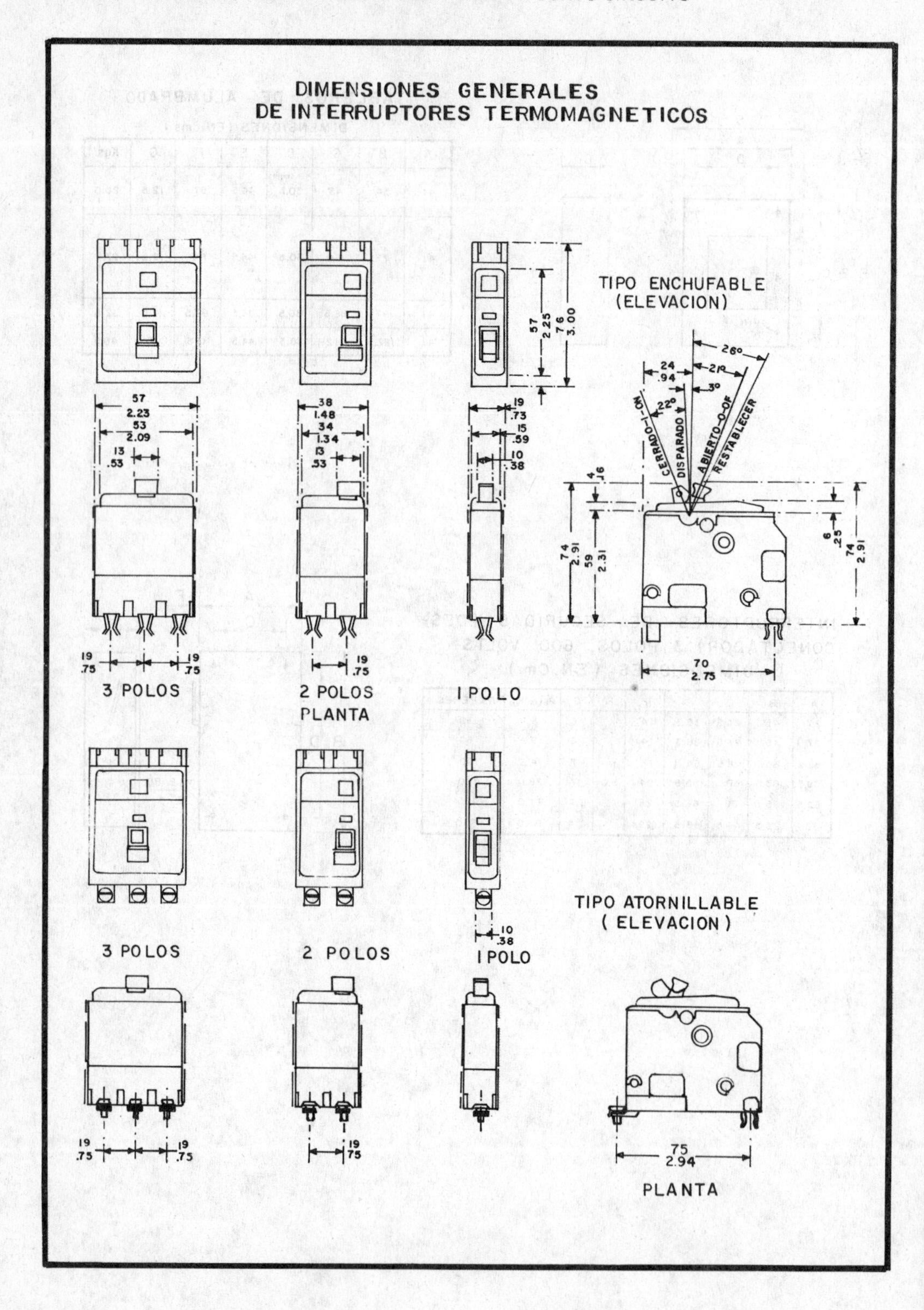
DIMENSIONES GENERALES
DE INTERRUPTORES TERMOMAGNETICOS
TIPO ENCHUFABLE
(ELEVACION)
57
2.25
76
3.00
26°
24
.94
21°
3°
22°
CERRADO—I—ON
DISPARADO
ABIERTO—O—OF
RESTABLECER
57
2.23
53
2.09
13
.53
38
1.48
34
1.34
13
.53
19
.73
15
.59
10
.38
4
.16
74
2.91
59
2.31
6
.25
74
2.91
70
2.75
19
.75
19
.75
19
.75
3 POLOS
2 POLOS
PLANTA
I POLO
10
.38
TIPO ATORNILLABLE
(ELEVACION)
3 POLOS
2 POLOS
I POLO
19
.75
19
.75
19
75
75
2.94
PLANTA

INTERRUPTORES TERMOMAGNETICOS

DIMENSIONES GENERALES

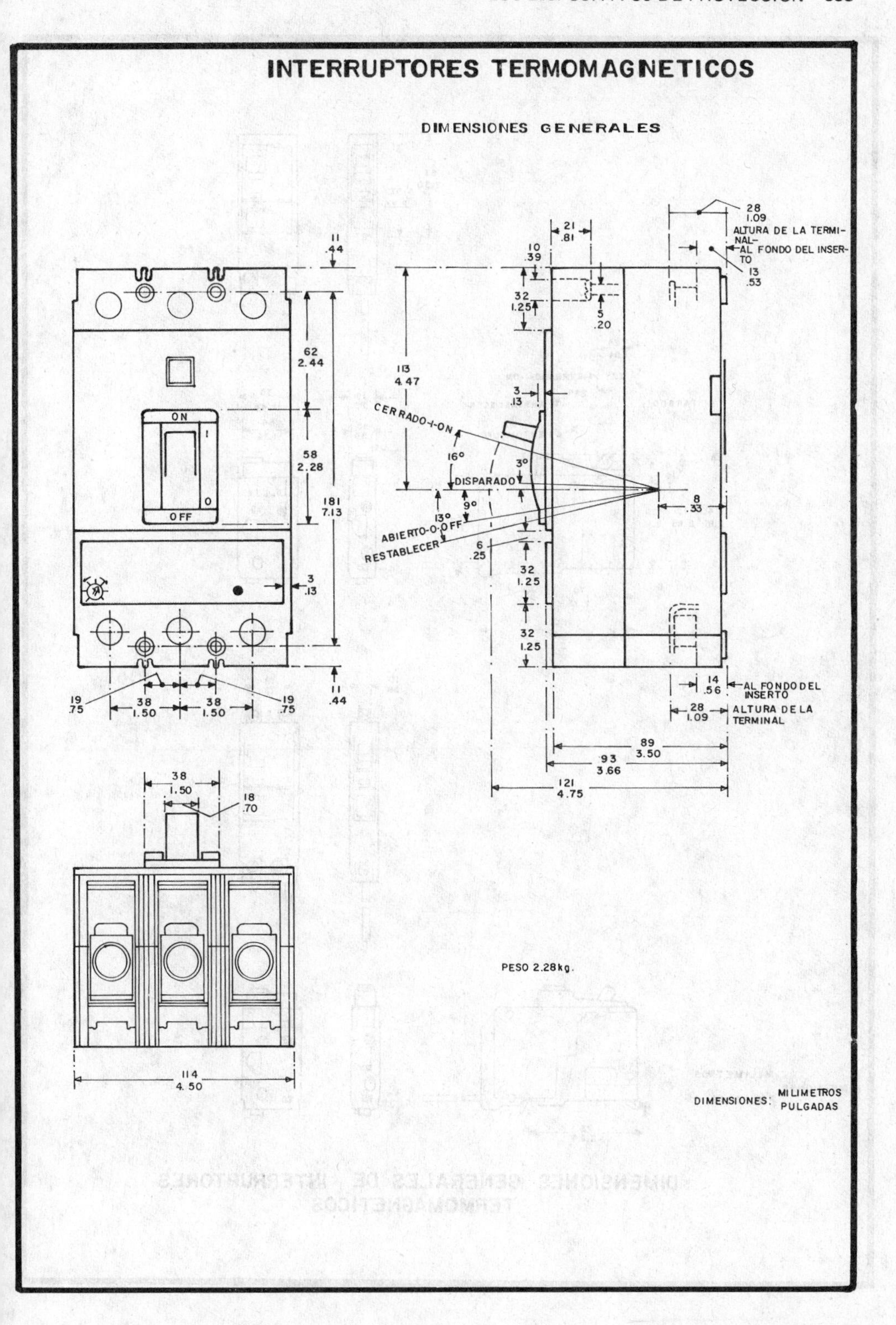

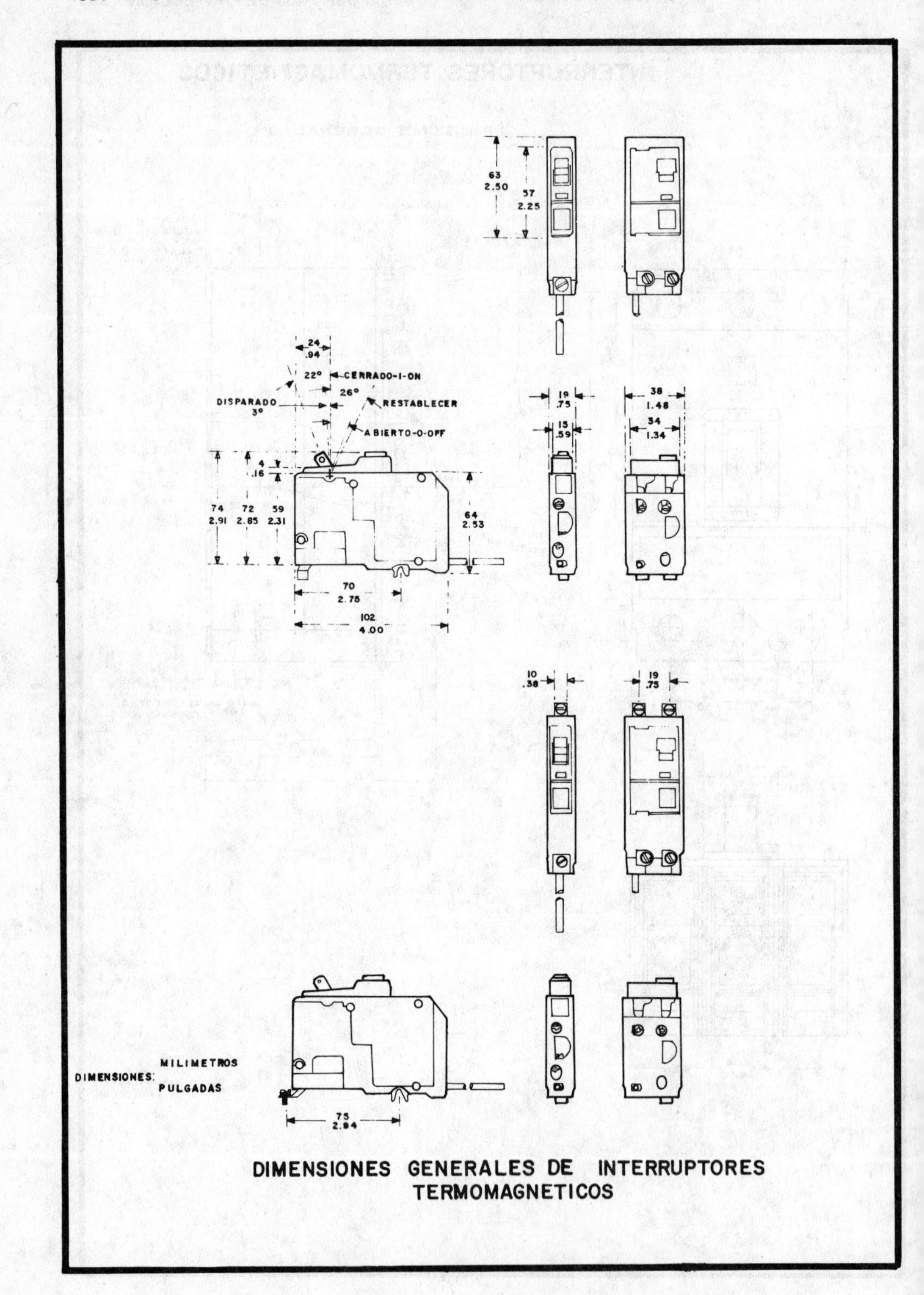

DIMENSIONES GENERALES DE INTERRUPTORES TERMOMAGNETICOS

SELECCION

CAPACIDAD INTERRUPTIVA INTERRUPTORES AUTOMATICOS

Corriente Nominal Amperes	Capacidad Interruptiva Nominal Amperes RMC Simétricos			
	Tensión Corriente Alterna 60 Hz			Tension CD
	240 V	280 V	600 V	250 V
100	19,000	14,000	14,000	10,000
100	65,000	25,000	18,000	10,000
225	25,000	22,000	22,000	10,000
225	65,000	35,000	25,000	10,000
400	42,000	30,000	22,000	10,000
400	65,000	35,000	25,000	10,000
1000	42,000	30,000	22,000	14,000
1000	65,000	50,000	25,000	14,000
2000	65,000	50,000	42,000	----
2000	125,000	85,000	65,000	----

AUTOMATICOS TENSION MAXIMA 600 VCA, 60 Hz, 250 VCD, CAPACIDAD INTERRUPTIVA NORMAL

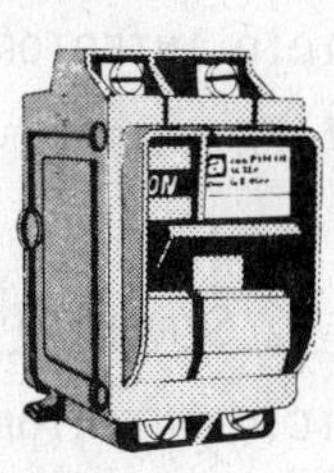

NEMA 3R. A PRUEBA DE LLUVIA.

SERVICIO EXTERIOR A PRUEBA DE LLUVIA, RESISTENTE A LA CORROSIÓN, REQUIERE DE CONECTORES ESPECIALES TIPO - - GLÁNDULA.

NEMA 4. A PRUEBA DE AGUA Y POLVO.

SERVICIO EXTERIOR, CONTRA SALPICADURAS DE AGUA Y AHORRO DIRECTO, CONSTRUCCIÓN DE LÁMINA METÁLICA O GABINETE FUNDIDO, SOPORTES EXTERIORES DE MONTAJE.

NEMA 5. A PRUEBA DE POLVO.

SERVICIO INTERIOR, PROTECCIÓN HERMÉTICA CONTRA POLVO.

NEMA 7. A PRUEBA DE GASES EXPLOSIVOS.

SERVICIO INTERIOR O EXTERIOR EN ATMÓSFERAS PELIGROSAS POR GASES EXPLOSIVOS, GABINETE FUNDIDO ATORNILLABLE O ROSCADO, REQUIERE DE CONECTORES ESPECIALES, SOPORTES EXTERIORES DE MONTAJE.

NEMA 9. A PRUEBA DE POLVOS EXPLOSIVOS.

SERVICIO INTERIOR O EXTERIOR EN ATMÓSFERAS PELIGROSAS EVITA LA ENTRADA DE POLVOS EXPLOSIVOS.

NEMA 12 SERVICIO INDUSTRIAL.

SERVICIO INTERIOR, PROTECCIÓN CONTRA POLVOS, PELUSAS, FIBRAS, GOTEO, SALPICADURAS, INSECTOS, ACEITE, LÍQUI-

DOS REFRIGERANTES, REQUIERE DE CONECTORES DE SELLO, SO PORTES EXTERIORES DE MONTAJE.

5.3. COMPARACIÓN ENTRE FUSIBLES E INTERRUPTORES TERMOMAGNÉTICOS.

FRECUENTEMENTE SE PRESENTA LA NECESIDAD DE SELECCIONAR ENTRE EL USO DE FUSIBLES O DE INTERRUPTORES TERMOMAGNÉTICOS, ESTA SELECCIÓN SE DEBE BASAR EN ALGUNOS PUNTOS OBJETIVOS QUE ESTÉN AL MARGEN DE LA OPINIÓN DE LOS FABRICANTES DE ESTOS PRODUCTOS, YA QUE COMO ES NATURAL CADA FABRICANTE TRATA DE DEMOSTRAR QUE SU PRODUCTO ES MEJOR, LO CUAL PUEDE INFLUIR DE ALGUNA MANERA EN LA DECISIÓN DEL PROYECTISTA.

LA PRÁCTICA DE ESTO NO SE PUEDE DECIR QUE SEA UNIFORME LA EXPERIENCIA EN ESTE CASO JUEGA UN PAPEL MUY IMPORTANTE EN LA SELECCIÓN Y AVANCES CONTÍNUOS EN EL DISEÑO DE PRODUCTOS. A CONTINUACIÓN SE MENCIONAN ALGUNAS VENTAJAS Y DESVENTAJAS DE AMBOS MEDIOS DE PROTECCIÓN, CON EL OBJETO DE NORMAR EN CIERTA MEDIDA EL CRITERIO DEL PROYECTISTA, AÚN CUANDO ES NECESARIO RECORDAR QUE CADA INSTALACIÓN REPRESENTA UN PROBLEMA DIFERENTE Y POR OTRA PARTE EL VALOR DE LA CORRIENTE DE CORTO CIRCUITO PUEDE INFLUIR TAMBIÉN EN ESTA DECISIÓN.

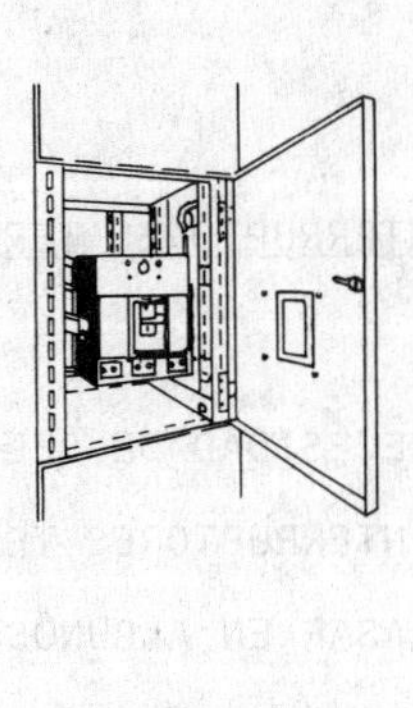

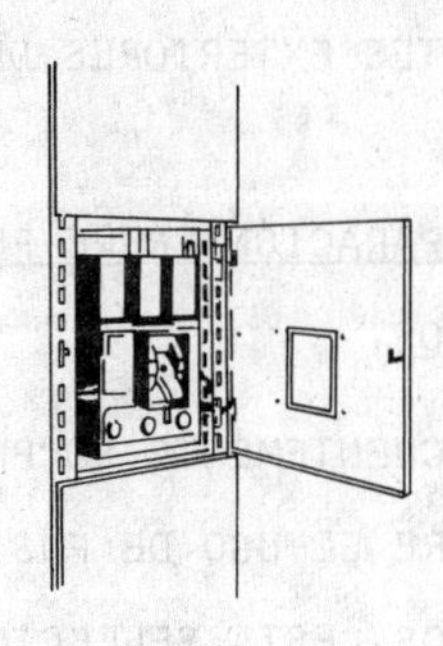

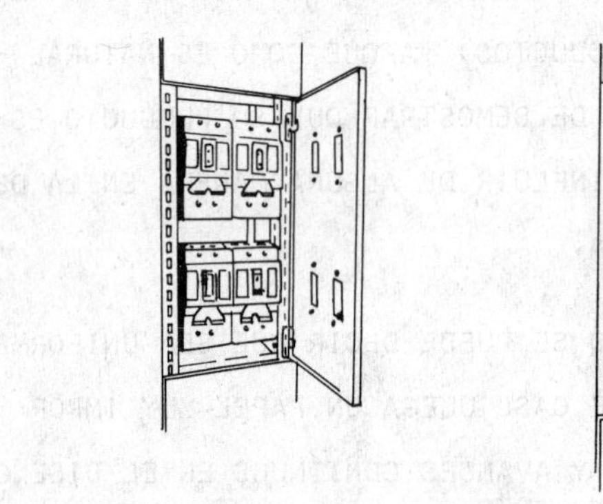

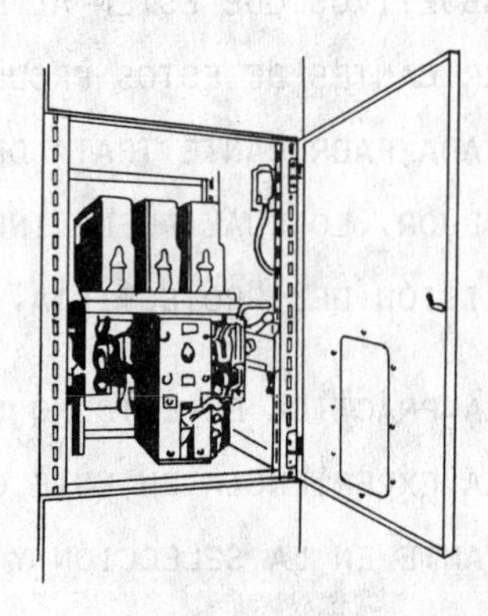

DISPOSICION DE LOS INTERRUPTORES TERMOMAGNETICOS EN UN TABLERO DE PROTECCION.

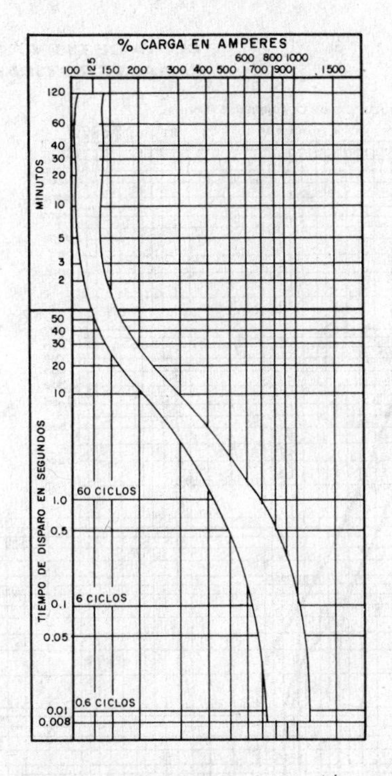

CURVA DE DISPARO DE UN
INTERRUPTOR TERMOMAGNETICO

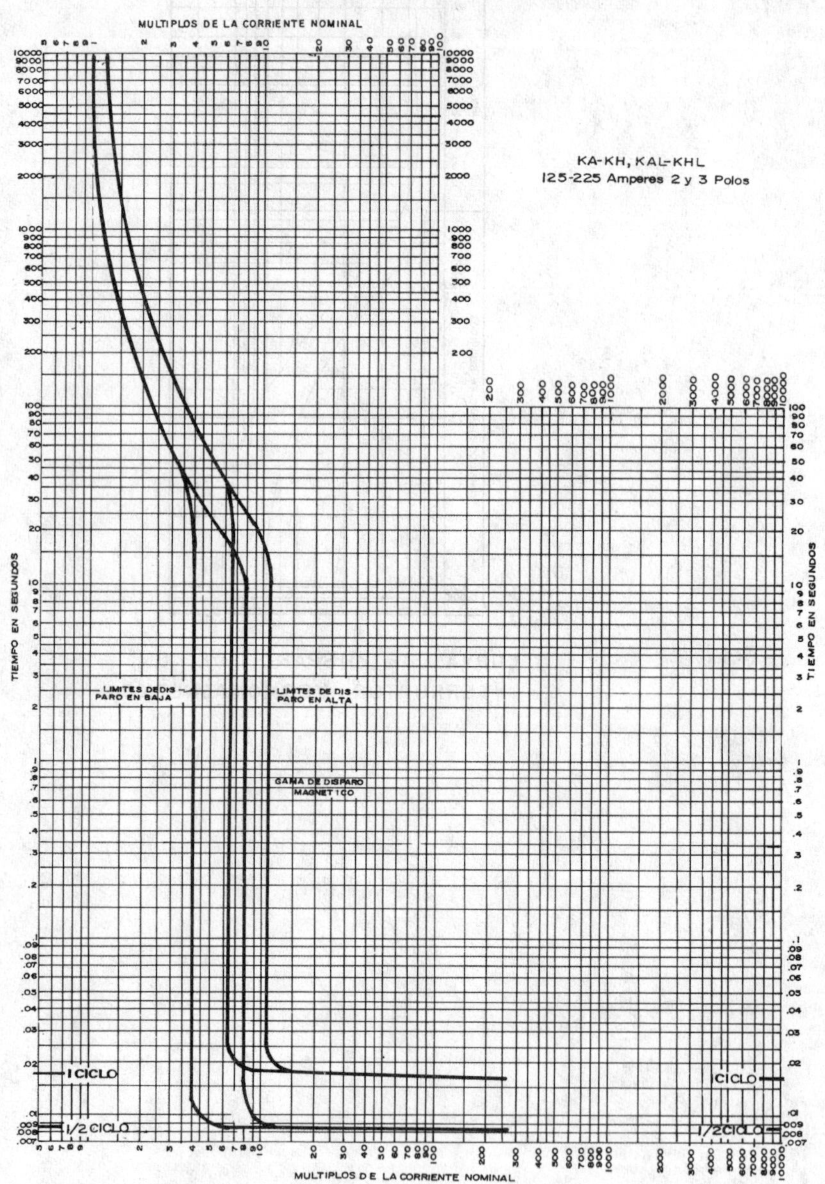
INTERRUPTORES TERMOMAGNETICOS
CURVA DE DISPARO
CARACTERISTICAS
MULTIPLOS DE LA CORRIENTE NOMINAL
KA-KH, KAL-KHL
125-225 Amperes 2 y 3 Polos
TIEMPO EN SEGUNDOS
LIMITES DE DISPARO EN BAJA
LIMITES DE DISPARO EN ALTA
GAMA DE DISPARO MAGNETICO
1 CICLO
1/2 CICLO
MULTIPLOS DE LA CORRIENTE NOMINAL

5.3.1. CONVENIENCIA Y SEGURIDAD.

DESDE EL PUNTO DE VISTA DE SU UTILIZACIÓN, LOS INTERRUPTORES TERMOMAGNÉTICOS RESULTAN MÁS CONVENIENTES QUE LOS FUSIBLES, YA QUE UN INTERRUPTOR TERMOMAGNÉTICO SE PUEDE CERRAR CON FACILIDAD SIN NINGÚN RIESGO DESPUÉS DE QUE HA DISPARADO. POR EL CONTRARIO, UN FUSIBLE QUE SE HA FUNDIDO SE DEBE DESATORNILLAR O JALAR CON ALGUN DISPOSITIVO PARA ELLO Y ENTONCES SE DEBE TENER CUIDADO QUE CUANDO EL CIRCUITO ESTÁ ABIERTO NO SE HAGA CONTACTO ACCIDENTAL CON LAS PARTES ENERGIZADAS , ESTE RIESGO SE PUEDE DECIR QUE ES PEQUEÑO, PERO EXISTE.

POR OTRA PARTE, CUANDO SE FUNDEN LOS FUSIBLES, SE DEBE DISPONER DE LOS SISTEMAS FUSIBLES DE REPUESTO, CUANDO NO SE TIENEN ESTOS, SE PUEDE CAER EN LA TENTACIÓN DE PUENTEAR EL FUSIBLE O BIEN SUSTITUIRLO POR OTRO DE MAYOR CAPACIDAD, EN CUYO CASO SE CREAN CONDICIONES DE RIESGO EN LA INSTALACIÓN, YA QUE SE CUMPLE CON LAS FUNCIONES DE PROTECCIÓN.

5.3.2. CONFIABILIDAD.

POR EXPERIENCIA SE SABE QUE EL USO DE FUSIBLES ES CONFIABLE Y NORMALMENTE NO REQUIEREN DE SER CAMBIADOS POR PERÍODOS LARGOS DE TIEMPO, POR OTRA PARTE, TAMBIÉN SE OBSERVA DE LA EXPERIENCIA QUE LOS INTERRUPTORES TERMOMAGNÉTICOS SE VEN MÁS AFECTADOS POR LAS CON-

DICIONES AMBIENTALES Y PUEDEN LLEGAR A SER UN POCO MENOS PRECISOS EN SU OPERACIÓN, POR LO QUE RECOMIENDA QUE SU MECANISMO DE OPERACIÓN SE REVISE POR LO MENOS UNA VEZ POR AÑO, LO CUAL NO SIEMPRE OCURRE, YA QUE POR LO GENERAL SE OBSERVAN SÓLO DESPUÉS DE HABER DISPARADO. CUANDO POR ALGUNA RAZÓN EL MECANISMO DE OPERACIÓN SE ENCUENTRA OXIDADO O EN MAL ESTADO, PUEDE OCURRIR QUE NO OPERE Y ENTONCES UN CIRCUITO PUEDE PERMANECER CERRADO EN CONDICIONES DE FALLA, LO CUAL REPRESENTA UN RIESGO PARA LA INSTALACIÓN ELÉCTRICA, ESTA SITUACIÓN NO SE PRESENTA CON LOS FUSIBLES, LO CUAL REPRESENTA UNA VENTAJA DE ESTOS.

EL CALENTAMIENTO EXCESIVO COMO RESULTADO DE UN POBRE CONTACTO EN LAS TERMINALES, PUEDE PRODUCIR QUE TANTO INTERRUPTORES TERMOMAGNÉTICOS COMO FUSIBLES PRODUZCAN DISPAROS ACCIDENTALES. EN LOS FUSIBLES EL CALENTAMIENTO EN LAS TERMINALES POR CONTACTOS FALSOS, SE PUEDE EVITAR POR MEDIO DEL USO DE GRAPAS DE PRESIÓN.

UN PROBLEMA QUE SE PUEDE PRESENTAR CON EL USO DE FUSIBLES, ES QUE LOS CIRCUITOS TRIFÁSICOS SE PUEDAN VER SOMETIDOS A UNA FALLA DENOMINADA PÉRDIDA DE FASE, LO CUAL, DEPENDIENDO DEL DISEÑO PUEDE REPRESENTAR UNA DESVENTAJA CON RESPECTO A LOS INTERRUPTORES TERMOMAGNÉTICOS. UNA FALLA EN CUALQUIERA DE LAS FASES DE UN CIRCUITO TRIFÁSICO QUE ESTÁ PROTEGIDO POR INTERRUPTORES TERMOMAGNÉTICOS, PRODUCE LA APERTURA DE TODAS LAS

FASES DEL CIRCUITO, CORTANDO LA ALIMENTACIÓN A LA CARGA TRIFÁSICA, YA SEA DE ALUMBRADO O BIEN MOTORES ELÉCTRICOS.

UNA FALLA EN CUALQUIERA DE LAS FASES DE UN CIRCUITO TRIFÁSICO QUE ESTÁ PROTEGIDO POR FUSIBLES, DESCONECTA ÚNICAMENTE LA FASE FALLADA, DE MANERA QUE SE CONTINUA ALIMENTANDO POTENCIA A LAS CARGAS DE ALUMBRADO A MOTORES MONOFÁSICOS CONECTADOS A LAS FASES QUE PERMANECEN ENERGIZADAS, DE MANERA QUE SE MANTIENE UN SERVICIO APROXIMADAMENTE 2/3 DE LA CARGA.

SIN EMBARGO, EN LOS MOTORES TRIFÁSICOS QUE ESTÁN PROTEGIDOS SÓLO POR FUSIBLES, AL DESCONECTARSE SÓLO LA FASE FALLADA, QUEDAN SUJETOS A LA OPERACIÓN EN DOS FASES, SI ESTOS CONTINUAN OPERANDO, PERO CON UNA CORRIENTE INCREMENTADA Y DESBALANCEADA CIRCULANDO EN DOS FASES QUE QUEDAN ENERGIZADAS, DE MANERA QUE AL MENOS UNA DE ESTAS FASES ENERGIZADAS, DEMANDA UNA CORRIENTE EXCESIVA, DE MANERA QUE EL ELEMENTO TÉRMICO (SI LO TIENE) DEBE OPERAR Y DESCONECTAR AL MOTOR EN TIEMPO BREVE.

SI LA PROTECCIÓN DEL MOTOR NO ESTÁ SELECCIONADA EN FORMA CORRECTA LA CAPACIDAD DE LOS ELEMENTOS TÉRMICOS NO HA SIDO CORRECTAMENTE SELECCIONADA, EL MOTOR CONTINUA OPERANDO CON SOBRECORRIENTE HASTA QUE SE QUEMA, Y ESTO LLEGA A SUCEDER.

5.3.3. EL COSTO Y LAS APLICACIONES GENERALES.

DE HECHO, UN INTERRUPTOR TERMOMAGNÉTICO COMBINA LA -- FUNCIÓN DE UNA CUCHILLA DESCONECTADORA CON PROTECCIÓN DEL CIRCUITO, EN CAMBIO UN FUSIBLE NECESITA DE UN DESCONECTADOR (SWITCH) ADICIONAL PARA CUMPLIR CON LA MISMA FUNCIÓN, AÚN CON ESTO UN FUSIBLE ES MÁS BARATO QUE EL INTERRUPTOR TERMOMAGNÉTICO.

LA TENDENCIA GENERAL ES A USAR LOS INTERRUPTORES TERMOMAGNÉTICOS EN LA MAYORÍA DE LOS CASOS, TANTO EN LAS INSTALACIONES PARA CASAS HABITACIÓN, COMO EN UNA GRAN VARIEDAD DE INSTALACIONES INDUSTRIALES.

5.4. LA PROTECCION DE LAS INSTALACIONES CONTRA EL CORTO -- CIRCUITO.

EL CÁLCULO DE LAS CORRIENTES DE CORTO CIRCUITO REPRESENTA UN ELEMENTO FUNDAMENTAL EN EL PROYECTO DE LAS - INSTALACIONES ELÉCTRICAS INDUSTRIALES, YA SEA PARA EL DIMENSIONAMIENTO DE LOS APARATOS QUE SE DEBEN USAR PARA INTERRUMPIR ESTAS CORRIENTES O BIEN PARA EL DIMENSIONAMIENTO DE LAS PARTES AUXILIARES DE LAS INSTALACIONES COMO POR LAS BARRAS DE CONEXIÓN, TABLEROS, SOPORTES, ETC.

LO QUE SE EXPONDRÁ A CONTINUACIÓN SOLO SE REFIERE A - LOS ASPECTOS FUNDAMENTALES DE ESTE TEMA Y QUE PIERDE- INTERÉS PRÁCTICO PARA EL PROYECTO DE INSTALACIONES -

INDUSTRIALES, YA QUE EL ESTUDIO DE CORTO CIRCUITO EN-SÍ, CONSTITUYE UN TEMA MUY AMPLIO Y QUE REQUIERE DE -CIERTO DETALLE PARA LA COMPRENSIÓN DE TODOS LOS FENÓMENOS ASOCIADOS Y LAS TÉCNICAS DE ANÁLISIS EMPLEADAS.

EL CORTO CIRCUITO DE HECHO, PUEDE OCURRIR EN CUAL --QUIER PARTE DE UN SISTEMA ELÉCTRICO, Y EN EL CASO DE-ALGUNAS INSTALACIONES INDUSTRIALES DE TAMAÑO PEQUEÑO-EN DONDE SE USAN COMO DISPOSITIVOS DE PROTECCIÓN FUSIBLES E INTERRUPTORES TERMOMAGNÉTICOS, ÉSTOS, DEBEN-OPERAR PARA ABRIR EL CIRCUITO.

SI EL CIRCUITO EN EL QUE SE PRESENTA LA FALLA (CORTOCIRCUITO) NO SE ABRE, SE PUEDE PRESENTAR DAÑO, PRINCIPALMENTE DEBIDO AL CALENTAMIENTO Y ALTOS ESFUERZOS EN EQUIPO ELÉCTRICO. LOS RESULTADOS QUE FINALMENTE SE-PUEDEN TENER DE ESTE TIPO DE FALLAS SON:

EQUIPO ARRUINADO, INCENDIOS Y POSIBLES EXPLOSIONES.

5.4.1. DESCRIPCION DEL FENOMENO.

EL ESTUDIO DEL CORTO CIRCUITO EN LAS INSTALACIONES INDUSTRIALES TIENE ALGUNAS VARIANTES, DEPENDIENDO DEL -TAMAÑO Y CARACTERÍSTICAS ELÉCTRICAS DE LA INDUSTRIA Y DE SU INSTALACIÓN ELÉCTRICA EN PARTICULAR. EN LA SIGUIENTE FIGURA SE REPRESENTA UN DIAGRAMA GENERAL DE -DISTRIBUCIÓN DE UNA INSTALACIÓN INDUSTRIAL:

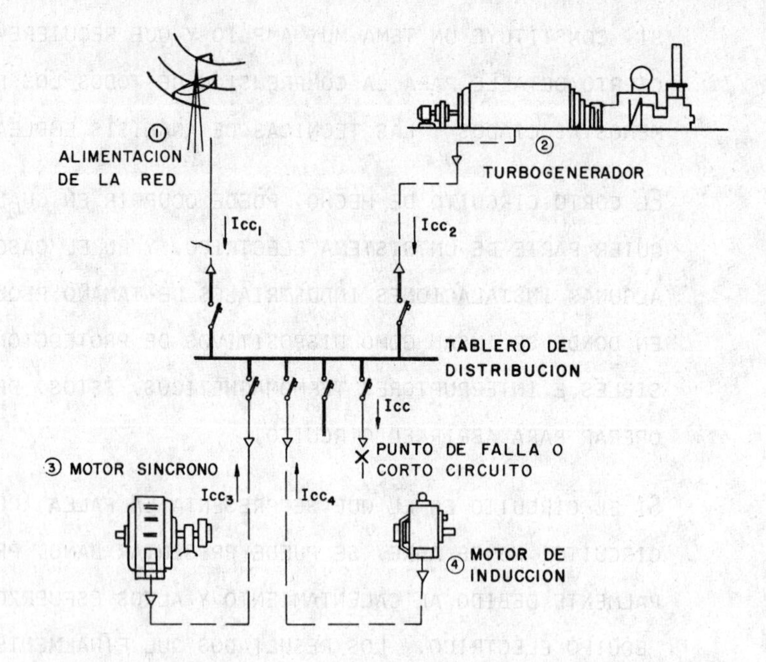

ELEMENTOS QUE CONTRIBUYEN AL CORTO CIRCUITO

El corto circuito se alimenta de las siguientes fuentes:

a) Red de la compañia suministradora de energía eléctrica. El valor de la corriente corto circuito con que contribuye la red de alimentación a la instalación depende de las características de la red misma, esta corriente de corto circuito de alimentación se expresa en kiloamperes o bien se da el valor de la llamada capacidad interruptiva en MVA, en cualquier caso, para el proyectista de la instalación eléctrica, es un valor que proporciona la compañía suministradora, indicando a esta el punto de la red eléctrica de donde se alimentará a la industria.

Por ejemplo, si se proporciona el valor de corto circuito en una red de distribución de 13.8kV a la que se conectará una industria como corriente, se puede decir Icc = 10 KA por ejemplo, por otra parte, si se proporciona como una capacidad interruptiva en MVA, a partir de este valor se puede calcular la corriente de corto circuito. Si por ejemplo la capacidad interruptiva es de 200MVA, la corriente de corto circuito correspondiente es:

$$I_{cc} = \frac{200 \times 1000}{\sqrt{3} \times 13.8} = 8367.4 \text{ Amperes}$$

B) TURBOGENERADOR O FUENTE DE GENERACIÓN PROPIA EN - ALGUNAS INDUSTRIAS, ESTA PERMITIDO (EN CONDICIO - NES ESPECIALES EN MÉXICO) QUE EXISTA GENERACIÓN - LOCAL, ADEMÁS DE LA FUENTE DE ALIMENTACIÓN QUE -- PROPORCIONA LA RED DE LA COMPAÑÍA SUMINISTRADORA.

SIN ENTRAR EN LOS DETALLES DEL FENÓMENO, SE PUEDE DECIR QUE EL GENERADOR ENTREGARÁ UNA CORRIENTE LI MITADA SÓLO POR SU IMPEDANCIA INTERNA Y QUE ES DE CRECIENTE DEL INSTANTE DEL CORTO CIRCUITO POR UN- TIEMPO CORTO (TRANSITORIO) HASTA SU ESTABILIZA -- CIÓN A UN VALOR QUE NO VARÍA MÁS CON EL TIEMPO -- (IMPEDANCIA SÍNCRONA). LA CORRIENTE DE CORTO CIR CUITO SERÁ POR LO TANTO ELEVADA EN EL PRIMER INS- TANTE Y DECRECERÁ HASTA UN VALOR (CORRIENTE DE -- CORTO CIRCUITO PERMANENTE) QUE SE MANTENDRÁ SIN - MODIFICACIÓN EN EL TIEMPO SI NO INTERVIENEN LAS - PROTECCIONES.

C) MOTORES SÍNCRONOS.

UN MOTOR SÍNCRONO SE COMPORTARÁ EN FORMA ANÁLOGA- A UN GENERADOR SÍNCRONO, EN LUGAR DE ABSORBER - - ENERGÍA DE LA LÍNEA SE CONVERTIRÁ EN UN GENERADOR Y ALIMENTARÁ A LA INSTALACIÓN CON UNA CORRIENTE - DECRECIENTE CON EL TIEMPO QUE DEPENDERÁ DE SU IM- PEDANCIA INTERNA, EXACTAMENTE COMO OCURRE CON EL- GENERADOR SÍNCRONO.

D) MOTORES DE INDUCCIÓN.

TAMBIÉN LOS MOTORES DE INDUCCIÓN QUE ESTÁN CONECTADOS EN LA INSTALACIÓN ELÉCTRICA ALIMENTARÁN A ÉSTA CON UNA CORRIENTE LIMITADA POR SU IMPEDANCIA INTERNA, PERO SU CONTRIBUCIÓN SE REDUCE A CERO EN UN TIEMPO MUY BREVE.

EL VALOR DE LA CORRIENTE DE CORTO CIRCUITO EN EL PUNTO DE LA INSTALACIÓN EN EL QUE SE PRESENTA LA FALLA ES LA SUMA DE LAS CONTRIUBCIONES DE LOS ELEMENTOS CONECTADOS A LA MISMA Y LA RED DE ALIMENTACIÓN, COMO SE MUESTRA EN LA FIGURA SIGUIENTE:

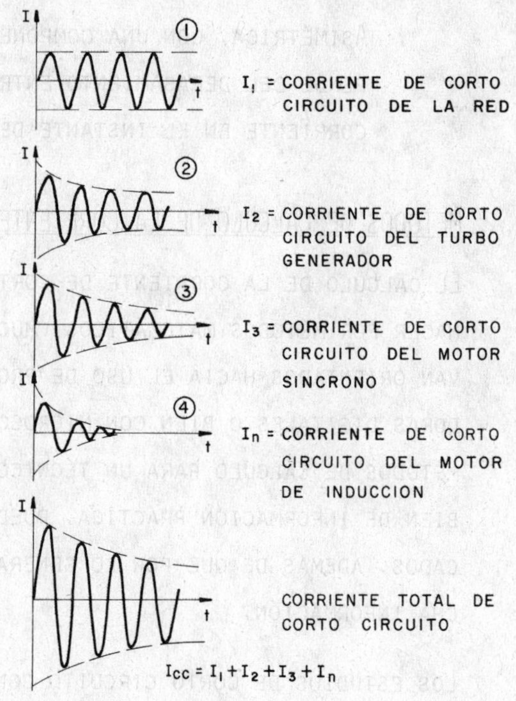

DIAGRAMAS DE CORTO CIRCUITO DE LAS DISTINTAS FUENTES DE ALIMENTACION

Como se puede observar, al presentarse el corto - circuito en una instalación, se presentará una corriente de un valor muy elevado que se reducirá - con el tiempo hasta llegar a un valor permanente, es decir, que la forma de la corriente de corto - circuito es por lo tanto:

- Senoidal con un período dependiente de la frecuencia de la red de alimentación.
- Amortiguado con una constante de tiempo que depende de las características de la red de alimentación.
- Asimétrica, con una componente continua que depende del defasamiento entre el voltaje y la - corriente en el instante del corto circuito.

5.4.2. METODOS DE CALCULO DE LA CORRIENTE DE CORTO CIRCUITO:

El cálculo de la corriente de corto circuito se puede hacer por métodos matemáticos, muchos de los cuales - van orientados hacia el uso de programas para computadoras digitales o bien con microcomputadoras. Estos métodos de cálculo para un técnico que requiere más - bien de información práctica, pueden resultar complicados, además de que por lo general requieren de mucha información.

Los estudios de corto circuito con fines prácticos pa

RA INSTALACIONES DE TIPO INDUSTRIAL, SE PUEDEN HACER POR MÉTODOS APROXIMADOS QUE SON BASTANTE SIMPLES, -- DESDE LUEGO QUE NO SON TAN EXACTOS COMO LOS MÉTODOS-MATEMÁTICOS, PERO DAN UNA IDEA DE ORDEN DE MAGNITUD-DE LAS CORRIENTES DE CORTO CIRCUITO, QUE EN LA MAYO-RÍA DE LOS CASOS CORRESPONDEN A VALORES CONSERVADO - RES, ES DECIR MAYORES QUE LOS ESPERADOS, PERO QUE -- LOS HACEN ADEMÁS DE SIMPLES, SUFICIENTEMENTE CONFIA-BLES PARA SU USO, POR LO QUE EN ESTE CAPÍTULO, ESTE-TIPO DE MÉTODOS ES EL QUE SE USARÁ.

EN UNA INSTALACIÓN ELÉCTRICA, LA MÁXIMA CORRIENTE DE CORTO CIRCUITO EN LA ALIMENTACIÓN, ES EL VALOR QUE - SE PUEDE TENER PARA UN CORTO CIRCUITO EN EL PUNTO -- PRINCIPAL DE DESCONEXIÓN. EN LA FIGURA SIGUIENTE SE MUESTRA EL DIAGRAMA UNIFILAR SIMPLIFICADO PARA UNA - INSTALACIÓN ELÉCTRICA, INDICANDO CON EL PUNTO DE FA-LLA EN BAJA TENSIÓN.

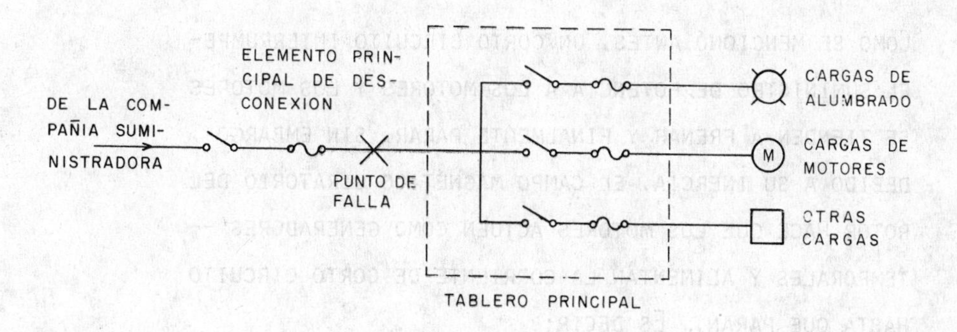

CORTO CIRCUITO EN EL PUNTO DE ALIMENTACION

PARA LOS FINES DE CÁLCULOS CONSERVADORES, SE SUPONE - QUE LA FALLA PUEDE SER LA MÁS SEVERA POSIBLE, ES DE - CIR LA QUE PRODUCIRÍA LOS DAÑOS MÁS FUERTES, CONSIDE- RANDO QUE SE PUENTEAN LOS CONDUCTORES CON UN ELEMENTO CONDUCTOR SÓLIDO ENTRE ELLOS. EL VALOR DE LA CORRIEN TE DE CORTO CIRCUITO DISPONIBLE, SE OBTIENE DIRECTA - MENTE DE LA COMPAÑÍA SUMINISTRADORA, YA QUE ESTA, DE- BE PROPORCIONAR LA INFORMACIÓN DEL MÁXIMO VALOR EN AM PERES QUE CIRCULA DE LOS TRANSFORMADORES Y RED DE ALI MENTACIÓN AL PUNTO DE FALLA EN LA ALIMENTACIÓN, ESTE VALOR EN ALGUNAS OCASIONES PUEDE SER MUY ELEVADO.

DE LOS ELEMENTOS QUE CONTRIBUYEN A LA CORRIENTE DE -- CORTO CIRCUITO, EL TURBOGENERADOR O EN GENERAL LA GE- NERACIÓN LOCAL NO SE TIENE EN LA MAYORÍA DE LAS INSTA LACIONES, DE MANERA QUE LAS FUENTES PRINCIPALES DE -- ALIMENTACIÓN SON: LA RED DE ALIMENTACIÓN Y LA CARGA - LOCAL DE MOTORES QUE SE TIENE EN LA INDUSTRIA.

COMO SE MENCIONÓ ANTES, UN CORTO CIRCUITO INTERRUMPE- EL SUMINISTRO DE POTENCIA A LOS MOTORES Y LOS MOTORES SE TIENDEN A FRENAR Y FINALMENTE PARAR, SIN EMBARGO , DEBIDO A SU INERCIA, EL CAMPO MAGNÉTICO GIRATORIO DEL ROTOR HACE QUE LOS MOTORES ACTUEN COMO GENERADORES -- TEMPORALES Y ALIMENTAN LA CORRIENTE DE CORTO CIRCUITO HASTA QUE PARAN. ES DECIR:

$$I_{TCC} = I_{SCC} + I_{MCC}$$

ITCC = CORRIENTE TOTAL DE CORTO CIRCUITO EN EL PUNTO- DE FALLA.

ISCC = CORRIENTE DE CORTO CIRCUITO QUE ALIMENTA LA -- RED O SISTEMA DE ALIMENTACIÓN EN BAJA TENSIÓN.

IMCC = CORRIENTE DE CORTO CIRCUITO CON QUE CONTRIBU - YEN LOS MOTORES.

EN LA PRÁCTICA LA CONTRIBUCIÓN DE LOS MOTORES A LA CO RRIENTE DE CORTO CIRCUITO SE TOMA APROXIMADAMENTE COMO CINCO VECES LA SUMA DE LAS CORRIENTES A PLENA CARGA DE LOS MOTORES ESTÉN OPERANDO O NO. ES DECIR:

IMCC = 5 x (SUMA DE LAS CORRIENTES A PLENA CARGA DE TO DOS LOS MOTORES).

EJEMPLO 5.1.

CALCULAR LA CORRIENTE TOTAL DE CORTO CIRCUITO EN EL -- PUNTO DE CONEXIÓN A UNA INDUSTRIA SI LA COMPAÑÍA SUMI- NISTRADORA INFORMA QUE LA CORRIENTE DE CORTO CIRCUITO- QUE PROPORCIONA ES DE 20,000A. EN LA INDUSTRIA SE TIE NEN INSTALADOS LOS MOTORES TRIFÁSICOS A 220 VOLTS QUE- SE INDICAN:

5 MOTORES DE 10 HP
3 MOTORES DE 20 HP
8 MOTORES DE 5 HP
3 MOTORES DE 40 HP
2 MOTORES DE 75 HP

SOLUCION

La corriente de la Compañía Suministradora es:

Iscc = 20,000 A.

La contribución de los motores eléctricos se calcula- a partir de las corrientes nominales de estos: De la tabla de corrientes nominales de motores (capítulo 3) son:

Para los motores de 10 HP, In = 39 A

Para los motores de 20 HP, In = 56 A

Para los motores de 5 HP, In = 15.9 A

Para los motores de 40 HP, In = 109 A

Para los motores de 75 HP, In = 201 A

La corriente nominal total por grupo de motores es:

5 motores de 10 HP	5 x 29 =	145 A
3 motores de 20 HP	3 x 56 =	168 A
8 motores de 5 HP	8 x 15.9=	128 A
3 motores de 40 HP	3 x 109 =	327 A
2 motores de 75 HP	2 x 201 =	402 A
CORRIENTE NOMINAL TOTAL	=	1170 A

La corriente de corto circuito que suministran los motores de la falla es:

Imcc = 5 x suma de corrientes nominales.

Imcc = 5 x 1170 = 5850 A

LA CORRIENTE TOTAL DE CORTO CIRCUITO ES ENTONCES:

$I_{TCC} = I_{SCC} - I_{MCC}$.

$I_{TCC} = 20\,000 + 5850 = 25850$ A.

5.4.3. CALCULO DE LA CORRIENTE DE CORTO CIRCUITO EN CUAL --- QUIER PUNTO DE LA INSTALACION (EN BAJA TENSION)

COMO SE MENCIONÓ EN PÁRRAFOS ANTERIORES, LAS COMPA- - ÑÍAS SUMINISTRADORAS, GENERALMENTE PROPORCIONAN EL VALOR DE LA CORRIENTE DE CORTO CIRCUITO EN EL PUNTO DE-ALIMENTACIÓN EN DOS FORMAS: COMO UNA CORRIENTE O COMO EL VALOR DE LA CAPACIDAD INTERRUPTIVA, ES DECIR SI LA CORRIENTE DE CORTO CIRCUITO DEL SISTEMA ES: I_{CCS}- LA CAPACIDAD INTERRUPTIVA SE EXPRESA COMO:

$$I_{CCS} = \sqrt{3}\ V\ I_{CCS}$$

SIENDO:

P_{CCS} LA CAPACIDAD INTERRUPTIVA.

ALGUNAS VECES LA COMPAÑÍA SUMINISTRADORA PROPORCIONA-LA IMPEDANCIA EN EL PUNTO DE ALUMENTACIÓN. ESTA IMPEDANCIA ES EN FORMA COMPLEJA.

$$Z_X = R + J\ X$$

EL VALOR DE LA CORRIENTE DE CORTO CIRCUITO QUE PROPORCIONA EL SISTEMA EN EL PUNTO DE ALIMENTACIÓN SE CALCULA ENTONCES COMO:

$$I_{CCS} = \frac{V_S}{1.73\, Z_S}$$

DONDE:

Z_S IMPEDANCIA DEL SISTEMA HASTA EL PUNTO DE ALIMENTACIÓN.

V_S VOLTAJE DEL SISTEMA

EN TÉRMINOS ABSOLUTOS:

$$Z_S = \sqrt{R^2 + X^2}$$

EN MUCHOS CASOS PRÁCTICOS, LA RESISTENCIA R ES PEQUEÑA EN COMPARACIÓN CON LA REACTANCIA X Y SIN MUCHO ERROR SE PUEDEN DESPRECIAR, EN PARTICULAR CUANDO LA REACTANCIA ES MÁS DE 10 VECES EL VALOR DE LA RESISTENCIA CON LO QUE:

$$Z_S = X_S$$

LA CORRIENTE TOTAL DE CORTO CIRCUITO ES ENTONCES:

$$I_{TCC} = \frac{V_S}{1.73\, Z_S} + I_{MCC}$$

SE PUEDE OBSERVAR QUE LA CORRIENTE DE CORTO CIRCUITO QUE CIRCULA DEL PUNTO DE ALIMENTACIÓN A LA FALLA SE REDUCE POR LAS IMPEDANCIAS DEL EQUIPO ELÉCTRICO EN EL CIRCUITO QUE ESTÁ BAJO ANÁLISIS, ESTAS IMPEDANCIAS PUEDEN SER LA DE LOS INTERRUPTORES, TRANSFORMADORES DE INSTRUMENTO, CONDUCTORES, ETC.

SE PUEDE OBSERVAR DE LA ECUACIÓN ANTERIOR, QUE A MEDIDA QUE AUMENTA LA IMPEDANCIA Z_S, LA CORRIENTE DE CORTO CIRCUITO SE REDUCE Y A MEDIDA QUE Z_S DISMINUYE, LA CORRIENTE DE CORTO CIRCUITO AUMENTA, POR LO QUE ESTE MÉTODO BÁSICO DE CÁLCULO ESTÁ SIEMPRE DEL LADO CONSERVADOR Y EL FACTOR DE SEGURIDAD SE PUEDE DAR EN FUNCIÓN DE LAS CONSIDERACIONES PARA EL ESTUDIO.

EJEMPLO 5.2.

SUPÓNGASE QUE LA COMPAÑÍA SUMINISTRADORA ALIMENTA A UNA PEQUEÑA INSTALACIÓN INDUSTRIAL A 220/127 VOLTS CON ALIMENTACIÓN TRIFÁSICA DE 4 HILOS (TRES FASES Y NEUTRO). LA POTENCIA DEL CORTO CIRCUITO EN EL PUNTO DE ALIMENTACIÓN ES DE 20 MVA Y SE ALIMENTA A UN CENTRO DE CONTROL DE MOTORES QUE TIENE LOS SIGUIENTES MOTORES:

2 MOTORES DE 10 HP JAULA DE ARDILLA.
2 MOTORES DE 5 HP JAULA DE ARDILLA.
1 MOTOR DE 20 HP JAULA DE ARDILLA.

LA DISTANCIA DEL PUNTO DE ALIMENTACIÓN AL CENTRO DE CONTROL DE MOTORES ES DE 40 M.

CALCULAR LA CORRIENTE DE CORTO CIRCUITO EN LOS PUNTOS INDICADOS:

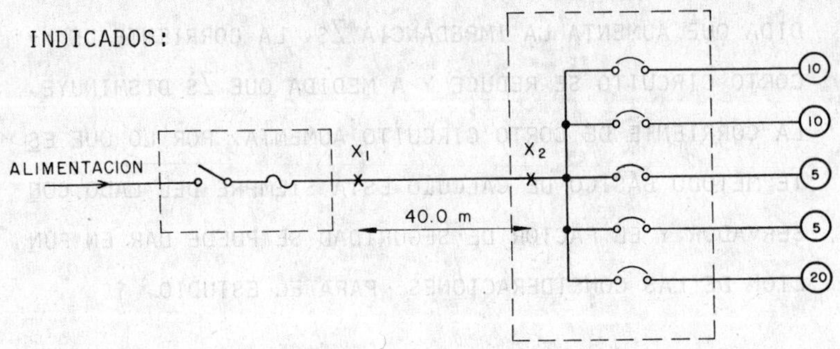

SOLUCION: CENTRO DE CONTROL DE MOTORES

LAS CORRIENTES NOMINALES PARA LOS MOTORES TRIFÁSICOS A 220 VOLTS SON:

MOTOR DE 10 HP —— 29 A.
MOTOR DE 5 HP —— 15.9 A.
MOTOR DE 20 HP —— 56 A.

PARA CALCULAR EL CALIBRE DEL ALIMENTADOR AL CENTRO DE CONTROL DE MOTORES, SE PROCEDE COMO SE INDICÓ EN EL CAPÍTULO 3, ES DECIR, SE TOMA LA SUMA DE LAS CORRIENTES NOMINALES DE LOS MOTORES Y EL 1.25 DE LA CORRIENTE DEL MOTOR MAYOR.

$$I = 1.25 \times 56 + 2 \times 15.94 + 2 \times 29 = 159.8 \text{ Amp.}$$

PARA 3 CONDUCTORES EN TUBO CONDUIT SUPONIENDO QUE SE USA CONDUCTOR VINAMEL NYLON A UNA TEMPERATURA DE 75ºC PARA UNA CORRIENTE DE 159.8 AMPERES SE REQUIERE CONDUCTOR CALIBRE No. 1/ 0 EN TUBO CONDUIT DE 38 MM.

LA CORRIENTE DE CORTO CIRCUITO QUE PROPORCIONAN LOS MOTORES A LA FALLA SE TOMA COMO 5 VECES LA SUMA DE LAS CORRIENTES NOMINALES, ES DECIR:

$$I_{CCM} = 5 \times \text{(SUMA DE LAS CORRIENTES NOMINALES)}$$

$$I_{CCM} = 5 \times (2 \times 29 + 2 \times 15.9 + 56)$$

$$= 729 \text{ AMPERES}$$

A) PARA LA FALLA EN EL PUNTO X1, SOLO SE CONSIDERA QUE LA ALIMENTACIÓN DEL SISTEMA ESTÁ LIMITADA POR SU PROPIA IMPEDANCIA, POR LO QUE PARA LA POTENCIA DE CORTO CIRCUITO DADA A 220 VOLTS LA CORRIENTE DE CORTO CIRCUITO ES:

$$I_{CCS} = \frac{P_{CCS}}{\sqrt{3}\, V_S} = \frac{20000}{\sqrt{3} \times 220} = 52.5 \text{ kA}$$

LA CORRIENTE TOTAL DE CORTO CIRCUITO ES:

$$I_{CCT} = I_{CCS} + I_{CCM} = 52500 + 729$$

$$I_{CCT} = 53229 \text{ AMPERES}$$

SE PUEDE EFECTUAR EL MISMO CÁLCULO CONSIDERANDO LA IMPEDANCIA EQUIVALENTE DEL SISTEMA CUYO VALOR SE CALCULA COMO:

$$Z_S = \frac{V_S^2}{P_{CC} \times 1000}$$

V_S = VOLTAJE DEL SISTEMA EN VOLTS

P_{CC} = POTENCIA DE CORTO CIRCUITO DEL SISTEMA EN KVA.

EN ESTE EJEMPLO: $P_{CC} = 20$ MVA $= 20000$ KVA:

POR LO TANTO:

$$Zs = \frac{(220)^2}{20000 \times 1000} = 0.0024$$

DE MANERA QUE LA CORRIENTE TOTAL DE CORTO CIRCUITO EN X1 ES:

$$I_{CCT} = \frac{V_S}{1.73\ Z_S} + I_{MCC}$$

$$I_{CCT} = \frac{220}{1.73 \times 0.0024} + 729$$

$$I_{CCT} = 53715.51\ A$$

B) PARA LA FALLA EN EL PUNTO X_2 SE DEBE CONSIDERAR LA IMPEDANCIA DEL CONDUCTOR 1/0 DEL PUNTO DE -- ALIMENTACIÓN AL CENTRO DE CONTROL DE MOTORES Y- CUYO VALOR ES DE ACUERDO A LA TABLA 2.4.1. (CAPÍTULO 2) DE 0.0130 A 0.0160 OHMS/100M EN FORMA CONSERVADORA SE PUEDE TOMAR EL MENOR VALOR DEL- RANGO, ES DECIR: Zc= 0.0130 OHMS/100 M, PARA -- UNA DISTANCIA DE 40 M SE TIENE AHORA.

$$Zc = \frac{0.0130 \times 40}{100} = 0.0052\ \text{OHMS}$$

LA IMPEDANCIA DEL SISTEMA MÁS LA DEL CONDUCTOR- ES AHORA:

$$Z_R = Z_S + Z_C = 0.0024 + 0.0052 = 0.0076\ \text{OHMS.}$$

LA CORRIENTE TOTAL DE CORTO CIRCUITO ES:

$$I_{CCT} = \frac{V_S}{1.73\ Z_T} + I_{MCC}$$

$$I_{CCT} = \frac{220}{1.73 \times 0.0076} + 729$$

$$I_{CCT} = 17461.58\ A$$

5.4.4. CALCULO DE LA CORRIENTE DE CORTO CIRCUITO EN INSTALACIONES ELECTRICAS MAYORES:

EN EL PROYECTO DE UNA INSTALACIÓN ELÉCTRICA INDUSTRIAL EL PROBLEMA DEL CÁLCULO DE LAS CORRIENTES DE CORTO CIRCUITO SE PONE EN LOS SIGUIENTES TÉRMINOS:

EN UN PUNTO DE LA INSTALACIÓN SE DEBE INSTALAR LO QUE SE DEBE SELECCIONAR CON UNA CAPACIDAD DE INTERRUPCIÓN IGUAL O SUPERIOR AL VALOR DE LA CORRIENTE DE CORTO CIRCUITO EN ESE PUNTO DE LA INSTALACIÓN.

EN LAS CONEXIONES ELÉCTRICAS REALIZADAS CON BARRAS RÍGIDAS SOBRE AISLADORES, SE DEBE VERIFICAR QUE LA RESISTENCIA MECÁNICA DE LOS AISLADORES SOPORTE SEA SUFICIENTE PARA RESISTIR LOS ESFUERZOS ELECTRODINÁMICOS SOBRE LAS BARRAS, COMO CONSECUENCIA DE LAS CORRIENTES DE CORTO CIRCUITO.

EN LAS LÍNEAS DE ALIMENTACIÓN CON CABLE AISLADO, SE DEBE VERIFICAR QUE LAS SOLICITACIONES (ESFUERZOS)

TÉRMICAS COMO CONSECUENCIA DE LA CIRCULACIÓN DE- LA CORRIENTE DE CORTO CIRCUITO NO PRODUZCAN SO-- BRETEMPERATURAS PELIGROSAS PARA LA INTEGRIDAD -- DEL AISLAMIENTO.

- EN EL PRIMER CASO SE CONSIDERA QUE LA CORRIENTE- DE CORTO CIRCUITO SENSIBILIZA O ACCIONA A UN RE- LEVADOR DE SOBRECORRIENTE PARA QUE ÉSTE DE LA OR DEN AL MECANISMO DE APERTURA DEL INTERRUPTOR, EL CIRCUITO SE ABRE DESPUÉS DE UN TIEMPO QUE DEPEN- DE DE LAS CARACTERÍSTICAS MECÁNICAS DEL INTERRUP TOR MISMO.

- EN EL TIEMPO DE ENVIO DE SEÑAL DEL RELEVADOR Y - DE APERTURA POR PARTE DEL INTERRUPTOR, LA CO - - RRIENTE DE CORTO CIRCUITO SE ATENÚA DE MANERA -- QUE EN REALIDAD EL INTERRUPTOR INTERRUMPE UNA CO RRIENTE REDUCIDA, CON ESTE VALOR DE CORRIENTE SE DETERMINA LA CAPACIDAD O POTENCIA INTERRUPTIVA - DEL INTERRUPTOR.

- EN EL CASO DE LOS ESFUERZOS ELECTRODINÁMICOS DE- LAS CORRIENTES DE CORTO CIRCUITO, SE DEBE CALCU- LAR EL LLAMADO VALOR CRESTA DEL PRIMER CICLO O - PRIMERA ALTERNACIÓN, QUE CONSTITUIRÁ EL VALOR -- MÁXIMO DE LA CORRIENTE DE CORTO CIRCUITO. DE ES TE VALOR DE CORRIENTE DEPENDE EL VALOR MÁXIMO DE LOS ESFUERZOS ELECTRODINÁMICOS ENTRE CONDUCTORES.

. EL VALOR DE LA CORRIENTE DE CORTO CIRCUITO EN SU- CONCEPTO MÁS ELEMENTAL, COMO SE INDICÓ EN EL PÁ - RRAFO 5.4.2. SE CALCULA COMO;

$$I_{CC} = \frac{V}{Z}$$

DONDE:

V = VOLTAJE DE LA INSTALACIÓN EN EL PUNTO DE CORTO - CIRCUITO.

Z = IMPEDANCIA DEL CIRCUITO MÁS ALLÁ DEL PUNTO DE COR TO CIRCUITO.

CÁLCULO DE LA IMPEDANCIA.

DE LO QUE SE HA EXPUESTO EN LOS PÁRRAFOS ANTERIORES , SE OBSERVA QUE PARA EL CÁLCULO DE LA CORRIENTE DE COR TO CIRCUITO SIMÉTRICA SE DEBE CONOCER LA IMPEDANCIA - EQUIVALENTE DEL CIRCUITO MÁS ALLÁ DEL PUNTO DONDE SE- CALCULA EL VALOR DEL CORTO CIRCUITO.

COMO SE INDICÓ ANTES, EN EL ESTUDIO DE CORTO CIRCUITO INTERVIENEN DISTINTOS ELEMENTOS COMO SON EL GENERADOR LA RED DE ALIMENTACIÓN, LOS MOTORES, CONDUCTORES, ETC. QUE EN EL ESTUDIO SE DEBEN REPRESENTAR POR SUS IMPE - DANCIAS QUE SE DEBEN COMBINAR ENTRE SÍ EN SERIE Y EN- PARALELO, CALCULADA LA IMPEDANCIA CARACTERÍSTICA, POR MEDIO DE LA SIMPLE APLICACIÓN DE LA LEY DE OHM - - -- $I_{CC} = V/Z$ SE CALCULA LA CORRIENTE DE CORTO CIRCUITO. -

EN ESTA PARTE SE INDICA COMO CALCULAR LA IMPEDANCIA - DE CADA UNO DE LOS ELEMENTOS.

A) IMPEDANCIA DE LA RED DE ALIMENTACIÓN (CAMPAÑIA SUMINISTRADORA).

LA INFORMACIÓN RELACIONADA CON LAS CARACTERÍSTI - CAS DE LA RED DE ALIMENTACIÓN EN EL PUNTO DE ALIMENTACIÓN A LA INDUSTRIA, SE DEBE OBTENER DE LA - PROPIA COMPAÑÍA SUMINISTRADORA (LA COMISIÓN FEDERAL DE ELECTRICIDAD EN MÉXICO).

LA CARACTERÍSTICA DE LA RED SE PROPORCIONA NORMALMENTE AL USUARIO COMO UN VALOR DE POTENCIA DE CORTO CIRCUITO (PCC) EXPRESADA EN MVA (1MVA = 1KVA x 1000), EL VALOR DE LA CORRIENTE DE CORTO CIRCUITO SE OBTENDRÁ POR LO TANTO COMO:

$$I_{CC} = \frac{P_{CC}}{\sqrt{3} \times V}$$

EL VALOR DE LA IMPEDANCIA DEL SISTEMA (RED DE ALIMENTACIÓN) SE OBTIENE COMO:

$$Z_S = \frac{V^2}{P_{CC}} \quad \text{(OHMS)}$$

B) GENERADORES Y MOTORES SÍNCRONOS.

POR LO GENERAL EN LOS GENERADORES SÍNCRONOS LA IMPEDANCIA ESTÁ CONSTITUÍDA PRINCIPALMENTE POR LA -

REACTANCIA YA QUE LA RESISTENCIA SE PUEDE DESPRE-CIAR SIN COMETER UN ERROR APRECIABLE, LA RELACIÓN ENTRE LA RESISTENCIA Y LA REACTANCIA EN LA MAYOR PARTE DE LOS CASOS ESTÁ ENTRE 0.02 Y 0.04

LOS VALORES DE REACTANCIA ESTÁN POR LO GENERAL EXPRESADOS EN PORCIENTO. PARA OBTENER EL VALOR EN OHMS DE LA REACTANCIA POR FASE SE PUEDE HACER USO DE LA FÓRMULA:

$$X'_D = X'_D\ (\%)\ V^2_N / (P_N \times 100)\ \text{OHMS/FASE}$$

DONDE:

V_N = TENSIÓN NOMINAL DEL GENERADOR (KV)

P_N = POTENCIA NOMINAL DEL GENERADOR (MVA)

X'_D = REACTANCIA TRANSITORIA DEL GENERADOR OHMS / FASE.

X'_D (%) = REACTANCIA TRANSITORIA DEL GENERADOR EN PORCIENTO.

PARA LOS MOTORES SÍNCRONOS SE TIENEN LAS MISMAS CONSIDERACIONES QUE PARA LOS GENERADORES.

EN LA TABLA SIGUIENTE SE DAN ALGUNOS VALORES DE VALORES APROXIMADOS DE REACTANCIAS EN PORCIENTO, SOBRE LA BASE DE LA CAPACIDAD EN KVA NOMINALES

TABLA 5.I

VALORES DE REACTANCIAS SUBTRANSITORIAS DE GENERADORES A LA BASE DE LAS KVA NOMINALES; EXPRESADAS EN PORCIENTO.

Generador	Característica	Reactancia
GENERADOR DE POLOS SALIENTES CON DEVANADOS DE AMORTIGUAMIENTO	12 POLOS O MENOS	X"d = 18%
	14 POLOS O MAS	X"d = 24%
GENERADOR DE POLOS SALIENTES SIN DEVANADOS DE AMORTIGUAMIENTO	12 POLOS O MENOS	X"d = 25%
	14 POLOS O MAS	X"d = 35%
GENERADOR DE ROTOR CILINDRICO	625 - 9375 KVA	
	2 POLOS	X"d = 9%
	12500 KVA Y MAYORES	
	2 POLOS	X"d = 10%
	12500 KVA Y MAYORES	
	4 POLOS	X"d = 14%

X"d = REACTANCIA SUBTRANSITORIA

TABLA 5.II

VALORES APROXIMADOS DE REACTANCIAS PARA MOTORES DE C. A. A LA BASE DE LOS KVA NOMINALES; EXPRESADAS EN PORCIENTO.

GRANDES MOTORES SINCRONOS INDIVIDUALES	6 POLOS	X"d = 10%, X'd = 15%
	8 a 14 POLOS	X"d = 15%, X'd = 24%
GRUPOS DE MOTORES SINCRONOS,		
600 VOLTS O MENOS		X"d = 25%, X'd = 33%
MAYORES DE 600 VOLTS		X"d = 15%, X'd = 25%
GRANDES MOTORES DE INDUCION INDIVIDUALES		X"d = 25%,
GRUPOS DE MOTORES DE INDUCCION, 600 VOLTS O MENOS		X"d = 25%
MAYORES DE 600 VOLTS		X"d = 20%

c) MOTORES DE INDUCCIÓN.

EN EL CASO DE LOS MOTORES DE INDUCCIÓN SE PUEDE - DESPRECIAR LA RESISTENCIA DE MANERA QUE LA IMPE - DANCIA SE PUEDE TOMAR COMO LA REACTANCIA, LA RELACIÓN RESISTENCIA A REACTANCIA (R/X) ES DEL ORDEN- DE 0.05 A 0.07.

LA ACCIÓN DE LOS MOTORES DE INDUCCIÓN DURANTE EL- CORTO CIRCUITO SE AMORTIGUA RÁPIDAMENTE, TANTO, - QUE EL VALOR DE LA CORRIENTE DE CORTO CIRCUITO -- PERMANENTE SE PUEDE CONSIDERAR COMO CERO.

LA REACTANCIA DE CORTO CIRCUITO DE UN MOTOR DE INDUCCIÓN SE PUEDE CALCULAR DE ACUERDO CON LA FÓRMULA

$$X_M = \frac{V_N}{3 \times I_A} \qquad \text{TAMBIÉN} \quad X_M\,\% = \frac{100\, I_N}{I_A}$$

DONDE:

I_N = CORRIENTE NOMINAL.

X_M = REACTANCIA SUBTRANSITORIA (EL MISMO VALOR - PARA LA TRANSITORIA) DEL MOTOR EN (OHMS/FASE)

V_N = VOLTAJE NOMINAL DEL MOTOR DE INDUCCIÓN.

I_A = CORRIENTE DE ARRANQUE DEL MOTOR.

NORMALMENTE PARA LOS MOTORES EN BAJA TENSIÓN LA CO -- RRIENTE DE ARRANQUE SE TOMA COMO DE 4 A 7 VECES LA -

CORRIENTE NOMINAL LOS VALORES MAYORES SE TOMAN PARA LOS MOTORES MÁS PEQUEÑOS.

EN LA TABLA 5.II SE DAN LOS VALORES DE REACTANCIA PARA MOTORES DE INDUCCIÓN EXPRESADOS UN PORCIENTO A SU-BASE DE POTENCIA NOMINAL.

D) TRANSFORMADORES.

LA IMPEDANCIA DE LOS TRANSFORMADORES SE PUEDE CALCULAR CONSIDERANDO RESISTENCIA Y REACTANCIA, YA QUE NO SIEMPRE EN LA PRÁCTICA SE PUEDE DESPRECIAR LA RESISTENCIA RESPECTO A LA REACTANCIA. ESTO ES VÁLIDO PARA TRANSFORMADORES CON IMPEDANCIAS MAYORES DEL 6%. LOS VALORES DE RESISTENCIA Y REACTANCIA SE PUEDEN CALCULAR DE ACUERDO CON LAS SIGUIENTES EXPRESIONES.

$$R_T = R_R \times V_N^2/(100\ P_N)$$

$$X_T = X_S \times V_N^2/(100\ P_N)$$

DONDE:

R_T = RESISTENCIA EQUIVALENTE DE CORTO CIRCUITO DEL TRANSFORMADOR EN OHMS/FASE.

X_T = REACTANCIA EQUIVALENTE DE CORTO CIRCUITO DEL TRANSFORMADOR EN OHMS/FASE.

N_R = PORCIENTO DE CAÍDA DE TENSIÓN POR RESISTENCIA (RESISTENCIA EN POR CIENTO).

N_S = PORCIENTO DE CAÍDA DE TENSIÓN POR REAC - TANCIA (REACTANCIA EN PORCIENTO).

$Z\% = N_R^2 + N_S^2$ CAÍDA DE TENSIÓN POR IMPEDANCIA. (IMPEDANCIA EN PORCIENTO)

V_N = TENSIÓN NOMINAL DEL TRANSFORMADOR EN kV.

P_N = POTENCIA NOMINAL DEL TRANSFORMADOR LOS - VALORES TÍPICOS DE IMPEDANCIAS DE TRANS- FORMADORES EXPRESADAS EN PORCIENTO SE -- DAN LA TABLA 5.III.

TABLA 5.III

VALORES DE IMPEDANCIAS DE TRANSFORMADORES EXPRESADAS EN PORCIENTO, A LA BASE DE SU POTENCIA NOMINAL.

TRIFASICOS CON TENSION PRIMARIA DE 13.8 KV O MENOR Y TENSION SECUNDARIA DE 600 VOLTS O MENOR.		
DE 300 a 500 KVA		Z = 5 %
DE 750 a 2500 KVA		Z = 5.5 %
TRANSFORMADORES MONOFASICOS DE DISTRIBUCION		
POTENCIA EN KVA	5 KVA O MENOS	5.1 a 15 KV
3 a 5	Z = 2 %	Z = 2.3 %
10 a 15	Z = 2 %	Z = 2.0 %
25 a 50	Z = 2.5 %	Z = 2.4 %
75 a 167	Z = 3.3 %	Z = 3.7 %
250 a 500	Z = 4.7 %	Z = 5.1 %
TRANSFORMADORES TRIFASICOS CON VOLTAJE SECUNDARIO MAYOR DE 2.4 KV Y POTENCIA MAYOR DE 500 KVA.		
VOLTAJE PRIMARIO		
11-23 KV		Z = 5.5 %
34.5 KV		Z = 6.0 %
46 KV		Z = 6.5 %
69 KV		Z = 7.0 %
TRANSFORMADORES MONOFASICOS CON VOLTAJE SECUNDARIO MAYOR DE 2.4 KV Y POTENCIA MAYOR DE 500 KVA		
VOLTAJE PRIMARIO		
2.2 a 2.5 KV		Z = 5.5 %
25.1 a 34.5 KV		Z = 6.0 %
34.6 a 46.0 KV		Z = 6.5 %
46.1 a 69.0 KV		Z = 7.0 %

c) CABLES DE POTENCIA.

LOS VALORES DE RESISTENCIA Y REACTANCIA DE LOS -- DISTINTOS TIPOS DE CABLES SE PUEDEN OBTENER DE -- LOS CATÁLOGOS DE LOS DIFERENTES FABRICANTES, EN - ESTE CASO, A DIFERENCIA DE LAS LÍNEAS AÉREAS CON- CONDUCTORES DESNUDOS, LA RESISTENCIA NO SE PUEDE- DESPRECIAR DEBIDO A QUE SU VALOR ES PREVALENTE SO BRE LA REACTANCIA, PARA EL CÁLCULO DE LA IMPEDAN- CIA.

LA RESISTENCIA DEPENDE DEL MATERIAL Y DE LA SEC - CIÓN DE LOS CONDUCTORES Y SE CALCULA COMO:

$$R = \frac{\rho l}{S}$$

DONDE:

R = RESISTENCIA DEL CABLE EN OHMS/FASE.

ρ = RESISTIVIDAD DEL MATERIAL CONDUCTOR EN OHMS-MM^2/KM.

S = SECCIÓN DEL CONDUCTOR EN MM^2.

EN EL CASO DE LOS CABLES UNIPOLARES LA REACTANCIA DEPENDE DEL ESPESOR DEL AISLAMIENTO, DE LA PRESEN CIA DE ARMADURA METÁLICA Y DEL SISTEMA DE INSTALA CIÓN.

$$X = wL - (1/WC)$$

TABLA 5:1

CORRIENTES DE CORTO CIRCUITO PERMISIBLES PARA CABLES CON AISLAMIENTO A 90ºC Y CONDUCTOR DE COBRE

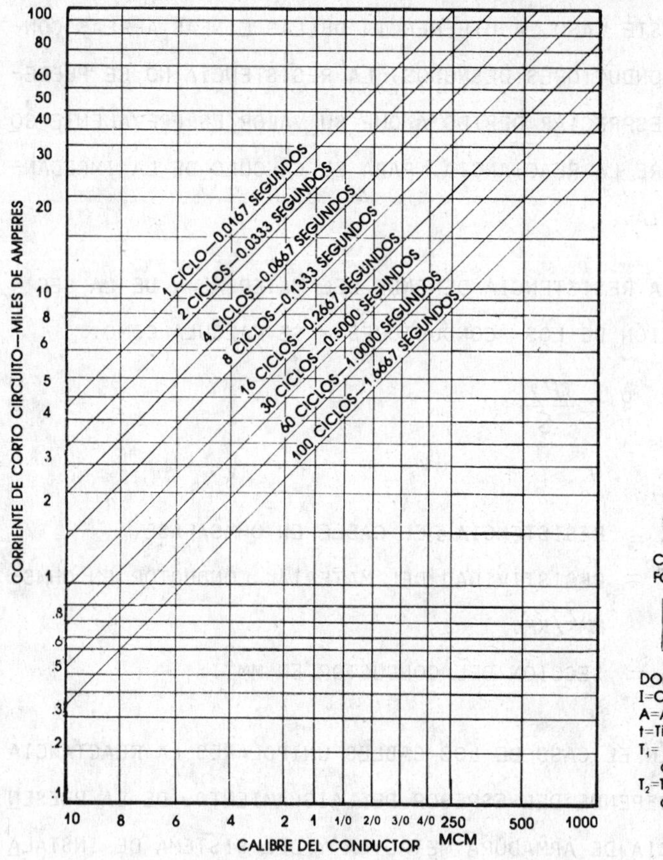

CONDUCTOR DE COBRE
AISLAMIENTO TERMO PLASTICO (PVC)

CURVAS BASADAS SOBRE LA SIGUIENTE FORMULA

$$\left[\frac{I}{A}\right]^2 t = .0297 \log \left[\frac{T_2 + 234}{T_1 + 234}\right]$$

DONDE:
I=Corriente de corto circuito amperes.
A=Area del conductor circular mils.
t=Tiempo de corto circuito-segundos.
T_1= Temperatura máxima de operación—90ºC
T_2=Temperatura máxima de corto circuito—150ºC

DONDE:

X = REACTANCIA DEL CABLE EN OHMS/FASE.

W = 2 × π × F = FRECUENCIA DEL SISTEMA EN HERTZ - (60 EN MÉXICO).

L = INDUCTANCIA EN HENRY

C = CAPACITANCIA EN FARADS.

EN LA MAYORÍA DE LOS CASOS, LA REACTANCIA CAPACITIVA ES DESPRECIABLE PARA LOS ESTUDIOS DE CORTO - CIRCUITO

EN UNA PRIMERA APROXIMACIÓN, Y A RESERVA DE OBTENER LOS VALORES DE REACTANCIA DE TABLAS DE CARACTERÍSTICAS DE CABLES, SE PUEDE TOMAR UNA REACTANCIA DE:

X = 0.1 OHMS / KM.

EJEMPLO DE CÁLCULO DE CORTO CIRCUITO.

UN EJEMPLO NUMÉRICO DE CÁLCULO DE CORTO CIRCUITO PARA UNA INSTALACIÓN INDUSTRIAL DE MEDIO Y BAJO - VOLTAJE SE PUEDE USAR PARA ILUSTRAR EL PROCEDIMIENTO EN ESTOS CASOS.

EJEMPLO 5.3

EL DIAGRAMA UNIFILAR DE LA INSTALACIÓN DE UNA - - PLANTA INDUSTRIAL QUE ESTÁ ALIMENTADA POR DOS LÍNEAS DE 115 kV CON SUS RESPECTIVOS INTERRUPTORES-

EN ACEITE DE 10 MVA DE CAPACIDAD INTERRUPTIVA Y - TRANSFORMADORES DE 115/4.16 kV. CALCULAR LAS FALLAS EN LOS PUNTOS INDICADOS. SI LA CAPACIDAD DE CORTO CIRCUITO DEL SISTEMA ES DE 4500 MVA:

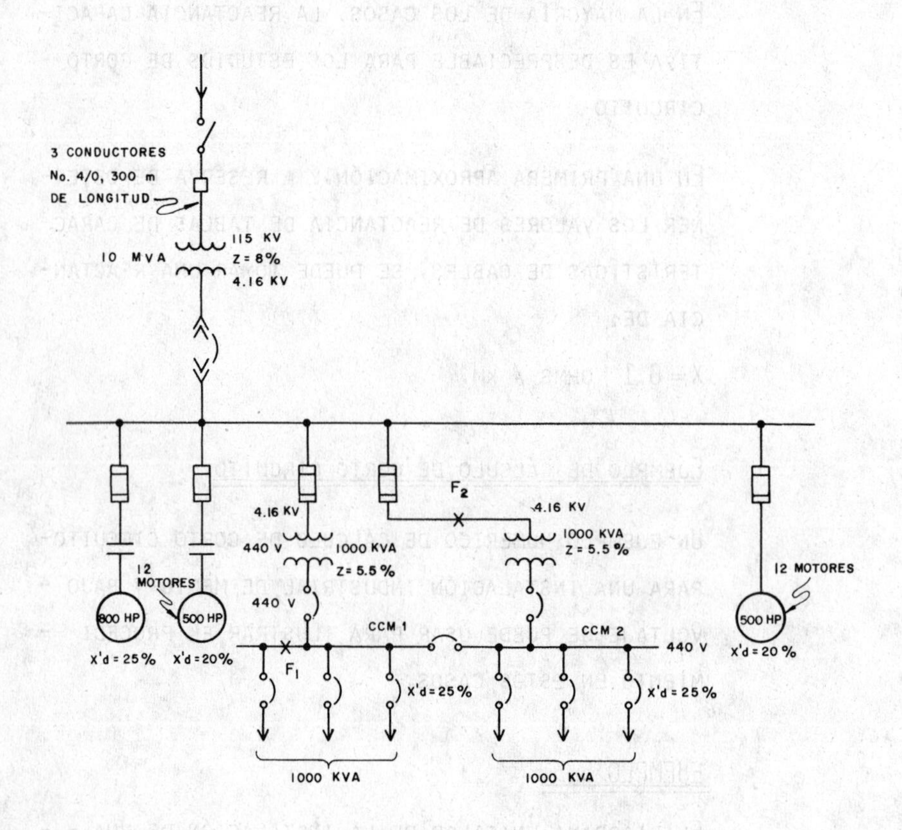

LOS CENTROS DE CONTROL DE MOTORES 1 Y 2 AGRUPAN - MOTORES TRIFÁSICOS DE INDUCCIÓN A 440 VOLTS CON - UNA POTENCIA GLOBAL DE 1000 KVA CADA UNO.

SOLUCION:

TOMANDO COMO POTENCIA BASE O DE REFERENCIA, LA CA PACIDAD INTERRUPTIVA DE LOS INTERRUPTORES DE CADA LÍNEA DE ALIMENTACIÓN A 115 kV.

$$P_{BASE} = 10{,}000 \text{ KVA}$$

CÁLCULO DE LOS VALORES DE REACTANCIAS PARA CADA - UNO DE LOS ELEMENTOS.

POR LA RED DE ALIMENTACIÓN

$$X_S = \frac{V2}{Pcc}; \quad Z_S = \frac{(115\ 1^2}{4500000} = 0.00294 \text{ OHMS.}$$

PARA LOS CONDUCTORES (CABLES DE 300 M DE LONGITUD) CON CONDUCTOR No. 4/0 AWG DE LA TABLA 2.4.1 SE -- PUEDE TOMAR UN VALOR DE REACTANCIA DE 0.010 OHMS/ 100 M.

$$X_L = \frac{0.010}{100} \times 300 = 0.03 \text{ OHMS}$$

PARA LOS TRANSFORMADORES DE 20 MVA A 115/4.16 kV.

$$\text{CON } Z = 8\%;\ Z_T = \frac{8 \times (115)^2 \times 1000}{100 \times 10\ 000} = 105.8 \text{ OHMS}$$

PARA LOS MOTORES DE INDUCCIÓN DE 800 HP. SE PUEDE CONSIDERAR SIN MUCHO ERROR 800 HP = 800 KVA.

$$X'_D = \frac{25 \times (4.16)^2 \times 1000}{100 \times 800} = 5.408 \text{ OHMS}$$

PARA LOS MOTORES DE 500 HP, SE PUEDE HACER TAMBIÉN 500 HP = 500 KVA.

$$X'_D = \frac{20 \times (4.16)^2 \times 1000}{100 \times 500} = 6.92 \text{ OHMS.}$$

PARA LOS TRANSFORMADORES DE 1000 KVA, $(4.16/0.44)^2$ CON Z = 5.5%.

$$Z_T = \frac{Z\% \ V_N^2 . 1000}{100 \times KVA_N} = \frac{5.5 \times (0.44)^2 \times 1000}{100 \times 1000}$$

$Z_T = 0.0106$ OHMS.

PARA LOS MOTORES DE INDUCCIÓN AGRUPADOS EN LOS CENTROS DE CONTROL DE MOTORES 1 Y 2 QUE OPERAN A 440 VOLTS CON UNA POTENCIA NOMINAL DE 1000 KVA

$$X'_D = \frac{25 \ (0.44)^2 \times 1000}{100 \times 1000} = 0.048 \text{ OHMS.}$$

REFIRIENDO LAS REACTANCIAS DE LOS MOTORES A 4.16-KV A LA BASE DE 0.44 KV.

PARA LOS MOTORES DE 400 HP.

$$X'_D = 6.92 \ \frac{(0.44)^2}{4.16} = 0.0774 \text{ OHMS}$$

PARA EL MOTOR DE 800 HP

$$X'_D = 5.408 \times \frac{(0.44)^2}{416} = 0.0605 \text{ OHMS}$$

EL DIAGRAMA DE REACTANCIAS SE FORMA SUSTITUYENDO CADA ELEMENTO POR SU CORRESPONDIENTE REACTANCIA- Y REFIRIENDO A 0.44 kV LOS VALORES DE LA RED, -- TRANSFORMADOR Y CABLE DE POTENCIA

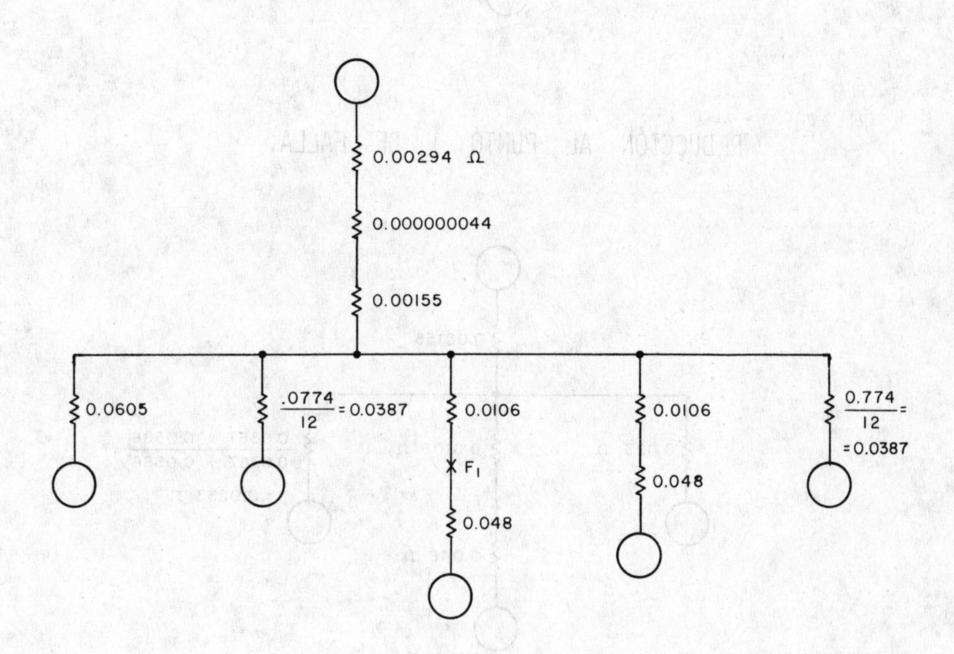

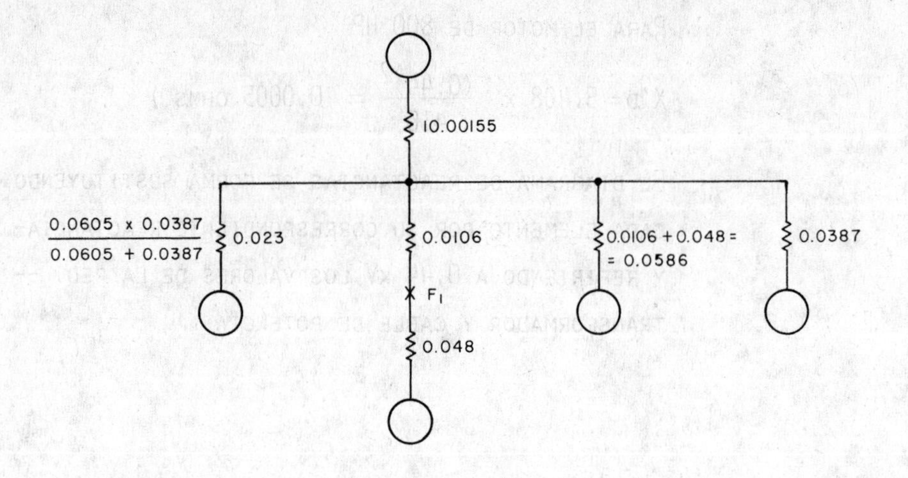

REDUCCION AL PUNTO 1 DE FALLA.

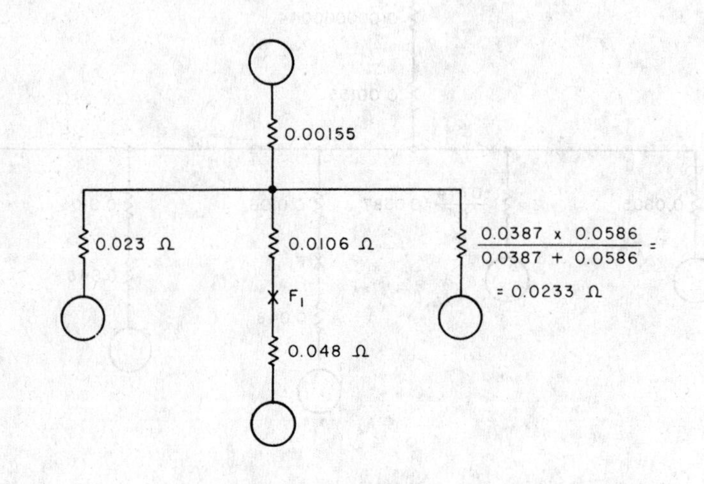

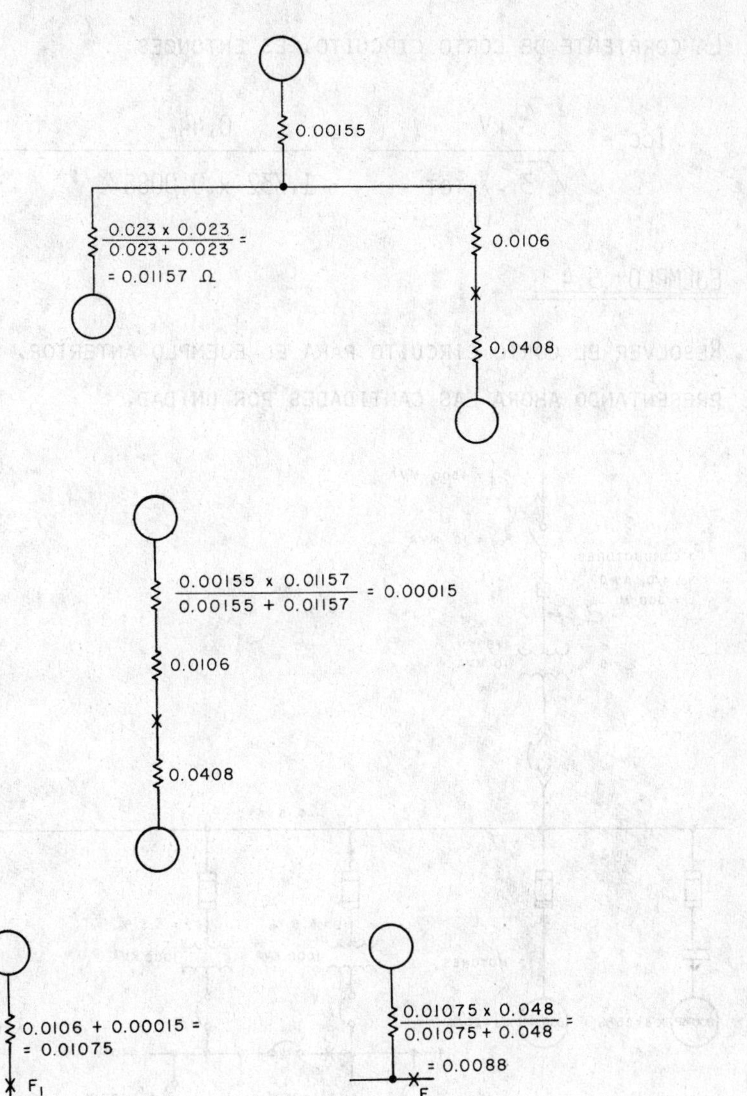
0.00155
0.023 x 0.023 / 0.023 + 0.023 =
= 0.01157 Ω
0.0106
0.0408
0.00155 x 0.01157 / 0.00155 + 0.01157 = 0.00015
0.0106
0.0408
0.0106 + 0.00015 =
= 0.01075
F1
0.01075 x 0.048 / 0.01075 + 0.048 =
= 0.0088
F

LA CORRIENTE DE CORTO CIRCUITO, ES ENTONCES:

$$Icc = \frac{kV}{\sqrt{3} \cdot X_{TOT}} = \frac{0.44}{1.732 \times 0.0088} = 28.86 \text{ kA}$$

EJEMPLO 5.4

RESOLVER EL CORTO CIRCUITO PARA EL EJEMPLO ANTERIOR, PERO REPRESENTANDO AHORA LAS CANTIDADES POR UNIDAD.

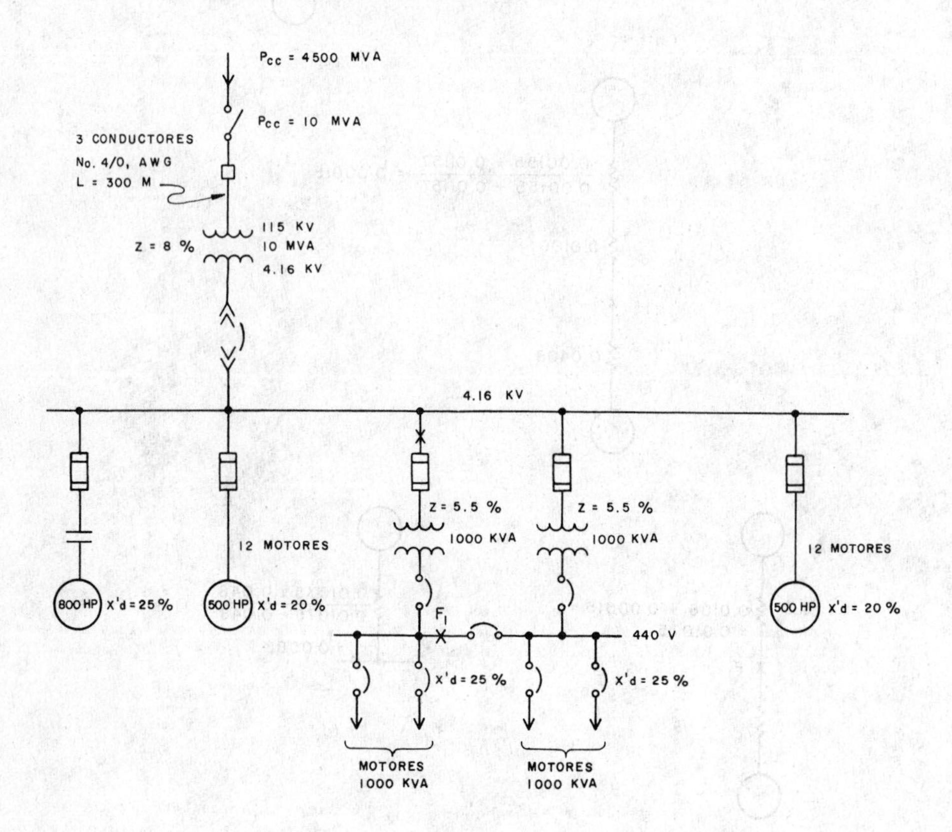

SOLUCION:

PARA RESOLVER UN PROBLEMA DE CORTO CIRCUITO USANDO CANTIDADES EN POR UNIDAD EN LUGAR DE CANTIDADES EN OHMS COMO EN EL EJEMPLO ANTERIOR, AHORA SE USARAN LAS FORMULAS SIGUIENTES:

$$\text{REACTANCIA EN POR UNIDAD} = \frac{\text{REACTANCIA EN PORCIENTO}}{100}$$

$$\text{REACTANCIA EN POR UNIDAD} = \frac{\text{OHMS} \times \text{kVA BASE}}{1000 \times \text{kV}^2}$$

$$\text{REACTANCIA EN POR UNIDAD} = \text{REACTANCIA EN POR UNIDAD} \times \frac{\text{kVA BASE}}{\text{kVA NOM.}}$$

$$\text{REACTANCIA EN POR UNIDAD} = \frac{\text{kVA BASE}}{\text{POTENCIA DE CORTO CIRCUITO EN LA ALIMENTACIÓN}}$$

HACIENDO USO DE ESTAS FÓRMULAS SE TIENEN LOS SIGUIENTES VALORES A LA BASE DE 10,000 kVA.

REACTACIA DE ALIMENTACIÓN

$$X_S = \frac{\text{kVA BASE}}{\text{kVA CORTO CIRCUITO}} = \frac{10000}{4500000} = 0.0022 \text{ POR UNIDAD}$$

TRANSFORMADOR PRINCIPAL DE 10 MVA, 115/ 4.16 kV, 8%.

$$X_T = \frac{8}{100}\left(\frac{10{,}000}{10{,}000}\right) = 0.08 \text{ POR UNIDAD}$$

CABLE DE POTENCIA DE 300 M DE LONGITUD No. 4/0 -- AWG DE TABLA 2.4.1. LA REACTANCIA ES 0.010 OHMS/ 100 METROS PARA 300 M. DE LONGITUD ES 0.010 x 3= 0.03 OHMS.

EXPRESANDO EL VALOR EN POR UNIDAD

$$X_L = \frac{0.03 \times 10{,}000}{1000 \times (115)^2} = 0.000022 \text{ POR UNIDAD}$$

PARA LOS TRANSFORMADORES DE 1000 KVA QUE ALIMEN - TAN A LOS CENTROS DE CONTROL DE MOTORES DE - - - 4.16/0.440 KV.

$$Z = \frac{5.5}{100} \times \frac{10{,}000}{1{,}000} = 0.55 \text{ POR UNIDAD}$$

PARA CADA UNO DE LOS MOTORES DE INDUCCIÓN DE - - 500 HP A 4.16 KV CON X'D=20%.

$$X_M = \frac{20}{100} \times \frac{10{,}000}{500} = 4 \text{ POR UNIDAD}$$

PARA EL MOTOR DE 800 HP A 4.16 KV CON X'D=25%

$$X_M = \frac{25}{100} \times \frac{10{,}000}{800} = 3.125 \text{ POR UNIDAD.}$$

PARA CADA UNO DE LOS CENTROS DE CONTROL DE MOTORES CON CARGAS AGRUPADAS EN 1000 KVA Y X'D 25%.

$$X_{CCM} = \frac{25}{100} \times \frac{10,000}{1,000} = 2.5 \text{ POR UNIDAD}$$

EL DIAGRAMA DE REACTANCIAS ES AHORA EL SIGUIENTE:

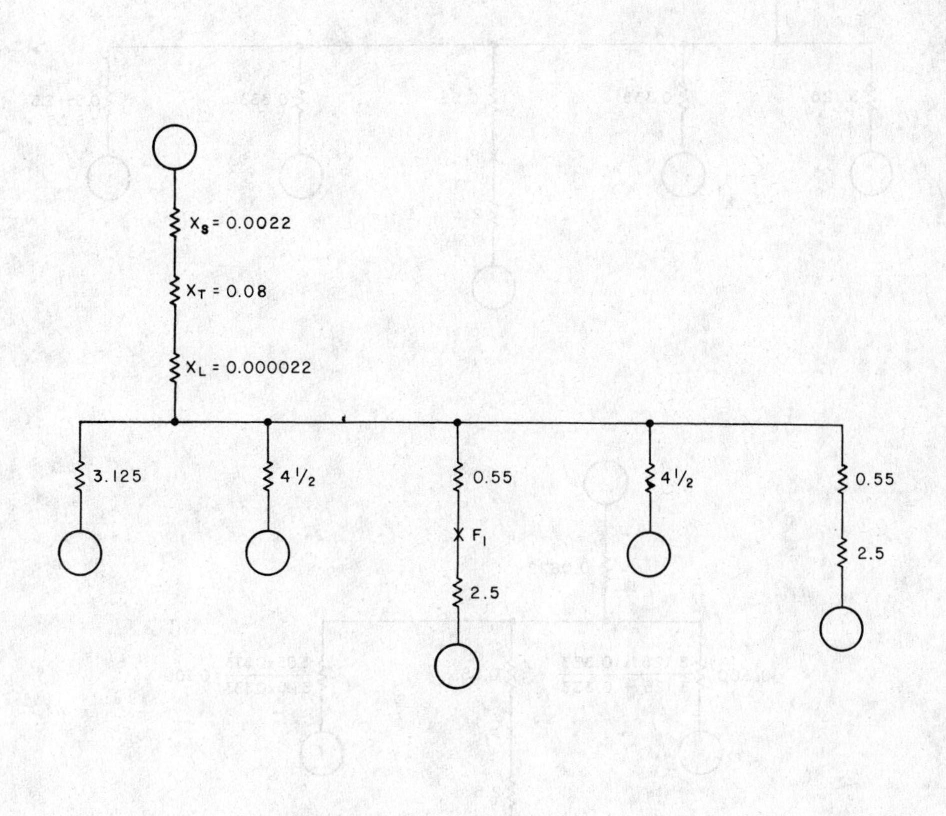

LA REDUCCIÓN, SE INDICA A CONTINUACIÓN:

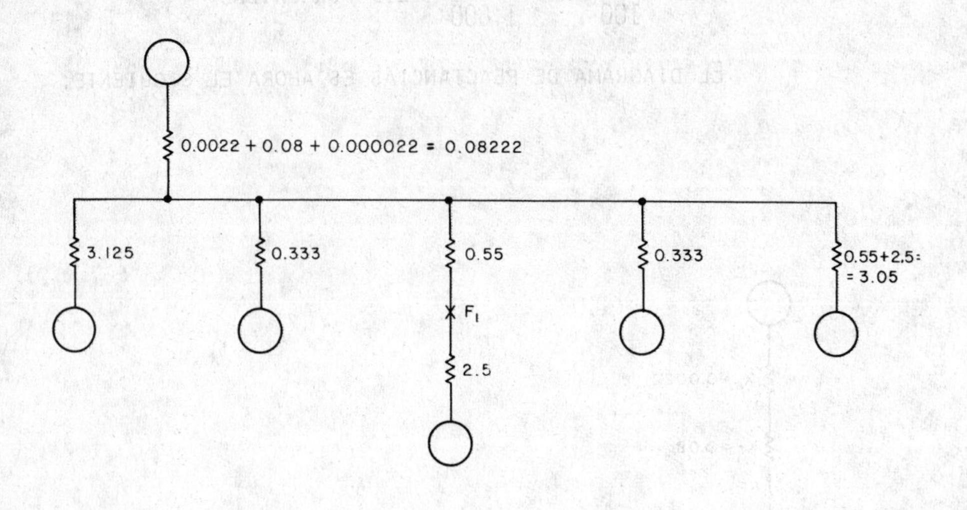

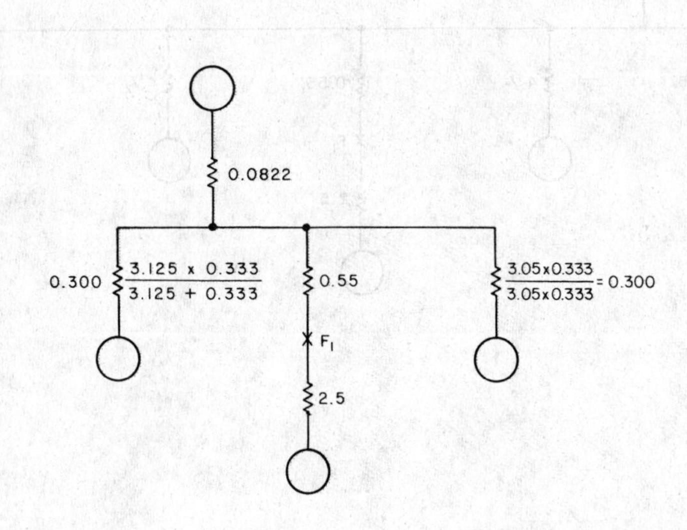

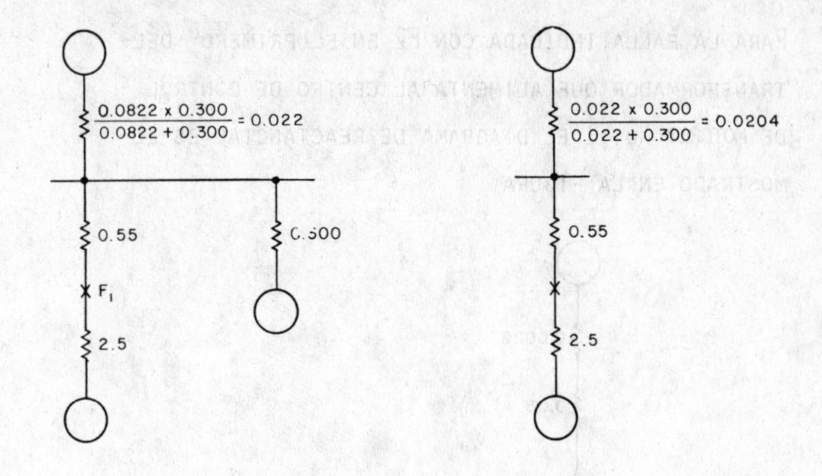

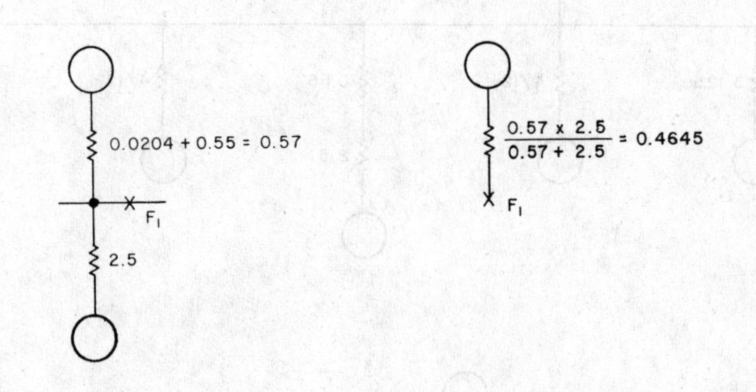

LA CORRIENTE DE CORTO CIRCUITO, ES AHORA :

$$Icc = \frac{kVA\ BASE}{1.732\ kV\ X_T} = \frac{10{,}000}{1.732 \times 0.44 \times 0.4645}$$

Icc = 28248 AMPERES.

PARA LA FALLA INDICADA CON F2 EN EL PRIMERO DEL-
TRANSFORMADOR QUE ALIMENTA AL CENTRO DE CONTROL -
DE MOTORES No. 1 EL DIAGRAMA DE REACTANCIAS ES EL-
MOSTRADO EN LA FIGURA

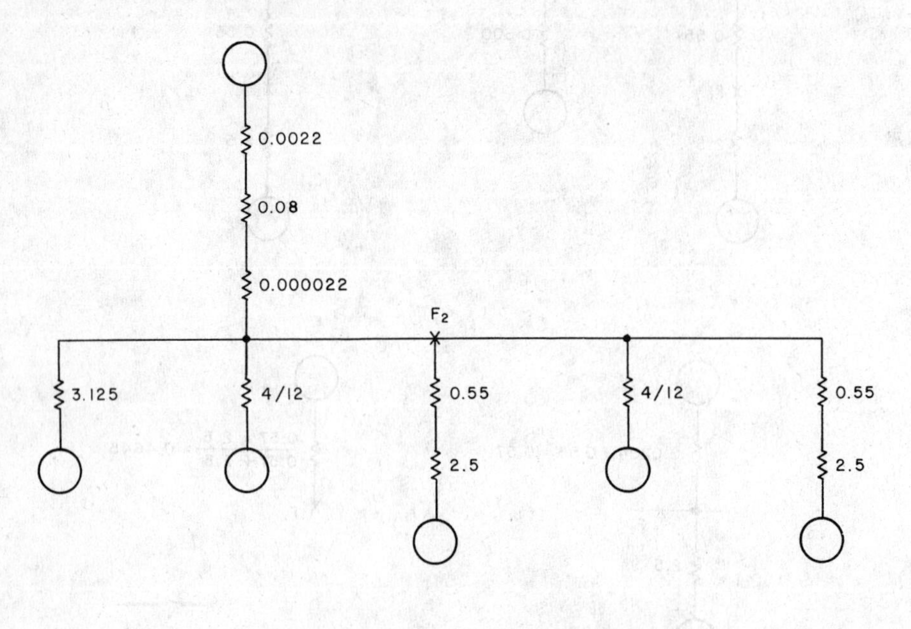

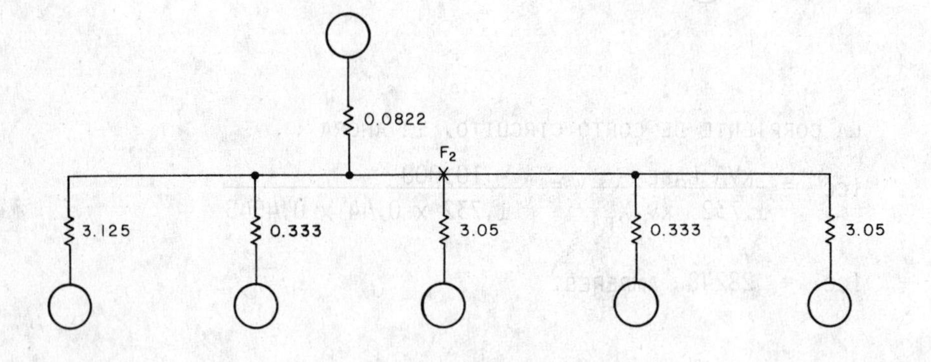

LA CORRESPONDIENTE REDUCCIÓN PARA ESTA FALLA, SE INDICA A CONTINUACIÓN:

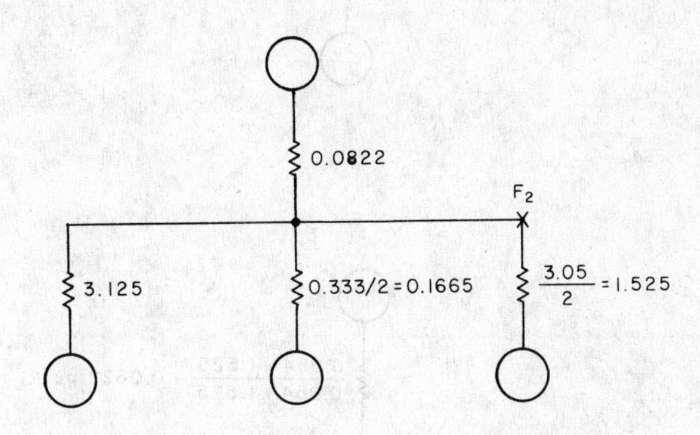

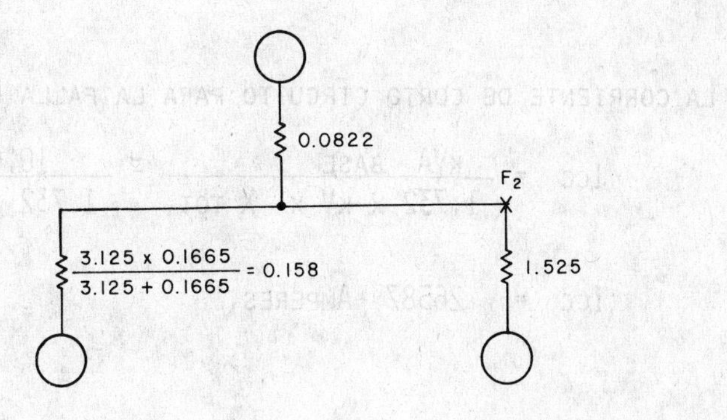

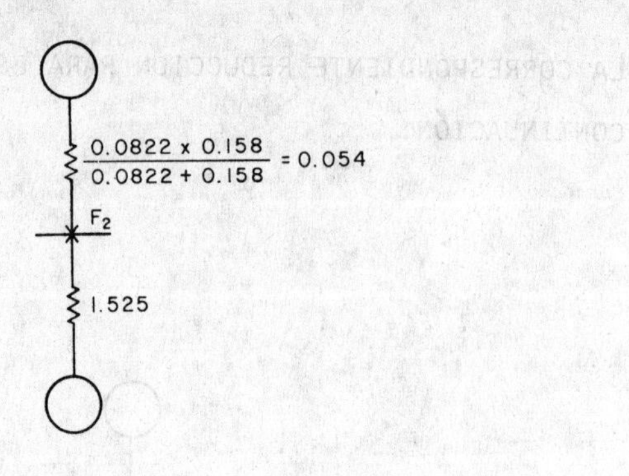

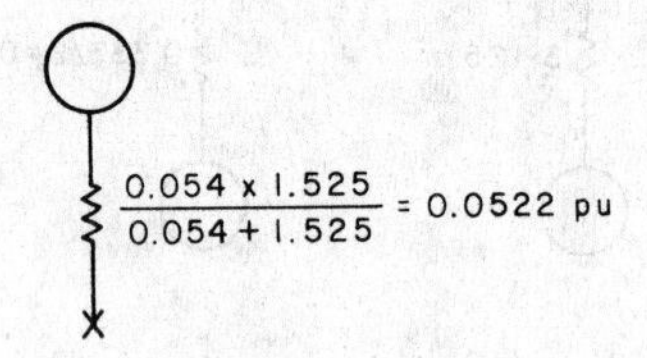

LA CORRIENTE DE CORTO CIRCUITO PARA LA FALLA F_2, ES :

$$I_{CC} = \frac{\text{kVA BASE}}{1.732 \times \text{kV} \times X_{\text{TOT.}}} = \frac{10{,}000}{1.732 \times 4.16 \times 0.0522}$$

$$I_{CC} = 26587 \text{ AMPERES.}$$

5.4.5 DISPOSITIVOS DE PROTECCION PARA LAS CORRIENTES DE CORTO CIRCUITO.

UNA DE LAS EXIGENCIAS FUNDAMENTALES DE LOS CIRCUITOS-ELÉCTRICOS EN CUALQUIER TIPO DE INSTALACIÓN ES LA DE-INTERRUMPIR LA CONTINUIDAD ELÉCTRICA DEL CIRCUITO CON CON UN ELEMENTO PUEDA ADOPTAR ASPECTO Y CARACTERÍSTICAS-DIFERENTES SEGÚN SEA EL TAMAÑO Y TIPO DE INSTALACIÓN.

EN GENERAL, SE DEBE ESTABLECER UNA DISTINCIÓN ENTRE - SECCIONAR (DESCONECTAR) E INTERRUMPIR UN CIRCUITO, A-ESTAS DOS OPERACIONES LES CORRESPONDEN DOS TIPOS DE - APARATOS DISTINTOS.

- SECCIONAR. (DESCONECTAR) UN CIRCUITO SIGNIFICA -- POR LO GENERAL ABRIRLO CUANDO NO CIRCULA CORRIENTE POR EL MISMO.

- INTERRUMPIR. UN CIRCUITO SIGNIFICA ABRIR EL MISMO CUANDO CIRCULA CORRIENTE.

EN OTRAS PALABRAS, SE DICE QUE UN SECCIONADOR O - CUCHILLA DESCONECTADORA ESTÁ DISEÑADA PARA ABRIR-CIRCUITOS CUANDO SE ENCUENTRAN EN VACÍO, MIENTRAS QUE LOS INTERRUPTORES SON APARATOS DISEÑADOS PARA ABRIR UN CIRCUITO CON CARGA.

5.4.5.1. CUCHILLAS DESCONECTADORAS:

UNA CUCHILLA DESCONECTADORA DEBE GARANTIZAR CUANDO ÉS

TA CERRADA UNA BUENA CONTINUIDAD DEL CIRCUITO CON RESISTENCIA DE CONTACTO MUY PEQUEÑA PARA NO INTRODUCIR CALENTAMIENTOS ANORMALES EN LAS PARTES QUE CONSTITUYEN EL CONTACTO PROPIAMENTE CUANDO LAS CUCHILLAS DESCONECTADORAS ESTÁN ABIERTAS DEBEN GARANTIZAR LA PERFECTA APERTURA DEL CIRCUITO CON EL ADECUADO AISLAMIENTO ENTRE LAS DOS PARTES DEL CIRCUITO QUE PERMANECEN SEPARADAS, LA PARTE MECÁNICA DEL MEDIO DE ACCIONAMIENTO Y CUANDO DEBE ASEGURAR UN BUEN FUNCIONAMIENTO Y SEGURIDAD EN LAS MANIOBRAS.

EN EL CAMPO DE LA DISTRIBUCIÓN A BAJA TENSIÓN, LAS CUCHILLAS DESCONECTADORAS SON POCO USADAS, MIENTRAS QUE EN EL CAMPO DE LA MEDIA TENSIÓN SON BASTANTE USADAS Y POR LO GENERAL ACOMPAÑADAS DE FUSIBLES QUE CUMPLEN CON LA FUNCIÓN DE PROTECCIÓN, TAMBIÉN EXISTEN LOS LLAMADOS SECCIONADORES BAJO CARGA CON FUSIBLE EN SERIE.

5.4.5.2. INTERRUPTORES.

LA INTERRUPCIÓN DE UN CIRCUITO POR EL QUE CIRCULA CORRIENTE PRESENTA PROBLEMAS MUY IMPORTANTES Y COMPLEJOS QUE NO SE TRATARÁN EN ESTA PARTE, YA QUE EL OBJETIVO ES DAR UN PANORAMA GENERAL DE LA FUNCIÓN DE LOS INTERRUPTORES Y LOS CRITERIOS DE UTILIZACIÓN, POR LO QUE SE LIMITARÁ A ALGUNAS CONSIDERACIONES GENERALES SOBRE LOS FENÓMENOS RELACIONADOS CON LA INTERRUPCIÓN

DE UN CIRCUITO Y LOS MEDIOS EMPLEADOS PARA LA EXTIN - CIÓN DEL ARCO ELÉCTRICO CON PARTICULAR ÉNFASIS A LOS- INTERRUPTORES EMPLEADOS EN LAS INSTALACIONES INDUS -- TRIALES.

LOS PRINCIPALES FENÓMENOS QUE SE PRESENTAN CUANDO UN- INTERRUPTOR ABRE UN CIRCUITO POR EL QUE CIRCULA CO -- RRIENTE SON LOS SIGUIENTES:

CALENTAMIENTO ELEVADO DE LOS MATERIALES QUE CONS- TITUYEN LOS CONTACTOS DEL INTERRUPTOR DURANTE LA- OPERACIÓN DE LEVANTAMIENTO DE LA PRESIÓN DE UN -- CONTACTO SOBRE EL OTRO AL INICIO DE LA OPERACIÓN- DE APERTURA, EN ESTE CASO LOS DOS CONTACTOS QUE - ESTABAN UNIDOS UNO CONTRA EL OTRO CUANDO EL INTE- RRUPTOR ESTABA CERRADO, DISMINUYEN LA PRESIÓN EN- TRE ELLOS Y COMIENZAN A ALEJARSE, EN FORMA SIMUL- TÁNEA A ESTE HECHO AUMENTA LA RESISTENCIA DE CON- TACTO EN FORMA GRADUAL, DE MANERA QUE SE PRODUCE- POR EFECTO JOULE UN CALENTAMIENTO EXCESIVO EN LA- EXTREMIDAD DE LOS CONTACTOS MISMOS. EL CALENTA - MIENTO PUEDE SER ALGUNAS VECES TAN INTENSO QUE -- PRODUCE LA FUSIÓN O LA VAPORIZACIÓN DE LOS MATE - RIALES QUE ESTÁN FABRICADOS LOS CONTACTOS.

. EMISIÓN DE ELECTRONES. DE PARTE DE LOS MATERIALES QUE CONSTITUYEN LOS CONTACTOS EN LA ZONA QUE SE PRESENTA SÚBITAMENTE UN INTENSO CALENTAMIENTO Y LA IONIZACIÓN DEL MEDIO CUANDO LOS DOS CONTACTOS SE ALEJAN. SI EN LA ATMÓSFERA COMPRENDIDA ENTRE LAS DOS PARTES DEL CONTACTO LA TENSIÓN ES SUFICIENTEMENTE ELEVADA, SE PRESENTA UN ARCO ELÉCTRICO, EL CUAL MANTIENE ENTRE LAS DOS PARTES DEL CONTACTO LA CONTINUIDAD ELÉCTRICA QUE NO ES MÁS SEGURA QUE LA CONTINUIDAD METÁLICA QUE EXISTE CUANDO EL INTERRUPTOR ESTÁ CERRADO.

EL ARCO ELÉCTRICO DESARROLLA TAMBIÉN UNA GRAN CANTIDAD DE CALOR Y MANTIENE E INCREMENTA LA IONIZACIÓN DE LA ATMÓSFERA EN LA ZONA DE LOS CONTACTOS.

DE LA DESCRIPCIÓN HECHA ANTERIORMENTE SE ENTIENDE COMO LA INTERRUPCIÓN DE UN CIRCUITO Y LA RELATIVA EXTINCIÓN DEL ARCO ELÉCTRICO QUE SE PRODUCE, ASÍ COMO DE LOS MEDIOS USADOS PARA ÉSTOS, AL CORTE DE LA CORRIENTE DE FALLA, SIN QUE SE PRODUZCAN DAÑOS EN LOS CONTACTOS O EN EL INTERIOR DEL INTERRUPTOR.

EN GENERAL, PARA INTERRUMPIR UN CIRCUITO POR EL QUE CIRCULA UNA CORRIENTE MUY ELEVADA, SE ACOSTUMBRA MULTIPLICAR EL NÚMERO DE CONTACTOS EN PARALELO Y DISTRIBUIR LA INTERRUPCIÓN SOBRE TODOS LOS

CONTACTOS EN SERIE ENTRE SÍ DE MANERA QUE LA TENSIÓN DEL ARCO SE DISTRIBUYA ENTRE MÁS CONTACTOS.

LOS MEDIOS QUE SE EMPLEAN PARA OBTENER ESTOS RESULTADOS SON LOS SIGUIENTES:

. APLICACIÓN SOBRE LA PARTE MÓVIL DEL CONTACTO QUE ABANDONARA O SE SEPARA DEL CONTACTO FIJO, DE UNA FUERZA MUY ELEVADA CON EL OBJETO DE QUE LA VELOCIDAD DE LA PARTE MÓVIL DEL INTERRUPTOR SEA MUY ELEVADA Y ENTONCES EL ARCO PERMANEZCA POR UN TIEMPO MUY BREVE Y SE EXTINGA RÁPIDAMENTE.

. CREACIÓN EN LA ZONA DONDE SE FORMA EL ARCO DE UN CAMPO MAGNÉTICO CREADO POR LA CORRIENTE QUE CIRCULA POR LOS CONDUCTORES Y QUE "SOPLA" EL ARCO Y LO FRACCIONA DE MANERA TAL QUE LO EXTINGUE.

. ENFRIAMIENTO DE LA ZONA EN LA CUAL SE MANIFIESTA EL ARCO Y QUE SE ATRAVIESA POR UN MATERIAL DE ELEVADA RIGIDEZ DIELÉCTRICA Y ELEVADO PODER DE REFRIGERACIÓN (ESTE MATERIAL PUEDE SER ACEITE).

. INTERRUPCIÓN DEL CIRCUITO EN EL INTERIOR DE UN MEDIO QUE TIENE UNA RIGIDEZ DIELÉCTRICA MUY ELEVADA DE MANERA QUE SE OPONE A LA FORMACIÓN DEL ARCO Y FACILITAR SU RÁPIDA EXTINCIÓN. PARA ESTE PROPÓSITO SE EMPLEA AIRE COMPRIMIDO, ACEITE, O BIEN HEXAFLORURO DE AZUFRE.

EN EL CAMPO DE LA BAJA TENSIÓN, LA MAYOR PARTE DE LOS INTERRUPTORES SON EN AIRE Y DENTRO DE ESTA CATEGORIA CAEN LOS DENOMINADOS INTERRUPTORES TERMOMAGNÉTICOS, CUYO MONTAJE SE HACE POR LO GENERAL EN TABLEROS Y CON DISTINTAS CARACTERÍSTICAS CONSTRUCTIVAS COMO SE MUESTRA EN LA SIGUIENTE FIGURA:

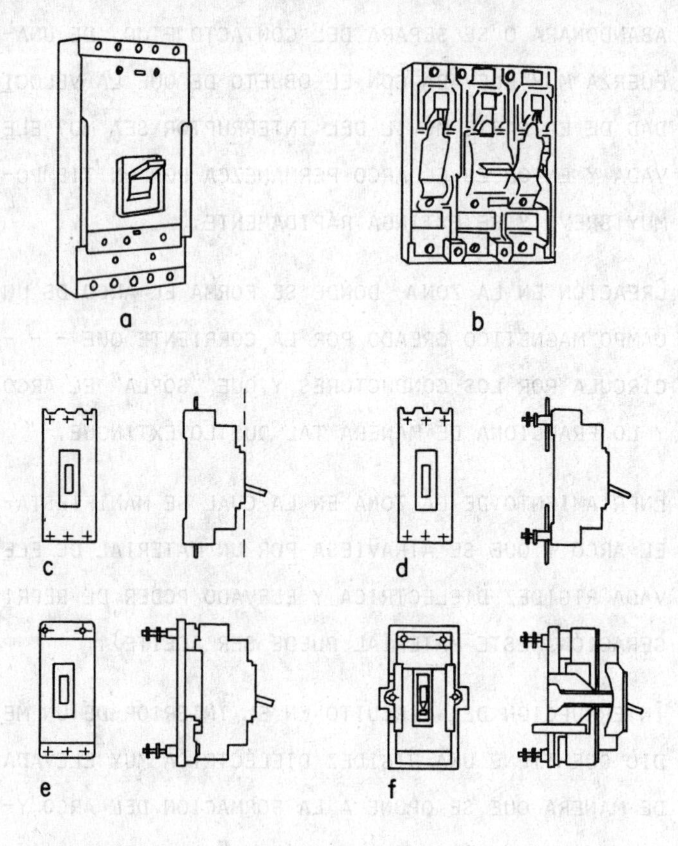

INTERRUPTORES AUTOMATICOS EN AIRE PARA BAJA TENSION

DE LA FIGURA ANTERIOR.

a) - VISTA DEL INTERRUPTOR
b) - VISTA DEL INTERRUPTOR SIN CUBIERTA
c) - COLOCACION DEL INTERRUPTOR CON INSERSION DELANTERA
d) - COLOCACION DEL INTERRUPTOR CON INSERSION POSTERIOR
e) - MONTAJE CON FIJACION POSTERIOR (A PRESION)
f) - INTERRUPTOR CON SISTEMA DE EXTRACCION DESPLEGABLE

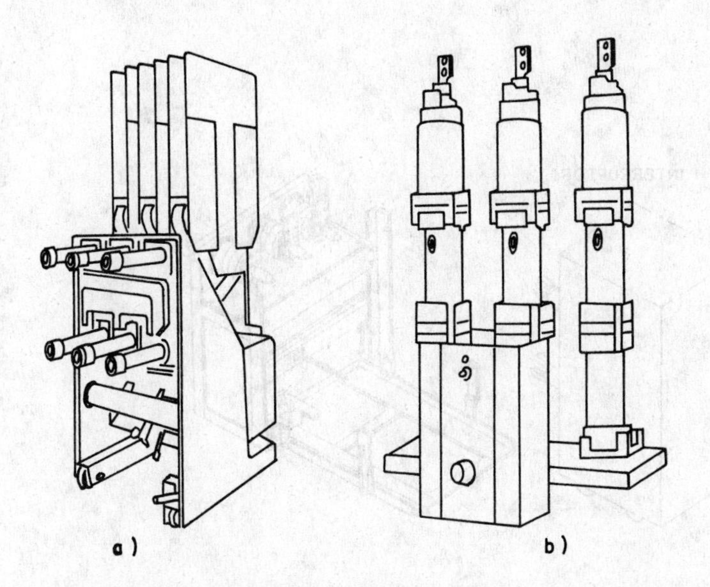

INTERRUPTORES AUTOMATICOS PARA MEDIA TENSION

a)-INTERRUPTOR EN AIRE
b)-INTERRUPTOR EN PEQUEÑO VOLUMEN
DE ACEITE

MECANISMO DE INTERRUPTOR ENCHUFABLE.

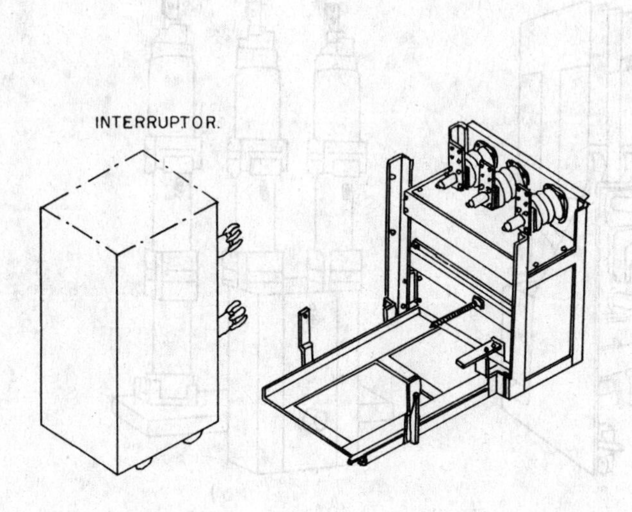

PARA OBTENER CAPACIDADES INTERRUPTIVAS MÁS ELEVADAS; SE PUEDE INCLUIR EN EL PROPIO INTERRUPTOR, FUSIBLES DE ALTA CAPACIDAD INTERRUPTIVA; DE MANERA QUE SE PUEDAN INTERRUMPIR CORRIENTES DE HASTA 100 KA.

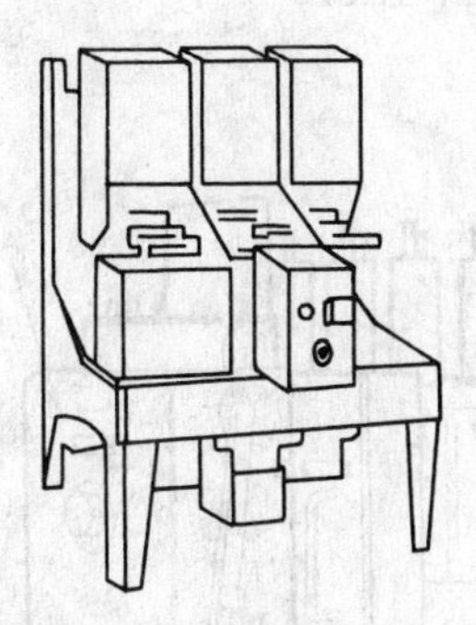

INTERRUPTOR AUTOMATICO DE BAJA TENSION EN AIRE

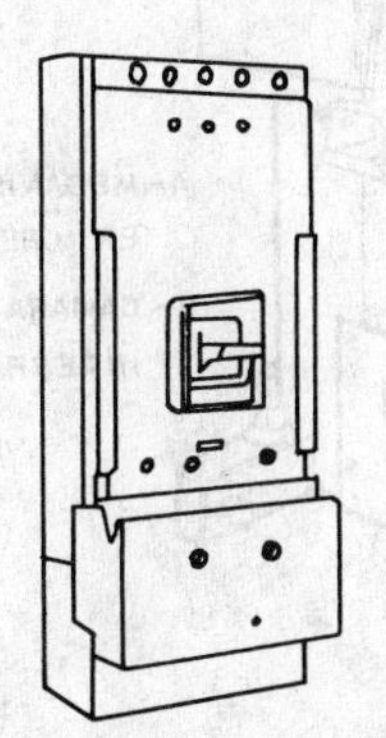

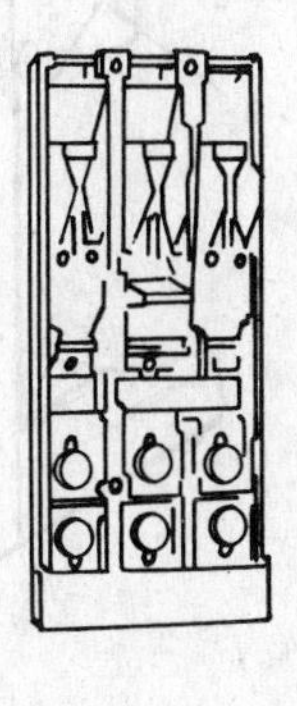

INTERRUPTOR AUTOMATICO EN AIRE PARA BAJA TENSION CON LIMITADOR DE CORRIENTE POR FUSIBLE INCORPORADO

En el campo de la media tensión, los interruptores más usados, son los llamados " INTERRUPTORES CON AIRE ", con deionización magnética del arco, y también los interruptores en pequeño volumen de aceite. Más recientemente, se han incorporado los llamados " INTERRUPTORES EN VACIO ".

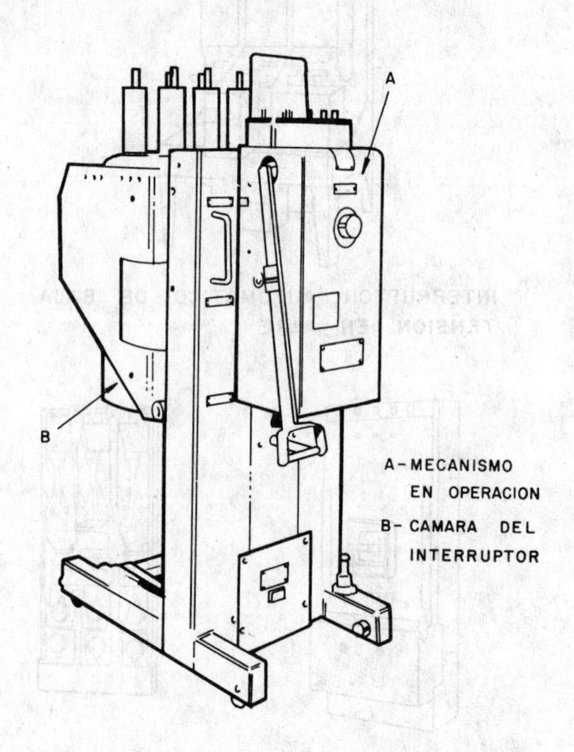

INTERRUPTOR EN ACEITE DESPLAZABLE.

CAPITULO 6

FUNDAMENTOS DE TABLEROS ELECTRICOS

CAPITULO 6.

FUNDAMENTOS DE TABLEROS ELECTRICOS

6.1 INTRODUCCIÓN.

EL TÉRMINO TABLERO ES APLICABLE TANTO A LOS LLAMADOS DE PARED, COMO A LOS TABLEROS DE PISO, PARA LOS PROPÓSITOS PRÁCTICOS, AMBOS SIRVEN PARA LA MISMA FUNCIÓN: RECIBIR LA ENERGÍA ELÉCTRICA EN FORMA CONCENTRADA Y DISTRIBUIRLA POR MEDIO DE CONDUCTORES ELÉCTRICOS, POR LO GENERAL BARRAS, A LAS CARGAS DE LOS CIRCUITOS DERIVADOS.

LOS CIRCUITOS DERIVADOS SE PROTEGEN INDIVIDUALMENTE PARA SOBRECORRIENTES Y CORTO CIRCUITO POR MEDIO DE FUSIBLES O INTERRUPTORES TERMOMAGNÉTICOS MONTADOS EN TABLEROS ALGUNAS VECES JUNTO CON LOS INSTRUMENTOS DE MEDICIÓN, TALES COMO VOLTMETROS, AMPÉRMETROS, MEDIDORES DE DEMANDA, ETC.

LOS TABLEROS DE PARED Y DE PISO DIFIEREN ÚNICAMENTE EN SU ACCESIBILIDAD, LOS TABLEROS DE PARED COMO SU NOMBRE LO INDICA ESTÁN DISEÑADOS PARA SER MONTADOS EN PARED O COLUMNA DE MANERA QUE SON ACCESIBLES POR EL FRENTE ÚNICAMENTE. LOS TABLEROS DE PISO ESTÁN DISEÑADOS PARA SER INSTALADOS PARA MONTARSE RETIRADOS DE LAS PAREDES DE MANERA TAL QUE SON ACCESIBLES POR EL FRENTE O POR LA PARTE TRASERA, NECESITAN ENTONCES ESPACIO LIBRE PARA CIRCULACIÓN, SUJECIÓN AL PISO Y -

Y EVENTUALMENTE BASES DE MONTAJE ESPECIALES.

6.2 TABLEROS DE MANIOBRA, CONTROL Y DISTRIBUCION.

POR RAZONES DE OPERACIÓN Y MANTENIMIENTO SE IMPONE - LA NECESIDAD DE QUE CADA USUARIO O GRUPO DE USUARIOS O SIMPLEMENTE PARTE DE UNA INSTALACIÓN ELÉCTRICA SEA SECCIONABLE DEL CONJUNTO DEL SISTEMA ELÉCTRICO. EL- CONJUNTO DE LOS ÓRGANOS O ELEMENTOS QUE CUMPLEN CON- ESTAS FUNCIONES SON LOS APARATOS ELÉCTRICOS Y DEBIDO A QUE ESTOS APARATOS TIENEN SIEMPRE PARTES EN TEN -- SIÓN, SE DEBEN INSTALAR EN CONDICIONES TALES QUE IM- PIDAN LOS CONTACTOS ACCIDENTALES DE LAS PERSONAS.

EL SISTEMA MÁS EMPLEADO PARA ENCERRAR LOS APARATOS - ELÉCTRICOS EN EL CAMPO DE LA BAJA TENSIÓN Y DE LA ME DIA TENSIÓN, ES EL DE MONTARLOS DENTRO DE TABLEROS - CERRADOS REALIZADOS CON PERFILES Y LÁMINAS METÁLICAS.

LA TÉCNICA DE REALIZACIÓN DE LOS TABLEROS ELÉCTRICOS HA EVOLUCIONADO NOTABLEMENTE EN LOS ÚLTIMOS TIEMPOS- Y SE HAN DESARROLLADO CATEGORÍAS DE TABLEROS ELÉCTRI COS CON CARACTERÍSTICAS BIEN PRECISAS DE LAS CUALES- LAS MÁS IMPORTANTES SON:

CONSTRUCCIONES MODULARES CON DIMENSIONES NORMALIZA - DAS.

LOS APARATOS POR USUARIO O POR CIRCUITO SE INSTALAN DE MANERA TAL QUE QUEDAN INDEPENDIENTES.

LAS BARRAS SE PROTEGEN DE MANERA TAL QUE NO SEAN ACCESIBLES.

SE PROCURA EN LA MEDIA TENSIÓN EL USO DE INTERRUPTORES DEL TIPO MÓVIL (EXTRAÍBLES).

ESTOS TABLEROS SE ENCUENTRAN DISPONIBLES PARA CUBRIR LAS EXIGENCIAS DE UNA DISTRIBUCIÓN NORMAL DE LAS INSTALACIONES Y DE LA PROTECCIÓN, ASÍ COMO EL CONTROL DE MOTORES (CENTROS DE CONTROL DE MOTORES) PARA LA DISTRIBUCIÓN DE LA POTENCIA EN BAJA TENSIÓN (CENTROS DE POTENCIA), PARA LA DISTRIBUCIÓN EN MEDIA TENSIÓN (METAL CLAD).

6.2.1. CENTROS DE CONTROL DE MOTORES.

EN EL CAPÍTULO 3 SE HAN MENCIONADO ALGUNOS CONCEPTOS RELACIONADOS CON LOS LLAMADOS CENTROS DE CONTROL DE-MOTORES (CCM) CUYO USO ES RECOMENDABLE, CUANDO NO -- EXISTEN RAZONES PARTICULARES, PARA QUE LOS MOTORES - DE UNA INSTALACIÓN O DE UNA ZONA SE ALIMENTEN EN FORMA CENTRALIZADA DE ESTA MANERA UN SOLO OPERADOR PUEDE CONTROLAR FÁCILMENTE TODO UN COMPLEJO EN LOS CUALES SE CONTIENEN LOS ÓRGANOS DE MANDO, DE PROTECCIÓN E INSTRUMENTOS DE MEDICIÓN.

LAS PRINCIPALES CARACTERÍSTICAS DE LOS TABLEROS USADOS COMO CENTROS DE CONTROL DE MOTORES SON:

- ESTRUCTURA METÁLICA NORMALIZADA, REALIZADA DE TAL MANERA QUE SEA FÁCILMENTE ARMADA Y MODULAR. CADA MÓDULO O COMPARTIMIENTO CONTIENE UN GRUPO DE PÁNELES EN-LOS QUE SE ALOJAN LOS APARATOS DE MANDO Y CONTROL DE LOS MOTORES.

- LOS PANELES O MÓDULOS, TIENEN POR LO GENERAL DIMENSIONES NORMALIZADAS, DE MANERA QUE CADA COMPARTIMENTO CONTENGA UN NÚMERO ENTERO DE ELEMENTOS, AUNQUE DE CARACTERÍSTICAS DISTINTAS O SEAN FÁCILMENTE SUSTITUÍBLES EN CASO DE SER NECESARIO. POR SEGURIDAD SE RECOMIENDA QUE LA PUERTA DE ESTOS COMPARTIMIENTOS NO SE PUEDA ABRIR CON EL INTERRUPTOR ENERGIZADO.

- CADA COMPARTIMIENTO O PANEL CONTIENE POR LO GENERAL UN INTERRUPTOR AUTOMÁTICO QUE CONSTITUYE UN ÓRGANO DE SECCIONAMIENTO Y PROTECCIÓN PARA LA CORRIENTE DE CORTO CIRCUITO, ESTACIONES DE BOTONES PARA EL MANDO DE MOTORES O BIEN ARRANCADORES CON ESTACIONES DE BOTONES A CONTROL REMOTO, EVENTUALMENTE SE TIENEN MÓDULOS CON INSTRUMENTOS DE MEDICIÓN, LÁMPARAS, PILOTO, ETC.

- UN SISTEMA DE BARRAS GENERALES DE DISTRIBUCIÓN, CUCHILLAS O UN INTERRUPTOR GENERAL A LA ENTRADA Y ALGUNOS OTROS APARATOS DE MEDICIÓN COMO POR EJEMPLO WATTHORÍMETROS.

VISTA DE UN CENTRO DE CONTROL DE MOTORES (CCM)

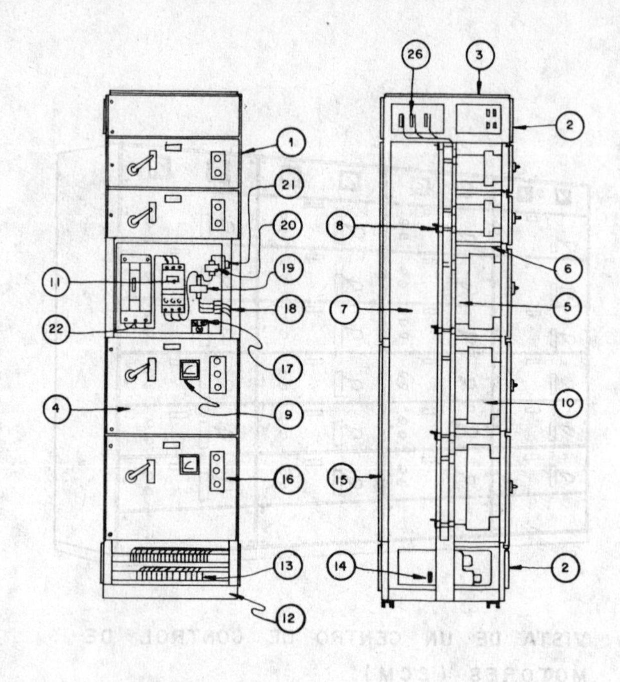

DISPOSICION DE EQUIPO EN UN CENTRO DE CONTROL DE MOTORES (CCM)

1 - ESTRUCTURA SOPORTE DE LAMINA
2 - VENTANA DE INSPECCION
3 - TECHO DE LAMINA
4 - PUERTA DE FRENTE CON MANIJA E INSTRUMENTOS
5 - MODULO
6 - DIAFRAGMA DE SEPARACION
7 - LAMINA SEPARADORA ENTRE UNIDADES
8 - BARRAS
9 - INSTRUMENTOS DE MEDICION
10 - INTERRUPTORES TERMOMAGNETICOS O FUSIBLES
11 - PROTECCION EN AIRE CON RELEVADOR TERMICO
12 - BASE
13 - TABLILLAS DE CONEXIONES
14 - TRANSFORMADORES DE INSTRUMENTO
15 - FONDO
16 - ESTACION DE BOTONES
17 - LAMPARAS PILOTO
18 - CONEXIONES (ALAMBRADO)
19-20 - CONTACTORES
21 - CONECTOR
22 - INTERRUPTOR TERMOMAGNETICO

Los tableros para centro de control de motores se fabrican con corriente nominal de las barras principales, por lo general no superiores a 1000A y para corrientes de corto circuito no superiores a 50 KA. -- Por su característica modular, los centros de control de motores pueden ser fácilmente ampliados.

6.2.2. Tableros de control de potencia. (Tableros de Potencia).

Los tableros de control de potencia reciben la potencia en baja tensión del transformador o de los transformadores y la distribuyen a distintos alimentadores o bien a centros de control de motores como los descritos en el párrafo anterior.

El correcto y eficiente funcionamiento es fundamentalmente para la continuidad del servicio. Sus características constructivas principales de estos tableros son su concentración constructiva que es análoga a la de los centros de control de motores. En la figura siguiente se muestra la forma constructiva de este tipo de tableros.

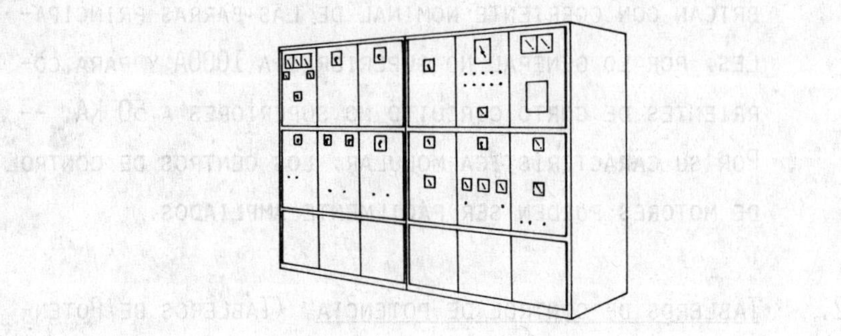

TABLERO DE POTENCIA

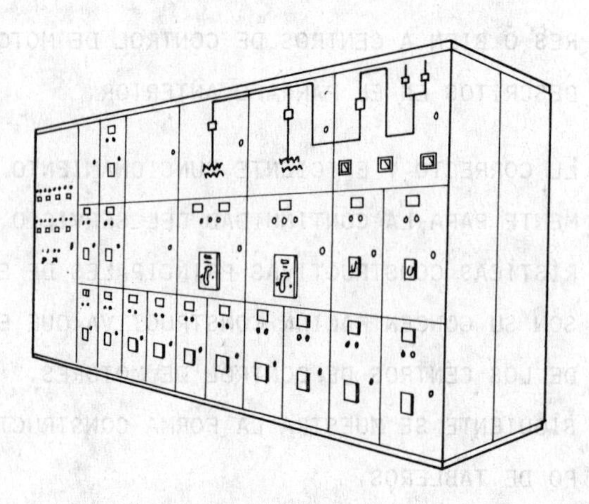

VISTA DE UN TABLERO DE DISTRIBUCION EN BAJA TENSION

Con este tipo de tableros, por lo general se instalan inte - rruptores del tipo termomagnético con control manual o eléctrico. La corriente nominal en las barras de- estos tableros varía de 600 a 4000 A y el valor de - la corriente de corto circuito varia de 15 a 100 kA, En algunos gabinetes se pueden tener instrumentos de medición como ampérmetros, voltmetros, contadores de energía, etc.

6.2.3. Tableros metal clad.

También para los aparatos en media tensión se ha ge- neralizado la práctica de montar los aparatos dentro de tableros. Esta práctica es extensiva a las llama das "Subestaciones Unitarias' en donde se forma un - "paquete" de tableros en los cuales se encuentran tam bién los transformadores, es decir, se contiene en - estas subestaciones los tableros de alta tensión y - baja tensión.

Los tableros metal clad se construyen en forma análo ga a los tableros de potencia, es decir por medio de gabinetes o páneles en donde se contiene a un apara- to. Se emplean interruptores termomagnéticos, elec- tromagnéticos, en pequeño volumen de aceite o en va- cio. En las figuras siguientes se muestran algunos- aspectos constructivos de este tipo de tableros.

ELEMENTOS CONSTRUCTIVOS DE UN TABLERO.

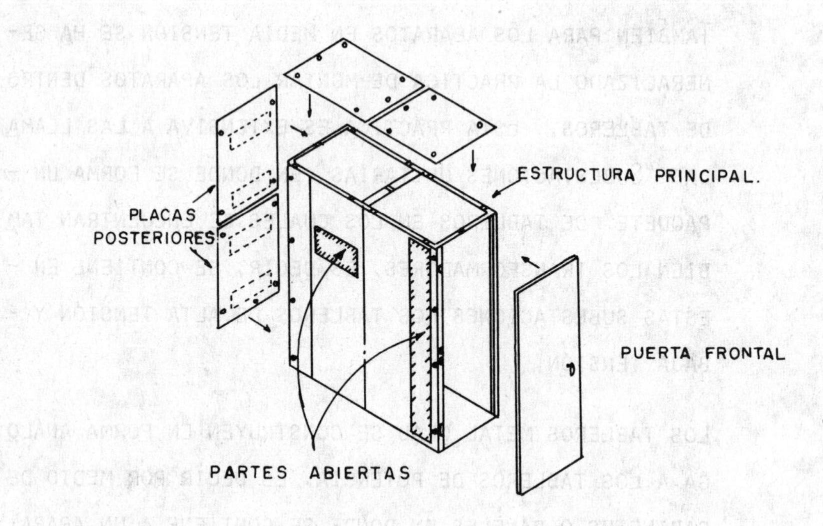

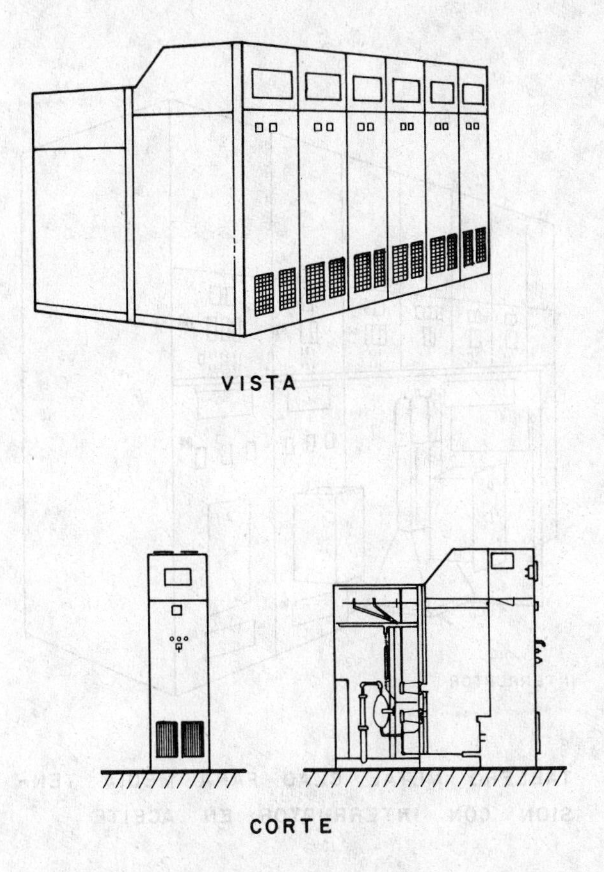

TABLERO METAL CLAD PARA MEDIA TENSION CON INTERRUPTOR

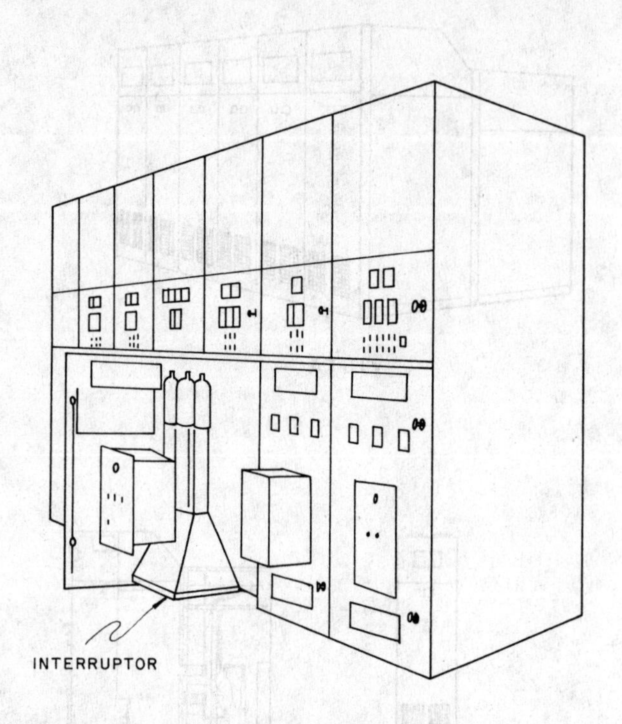

TABLERO METAL CLAD PARA MEDIA TENSION CON INTERRUPTOR EN ACEITE

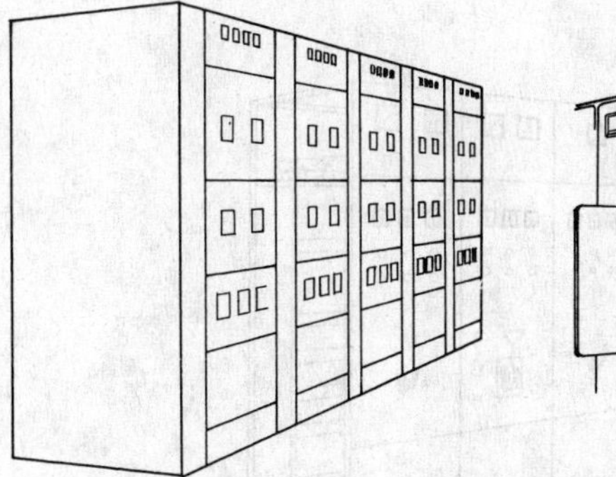

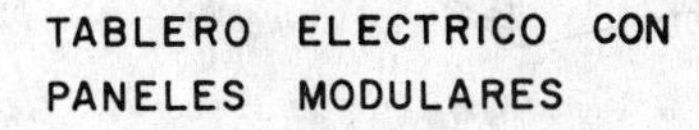

TABLERO ELECTRICO CON PANELES MODULARES

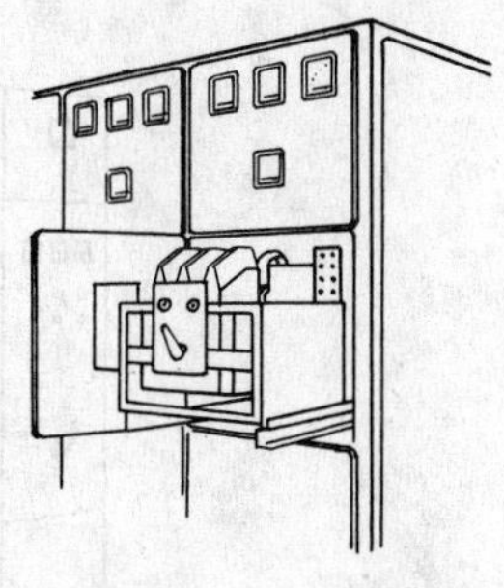

SECCION DE UN TABLERO MOSTRANDO EL INTE-RRUPTOR

INTERRUPTOR MOVIL EN TABLERO DE FUERZA.

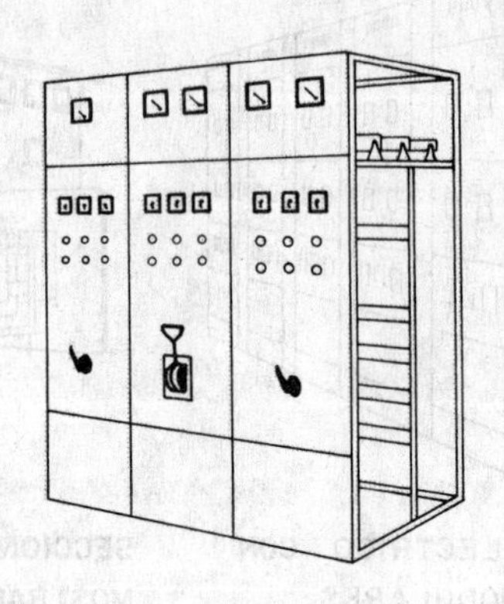

VISTA DE UN TABLERO

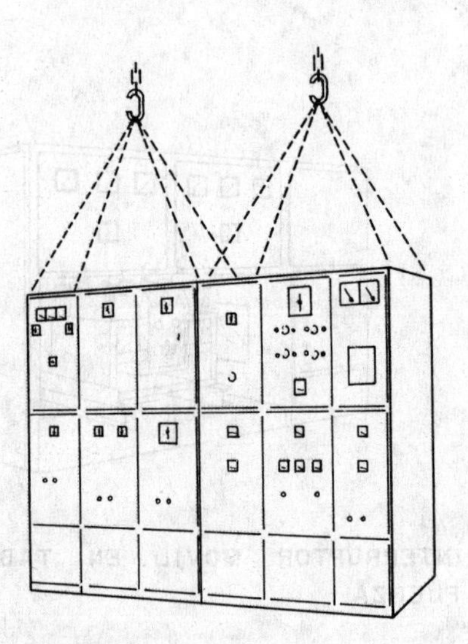

TABLERO ELECTRICO EN FASE DE MONTAJE

6.3. PROCEDIMIENTO PRELIMINAR PARA EL DISEÑO Y LOCALIZACIÓN DE TABLEROS DE PARED.

EL PROYECTISTA DE UNA INSTALACIÓN ELÉCTRICA DEBE DETERMINAR LA LOCALIZACIÓN DE LOS TABLEROS DE PARED NECESARIOS PARA LAS CARGAS ELÉCTRICAS DE LA INSTALACIÓN, ESTA DECISIÓN, DEPENDIENDO DEL PROYECTO REQUIERE COOPERACIÓN CON LOS ARQUITECTOS E INGENIEROS MECÁNICOS A FIN DE DETERMINAR EL LUGAR MÁS CONVENIENTE DE TODO EL EQUIPO ELÉCTRICO, INCLUYENDO ESTO A LOS TABLEROS DE PARED, ESTO REQUIERE POR LO GENERAL DE ANÁLISIS QUE CONDUZCA A SOLUCIONES QUE SATISFAGAN LOS COMPROMISOS ELÉCTRICOS, MECÁNICOS Y ARQUITECTÓNICOS.

6.3.1. LOCALIZACIÓN DE TABLEROS DE PARED.

LOS FACTORES QUE INTERVIENEN PRINCIPALMENTE EN LA LOCALIZACIÓN DE LOS TABLEROS DE PARED SON:

1. SE DEBE PROCURAR UNA LOCALIZACIÓN CENTRAL PARA REDUCIR LA CAIDA DE VOLTAJE EN LOS CIRCUITOS DERIVADOS.

2. LA DISTANCIA AL TABLERO PRINCIPAL PARA LIMITAR LA CAÍDA DE VOLTAJE TOTAL A UN MÁXIMO DE 4% DESDE EL TABLERO PRINCIPAL HASTA LOS PUNTOS DE UTILIZACIÓN DE LOS CIRCUITOS DERIVADOS.

3. EN LA PRÁCTICA, TANTO POR CORRIENTE COMO POR CAÍDA DE VOLTAJE, LOS TAMAÑOS DE CONDUCTORES DE LIMTAN A -

500 MCM.

4. LOS TABLEROS DE PARED ESTÁN LIMITADOS A 42 DISPOSITIVOS DE SOBRECORRIENTE.

5. OTRO FACTOR QUE AFECTA A LA LOCALIZACIÓN DE LOS TABLEROS, ES EL CUMPLIMIENTO DE LOS REQUERIMIENTOS DE LAS COMPAÑÍAS SUMINISTRADORAS DE ENERGÍA ELÉCTRICA (LA COMISIÓN FEDERAL DE ELECTRICIDAD EN MÉXICO) QUE BÁSICAMENTE SON LOS SIGUIENTES:

a) DEMANDA TOTAL ESPERADA EN AMPERES O KVA Y LA CARGA FUTURA PROBABLE.

b) EL MOTOR O MOTORES DE MAYOR CAPACIDAD QUE SE INSTALARÁN Y LA LISTA DEL RESTO DE LOS MOTORES CON SUS CARACTERÍSTICAS PRINCIPALES.

c) UNA LISTA DE LAS CARGAS CONECTADAS ASÍ COMO LAS CARGAS QUE SE TENDRÁN A FUTURO.

d) UN PLANO QUE INDIQUE UN PUNTO DE CONEXIÓN PROPUESTA PARA EL SERVICIO, LA COMPAÑÍA SUMINISTRADORA TAMBIÉN REQUIERE DE LA FECHA PROBABLE DE TERMINACIÓN DEL PROYECTO.

POR SU PARTE, LA COMPAÑÍA SUMINISTRADORA DE ENERGÍA ELÉCTRICA PROPORCIONA AL CLIENTE O SOLICITANTE DEL SERVICIO LA SIGUIENTE INFORMACIÓN:

a) APROBACIÓN DEL PUNTO DE ALIMENTACIÓN SUGERIDO O BIEN UNA PROPUESTA DE PUNTOS DE ALIMENTACIÓN CONVENIENTES DE ACUERDO A LA RED DE ALIMENTACIÓN.

b) Aprobación de la carga conectada, y en caso de que - la compañía suministradora no disponga de la capacidad para satisfacer el servicio, debe indicar el lapso de tiempo probable en que incrementará la capacidad de su red.

c) Una lista del equipo aprobado y que es necesario para que se conecte la instalación a la red y que debe ser suministrado e instalado por el cliente. Entre- otros se consideran: La caja de entrada o alimentación, el montaje del equipo de medición, el tablero- de medición, el alambrado y tubo conduit. o canalización. etc. La compañía suministradora proporciona el equipo de medición, transformadores de potencial y de corriente.

d) La compañía suministradora proporciona también la corriente de corto circuito en el punto de alimenta -- ción.

En el caso de ampliaciones, modificaciones o modernización de la instalación, la compañía suministradora debe ser informada con el objeto de realizar nueva - mente los trámites arriba descritos.

6.3.2. Restricciones de carga total de la compañía suministradora.

Si en algun caso, la compañía suministradora encuen-

TRA QUE EL SERVICIO SOLICITADO REPRESENTA UNA CARGA GRANDE, PUEDE NECESITAR QUE SU CAPACIDAD EN LA ZONA SE INCREMENTE, LO CUAL PUEDE SIGNIFICAR POSIBLES RETRASOS AL USUARIO, DE OTRA MANERA, ESTE DEBE DE RESTRINGIR SU CARGA DE TAL FORMA QUE ÉSTA PUEDA SER CUBIERTA POR LA COMPAÑÍA SUMINISTRADORA.

POR EJEMPLO, SE PUEDE LIMITAR EL SERVICIO A UNA CARGA DE 1500 KVA EN UN BANCO TRIFÁSICO O TRES TRANSFORMADORES MONOFÁSICOS. LA ECUACIÓN PARA LA POTENCIA TRIFÁSICA ES:

$$P = 1.732\ V_L\ I_L \cos\varphi$$

DONDE:

V_L = VOLTAJE DE LÍNEA A LÍNEA EN VOLTS.

I_L = CORRIENTE DE LÍNEA EN AMPERES.

$\cos\varphi$ = FACTOR DE POTENCIA.

DE LA ECUACIÓN ANTERIOR, LA CORRIENTE DE LÍNEA ES:

$$I_L = \frac{P}{1.732\ V_L \times \cos\varphi}$$

EJEMPLO 6.1. CUAL ES LA CARGA MÁXIMA A FACTOR DE POTENCIA UNITARIO QUE SE PUEDE ALIMENTAR DE UN TRANSFORMADOR TRIFÁSICO DE 1500 KVA, 220/127 VOLTS.

SOLUCIÓN:

LA CARGA SE REFIERE EN ESTE CASO A LA MÁXIMA CORRIEN

TE DE LÍNEA CUYO VALOR ES:

$$I_L = \frac{P}{1.732\ V_L \cos\varphi} = \frac{1\ 500\ 000}{1.732 \times 220\ 1}$$

$$I_L = 3936.6 \text{ Amperes}$$

Por lo general las compañías suministradoras limitan los servicios a un valor de carga dado del orden de 4000A, cuando se requiere alimentar un servicio con una carga mayor, entonces se necesita incrementar el número de servicios.

6.3.3. Conexión a la alimentación del servicio.

Por cada entrada o alimentación de servicio (por ejemplo hasta 4000A), la compañía suministradora proporciona los conductores o barras instalados en el punto de entrada señalado por el usuario. El cliente o usuario toma del punto de alimentación al desconectador o interruptor principal, ya sea por medio de conductores o barras y de aquí al tablero de distribución en este tablero se puede encontrar el desconectador o interruptor principal

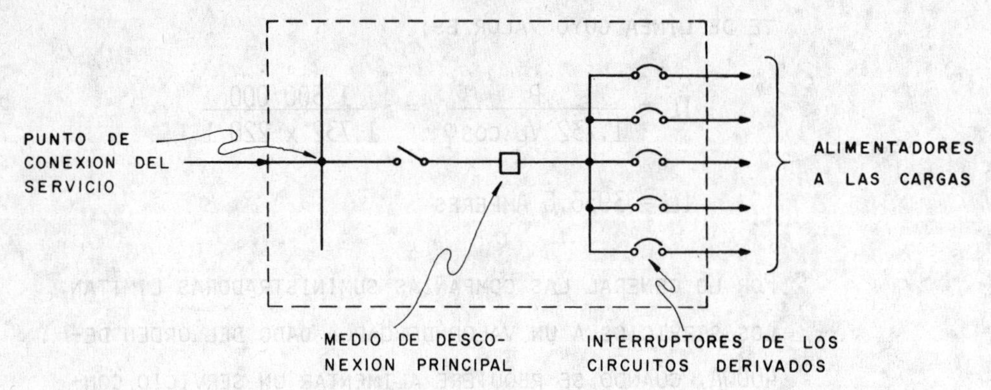

EQUIPO DE SERVICIO Y DESCONECTADOR PRINCIPAL EN UN MISMO TABLERO

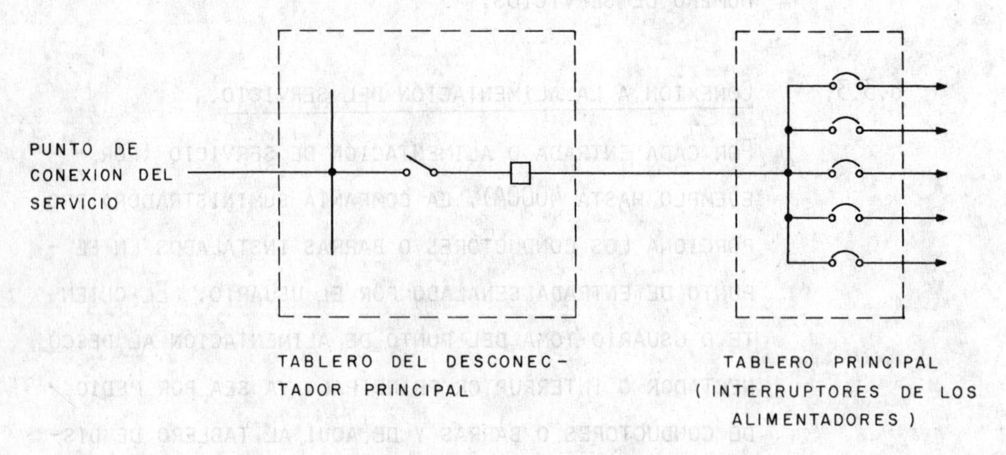

EQUIPO DE SERVICIO Y TABLERO PRINCIPAL SEPARADOS.

6.3.4. FACTORES EN LA LOCALIZACIÓN DE TABLEROS DE PARED Y DE PISO.

LA LOCALIZACIÓN DE LOS TABLEROS DE PARED EN UN PROYECTO DEPENDE DE MUCHOS FACTORES, YA QUE EN GENERAL CADA PROYECTO ES DIFERENTE DE OTRO Y REQUIERE POR LO TANTO DE UN TRATAMIENTO INDIVIDUAL, ESTO HACE QUE --

QUE FRECUENTEMENTE SE PRESENTEN DISTINTAS ALTERNATIVAS DE SOLUCIÓN.

6.3.4.1. LOCALIZACIÓN DE TABLEROS DE PARED Y TABLEROS DE PISO.

LOS TABLEROS DE PARED, COMO SU NOMBRE LO INDICA, SE MONTAN POR LO GENERAL EN PAREDES Y SIRVEN PARA ALIMENTAR CIRCUITOS DERIVADOS LOCALES, UN BUEN DISEÑO TRATA DE MONTAR EL TABLERO DE PARED EN UN PUNTO CERCANO AL CENTRO DE CARGA DE LOS CIRCUITOS DERIVADOS. OTRAS POSIBLES LOCALIZACIÓNES DEPENDEN DE LAS CONDICIONES FÍSICAS DEL LUGAR DE LA INSTALACIÓN Y PUEDE REQUERIR DE MONTAJE EN PAREDES INTERIORES, PARTICIONES, COLUMNAS, ETC.

SI LAS CONDICIONES DE LA INSTALACIÓN REQUIEREN DE UN TABLERO DE MAYORES DIMENSIONES, ÉSTE POR LO GENERAL ES UN TABLERO DE PISO, Y DE HECHO LAS CONSIDERACIONES HECHAS PARA LA LOCALIZACIÓN DE LOS TABLEROS DE PARED SON APLICABLES A LOS TABLEROS DE PISO. LOS TABLEROS PRINCIPALES DE UNA INSTALACIÓN ELÉCTRICA SEAN DE PARED O DE PISO, SE LES CONOCE ASÍ, COMO "TABLEROS PRINCIPALES":

POR CONVENIENCIA, UN SERVICIO DE 200A SE LE DENOMINA ARBITRARIAMENTE "PEQUEÑO", HASTA 600A "MEDIO" Y HASTA 4000A "GRANDE". LA DISTINCIÓN ENTRE EL TAMAÑO

O CAPACIDAD DE LOS SERVICIOS PARA LAS INSTALACIONES-ELÉCTRICAS NO ESTÁ CLARAMENTE DEFINIDA, DE MANERA --QUE PUEDEN EXISTIR TRASLAPES, PERO EL PRINCIPIO DE-CLASIFICARLAS COMO SE HA INDICADO, ES ADAPTABLE A LA MAYORÍA DE LOS SERVICIOS, SEAN DEL TIPO RESIDENCIAL, INDUSTRIAL O COMERCIAL.

UN SERVICIO PEQUEÑO (HASTA 200A) ES COMÚN EN GRAN-DES CASAS HABITACIÓN O PEQUEÑOS COMERCIOS, EN TANTO-QUE UN SERVICIO MEDIANO ES COMÚN EN COMERCIOS MÁS O-MENOS GRANDES O EN INSTALACIONES INDUSTRIALES PEQUE-ÑAS EN DONDE POR LO GENERAL LA CORRIENTE DE CORTO --CIRCUITO ES PEQUEÑA Y EL TABLERO PRINCIPAL RESULTA -SIMPLE

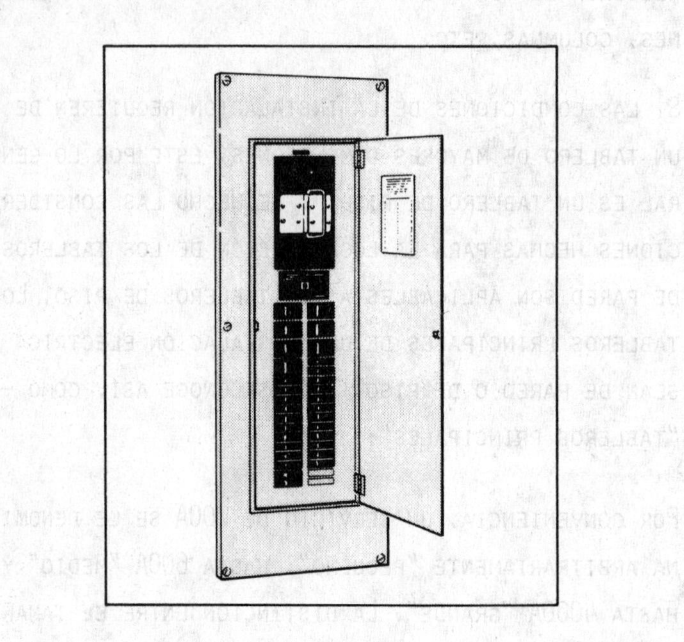

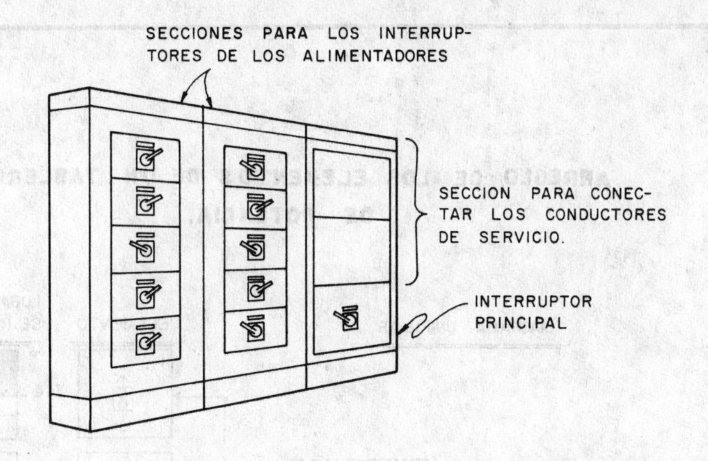

TABLERO TIPICO PARA 440 VOLTS

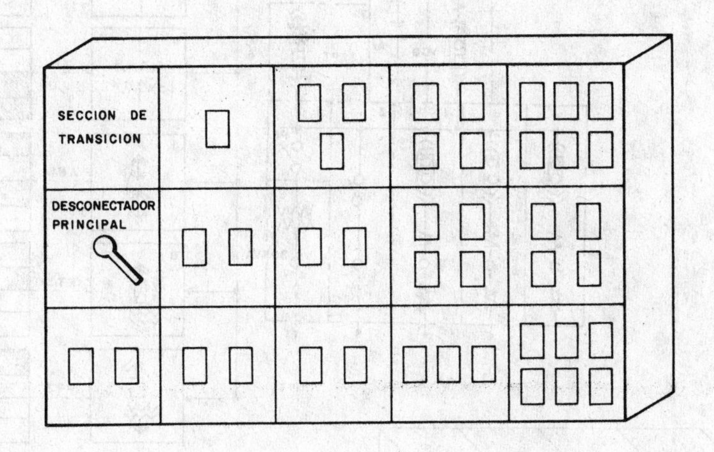

TIPO DE CONSTRUCCION DEL TABLERO PRINCIPAL

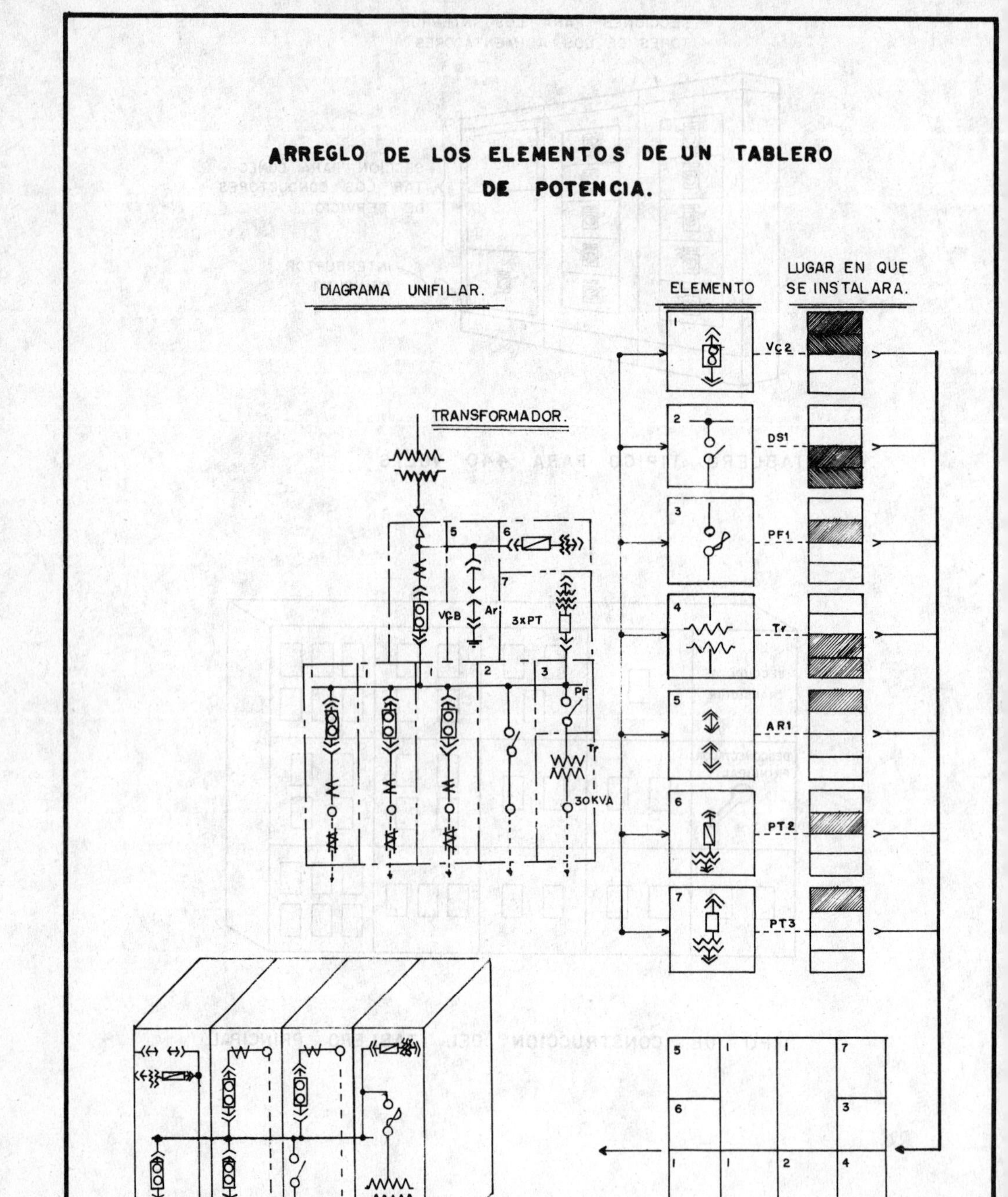
ARREGLO DE LOS ELEMENTOS DE UN TABLERO DE POTENCIA.
DIAGRAMA UNIFILAR.
ELEMENTO
LUGAR EN QUE SE INSTALARA.
TRANSFORMADOR.
VCB
Ar
3xPT
PF
Tr
30KVA
Vc2
DS1
PF1
Tr
AR1
PT2
PT3

6.3.4.2. LOCALIZACIÓN DE LOS TABLEROS PRINCIPALES DE GRAN TAMAÑO.

LOS TABLEROS PRINCIPALES DE GRAN TAMAÑO SE SUPONE ARBITRARIAMENTE QUE ESTÁN ENTRE 800 Y 4000A, DIFIEREN PRINCIPALMENTE DE LOS DE PEQUEÑO TAMAÑO EN QUE REQUIEREN UN MAYOR ANÁLISIS EN CUANTO AL ESTUDIO DE CORTO CIRCUITO SE REFIERE, POR LO GENERAL SE REQUIEREN TAMBIÉN DE UN LUGAR INDEPENDIENTE DENTRO DEL ESQUEMA DE LA INSTALACIÓN ELÉCTRICA Y UN MONTAJE Y BASE ESPECIALES, YA QUE EN EL CASO DE LAS INSTALACIONES COMERCIALES E INDUSTRIALES, PARA TABLEROS DE PISO.

EN ESTE TIPO DE TABLEROS ES COMÚN ENCONTRAR LOS INSTRUMENTOS DE MEDICIÓN EN CIERTAS SECCIONES, YA QUE EN PARTICULAR, EN EL CAMPO DE LAS MEDICIONES ELÉCTRICAS INDUSTRIALES SE TIENEN APLICACIONES EN DONDE ES NECESARIO EFECTUAR MEDICIONES PARA CONTROLAR EL FUNCIONAMIENTO Y LAS CONDICIONES DE OPERACIÓN DE LAS INSTALACIONES, DESDE EL PUNTO DE VISTA NO SOLO TÉCNICO, TAMBIÉN DE LA ENERGÍA COMSUMIDA.

LOS INSTRUMENTOS ELÉCTRICOS SON MUY VARIADOS ALGUNOS DE SUS PRINCIPIOS ELEMENTALES HAN SIDO PLANTEADOS YA EN EL CAPÍTULO I, SU APLICACIÓN EN CUANTO AL TAMAÑO Y CARACTERÍSTICAS DE LAS INSTALACIONES, ES PRÁCTICAMENTE LA MISMA.

LOS INSTRUMENTOS ELÉCTRICOS QUE INTERESAN EN ESTA PARTE SON AQUELLOS QUE SE INSERTAN EN LOS TABLEROS PARA CONTROLAR LAS CONDICIONES DE OPERACIÓN DE LAS INSTALACIONES. NO ES EL PROPÓSITO DE ESTA PUBLICACIÓN ENTRAR EN EL DETALLE DE LA CONSTITUCIÓN Y EL PRINCIPIO DE FUNCIONAMIENTO DE ESTOS INSTRUMENTOS, TEMA QUE SE DEBE TRATAR CON SUFICIENTE DETALLE EN LOS TEXTOS SOBRE MEDICIONES ELÉCTRICAS, AQUÍ SÓLO SE LIMITARÁ EL EXAMEN DE ALGUNOS PROBLEMAS PRÁCTICOS DE APLICACIÓN.

DESDE EL PUNTO DE VISTA DEL PRINCIPIO DE OPERACIÓN DE LOS INSTRUMENTOS DE MEDICIÓN, SE PUEDE HACER UNA CLASIFICACIÓN GENERAL COMO LA QUE SE MUESTRA EN LA TABLA SIGUIENTE:

TABLA 6.I

CARACTERISTICAS DE INSTRUMENTOS DE MEDICION

TIPO DE INSTRUMENTO	PRINCIPIO DE FUNCIONAMIENTO	NOMBRE DEL INSTRUMENTO QUE OPERA	EMPLEO COMUN
ELECTROMAGNETICOS	ACCIONES ENTRE CIRCTOS. POR CIRCULACION DE CTE. Y EFECTO MAGNET.	AMPERMETRO VOLTMETRO OHMETRO FRECUENCIMETRO	EN CORRIENTE CONTINUA Y CORRIENTE ALTERNA.
ELECTRODINAMICOS	ACCIONES ENTRE CIRCUITOS POR LOS QUE CIRCULA CORRIENTE.	AMPERMETRO VOLTMETRO WATTMETRO OHMETRO FRECUENCIMETRO	EN CORRIENTE CONTINUA Y CORRIENTE ALTERNA
TERMICOS	EFECTOS TERMICOS DE CORRIENTES QUE CIRCULAN POR CIRCTOS.	AMPERMETRO VOLTMETRO WATTMETRO	EN CORRIENTE CONT. Y CTE. ALTERNA SON PARA VALORES MEDIOS
DE INDUCCION	INDUCCION ELECTROMAGNETICA	CONTADORES	SOLO PARA CORRIENTE ALTERNA
DIGITALES	PULSOS DIGITALES OBTENIDOS DE LAS CANT. REALES POR TRANSFORMACION	AMPERMETROS VOLTMETROS OHMETROS	PARA CORRIENTE CONTINUA Y PARA CORRIENTE ALTERNA.

DE LOS INSTRUMENTOS INDICADOS EN LA TABLA ANTERIOR,- SON MUY COMUNES LOS INSTRUMENTOS ELECTROMAGNÉTICOS - PROPIAMENTE DICHO, BAJO CUYO PRINCIPIO SE CONSTRUYEN AMPÉRMETROS Y VÓLTMETROS PARA CORRIENTE ALTERNA, LOS INSTRUMENTOS ELECTROMEGNÉTICOS CON IMANES PERMANEN - TES CON LOS CUALES DE DISEÑAN AMPÉRMETROS Y VOLTME - TROS PARA CORRIENTE CONTINUA Y LOS INSTRUMENTOS DINÁ MICOS CON LOS CUALES SE REALIZAN POR LO GENERAL LOS- WATTMETROS Y LOS INSTRUMENTOS DE INDUCCIÓN, DENTRO - DE ESTA CATEGORÍA SE ENCUENTRAN COMPRENDIDOS LOS COR TADORES DE ENERGÍA, COMO SON LOS WATTHORÍMETROS.

SEGÚN SEAN LA CANTIDAD O PARÁMETRO QUE SE MIDE, LOS- INSTRUMENTOS ADOPTAN UN NOMBRE QUE INDICA LA CANTI - DAD QUE SE MIDE, POR LO TANTO SE USAN AMPÉRMETROS PA RA MEDIR CORRIENTE (AMPERES), VÓLTMETROS PARA MEDIR- VOLTAJE (VOLTS), OHMETROS PARA MEDIR RESISTENCIA - - (OHMS), WATTMETROS PARA MEDIR POTENCIA (WATTS), FRE- CUENCÍMETROS PARA LA MEDICIÓN DE FRECUENCIA (HERTZ) , FASÓMETROS PARA LA MEDICIÓN DEL DEFASAMIENTO, ETC.

SEGÚN SEA EL TIPO DE INDICACIÓN QUE PROPORCIONEN, SE DISTINGUEN TRES TIPOS DE INSTRUMENTOS

- INDICADORES.
- REGISTRADORES.
- INTEGRADORES.

INSTRUMENTOS INDICADORES DE TIPO TABLERO CON VARIOS TIPOS DE ESCALA

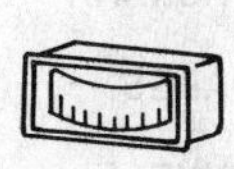  

INSTRUMENTOS INDICADORES DEL TIPO TABLERO CON ESCALA DE PERFIL

a  b 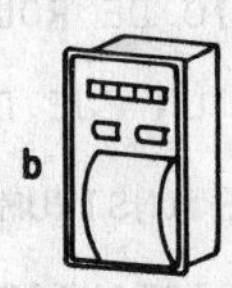 c 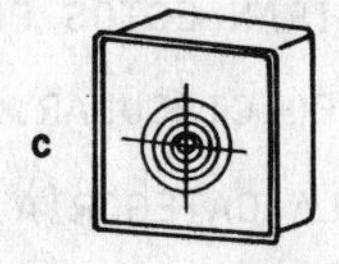

INSTRUMENTOS REGISTRADORES DEL TIPO TABLERO

a) - DE ESCRITURA DIRECTA c) - CON INDICACION POLAR

b) - CON SERVO MOTOR

a  b 

INSTRUMENTOS INTEGRADORES (CONTADORES DE ENERGIA)

a) - DEL TIPO TABLERO b) - DEL TIPO PARED

DE LA FIGURA ANTERIOR LOS INSTRUMENTOS REGISTRADO-RES PROPORCIONAN LA INDICACIÓN INSTANTÁNEA DE LA -- CANTIDAD MEDIDA EN SU ESCALA, PARA EVITAR ERRORES - EN LA MEDICIÓN, SE RECOMIENDA QUE LOS VALORES MEDI-DOS QUEDEN DENTRO DEL TERCER MEDIO DE LA ESCALA.

OTROS INSTRUMENTOS INDICADORES ESCRIBEN UN DIAGRAMA DE LAS VARIACIONES EN EL TIEMPO DE LAS CANTIDADES - MEDIDAS. EN GENERAL EL ROLLO DE PAPEL CONSTITUYE EL ELEMENTO SOBRE EL CUAL EL DIAGRAMA SE ESCRIBE, PARA LO CUAL GIRAN ESTOS POR MEDIO DE ROLLOS DE PAPEL O USANDO PAPEL CIRCULAR, SOBRE UN EJE DE ROTACIÓN. -- DENTRO DE LA CATEGORÍA DE LOS INSTRUMENTOS INDICADO-RES REGISTRADORES SE TIENEN DISTINTAS CLASES, SEGÚN SEA EL TIPO DE ACCIONAMIENTO DEL ELEMENTO SOBRE EL - CUAL SE HACE EL REGISTRO DE LA MEDICIÓN.

EN LA REALIZACIÓN DE LAS MEDICIONES DEL TIPO INDUS - TRIAL ES MUY IMPORTANTE EL USO DE LOS LLAMADOS TRANS FORMADORES DE INSTRUMENTO, TAMBIÉN CONOCIDOS COMO -- TRANSFORMADORES REDUCTORES Y QUE SE CLASIFICAN COMO:

- TRANSFORMADORES DE POTENCIAL (TP)
- TRANSFORMADORES DE CORRIENTE (TC)

ESTOS TRANSFORMADORES DE INSTRUMENTO SE EMPLEAN CUAN DO LOS VOLTAJES O LAS CORRIENTES DE LOS CIRCUITOS -- POR MEDIR, SON MUY ELEVADAS, O BIEN PORQUE NO SEA SE

GURO O CÓMODO CONECTAR DIRECTAMENTE AL CIRCUITO LOS- INSTRUMENTOS DE MEDICIÓN.

TRANSFORMADORES DE CORRIENTE.

EN EL CAMPO DE LAS BAJAS TENSIONES O DE LOS VOLTAJES USADOS NORMALMENTE EN LAS INSTALACIONES INDUSTRIALES, SE EMPLEAN LOS TRANSFORMADORES DE CORRIENTE PRINCI - PALMENTE, ESTOS TRANSFORMADORES ESTÁN PROVISTOS DE - UN CIRCUITO PRIMARIO POR EL QUE CIRCULA LA CORRIENTE QUE VA A SER MEDIDA, Y UN CIRCUITO SECUNDARIO POR EL QUE CIRCULA UNA CORRIENTE, QUE A UNA RELACIÓN DE - - TRANSFORMACIÓN BIEN PRECISA, REPRESENTA LA CORRIENTE DEL PRIMARIO.

NORMALMENTE LAS CORRIENTES SECUNDARIAS SON DE 5A Y DE 1A, A LOS CUALES CORRESPONDEN LAS CORRIENTES PRIMA - RIAS, POR GRANDE QUE SEA SU VALOR, LA ESCALA DEL - - AMPÉRMETRO PROPORCIONA LA INDICACIÓN DE LA CORRIENTE DEL PRIMARIO A LA RELACIÓN APROPIADA.

TRANSFORMADORES DE POTENCIAL.

EL USO DE LOS TRANSFORMADORES DE POTENCIAL RESULTA -- INDISPENSABLE EN EL CAMPO DE LA MEDIA Y DE LA ALTA -- TENSIÓN, CON EL EMPLEO DE ESTOS TRANSFORMADORES, ADE- MÁS DE OBTENER SEGURIDAD PARA EL PERSONAL MEDIANTE EL AISLAMIENTO DE LAS PARTES EN ALTA TENSIÓN, SE REDUCE- EL VALOR DE LAS TENSIONES A TIERRA.

TRANSFORMADOR DE CORRIENTE

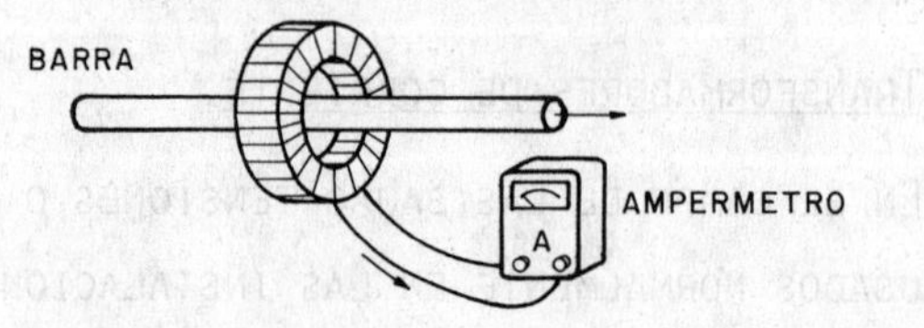

MEDICION DE CORRIENTE CON TRANSFORMADOR DE CORRIENTE TIPO DONA.

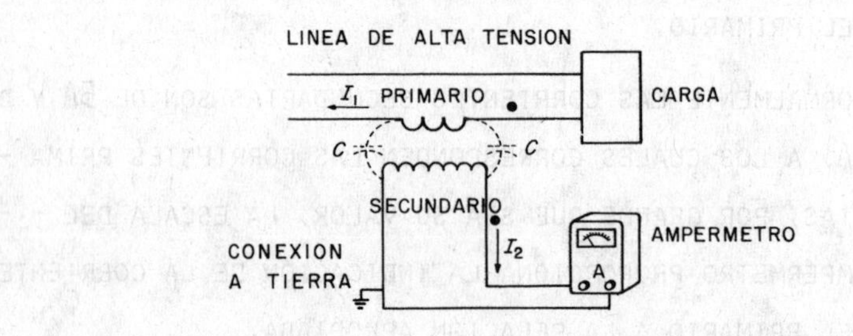

MEDICION DE CORRIENTE CON TRANSFORMADOR DE CORRIENTE DE DOS DEVANADOS.

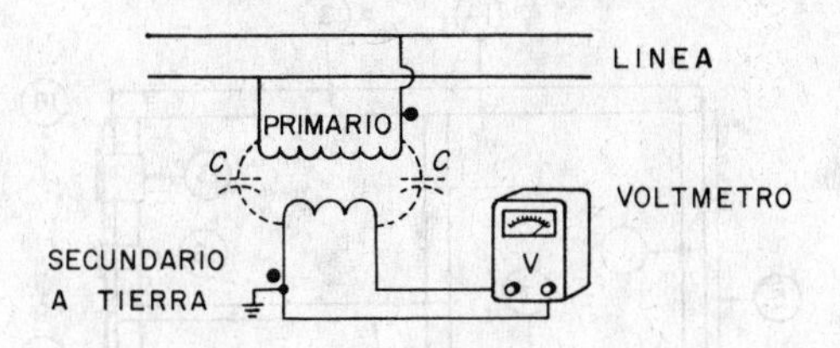

MEDICION DE VOLTAJE CON UN TRANSFORMADOR DE POTENCIAL

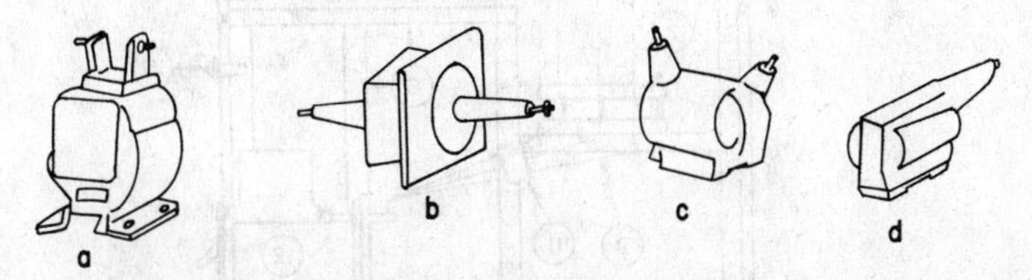

TRANSFORMADORES DE CORRIENTE PARA TABLERO (a,b) Y DE POTENCIAL (c,d)

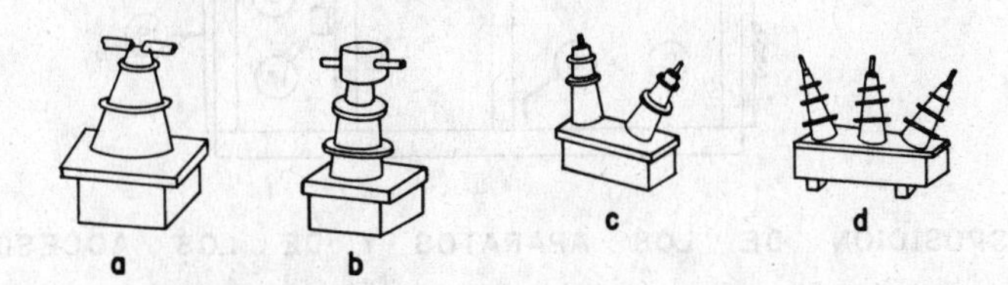

TRANSFORMADORES DE CORRIENTE (a, b) Y DE POTENCIAL EN ACEITE (c, d)

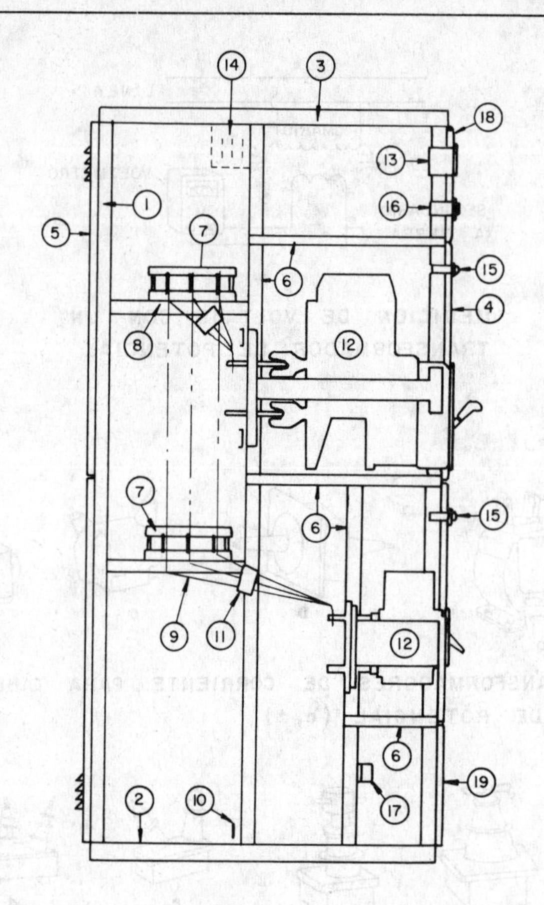

DISPOSICION DE LOS APARATOS Y DE LOS ACCESORIOS EN UN TABLERO DE POTENCIA.

1 — ESTRUCTURA SOPORTE DE CHAPA LAMINADA
2 — BASE DEL SOPORTE
3 — CUBIERTA SUPERIOR
4 — PUERTA DEL GABINETE DEL INTERIOR
5 — PUERTA POSTERIOR CON VENTILAS PARA CIRCULACION DE AIRE
6 — DIAFRAGMA DE LAMINA QUE DELIMITA LOS GABINETES
7 — REGISTRO DE BARRAS
8 — SISTEMA DE BARRAS PRINCIPALES
9 — CONEXIONES PRINCIPALES
10 — BARRAS DE TIERRA
11 — TRANSFORMADORES DE CORRIENTE
12 — INTERRUPTOR DEL TIPO DESPLAZABLE
13 — INSTRUMENTOS DE MEDICION
14 — CONDUCTORES DE LOS CIRCUITOS DE SERVICIOS AUXILIARES
15 — SEÑALES LUMINOSAS
16 — CONMUTADORES
17 — CONEXIONES DE SERVICIOS AUX.
18 — PTA. DEL GABINETE DE INST.
19 — PTA. DEL GABINETE DE CONEXIONES

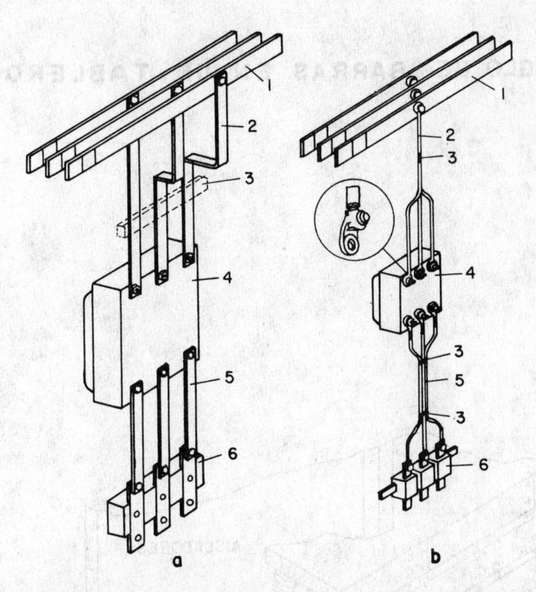

EJEMPLO DE ALIMENTACION DE UN TABLERO ELECTRICO DE UN SISTEMA DE BARRAS

a - BARRAS DE COBRE DESNUDO
b - DERIVACIONES CON BARRA DE COBRE AISLADO
1 - BARRAS PRINCIPALES
2 - DERIVACION
3 - BLOQUE AISLADOR DE AMARRE
4 - INTERRUPTOR (BREAKER)
5 - DERIVACION DE SALIDA
6 - CONEXIONES Y ACCESORIOS

ARREGLO DE BARRAS EN UN TABLERO.

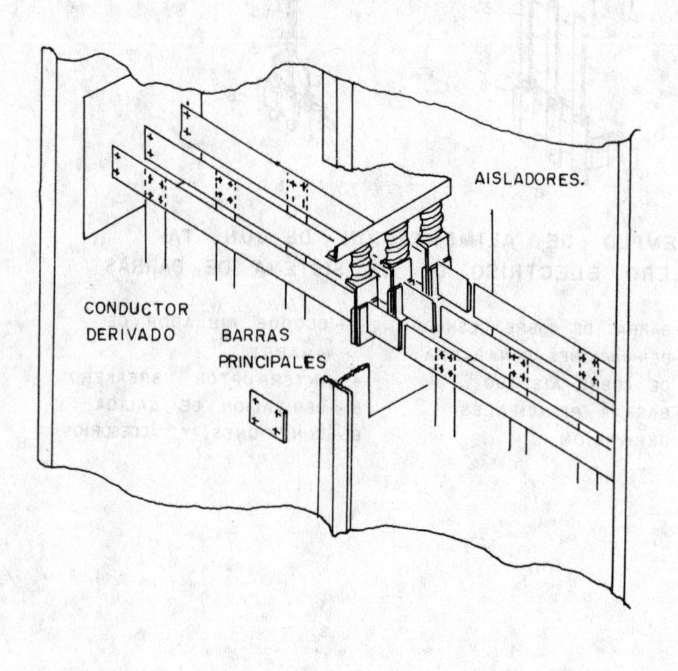

PARA LA MEDIA TENSIÓN LOS TRANSFORMADORES DE INSTRUMENTO SE ENCUENTRAN NORMALMENTE AISLADOS CON RESINAS SÓLIDAS, AUNQUE TAMBIÉN EN ESTE CAMPO, COMO EN EL DE LA ALTA TENSIÓN, SE USAN TRANSFORMADORES CON MEDIO DE ENFRIAMIENTO ACEITE.

6.4. FACTORES ELÉCTRICOS EN EL DISEÑO DE LOS TABLEROS DE PARED Y DE PISO.

EN UNA INSTALACIÓN TÍPICA DE TABLEROS SE REQUIERE:

1) DETERMINAR EL NÚMERO DE CIRCUITOS DERIVADOS.
2) LOCALIZAR EL LUGAR MÁS CONVENIENTE PARA LOS TABLEROS Y CENTROS DE CONTROL DE MOTORES.
3) LOCALIZAR EL LUGAR MÁS CONVENIENTE PARA EL TABLERO PRINCIPAL.
4) CALCULAR LOS ALIMENTADORES APROPIADOS DEL TABLERO PRINCIPAL A LOS CIRCUITOS DERIVADOS DE LOS OTROS TABLEROS.

6.4.1. NÚMERO DE CIRCUITOS DERIVADOS A LOS TABLEROS.

LOS MÉTODOS PARA EL CÁLCULO DE LOS CIRCUITOS DERIVADOS SE ESTUDIARÁN DE HECHO EN EL CAPÍTULO 3, EN ESTA PARTE SOLO SE HARÁ UNA BREVE REVISIÓN DE LOS MISMOS CON ALGUNAS PARTICULARIDADES PROPIAS DE LA ALIMENTACIÓN DE TABLEROS.

PARA TODOS LOS CIRCUITOS DE ALUMBRADO, LAS CARGAS SE CONSIDERAN CONTÍNUAS. EL TAMAÑO MÍNIMO DE LOS CONDUC

TORES ALIMENTADORES, LA CAPACIDAD EN LAS BARRAS DE - LOS TABLEROS Y LOS DISPOSITIVOS DE PROTECCIÓN CONTRA SOBRECORRIENTE SE BASAN EN UN MÍNIMO DEL 125% DE LA- CORRIENTE TOTAL DE PLENA CARGA DEL TABLERO, PARA --- ESTO ES NECESARIO HACER USO DE LAS TABLAS DE CONSU-- MOS ESTIMADOS PARA CIERTO TIPO DE LOCALES Y CARGAS.

PARA TODOS LOS CIRCUITOS DE MOTORES, LOS CONDUCTORES SE CALCULAN DE LA MISMA FORMA QUE PARA EL ALUMBRADO- ES DECIR, SE CONSIDERA EL 125% DE LA CORRIENTE A PLE NA CARGA PARA CADA MOTOR INDIVIDUAL CUANDO SE TRATA- DE MÁS DE UN MOTOR, EL 125% SE APLICA AL MOTOR DE MA YOR CAPACIDAD Y SE LE SUMA LA CORRIENTE A PLENA -- CARGA DEL RESTO DE LOS MOTORES. POR LO TANTO EL CON DUCTOR DEL ALIMENTADOR DE LOS MOTORES SE CALCULA CO- MO:

$$I_{\text{TOTAL PLENA CARGA}} = 1.25 \times I_{\text{PLENA CARGA MOTOR MAYOR.}} + \text{SUMA}\,(I_{\text{PLENA CARGA - OTROS MOTORES}})$$

PARA LA PROTECCIÓN DEL ALIMENTADOR, LA ECUACIÓN ANTE RIOR SE MODIFICA SUSTITUYENDO EL FACTOR 1.25 PARA EL MOTOR MAYOR, POR EL QUE SE OBTENGA DE ACUERDO A LO - INDICADO EN LAS TABLAS DEL CAPÍTULO 3.

CUANDO UN TABLERO ALIMENTA CARGAS DE ALUMBRADO Y MO- TORES, SU CAPACIDAD SE DETERMINA SUMANDO LAS CARGAS- DE ALUMBRADO Y MOTORES PARA EL CÁLCULO DEL ALIMENTA- DOR Y DE LA PROTECCIÓN DEL MISMO.

LOS FACTORES DE DEMANDA SE PUEDEN USAR DE ACUERDO A-LOS VALORES LISTADOS EN LAS NORMAS TÉCNICAS PARA INSTALACIONES ELÉCTRICAS, SI SE INCLUYE ALGÚN FACTOR DE DEMANDA ESPECIALMENTE INDICADO PARA LOS MOTORES, ESTE SE USA ESPECIFICAMENTE PARA EL CÁLCULO DE LOS MISMOS, PREVINIENDO EXPANSIONES FUTURAS EN LAS INSTALACIONES SE DEBE DIMENSIONAR SOBRE ESTA BASE EL TABLERO.

DE ACUERDO CON LAS NORMAS TÉCNICAS PARA INSTALACIONES ELÉCTRICAS, EL NÚMERO MÁXIMO PERMISIBLE DE DISPOSITIVOS DE PROTECCIÓN CONTRA SOBRECORRIENTE EN UN TABLERO ESTÁ LIMITADO A 42. CUANDO SE REQUIEREN MÁS DISPOSITIVOS SE DEBEN INSTALAR TABLEROS ADICIONALES, ÉSTOS SE PUEDEN LOCALIZAR ADYACENTES Y SE PUEDE USAR EL MISMO ALIMENTADOR.

PARA CIRCUITOS DERIVADOS DE TABLEROS DE MOTORES, TALES COMO LOS QUE ALIMENTAN A LOS CENTROS DE CONTROL DE MOTORES, Y PARA TABLEROS QUE ALIMENTAN CARGAS COMBINADAS DE ALUMBRADO Y MOTORES, LA CAPACIDAD DEL ALIMENTADOR Y LA PROTECCIÓN DEL MISMO SE CALCULA EN FORMA SIMILAR A LA DESCRITA ANTERIORMENTE PARA MOTORES, SÓLO SE CAMBIA EL FACTOR DE PROTECCIÓN DEL 125%.

EJEMPLO 6.2.

SE PLANEA CONSTRUIR LA NAVE DE UNA ESCUELA QUE TENDRÁ

4 NIVELES CON SALONES DE CLASE, LAS DIMENSIONES TOTA LES SON 80 M X 40 M. LA ALIMENTACIÓN ES A 220/127 - - VOLTS Y CADA CIRCUITO SE LIMITA A 1000 WATTS. SI SE SUPONE UNA DISPERSIÓN DEL 10% EN LA CAPACIDAD DE LOS TABLEROS.

A) CALCULAR EL NÚMERO MÍNIMO DE TABLEROS.

B) CALCULAR EL NÚMERO DE CIRCUITOS PARA TABLEROS.

C) CALCULAR EL TAMAÑO MÍNIMO PERMISIBLE PARA EL - ALIMENTADOR PARA CADA PISO, IGNORANDO LA CAÍDA DE VOLTAJE.

D) ENCONTRAR LA PROTECCIÓN CONTRA SOBRECORRIENTE- REQUERIDA.

SOLUCION:

A) EL ÁREA DE CADA PISO ES: $80 \times 40 = 3200$ M^2

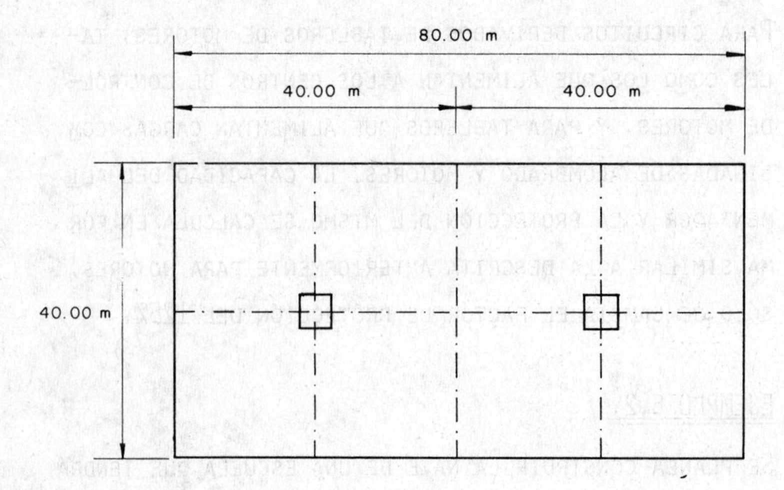

USANDO COMO CARGA DE ALUMBRADO EN UNA ESCUELA 20 WATTS/M^2 POR LO TANTO LA CARGA GENERAL DE- ALUMBRADO ES:

3200 x 20 = 64,000 WATTS.

ESTABLECIENDO UNA CARGA DE 1000 WATTS POR CIR CUITO, EL NÚMERO DE CIRCUITOS ES:

$$\text{No.CIRCUITOS}= \frac{\text{CARGA TOTAL}}{\text{WATTS/CIRCUITO}} = \frac{64{,}000}{1{,}000} = 64$$

SUPONIENDO UN 10% DE CAPACIDAD DISPERSA NO - - CONSIDERADA, SE PUEDE AGREGAR 7 CIRCUITOS ADI- CIONALES, LO CUAL DA UN TOTAL DE 72 (REDONDEAN DO A UN NÚMERO PAR) DADO QUE EL NÚMERO MÁXIMO- DE DISPOSITIVOS DE SOBRECORRIENTE POR TABLERO- ES 42 Y CADA CIRCUITO DE ALUMBRADO REQUIERE DE UN DISPOSITIVO DE SOBRECORRIENTE, EL NÚMERO MÍ NIMO DE TABLEROS POR PISO DEBE SER 2.

B) CADA TALBERO TENDRÁ UN MÍNIMO DE 72/2 = 36 CIR CUITOS DERIVADOS CADA UNO CON UNA CORRIENTE DE:

$$I = \frac{1000\ \text{WATTS/CIRCUITO}}{127} = 7.9\ \text{AMPERES.}$$

C) CÁLCULO DEL ALIMENTADOR.

PARA 72 CIRCUITOS POR PISO, CON 1000 WATTS POR CADA CIRCUITO, CADA ALIMENTADOR DEBE DE CONDU- CIR:

$$72 \times 1000 = 72\ 000 \text{ watts.}$$

La corriente si se considera factor de poten - cia unitario se calcula como:

$$I = \frac{P}{1.732 \times V_L \times \cos\varphi}$$

En este caso: $\cos\varphi = 1.0$

$$I = \frac{72{,}000}{1.732 \times 220 \times 1.0} = 189 \text{ Amperes}$$

De las tablas para capacidad de conducción de- corriente considernado conductores TW en tubo conduit, se requiere conductor NoL 4/0 AWG - - (Tabla 2.7).

El valor recomendable para el tablero sería -- 189 Amperes, pero se toma el siguiente valor - comercial en capacidad, que sería 200A o 225A.

d) La capacidad del dispositivo de protección con tra sobrecorriente es la misma que para el alimentador por lo tanto se puede usar fusible o- interruptor termomagnético de 200 A ó 225A.

EJEMPLO 6.3

Calcular el tamaño del alimentador y la protección - para una carga de alumbrado y de motores alimentados

POR UN ALIMENTADOR TRIFÁSICO COMO SE MUESTRA EN LA -
FIGURA:

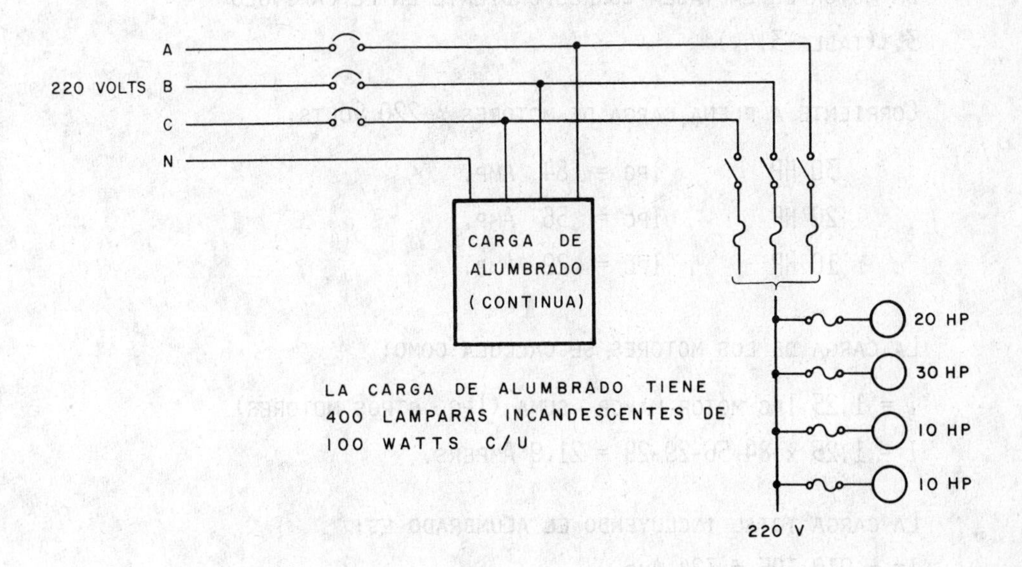

LA CARGA DE ALUMBRADO TIENE 400 LÁMPARAS INCANDESCEN
TES DE 100 WATTS C/U.

SOLUCION:

EL ALIMENTADOR PARA ESTE CIRCUITO DEBE TENER CAPACI-
DAD PARA ALIMENTAR LOS DOS TIPOS DE CARGAS, DE MANE-
RA QUE LAS CARGAS SE CALCULAN COMO SIGUE:

LA CORRIENTE POR EL ALUMBRADO ES:

$$I = \frac{400 \times 100}{1.732 \times 220} = 105 \text{ Amperes}$$

PARA LOS MOTORES SE CALCULA COMO SE INDICÓ EN EL CAPÍTULO 3, ES DECIR, LA CORRIENTE A PLENA CARGA DE CADA MOTOR DE LA TABLA CORRESPONDIENTE EN EL CAPÍTULO-3. (TABLA 3.4.)

CORRIENTE A PLENA CARGA DE MOTORES A 220 VOLTS.

30 HP	I_{PC} =	84 AMP.
20 HP	I_{PC} =	56 AMP.
10 HP	I_{PC} =	29 AMP.

LA CARGA DE LOS MOTORES SE CALCULA COMO:

$I = 1.25\ I_{PC}$ MOTOR MAYOR + SUMA (I_{PC} OTROS MOTORES)

$I = 1.25 \times 84 + 56 + 29 + 29 = 21.9$ AMPERS.

LA CARGA TOTAL INCLUYENDO EL ALUMBRADO ES:

$I_T = 219 + 105 = 324$ AMP.

SI SE USA CONDUCTOR TIPO TW (60°C) SE USARÁ CALIBRE-No. 500 MCM:

EN ESTE CASO COMO SE TRATA DE UN ALIMENTADOR QUE ALIMENTA A UNA CARGA COMBINADA DE ALUMBRADO Y MOTORES, EL DISPOSITIVO DE PROTECCIÓN DEBE TENER UNA CAPACIDAD NO MAYOR DE LA SUMA DE LA MÁXIMA CORRIENTE PARA-LA PROTECCIÓN DEL ALIMENTADOR DEL MOTOR Y DEL ALUMBRADO COMO SIGUE:

1. DISPOSITIVO DE PROTECCIÓN DEL ALIMENTADOR DEL-MOTOR.

= CAPACIDAD O AJUSTE DEL DISPOSITIVO DE PROTECCIÓN DEL CIRCUITO DERIVADO DE MAYOR CAPACIDAD DE UN MOTOR DEL GRUPO QUE SE ESTÁ ALIMENTANDO MÁS LA SUMA DE LAS CORRIENTES A PLENA CARGA - DE LOS OTROS MOTORES.

EN ESTE EJEMPLO EL MOTOR DE MAYOR CAPACIDAD, LA CORRIENTE NOMINAL ES 84A, LA CAPACIDAD DEL ELEMENTO - DE PROTECCIÓN ES 100A.

LA CAPACIDAD DEL DISPOSITIVO DE PROTECCIÓN DEL ALIMENTADOR DEL MOTOR ES:

$$100 + 56 + 29 + 29 = 214A.$$

ES DECIR QUE LA CAPACIDAD DEL DISPOSITIVO DE PROTECCIÓN DE ACUERDO CON LOS VALORES NORMALIZADOS SERÍA - DE 250A` PERO COMO ESTE VALOR EXCEDE A LA CORRIENTE- DE CARGA DE LOS MOTORES QUE SE CALCULÓ ANTES QUE ES- DE 210 AMPERES, SE SELECCIONA ENTONCES UN DISPOSITIVO DE PROTECCIÓN DE 200A.

CARGA DE ALUMBRADO.

LA CARGA DE ALUMBRADO ES: 105 AMPERES.

LA CAPACIDAD DEL INTERRUPTOR PARA LA CARGA COMBINADA ES:

$$105 + 214 = 319 \text{ AMPERES.}$$

LA CAPACIDAD DEL INTERRUPTOR TERMOMAGNÉTICO MÁS PROXI-

MO QUE NO EXCEDE A ESTE VALOR ES 300 AMPERES.

6.5 CIRCUITOS PARA TRANSFORMADORES.

COMO SE HA ESTUDIADO ANTES, PARA CIERTAS APLICACIO - NES EN INSTALACIONES COMERCIALES E INDUSTRIALES, DEL TABLERO PRINCIPAL SE TIENEN ALIMENTADORES O CIRCUITOS DERIVADOS QUE ALIMENTAN TRANSFORMADORES DE CAPACIDAD RELATIVAMENTE PEQUEÑA PARA ALIMENTAR CARGAS DE ALUM- BRADO O CARGAS PARTICULARES ESTOS TRANSFORMADORES - FRECUENTEMENTE TIENEN DERIVACIONES (TAPS) PARA COM - PENSAR EL EFECTO DE LAS CAÍDAS DE VOLTAJE. POR LO - GENERAL EL TIPO DE ENFRIAMIENTO ES AIRE, ES DECIR -- SON TRANSFORMADORES DEL TIPO SECO. EN ESTE CASO, CO MO EN EL DE OTROS TIPOS DE CARGAS, SE REQUIERE CALCU LAR LA CAPACIDAD DEL ALIMENTADOR Y LA DE LOS ELEMEN- TOS DE PROTECCIÓN.

EJEMPLO 6.4.

EL ALIMENTADOR DE UN TRANSFORMADOR TRIFÁSICO TIPO SE CO, LO ALIMENTA A 440 VOLTS, PARA REDUCIR EN EL - - TRANSFORMADOR ALIMENTA A UN TABLERO DE ALUMBRADO CON UNA CARGA CONTÍNUA DE 300 AMPERES POR FASE.

CALCULAR EL TAMAÑO MÍNIMO DE LOS CONDUCTORES Y LOS - DISPOSITIVOS DE PROTECCIÓN:

TABLERO DE ALUMBRADO

440 V 220/127 V

30 m 15 m

SOLUCION:

1. LA CAPACIDAD EN KVA PARA LA CARGA DE 30 A EN - EL LADO DE LA CARGA A 220/127 VOLTS ES:

$$P = 1.732\ V_L \times I = 1.732 \times 220 \times 30 = 11431\ VA.$$

ESTA CARGA REQUIERE UN TRANSFORMADOR DE AL MENOS - - 15KVA, SUPONIENDO QUE NO SE NECESITA UNO MAYOR DEBIDO A UN POSIBLE CRECIMIENTO FUTURO DE LA CARGA, ES DECIR NO SE CONSIDERA FACTOR DE CRECIMIENTO EN LA CARGA.

2. CONSIDERANDO EL USO EVENTUAL DE LA CAPACIDAD - TOTAL DEL TRANSFORMADOR, LA CORRIENTE PRIMARIA NOMINAL SERÁ:

$$I_P = \frac{P}{1.732 \times V.} = \frac{15\ 000}{1.732 \times 440} = 19.7\ \text{AMPERES}$$

DE ACUERDO CON LA TABLA 2.7 SE REQUERIRIAN 3 CONDUCTORES No. 12 AWG DEL TIPO TW.

3. El dispositivo de protección contra sobreco- - rriente para el transformador no debe tener -- una capacidad nominal o ser ajustado a más del- 125% de la corriente nominal primaria. Para - este ejemplo es entonces:

$$1.25 \times 19.7 = 24.62 \text{ Amperes.}$$

Es decir que el dispositivo de protección contra so- brecorriente debe de ser de 25 Amperes y se debe ins talar al final del alimentador, es decir próximo a - las terminales primarias del transformador.

4. Los conductores del circuito primario al trans formador deben tener una capacidad nominal no inferior que el 125% de la corriente nominal - del transformador, es decir:

$$1.25 \times 19.7 = 24.625 \text{ Amp.}$$

Entonces en lugar del conductor calibre No. 12 AWG - calculado en el punto 2, de acuerdo con la tabla 2.7 se requerirá conductor tipo TW calibre No. 10 AWG.

5. La corriente nominal en el secundario del trans formador de 15 KVA es:

$$I_S = \frac{P}{1.732 \times V.} = \frac{15\,000}{1.732 \times 220} = 39.36 \text{ Amp.}$$

LA CAPACIDAD DE CONDUCCIÓN DE CORRIENTE DEL SECUNDARIO DEL TRANSFORMADOR AL TABLERO DE ALUMBRADO DEBE SER ENTONCES DE:

$$1.25 \times 39.36 = 49.20 \text{ Amperes}$$

DE ACUERDO CON LA TABLA 2.7 SE REQUIEREN CONDUCTORES DEL TIPO TW No. 6 AWG.

6.6. DISPOSICIONES REGLAMENTARIAS.

LAS NORMAS TÉCNICAS PARA INSTALACIONES ELÉCTRICAS EN SU SECCIÓN 405 ESTABLECEN LAS SIGUIENTES DISPOSICIONES REGLAMENTARIAS:

APLICACIÓN

LOS REQUISITOS DE ESTA SECCIÓN SE APLICAN A LOS TABLEROS INTEGRALES DE PISO Y DE PARED USADOS PARA LA DISTRIBUCIÓN DE CIRCUITOS DE ALUMBRADO Y FUERZA EN INSTALACIONES DE UTILIZACIÓN, ASÍ COMO LOS TABLEROS DE CONTROL DE MOTORES.

ARREGLO DE LAS BARRAS COLECTORAS Y OTROS CONDUCTORES.

a) LAS BARRAS COLECTORAS Y OTROS CONDUCTORES DE LOS TABLEROS DE PISO Y DE PARED, DEBEN ESTAR LOCALIZADAS DE MANERA QUE NO ESTÉN EXPUESTOS A DAÑO MECÁNICO Y FIJADOS FIRMEMENTE EN SU LUGAR.

B) LA DISPOSICIÓN DE LAS BARRAS Y OTROS CONDUCTORES DEBE SER TAL QUE SE EVITE EL SOBRECALENTAMIENTO DEBIDO A EFECTOS INDUCTIVOS.

C) LAS TERMINALES PARA LA CONEXIÓN DE LOS CONDUCTORES DE LA CARGA DEBEN COLOCARSE, PREFERENTEMENTE, DE MANERA QUE NO SEA NECESARIO PASAR CON DICHOS CONDUCTORES A TRAVÉS O POR DETRÁS DE LAS BARRAS COLECTORAS.

D) SE RECOMIENDA QUE LA SECUENCIA DE FASES EN LAS BARRAS COLECTORAS SEA A, B, C DESDE EL FRENTE HACIA ATRÁS DEL TABLERO O DE IZQUIERDA A DERECHA VIENDO EL TABLERO DE FRENTE, SEGÚN SEA LA COLOCACIÓN DE LAS MISMAS BARRAS.

GABINETES:

LOS GABINETES DE LOS TABLEROS DE PISO Y DE PARED DEBEN FABRICARSE DE MATERIAL RESISTENTE A LA CORROSIÓN Y NO COMBUSTIBLE.

TABLEROS DE PISO

TABLEROS DE PISO CON PARTES VIVAS DECUBIERTAS.

LOS TABLEROS DE PISO QUE TENGAN ALGUNA PARTE VIVA DESCUBIERTA DEBEN ESTAR UBICADOS EN LOCALES PERMANENTES SECOS Y SER ACCESIBLES SÓLO A PERSONAS IDÓNEAS.

EN LUGARES MOJADOS.

LOS TABLEROS DE PISO QUE SE INSTALEN EN LOCALES MOJADOS O A LA INTEMPERIE DEBEN SER "A PRUEBA DE INTEMPERIE" O BIEN ESTAR UBICADOS DE MANERA QUE SE EVITE LA ENTRADA DE HUMEDAD O AGUA AL INTERIOR DE SUS GABINETES.

UBICACIÓN CON RESPECTO A MATERIAL FÁCILMENTE INFLAMABLE.

LOS TABLEROS DE PISO DEBEN COLOCARSE DE MANERA QUE SE REDUZCA AL MÍNIMO LA POSIBILIDAD DE COMUNICAR EL FUEGO A MATERIALES INFLAMABLES.

SEPARACIÓN ENTRE EL TABLERO Y EL TECHO.

LOS TABLEROS DE PISO QUE SE INSTALEN EN LOCALES CON TECHOS O PLAFONES DE MATERIALES COMBUSTIBLES DEBEN ESTAR SEPARADOS UN METRO, COMO MÍNIMO, DE TALES TECHOS O PLAFONES, A MENOS QUE SE COLOQUE UNA BARRERA DE MATERIAL INCOMBUSTIBLE ENTRE ÉSTOS Y LOS PROPIOS TABLEROS, O QUE SE TRATE DE TABLEROS TOTALMENTE CERRADOS, EN CUYO CASO LA DISTANCIA PUEDE SER MENOR.

ESPACIO LIBRE ALREDEDOR DE LOS TABLEROS.

DEBE DEJARSE ESPACIO LIBRE ALREDEDOR DE LOS TABLEROS DE PISO, PARA FINES DE OPERACÍÓN Y MANTENIMIENTO.

PROTECCIÓN DE LOS CIRCUITOS PARA INSTRUMENTOS.

LOS INSTRUMENTOS, LÁMPARAS INDICADORAS, TRANSFORMADORES DE POTENCIAL Y OTROS EQUIPOS CON BOBINAS DE POTENCIAL, DEBEN ALIMENTARSE CON CIRCUITOS QUE ESTÉN PROTEGIDOS POR DISPOSITIVOS DE SOBRECORRIENTE NO MAYORES DE 15 AMPERES, EXCEPTO CUANDO LA OPERACIÓN DE ESTOS DISPOSITIVOS DE SOBRECORRIENTE IMPLIQUE ALGÚN PELIGRO EN LA OPERACIÓN DE DICHOS EQUIPOS.

CONEXIÓN A TIERRA DE LOS TABLEROS DE PISO.

LOS GABINETES DE LOS TABLEROS DE PISO DEBEN CONECTARSE A TIERRA

CONEXIÓN A TIERRA DE INSTRUMENTOS, RELEVADORES Y TRANSFORMADORES PARA INSTRUMENTOS EN LOS TABLEROS DE PISO.

LOS INSTRUMENTOS, RELEVADORES Y TRANSFORMADORES PARA INSTRUMENTOS, INSTALADOS EN LOS TABLEROS DE PISO, DEBEN CONECTARSE A TIERRA.

TABLEROS DE PARED

NÚMERO DE DISPOSITIVOS DE SOBRECORRIENTE EN UN TABLERO DE PARED.

UN TABLERO DE PARED PARA CIRCUITOS DERIVADOS DE ALUMBRADO Y APARATOS DEBE PROVEERSE DE MEDIOS FÍSICOS PARA IMPEDIR LA INSTALACIÓN DE UN NÚMERO MAYOR DE DIS-

POSITIVOS DE SOBRECORRIENTE QUE EL NÚMERO PARA EL - CUAL FUE DISEÑADO Y APROBADO EL PROPIO TABLERO.

ESTOS TABLEROS NO DEBEN CONTENER MÁS DE 42 DISPOSITI VOS DE SOBRECORRIENTE PARA CIRCUITOS DERIVADOS DE -- ALUMBRADO Y APARATOS, ADEMÁS DEL DISPOSITIVO DE PRO- TECCIÓN GENERAL.

PARA EFECTOS DE ESTE ARTÍCULO, UN INTERRUPTOR AUTOMÁ TICO DE DOS POLOS SE CONSIDERARÁ COMO DOS DISPOSITI- VOS DE SOBRECORRIENTE Y UNO DE TRES POLOS COMO TRES- DISPOSITIVOS DE SOBRECORRIENTE.

EN LUGARES HÚMEDOS O MOJADOS.

LOS TABLEROS DE PARED QUE SE INSTALEN EN LUGARES HÚ- MEDOS O MOJADOS DEBEN ESTAR PROVISTOS DE GABINETES - ADECUADOS PARA LAS CONDICIONES EXISTENTES EN CADA CA SO, O BIEN ESTAR UBICADOS DE MANERA QUE SE EVITE LA- ENTRADA DE HUMEDAD O AGUA A SU INTERIOR.

FRENTE MUERTO.

LOS GABINETES DE LOS TABLEROS DE PARED DEBEN SER DE- FRENTE MUERTO, SALVO EL CASO EN QUE SEAN ACCESIBLES- SÓLO A PERSONAS IDÓNEAS.

CONEXIÓN A TIERRA DE LOS TABLEROS DE PARED.

LOS GABINETES DE LOS TABLEROS DE PARED DEBEN CONEC - TARSE A TIERRA.

CAPITULO 7

ELEMENTOS PARA EL PROYECTO DE INSTALACIONES ELECTRICAS INDUSTRIALES

CAPITULO 7
ELEMENTOS PARA EL PROYECTO DE INSTALACIONES ELECTRICAS INDUSTRIALES

7.1. INTRODUCCION

LA PARTE INICIAL DE UN PROYECTO ELÉCTRICO ES EL ESTABLECIMIENTO DE LAS CARACTERÍSTICAS GENERALES DEL MISMO DESDE EL PUNTO DE VISTA DE SUS COMPONENTES Y DE LAS FUNCIONES DE ESTAS, PARA ESTO, SE PUEDE REPRESENTAR POR MEDIO DE DIAGRAMAS DE BLOQUE LAS PARTES FUNDAMENTALES DE LA INSTALACIÓN ELÉCTRICA, QUE SE ESTABLECEN A PARTIR DE LOS USUARIOS, Y LLEGAN HASTA EL SISTEMA DE ALIMENTACIÓN DE LA COMPAÑÍA SUMINISTRADORA DE ENERGÍA ELÉCTRICA.

EL PROYECTO DE LAS INSTALACIONES ELÉCTRICAS EN UNA INDUSTRIA, COMPRENDE EL DIMENSIONAMIENTO DE TODO EL SISTEMA, QUE RESULTA DIMENSIONADO CUANDO SE DETERMINAN LAS CARACTERÍSTICAS DE LOS ELEMENTOS CONTENIDOS EN CADA UNO DE LOS BLOQUES Y LAS CARACTERÍSTICAS DE LOS ELEMENTOS QUE UNEN A CADA UNO DE ESTOS BLOQUES.

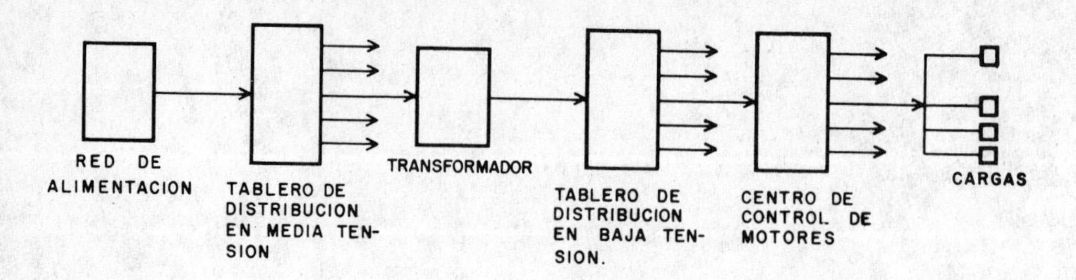

ELEMENTOS EN EL PROYECTO DE UNA INSTALACIÓN ELÉCTRICA INDUSTRIAL

LAS CANTIDADES PRINCIPALES QUE ESTAN EN JUEGO EN EL DIMENSIONAMIENTO DE UNA INSTALACIÓN INDUSTRIAL SON LAS SIGUIENTES:

- POTENCIA.
- VOLTAJE Y FRECUENCIA.
- CORRIENTES NOMINALES Y CORRIENTES DE CORTO CIRCUITO.
- FACTOR DE POTENCIA.
- TIPO DE SERVICIO Y CARACTERÍSTICAS DE LA DEMANDA.

ALGUNAS DE ESTAS CANTIDADES ESTÁN NATURALMENTE RELACIONADAS ENTRE SÍ COMO SON POR EJEMPLO LA POTENCIA, EL VOLTAJE, LA CORRIENTE Y EL FACTOR DE POTENCIA.

AL PROYECTISTA QUE SE ORIENTA HACIA EL PROYECTO DE INSTALACIONES INDUSTRIALES, POR LO GENERAL SE LE PROPORCIONA LA POTENCIA Y LA UBICACIÓN DEL USUARIO Y EL TIPO DE SERVICIO, A PARTIR DE ESTA INFORMACIÓN CALCULA Y SUMI -

NISTRA EL RESTO DE LA INFORMACIÓN. UN PROCEDIMIENTO-
QUE SE SIGUE PARA EL PROYECTO DE LAS INSTALACIONES --
ELÉCTRICAS DEL TIPO INDUSTRIAL ES EL SIGUIENTE:

- SE DETERMINA LA POTENCIA TOTAL QUE DEMANDA LA INSTALACIÓN (POTENCIA ABSORBIDA).
- SE CALCULAN LOS COEFICIENTES DE SIMULTANEIDAD Y DE UTILIZACIÓN Y SE DETERMINA LA POTENCIA A TRANSMITIR POR CADA ALIMENTADOR EN FORMA INDIVIDUAL.
- SE SELECCIONA EL VOLTAJE Y SISTEMA DE DISTRIBUCIÓN INTERNA.
- SE REAGRUPAN LAS CARGAS Y SE EFECTUA EL DIMENSIONAMIENTO PRELIMINAR DE LA INSTALACIÓN (SELECCIÓN DEL ESQUEMA).
- SE VERIFICAN LAS CORRIENTES DE CORTO CIRCUITO Y EL FACTOR DE POTENCIA.

7.2 ELEMENTOS PARA EL DIMENSIONAMIENTO ECONOMICO DEL SISTEMA.

PARA EL PROYECTO DE UNA INSTALACIÓN INDUSTRIAL RELATIVAMENTE PEQUEÑA, EN DONDE SOLO SE REQUIERE DE UNA DISTRIBUCIÓN INTERNA A BASE DE ALIMENTADORES PARA TABLEROS DE ALUMBRADO O CENTROS DE CONTROL DE MOTORES, O -- BIEN PARA UNA INSTALACIÓN INDUSTRIAL DE TAMAÑO CONSIDERABLE EN DONDE SE REQUIERE DE UN SISTEMA DE DISTRIBU -

CIÓN INTERNO CON VARIOS NIVELES DE TENSIÓN, LOS CRITERIOS GENERALES DE PROYECTO SON APLICABLES Y SE REFIEREN PRINCIPALMENTE A LA OPTIMIZACIÓN DE LOS COSTOS TENIENDO EN CONSIDERACIÓN OTRAS CARACTERÍSTICAS COMO SON LA SEGURIDAD EN EL SUMINISTRO DE LA ENERGÍA (CONFIABILIDAD), FUNCIONALIDAD, ETC.

SE PUEDE DECIR POR LO QUE RESPECTA A LOS SISTEMAS ELÉCTRICOS QUE LOS PROBLEMAS GENERALES DE LA SELECCIÓN ÓPTIMA, SON ANÁLOGOS A LOS DE OTRAS INSTALACIONES, SÓLO SE PRESENTAN DIFERENCIAS CON LAS COMPONENTES INDIVIDUALES EN LA EJECUCIÓN DE LAS PARTICULARIDADES DE CADA TIPO DE INSTALACIÓN.

EN LOS PÁRRAFOS SIGUIENTES SE TRATARÁN LAS PRINCIPALES CUESTIONES QUE SON DE INTERÉS PARA EL DIMENSIONAMIENTO PRELIMINAR DE UNA INSTALACIÓN ELÉCTRICA INDUSTRIAL.

LA SUMA DE LAS POTENCIAS INSTALADAS EN UNA INDUSTRIA ES POR LO GENERAL SUPERIOR A LA POTENCIA TOTAL ABSORBIDA DEBIDO A QUE NO TODAS LAS CARGAS OPERAN SIEMPRE EN LAS CONDICIONES NOMINALES Y ALGUNAS TIENEN UN FUNCIONAMIENTO INTERMITENTE Y DISCONTINUO.

EL PROBLEMA CONSISTE POR LO TANTO, EN LA DETERMINACIÓN DE LA POTENCIA ABSORBIDA O DEMANDADA, CONOCIENDO LA POTENCIA INSTALADA.

EN LA PRIMERA FASE DE UN PROYECTO NO SE HACE NOTAR, -- PERO EL VALOR DE LA POTENCIA ABSORBIDA, CARGA POR CARGA, SE ESTIMA EN BASE A DATOS ESTADÍSTICOS QUE SE OB - TIENEN DE INSTALACIONES ANÁLOGAS.

EN LA VALORACIÓN DE LA POTENCIA ABSORBIDA SE INTRODU - CEN DOS CONCEPTOS FUNDAMENTALES:

EL COEFICIENTE DE UTILIZACIÓN, QUE SE DEFINE COMO LA RELACIÓN ENTRE LA POTENCIA ABSORBIDA EN CONDICIONES DETERMINADAS DE OPERACIÓN, Y LA POTENCIA NOMINAL DE UNA CARGA.

EL FACTOR DE SIMULTANEIDAD QUE SE DEFINE COMO LA RELACIÓN ENTRE LA SUMA DE LA POTENCIA DE UNA CARGA EN OPERACIÓN Y LA POTENCIA TOTAL INSTALADA DE LA CARGA.

LA INFORMACIÓN DE LAS POTENCIAS EN OPERACIÓN DE LAS MÁQUINAS PEQUEÑAS ALIMENTADAS EN BAJA TENSIÓN ES DIFICIL DE OBTENER Y REQUIERE DE UN TRABAJO ARDUO Y DE CONOCIMIENTO DE LAS CARACTERÍSTICAS DE LA INSTALACIÓN.

SE PUEDE HACER UNA PRIMERA ESTIMACIÓN SOBRE LA BASE DE LA DENSIDAD MEDIA DE CARGA QUE SE OBTIENE DE INSTALA - CIONES ANÁLOGAS ANTERIORES, DIVIDIENDO LA POTENCIA DEMANDADA ENTRE EL ÁREA DE LA INSTALACIÓN. DE ESTA MA - NERA SE RECABA UNA DENSIDAD DE CARGA EN W/m^2, QUE PUEDEN DAR UNA IDEA APROXIMADA DEL DIMENSIONAMIENTO GENE-

RAL DE LA INSTALACIÓN. A MANERA DE ORIENTACIÓN SE DAN LOS VALORES DE DENSIDADES DE CARGA PARA ALGUNOS TIPOS DE INDUSTRIAS.

TABLA 7.1

DENSIDAD DE CARGA PARA ALGUNAS INDUSTRIAS:

TIPO DE INDUSTRIA	DENSIDAD DE CARGA WATTS/m^2
Industria azucarera	160
Canteras	125
Fábricas Textiles	110
Fábricas de Cigarros	100
Fábricas de aparatos eléctricos	90
Taller de mantenimiento mecánico y de máquinas herramientas	65
Fábrica de lámparas eléctricas	45
Fábrica de pequeñas partes mecánicas	30

TABLA 7.2

DATOS DE ENERGIA CONSUMIDA PARA DISTINTOS TIPOS DE INDUSTRIA

TIPO DE INDUSTRIA	ENERGIA KWH	UNIDAD DE PRODUCCION
Automotriz	1050	1 vehículo
Leche, Mantequilla, derivados de la leche	300	1 tonelada
Acero en lingote	220	1 tonelada
Acero laminado	300-350	1 tonelada
Carbón	25	1 tonelada
Alambre y varilla de acero	11-25	1 tonelada
Oxígeno	0.7	1 m^3 de oxígeno
Azúcar de caña	154	1 tonelada
Zapatos	470	100 pares
Papel	475	1 tonelada
Pulpa de madera	335	1 tonelada

TABLA 7.3

TABLA DE FACTORES DE SIMULTANEIDAD PARA DISTINTOS TIPOS DE SERVICIOS

MOTORES	COEFICIENTE DE SIMULTANEIDAD
. MÁQUINAS, HERRAMIENTAS ELEVADORES, GRUAS	0.30
. VENTILADORES, COMPRESORAS, BOMBAS	0.30-0.60
. PROCESOS SEMICONTINUOS, CANTERAS, REFINERÍAS	0.60
. PROCESOS CONTINUOS, INDUSTRIA TEXTIL	0.90
. HORNOS ELÉCTRICOS	0.80
. HORNOS ELÉCTRICOS DE INDUCCION	0.80
. HORNOS DE ARCO	1.0
. INSTALACIONES DE ILUMINACIÓN (ALUMBRADO)	
. SOLDADORAS DE ARCO	0.30
. SOLDADORAS DE RESISTENCIA	0.20

NATURALMENTE QUE LOS VALORES DADOS EN LAS TABLAS ANTERIORES SON TODOS INDICATIVOS Y PUEDEN VARIAR SEGÚN SEA EL GRADO DE AUTOMATIZACIÓN DE LA INDUSTRIA POR PROYECTAR Y TAMBIÉN DE LA DIFERENCIA EN LAS TECNOLOGÍAS USADAS PARA LA FABRICACIÓN DE UN MISMO PRODUCTO, POR DOS INDUSTRIAS DISTINTAS, POR EJEMPLO.

OTRO CRITERIO DE VALORACIÓN QUE ORIENTA EN LA DETERMINACIÓN DE LA CARGA POR ALIMENTAR, CONSISTE EN EL CÁLCULO DIRECTO QUE EXISTE DE LA RELACIÓN ENTRE LA ENERGÍA ABSORBIDA Y LA CANTIDAD DEL PRODUCTO QUE SE OBTIENE, ESTE PARÁMETRO PERMITE INDIVIDUALIZAR LOS COEFICIENTES DE CONSUMO DE POTENCIA PARA CADA UNIDAD DE PRODUCTO FABRICADO, ESTOS DATOS SE DAN PARA ALGUNOS PRODUCTOS EN LA TABLA 7.2.

EN BASE A LOS VALORES ESTIMADOS DE LA POTENCIA QUE SE DEMANDA, SE PUEDE PROCEDER AL PROYECTO DE LA INSTALACIÓN, DEFINIENDO LAS CARACTERÍSTICAS FUNDAMENTALES.

LA POTENCIA MÁXIMA QUE DEMANDA UN GRUPO DE CARGAS HOMOGENEAS, SE OBTIENE MULTIPLICANDO LA SUMA DE SUS POTENCIAS NOMINALES POR EL FACTOR DE SIMULTANEIDAD Y POR EL COEFICIENTE DE UTILIZACIÓN, PARA TENER EN CUENTA EL HECHO DE QUE NO TODAS LAS CARGAS ESTÁN SUMULTÁNEAMENTE CONECTADAS A LA RED DE ALIMENTACIÓN. NATURALMENTE QUE EL FACTOR DE SIMULTANEIDAD Y EL COEFICIENTE DE UTILIZACIÓN SON MENORES QUE LA UNIDAD. DE HECHO LA CA

CAPACIDAD DEL TRANSFORMADOR QUE ALIMENTA LAS CARGAS CONECTADAS SE CALCULA COMO:

$$P_T = P_I \times F_D \times F_S$$

DONDE:

P_T = CAPACIDAD DEL TRANSFORMADOR (POTENCIA)

P_I = CARGA O POTENCIA INSTALADA

F_D = FACTOR DEMANDA (COEFICIENTE DE UTILIZACIÓN)

F_S = COEFICIENTE O FACTOR DE SIMULTANEIDAD

DADA LA CONDICIÓN ALEATORIA PARA UN CÁLCULO PRECISO DE LOS VALORES DE LOS COEFICIENTES DE SIMULTANEIDAD Y DE UTILIZACIÓN (FACTOR DE DEMANDA), LOS DOS COEFICIENTES SE INTEGRAN EN UNO Y SE LE DENOMINA EN GENERAL FACTOR DE SIMULTANEIDAD, ENTENDIENDOSE POR ESTE EL PRODUCTO DE LOS DOS. ALGUNOS VALORES DE ESTE FACTOR DE SIMULTANEIDAD COMPUESTO SE DAN EN LA TABLA 7.3.

EN EL DIMENSIONAMIENTO DE LA INSTALACIÓN, ES DECIR EN LA DETERMINACIÓN DE LA CAPACIDAD DEL BANCO DEL TRANSFORMADOR, SE DEBE TOMAR EN CONSIDERACIÓN QUE PARA PERIODOS BREVES DE TIEMPO, LAS MÁQUINAS Y SUS ALIMENTADORES PUEDEN SOPORTAR SOBRECARGAS QUE SON TANTO MAYORES CUANTO MENOR ES LA DURACIÓN DE LAS MISMAS.

POR OTRA PARTE EL SISTEMA SE DEBE DIMENSIONAR DE MANERA TAL QUE SIEMPRE SE TENGA LA POSIBILIDAD DE ALIMENTAR LA INSTALACION EN CORRESPONDENCIA CON LA MÁXIMA DEMANDA. - EL DIAGRAMA DE BLOQUE SIMPLIFICADO DE LAS CARACTERÍSTICAS GENERALES DE ALIMENTACIÓN ES EL QUE SE MUESTRA A -- CONTINUACIÓN.

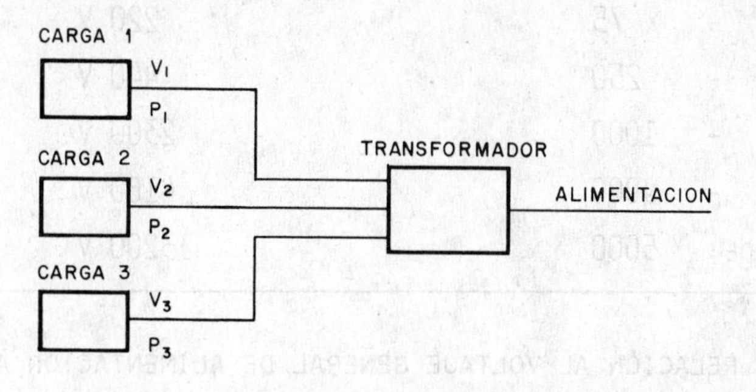

$V_1, V_2, V_3, \ldots,$ VOLTAJES EN LAS CARGAS

$P_1, P_2, P_3, \ldots,$ POTENCIA NOMINAL INSTALADA POR CARGA O GRUPO DE CARGAS

7.2.1. SELECCIÓN DE LA TENSIÓN DE ALIMENTACIÓN A LA INSTALACIÓN.

EN LA MISMA FORMA QUE EXISTE UN CRITERIO GENERAL PARA DETERMINAR LA CAPACIDAD DEL TRANSFORMADOR DE LA SUBESTACIÓN PARA UNA INDUSTRIA, EXISTEN CIERTAS REGLAS GENERALES RELACIONADAS CON LOS VOLTAJES MÁS CONVENIENTES A UTILIZAR EN LA INDUSTRIA, YA SEA PARA LA ALIMENTACIÓN DE LOS MOTORES ELÉCTRICOS QUE ACCIONAN A LOS DISTINTOS COMPONENTES DE UN PROCESO. A MANERA INDICATIVA, EN -- LAS TABLAS SIGUIENTES SE DAN ALGUNOS DE ESTOS VALORES:

TABLA 7.4

VALORES DE VOLTAJES RECOMENDABLES PARA MOTORES ELECTRICOS SEGUN SU POTENCIA:

POTENCIA DEL MOTOR (HP)	VOLTAJE DE ALIMENTACION (TRIFASICO)
0 - 75	220 V
75 - 250	440 V
250 - 1000	2300 V
300 - 4000	4160 V
MÁS DE 5000	13200 V

CON RELACIÓN AL VOLTAJE GENERAL DE ALIMENTACIÓN A LA INSTALACIÓN ELÉCTRICA EN GENERAL, DESDE LUEGO QUE ESTÁ RELACIONADO COMO SE INDICA EN LA TABLA 7.4 CON EL VOLTAJE DE ALIMENTACIÓN A LOS MOTORES O EN SU CASO A LOS CENTROS DE CONTROL DE MOTORES, PERO TAMBIÉN ESTÁ RELACIONADO CON DOS ASPECTOS IMPORTANTES.

- LA TENSIÓN DE DISTRIBUCIÓN DE LA COMPAÑÍA SUMINISTRADORA.
- LA CARGA POR ALIMENTAR.

LA TABLA 7.5 ES INDICATIVA DE LA SELECCIÓN RECOMENDABLE DEL VOLTAJE DE ALIMENTACIÓN A LA INSTALACIÓN.

TABLA 7.5

VALORES DE TENSIONES DE ALIMENTACION A UNA INSTALACION ELECTRICA

CARGA EN KVA	VOLTAJE DE ALIMENTACION (TRES FASES)
0 - 75	220/127 V
0 - 300	220/127 V
300 - 750	440/254 V
750 - 1500	440/254 V
1500 - 3000	2400 V
1000 - 20000	4160 V
MÁS DE 10000	13.2 V

LOS VALORES DE CARGA QUE SE TRASLAPAN CON DOS POSIBLES VOLTAJES DE ALIMENTACIÓN, ESTÁN RELACIONADOS CON LA -- DISTANCIA A QUE SE DEBA ALIMENTAR LAS CARGAS, EN ESTE CASO LOS CENTROS DE CARGA QUE LA SUBESTACIÓN PRINCIPAL Y EN DONDE ES IMPORTANTE RESPETAR LOS MAXIMOS VALORES PERMISIBLES DE CAÍDA DE VOLTAJE (5% ENTRE ALIMENTADOR Y CIRCUITOS DERIVADOS).

PARA CALCULOS EN UNA PRIMERA APROXIMACIÓN, SE PUEDE HACER USO DE LOS VALORES REPORTADOS EN LAS TABLAS ANTERIORES ES DECIR LA CARGA ELÉCTRICA SE PUEDE DETERMINAR EN FUNCIÓN DE LA SUPERFICIE CONSTRUÍDA DE LA OBRA, PASANDO POSTERIORMENTE AL CÁLCULO PARTICULAR DE CARGAS COMO SE HA INDICADO EN LOS CAPÍTULOS 2 Y 3 PARA:

- CIRCUITOS DERIVADOS.
- SALIDAS DE ALUMBRADO.
- SALIDAS DE CONTACTOS.
- ALIMENTADORES A CONJUNTOS DE CARGAS Y CENTROS DE CONTROL DE MOTORES.

EJEMPLO 7.1.

ESTIMAR LA CARGA Y EL VOLTAJE DE ALIMENTACIÓN PARA UNA FÁBRICA DE APARATOS ELECTRÓNICOS QUE TIENE UNA SUPERFICIE CONSTRUIDA DE 450 m^2.

SOLUCION:

DE LA TABLA 7.1 PARA UNA FÁBRICA DE APARATOS ELECTRÓNICOS DE PUEDE TOMAR UNA DENSIDAD DE CARGA DE 90 WATTS/m^2 POR LO QUE LA CARGA CONECTADA ES:

$P_I = 90 \times 450 = 40\ 500$ WATTS.

ES DECIR: $P_I = 40.5$ KW.

CONSIDERANDO UN FACTOR DE DEMANDA Y DE SIMULTANEIDAD -

COMBINADO DE 0.6, LA CAPACIDAD DEL TRANSFORMADOR DEBE-SER DE

$$P_T = P_I \times F_S = 40.5 \times 0.6 = 24.3 \text{ kW}$$

ESTIMANDO UN FACTOR DE POTENCIA DE 0.85

$$KVA = \frac{kW}{\cos\varphi} = \frac{24.3}{0.85} = 28.58$$

DE ACUERDO CON LA TABLA 7.3 Y A RESERVA DE VERIFICAR - LAS CARACTERÍSTICAS PARTICULARES DE LA CARGA, ESTA INDUSTRIA SE PUEDE ALIMENTAR A 220/127 VOLTS.

EJEMPLO 7.2

ESTIMAR LA CARGA Y EL VOLTAJE DE ALIMENTACIÓN QUE SON-RECOMENDABLES PARA ALIMENTAR LAS CARGAS DE UNA INDUSTRIA AZUCARERA (INGENIO) CUYAS DIMENSIONES SE DESCONOCEN, PERO SE SABE QUE SE DESEAN PRODUCIR 2000 TONELADAS DE AZÚCAR DE CAÑA, POR TURNO DE TRABAJO DE 10 HORAS Y SE SABE TAMBIÉN QUE SE TENDRÁN MOTORES ELÉCTRICOS DE 10 A 75 HP Y DE 75 A 250 HP.

SOLUCION:

DE LA TABLA 7.2, PARA UNA INDUSTRIA AZUCARERA, EL CONSUMO PROMEDIO POR TONELADA DE AZÚCAR PRODUCIDA ES DE-154 kWH, DE MANERA QUE SI POR TURNO DE 10 HORAS SE -- PRODUCIRÁN 200 TONELADAS, EL CONSUMO SERÁ ENTONCES - DE

$$P = \frac{154 \times 2000}{10} = 30800 \text{ kW}$$

CONSIDERANDO UN FACTOR DE DEMANDA Y UTILIZACIÓN COMBINADOS DE 0.6, LA CAPACIDAD DEL TRANSFORMADOR DEBERÁ SER DE:

$$KVA = 30800 \times 0.6 = 18\,480$$

PARA ESTA POTENCIA, DE LA TABLA 7.5, SE SABE QUE EL VOLTAJE DE ALIMENTACIÓN DEBE SER SUPERIOR A 13.2 kV (POSIBLEMENTE 69 kV O 115 kV)

DE ACUERDO CON LA TABLA 7.4 LOS MOTORES ENTRE 10 Y 75 HP SE PODRÁN ALIMENTAR A 220 V ENTRE FASES Y LOS MOTORES DE 75 A 250 HP SE ALIMENTARÁN A 440 VOLTS.

7.3 LA SUBESTACIÓN ELÉCTRICA.

DEL EJEMPLO 7.2 SE OBSERVA QUE LA ENERGÍA ELÉCTRICA QUE ES NECESARIO SUMINISTRAR A UNA INSTALACIÓN ELÉCTRICA YA SEA INDUSTRIAL, COMERCIAL O BIEN A EDIFICIOS HABITACIONALES, PUEDE SER A VOLTAJES DE ALIMENTACIÓN QUE SON MUY ALTOS PARA LAS CARGAS, POR EJEMPLO ALIMENTAR A 13.2 kV RESULTA SER UN VOLTAJE DEMASIADO ALTO PARA MOTORES ELÉCTRICOS DE 20HP QUE SE ALIMENTAN NORMALMENTE A 220 V, POR ESTE MOTIVO ES NECESARIO CONVERTIR O TRANSFORMAR LOS VOLTAJES DE ALIMENTACIÓN A NIVELES ADECUADOS UTILIZABLES DIRECTAMENTE POR LAS CARGAS DENTRO DE SUS RANGOS DE ALIMENTACIÓN.

PARA ESTA TRANSFORMACIÓN DE LA ENERGÍA ELÉCTRICA DE UN NIVEL DE VOLTAJE A OTRO MAS ADECUADO, SE USA UN CONJUNTO DE EQUIPOS QUE NO SOLO TRANSFORMAN, TAMBIÉN CONTROLAN Y REGULAN LA ENERGÍA ELÉCTRICA Y QUE RECIBEN EL NOMBRE DE "SUBESTACIÓN ELÉCTRICA".

PARA EL CASO ESPECÍFICO DE LAS INSTALACIONES INDUSTRIALES, DENTRO DE LA CLASIFICACIÓN GENERAL DE LAS SUBESTACIONES ELÉCTRICAS, LAS SUBESTACIONES MÁS USADAS SON LAS DENOMINADAS ABIERTAS Y LAS DE TIPO COMPACTO.

LAS LLAMADAS SUBESTACIONES ABIERTAS SON DE HECHO LAS SUBESTACIONES PRINCIPALES EN INDUSTRIAS EN DONDE SE MANEJAN CARGAS CONSIDERABLES, EN TANTO QUE LAS COMPACTAS SE USAN EN INDUSTRIAS MENORES, EDIFICIOS DE APARTAMENTOS Y COMERCIOS PRINCIPALMENTE, DADAS SUS CARACTERÍSTICAS OFRECEN ALGUNAS VENTAJAS IMPORTANTES COMO SON:

- SU COSTO RELATIVAMENTE BAJO.
- OCUPAN POCO ESPACIO, SON FÁCILES DE INSTALAR, AMPLIAR Y RELOCALIZAR EN UN MOMENTO DADO.
- SU CONSTRUCCIÓN ES TOTALMENTE BLINDADA, POR LO MISMO SON DE FRENTE MUERTO PROPORCIONANDO DE ESTA MANERA MAYOR SEGURIDAD.

EL DIAGRAMA UNIFILAR SIMPLIFICADO DE UNA SUBESTACIÓN REPRESENTA UNA FORMA DE INDICAR LOS ELEMENTOS QUE LA CONSTITUYEN Y TIENE LA FORMA SIGUIENTE:

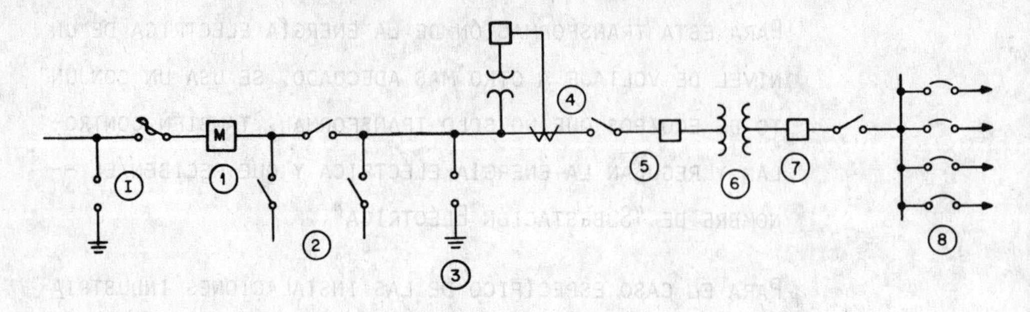

DIAGRAMA UNIFILAR SIMPLIFICADO DE UNA SUBESTACION

DEL DIAGRAMA UNIFILAR SIMPLIFICADO ANTERIOR, LOS PRINCIPALES ELEMENTOS CONSTITUTIVOS SON LOS SIGUIENTES:

I. <u>APARTARRAYOS Y CUCHILLA FUSIBLE</u>.

ESTE EQUIPO ES PROPORCIONADO POR LA COMPAÑÍA SUMINISTRADORA EN EL PUNTO DE ALIMENTACIÓN, SU UBICACIÓN DEPENDE DEL VOLTAJE DE ALIMENTACIÓN DE LA CARGA, DE LA DISTANCIA A LA RED SUMINISTRADORA, ETC. EL APARTARRAYOS TIENE LA FUNCIÓN DE PROTEGER LA INSTALACIÓN CONTRA SOBRETENSIONES DE ORIGEN ATMOSFÉRICO PRINCIPALMENTE, LA CUCHILLA FUSIBLE ES UN ELEMENTO DE PROTECCIÓN (CUANDO SE FUNDE EL FUSIBLE POR LA SOBRECARGA A CORTO CIRCUITO) Y DE DESCONEXIÓN, EN ALGUNAS OCASIONES SE REEMPLAZA POR OTRO EQUIPO COMO RESTAURADORES, DEPENDIENDO DE LA IMPORTANCIA DE LA RED, NIVEL DE FALLA, CRITERIOS DE OPERACIÓN Y PROTECCIÓN, ETC.

1. EQUIPO DE MEDICIÓN.

EL EQUIPO DE MEDICIÓN LO SUMINISTRA E INSTALA LA -

COMPAÑÍA SUMINISTRADORA EN EL LADO DE ALIMENTACIÓN PARA CAPACIDADES EN LA SUBESTACIÓN DE 500 KVA O MAYORES.

2. CUCHILLAS DE PRUEBA.

   GENERALMENTE ESTAS CUCHILLAS DESCONECTADORAS SON DE OPERACIÓN EN GRUPO Y SIN CARGA, SU PROPÓSITO ES PERMITIR LA CONEXIÓN DE EQUIPOS DE MEDICIÓN PORTÁTILES QUE PERMITAN VERIFICAR AL EQUIPO INSTALADO POR LA COMPAÑÍA SUMINISTRADORA.

3. EL APARTARRAYOS SIRVE PARA PROTEGER A LA SUBESTACIÓN Y PRINCIPALMENTE AL TRANSFORMADOR CONTRA LAS SOBRETENSIONES DE ORIGEN ATMOSFÉRICO.

4. CUCHILLAS DESCONECTADORAS.

   NORMALMENTE SON DE OPERACIÓN SIN CARGA, SIRVEN PARA CONECTAR, DESCONECTAR O CAMBIAR CONEXIONES EN INSTALACIÓN. POR LO GENERAL SE ACCIONAN DESPUÉS DE QUE SE HA OPERADO AL INTERRUPTOR.

5. INTERRUPTOR GENERAL.

   ESTE EQUIPO ES DE SECCIONAMIENTO DE LA OPERACIÓN-TIENE FUNCIONES DE DESCONEXIÓN CON CARGA O CON CORRIENTES DE CORTO CIRCUITO, ES DECIR, CUMPLE CON REQUISITOS DE CONTROL Y PROTECCIÓN DEL EQUIPO DE -

TRANSFORMACIÓN, ALIMENTADORES Y CARGAS EN GENERAL.

6. TRANSFORMADOR.

ES EL ELEMENTO PRINCIPAL DE LA SUBESTACIÓN, YA QUE CUMPLE CON LA FUNCIÓN DE REDUCIR EL VOLTAJE DE ALIMENTACIÓN DE LA COMPAÑÍA SUMINISTRADORA A LOS VOLTAJES DE UTILIZACIÓN DE LAS CARGAS, CONSTITUYEN -- JUNTO CON EL INTERRUPTOR GENERAL LOS ELEMENTOS CENTRALES DE LA SUBESTACIÓN ELÉCTRICA.

DESDE EL PUNTO DE VISTA DE SU CONSTRUCCIÓN, QUE -- NORMALMENTE ESTA RELACIONADO CON SU POTENCIA (CAPACIDAD) LOS TRANSFORMADORES PUEDEN SER:

- DE TIPO INTERIOR O INTEMPERIE.
- DE MONTAJE EN POSTE O EN PISO.
- POR SU ENFRIAMIENTO:

TIPO SECO (ENFRIAMIENTO POR AIRE) - A
ENFRIAMIENTO POR ACEITE Y AIRE - OA
ENFRIAMIENTO POR ACEITE Y AIRE
CON CIRCULACIÓN DE AIRE FORZADO - OA/FA
ENFRIAMIENTO POR ACEITE Y AIRE
CON CIRCULACIÓN DE ACEITE FORZADO - OA/FOA

LAS PRINCIPALES CARACTERÍSTICAS A ESPECIFICAR SON LAS SIGUIENTES:

- POTENCIA O CAPACIDAD (kVA)

- Voltajes primario y secundario (relación de - transformación)
- Número de fases y conexión primaria y secundaria (en caso de ser trifásicos).
- Frecuencia de operación (Hertz).
- Número y porciento de cada paso de las derivaciones arriba y debajo de la tensión nominal.
- Tipo de enfriamiento.
- Altura sobre el nivel del mar de operación del transformador.
- Tipo de servicio.
- Impedancia (en porciento).
- Sobreelevación de temperatura permitida (en °C)
- Condiciones especiales de servicio (ambientes corrosivos, ambientes explosivos, etc.).
- Accesorios.

De los renglones anteriores vale la pena hacer algunos comentarios sobre los aspectos relevantes a considerar, por ejemplo:

a) La capacidad del transformador.

Como se indicó antes se calcula a partir del valor de la potencia instalada (PI) y los factores de demanda (FS) y utilización (FU) o la combinación de ellos: (FS)

$$P_T = P_I \times F_D \times F_S$$

ESTA POTENCIA SE EXPRESA NORMALMENTE EN KVA Y DEBE ENTREGAR POR UN TIEMPO ESPECIFICADO EN CONDICIONES DE VOLTAJE Y FRECUENCIA DE DISEÑO SIN EXCEDER LOS-LÍMITES DE TEMPERATURA QUE ESTABLECE LA NORMA Y -- QUE PARA EL CASO DE LOS TRANSFORMADORES EN ACEITE- LA TEMPERATURA PROMEDIO DE UN DEVANADO NO DEBE - - EXCEDER DE 65 °C SOBRE UNA TEMPERATURA PROMEDIO DE 30 °C Y MÁXIMA DE 40 °C.

CUANDO LA TEMPERATURA AMBIENTE PROMEDIO MÁXIMA EXCEDE A LOS VALORES INDICADOS, PERO SIN SER MAYOR A LA PROMEDIO DE 30 °C Y OPERA A UNA ALTURA SUPERIOR A - 1000 M.S.N.M. PARA LA CUAL SE DISEÑAN, COMO SE SABE A ALTITUDES SUPERIORES A LA DE DISEÑO, EL AIRE SE - ENRARECE Y LA CAPACIDAD DE DISIPACIÓN DE CALOR DISMINUYE Y POR LO TANTO SU CAPACIDAD EN UN VALOR DE - APROXIMADAMENTE 0.4% POR CADA 100 M. EN EXCESO DE - LOS 1000 M. SE PUEDEN OPERAR TAMBIÉN LOS TRANSFORMADORES A SUS CAPACIDADES NOMINALES A ALTURAS SUPERIORES A LOS 1000 M.S.N.M. SIEMPRE QUE LA TEMPERATURA AMBIENTE PROMEDIO MÁXIMA NO EXCEDA DE 3 °C/1000M POR ABAJO DE 30 °C.

TABLA 7.6

CAMBIO EN LA CAPACIDAD NOMINAL DE TRANSFORMADORES POR VARIACION DE TEMPERATURA Y ALTITUD:

Altura de Operación Sobre el nivel del mar (m)	Temperatura promedio Máxima (°C)
1000	30
2000	27
3000	24
4000	21

b) Impedancia.

El valor de impedancia es una de las característi- cas de "placa" de los transformadores, su valor se expresa en porciento y representa la caída de voltaje expresada en porciento para el circuito equivalente del transformador, este valor de impedancia permite:

- Calcular el valor de la regulación.
- Intervenir para el cálculo de las corrientes de corto circuito.
- Analizar las condiciones de operación en paralelo con otro(s) transformador(es).

ALGUNOS VALORES TÍPICOS DE IMPEDANCIAS PARA TRANSFORMADORES USADOS EN INSTALACIONES INDUSTRIALES SE DAN EN LA TABLA SIGUIENTE:

TABLA 7.7

VALORES TIPICOS DE IMPEDANCIAS EN TRANSFORMADORES

VOLTAJE EN EL DEVANADO DE ALTO VOLTAJE (VOLTS)	VOLTAJE EN EL DEVANADO DE BAJO VOLTAJE (VOLTS)	
	2400 O MAYOR	480
2400 - 23000	5.5	5.7
23000 - 34500	6.0	6.2
44000	6.5	6.7
69000	7.0	---
115000	7.5	---

c) CONEXIÓN PRIMARIA Y SECUNDARIA.

POR LO GENERAL LA ALIMENTACIÓN SE HACE EN CONEXIÓN ESTRELLA CON EL NEUTRO ATERRIZADO.

d) FRECUENCIA DE OPERACIÓN.

EN MÉXICO LA FRECUENCIA ES DE 60HZ.

e) ACCESORIOS.

SE DEBEN ESPECIFICAR LOS ACCESORIOS ESPECIALES PARA EL TRANSFORMADOR SEGÚN SEA SU CAPACIDAD, ESTOS-

ACCESORIOS PUEDEN SER ENTRE OTROS: TERMÓMETRO INDICADOR DE LA TEMPERATURA INTERIOR, CAMBIADOR DE DERIVACIONES, TANQUE CONSERVADOR, INDICADOR DE NIVEL DE ACEITE, GANCHOS DE SUJECIÓN, POSICIÓN DE LAS GARGANTAS (PARA SUBESTACIONES UNITARIAS), BASE PARA ROLAR, CAJA PARA ACOPLAMIENTO CON TABLERO, ETC.

7. INTERRUPTOR PRINCIPAL SECUNDARIO.

ESTE INTERRUPTOR SE ENCUENTRA EN EL TABLERO DE BAJA TENSION Y ES EL QUE PROTEGE A LOS ALIMENTADORES O CIRCUITOS DERIVADOS (SEGÚN SEA EL CASO) DE LA -- INSTALACIÓN, PUEDE SER UN PEQUEÑO VOLUMEN DE ACEITE, TERMOMAGNÉTICO, ELECTROMAGNÉTICO O EN VACIO SEGÚN SEA EL TAMAÑO DE LA INSTALACIÓN.

8. INTERRUPTORES PRINCIPALES DE CIRCUITOS DERIVADOS Y ALIMENTADORES.

ESTOS SON LOS INTERRUPTORES PRINCIPALES DE CENTROS DE CARGA, CENTROS DE CONTROL DE MOTORES, MOTORES, CIRCUITOS DE ALUMBRADO, ETC. POR LO GENERAL SON -- TERMOMAGNÉTICOS O ELECTROMAGNÉTICOS, SEGÚN SEA SU CAPACIDAD.

7.4. ESTIMACIÓN DEL ÁREA SERVIDA.

CUANDO SE HA CALCULADO LA POTENCIA DE UN TRANSFORMADOR, POR LO GENERAL SE CAE A VALORES NORMALIZADOS DE POTEN-

CÌA TOMANDO EN CUENTA LOS FACTORES MENCIONADOS ANTERIOR MENTE PARA EL TRANSFORMADOR YA QUE EL VALOR CALCULADO - DEFICILMENTE CORRESPONDE A LAS CAPACIDADES DE FABRICA - CIÓN NORMALES, POR LO QUE SE TOMAN LOS VALORES INMEDIA-TOS SUPERIORES AL CALCULADO, DADO QUE ECONÓMICAMENTE NO REPRESENTA UNA GRAN DIFERENCIA. ES DECIR, SE SELECCIO-NA LA POTENCIA DEL TRANSFORMADOR DENTRO DE LA FRANJA -- ÓPTIMA EN BASE A LA DENSIDAD DE CARGA MEDIA DENTRO DEL-ÁREA EN LA QUE SE ENCUENTRA DIVIDIDA LA INSTALACIÓN.

LAS DIMENSIONES DE ESTA ÁREA SON FUNCIÓN DE LA CAÍDA-DE TENSIÓN CONSIDERADA COMO ACEPTABLE, POR EJEMPLO, SE HA MENCIONADO QUE 5% ES EL VALOR FIJADO POR EL REGLA - MENTO DE OBRAS A INSTALACIONES ELÉCTRICAS (NORMAS TÉC-NICAS), PARA 440 V.

LA CAÍDA DE VOLTAJE ES DE 22 V.

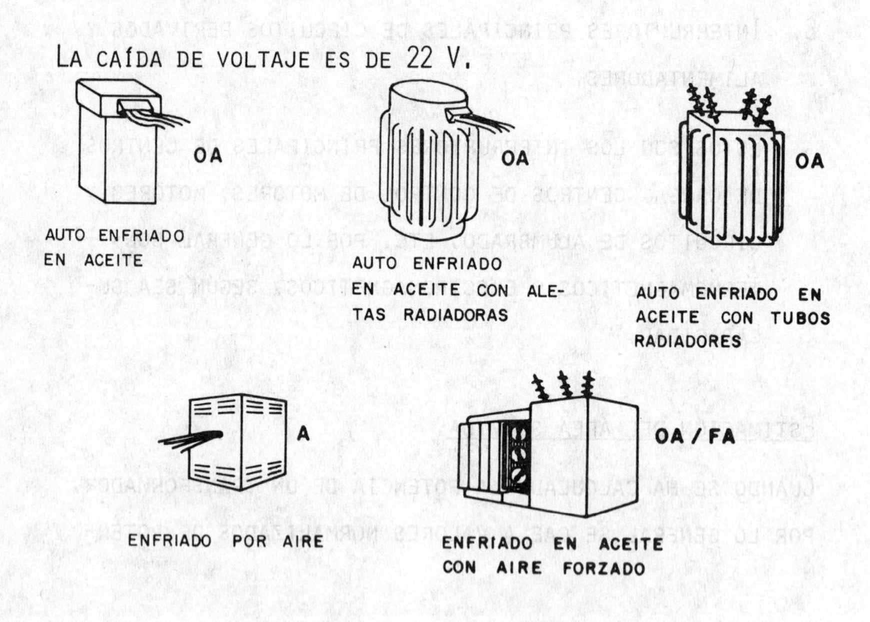

TIPOS DE ENFRIAMIENTO EN TRANSFORMADORES.

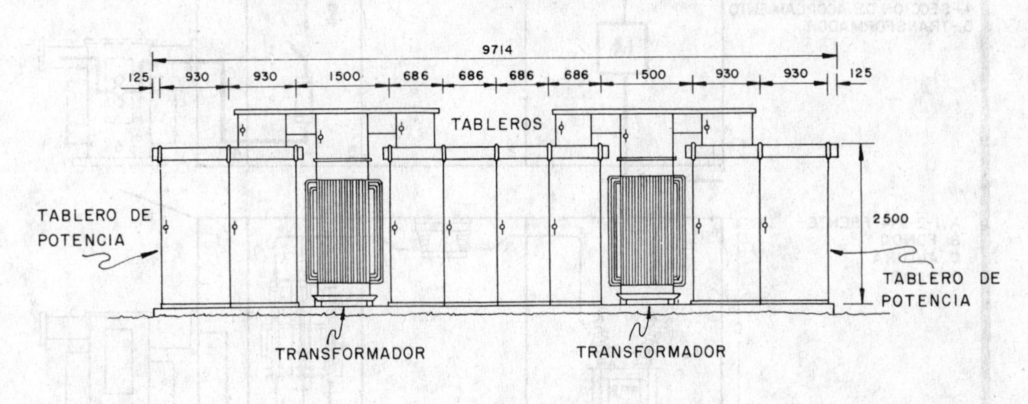
VISTA DE UNA SUBESTACION UNITARIA
9714
125
930
930
1500
686
686
686
686
1500
930
930
125
TABLEROS
TABLERO DE POTENCIA
2500
TABLERO DE POTENCIA
TRANSFORMADOR
TRANSFORMADOR

SUBESTACION COMPACTA CON CUCHILLAS DE PASO, 2½ SECCIONES Y ACOPLAMIENTO A TRANSFORMADOR

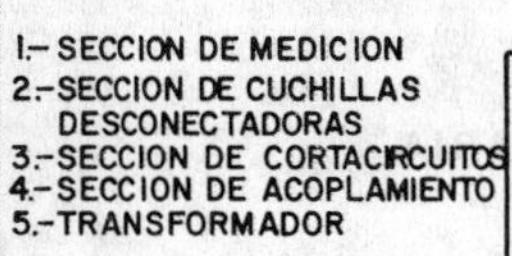

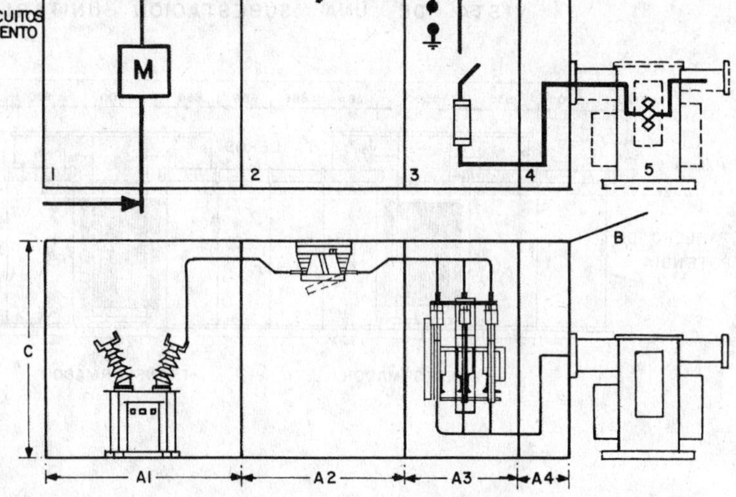

A. 1-2-3-4 FRENTE
B FONDO
C. ALTURA
D. PESO

ARREGLO FISICO

DIMENSIONES SUBESTACION INTERIOR

TENSION	MEDICION (m.m.)				CUCHILLAS PRUEBA (m.m.)				CORTACIRCUITOS (m.m.)				ACOPLAMIENTO (m.m.)			
kV	A1	B	C	D	A2	B	C	D	A3	B	C	D	A4	B	C	D
7.5	1000	1200	2100	250	700	1200	2100	180	1000	1200	2100	325	300	1200	2100	150
15	1000	1200	2100	250	700	1200	2100	180	1000	1200	2100	325	450	1200	2100	175
23	2000	2000	2600	325	700	200	2600	230	1200	200	2600	425	550	2000	2600	200
34.5	1800	200	300	425	1000	2000	3000	490	1650	2000	3000	550	800	.2000	3000	260

VISTA DE UNA SUBESTACION TIPO INTERIOR 13, 200 / 440 - 220 VOLTS, 250 KVA.

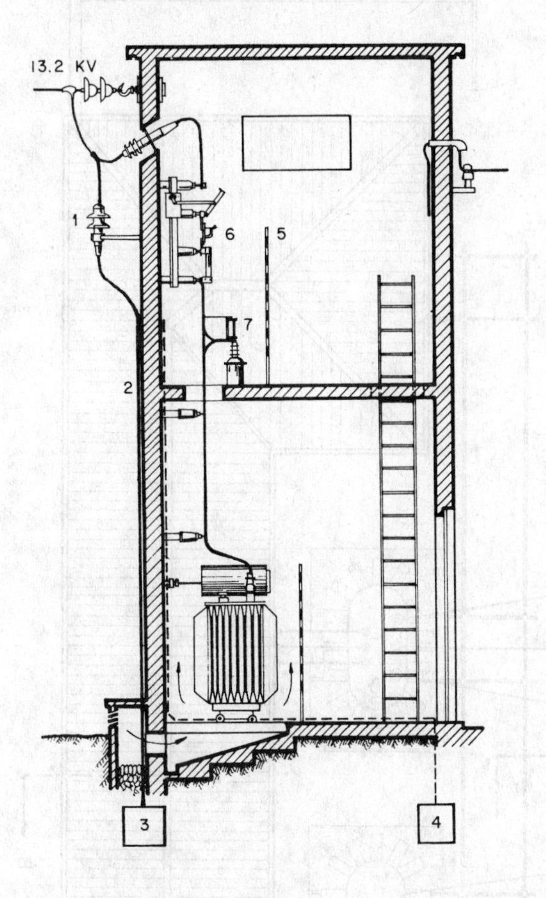

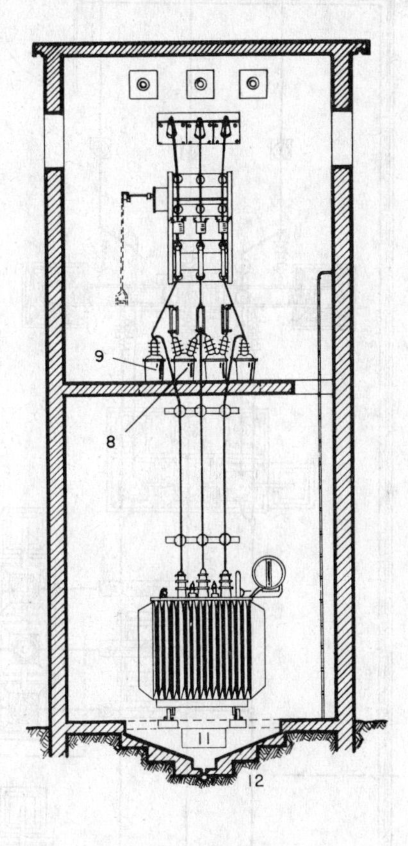

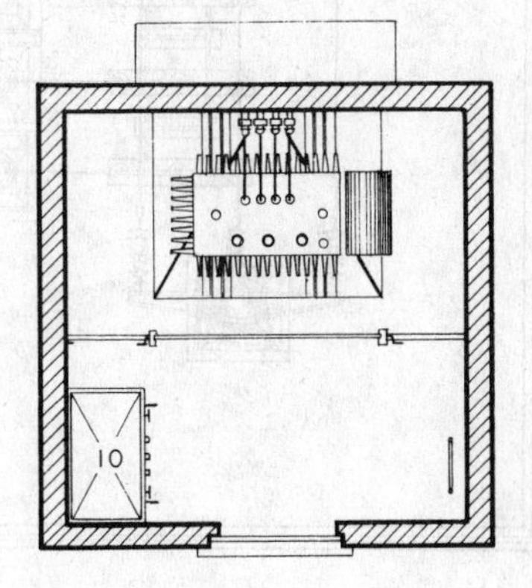

1 - APARTARRAYOS
2 - CONDUCTOR DE TIERRA (SEC MINIMA 16 mm^2)
3 - DISPERSOR (ELECTRODO) DEL APARTARRAYOS
4 - DISPERSOR (ELECTRODO) DE LA RED DE TIERRAS
5 - REJA DE PROTECCION
6 - CUCHILLA DESCONECTADORA
7 - FUSIBLES
8 - TRANSFORMADOR DE POTENCIAL
9 - TRANSFORMADOR DE CORRIENTE
10 - TABLERO DE MEDICION Y MANIOBRA
11 - DUCTO DE VENTILACION
12 - DRENAJE PARA EL ACEITE

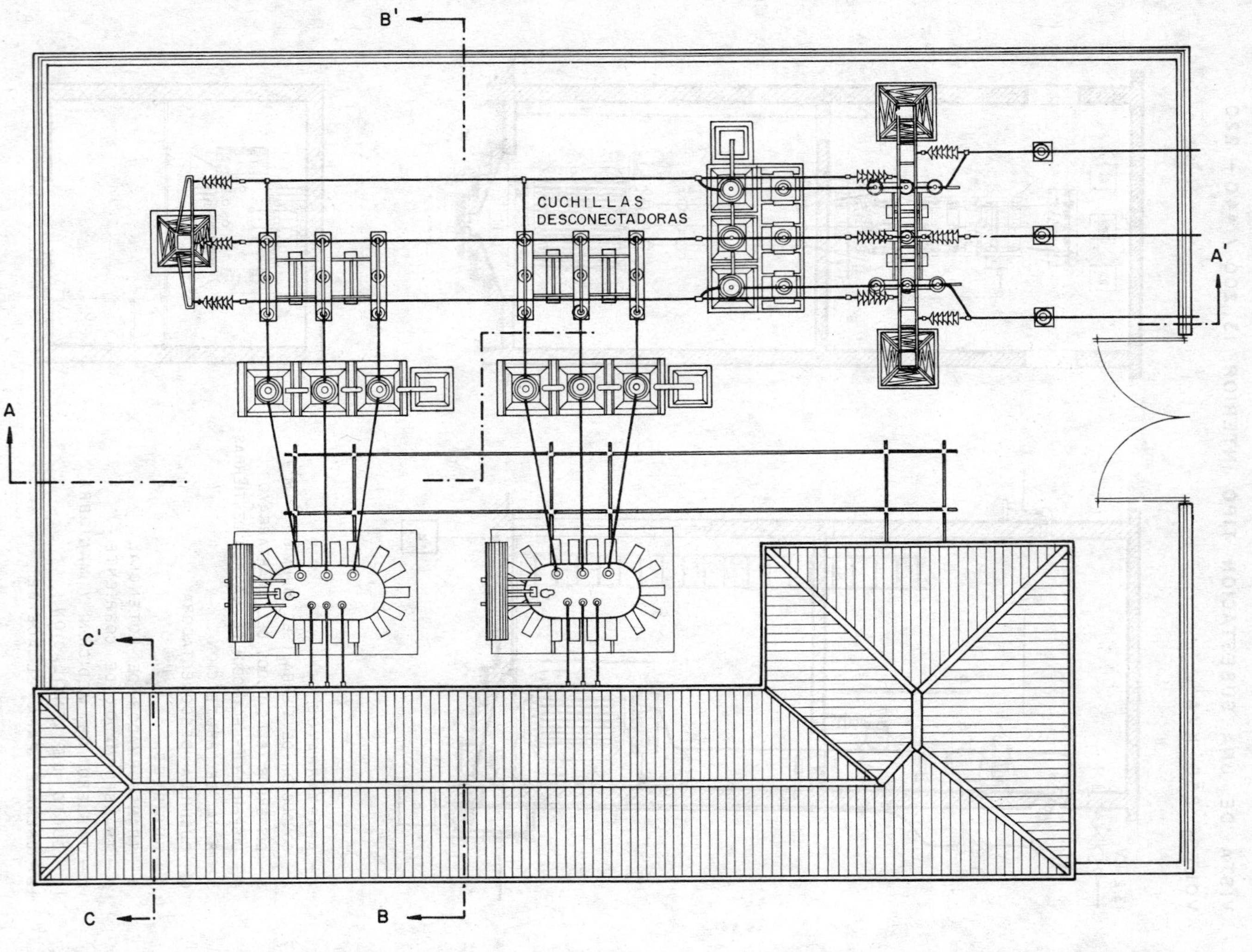

VISTA EN PLANTA DE UNA SUBESTACION DE 69/13.2 KV PARA INDUSTRIAS MEDIANAS

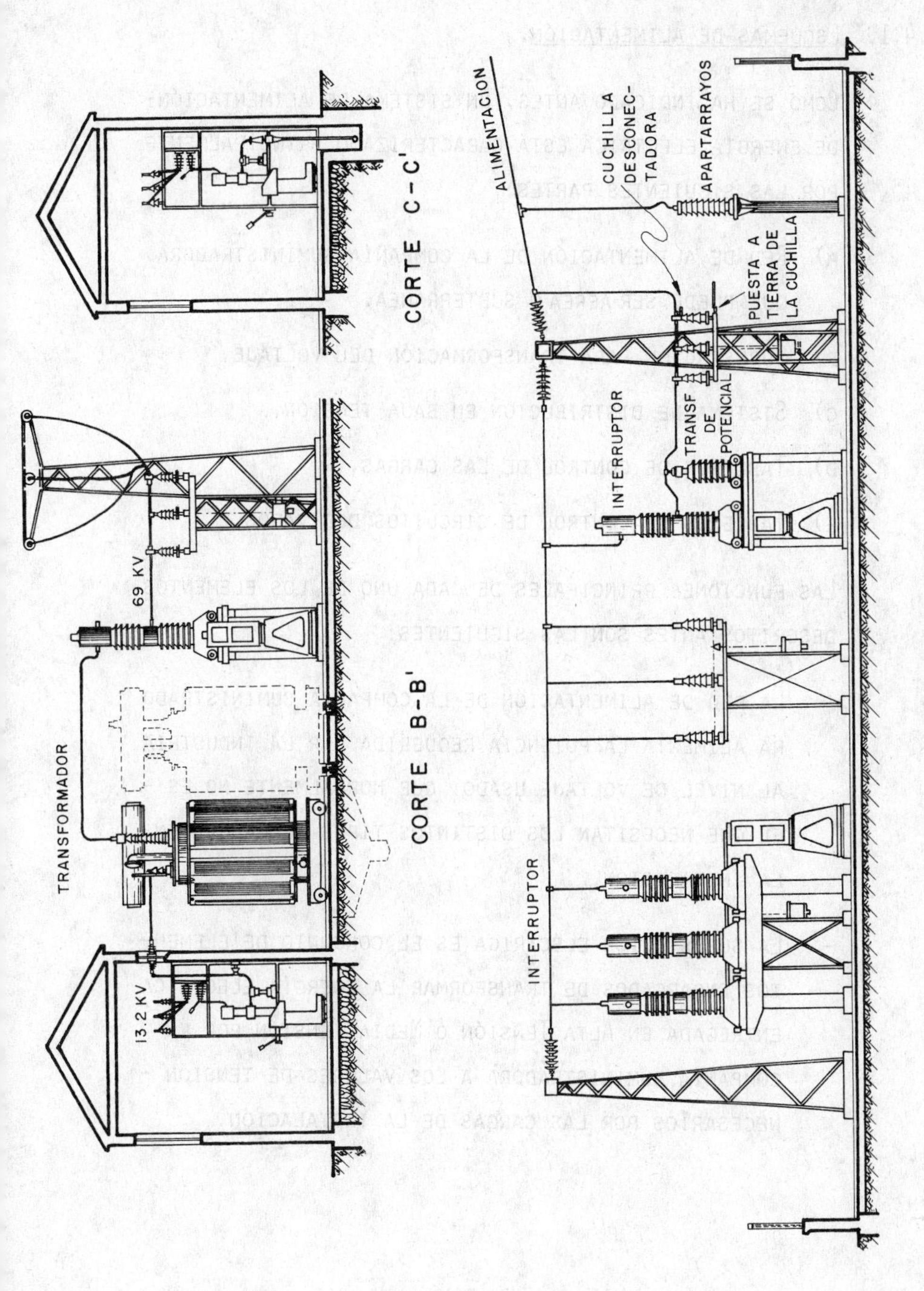
ALIMENTACION
CUCHILLA DESCONEC-TADORA
APARTARRAYOS
PUESTA A TIERRA DE LA CUCHILLA
TRANSF DE POTENCIAL
INTERRUPTOR
INTERRUPTOR
CORTE A-A'
CORTE C-C'
CORTE B-B'
TRANSFORMADOR
69 KV
13.2 KV

7.4.1. ESQUEMAS DE ALIMENTACIÓN.

COMO SE HA INDICADO ANTES, UN SISTEMA DE ALIMENTACIÓN DE ENERGÍA ELÉCTRICA ESTÁ CARACTERIZADO PRINCIPALMENTE POR LAS SIGUIENTES PARTES:

A) RED DE ALIMENTACIÓN DE LA COMPAÑÍA SUMINISTRADORA, QUE PUEDE SER AÉREA O SUBTERRÁNEA.

B) SUBESTACIÓN PARA TRANSFORMACIÓN DEL VOLTAJE.

C) SISTEMA DE DISTRIBUCIÓN EN BAJA TENSIÓN.

D) TABLEROS DE CONTROL DE LAS CARGAS.

E) TABLEROS DE CONTROL DE CIRCUITOS DERIVADOS.

LAS FUNCIONES PRINCIPALES DE CADA UNO DE LOS ELEMENTOS DESCRITOS ANTES SON LAS SIGUIENTES:

- LA RED DE ALIMENTACIÓN DE LA COMPAÑÍA SUMINISTRADORA ALIMENTA LA POTENCIA REQUERIDA POR LA INDUSTRIA AL NIVEL DE VOLTAJE USADO, QUE NORMALMENTE NO ES EL QUE NECESITAN LOS DISTINTOS TIPOS DE CARGAS EN LA INSTALACIÓN.

- LA SUBESTACIÓN ELÉCTRICA ES EL CONJUNTO DE ELEMENTOS ENCARGADOS DE TRANSFORMAR LA ENERGÍA ELÉCTRICA ENTREGADA EN ALTA TENSIÓN O MEDIA TENSIÓN POR LA COMPAÑÍA SUMINISTRADORA A LOS VALORES DE TENSIÓN NECESARIOS POR LAS CARGAS DE LA INSTALACIÓN.

- Los centros de control de motores, tableros y centros de carga agrupan cargas a través de alimentadores y circuitos derivados incluyendo los aparatos de protección de estos alimentadores, circuitos derivados y cargas.

El esquema de alimentación más simple es aquel que se conoce como "Radial" y del cual se pueden derivar todos los esquemas usados para conectar las distintas partes de un sistema eléctrico.

Los argumentos usados para proponer o justificar un determinado esquema de alimentación se basan por lo general en dos aspectos que se deben balancear.

La necesidad de una elevada confiabilidad (seguridad en el suministro de la energía) en la instalación.

El costo de la instalación.

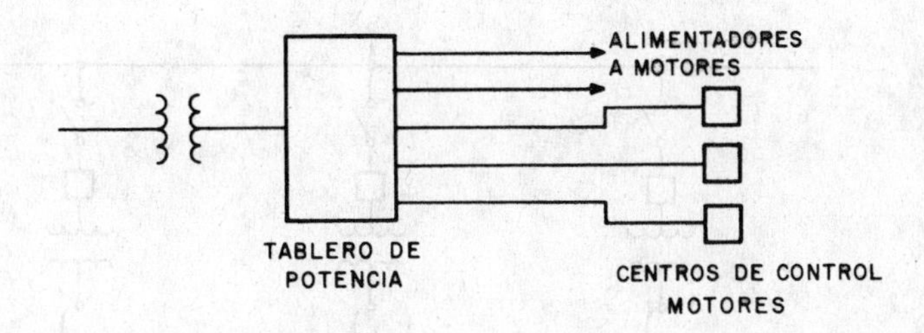

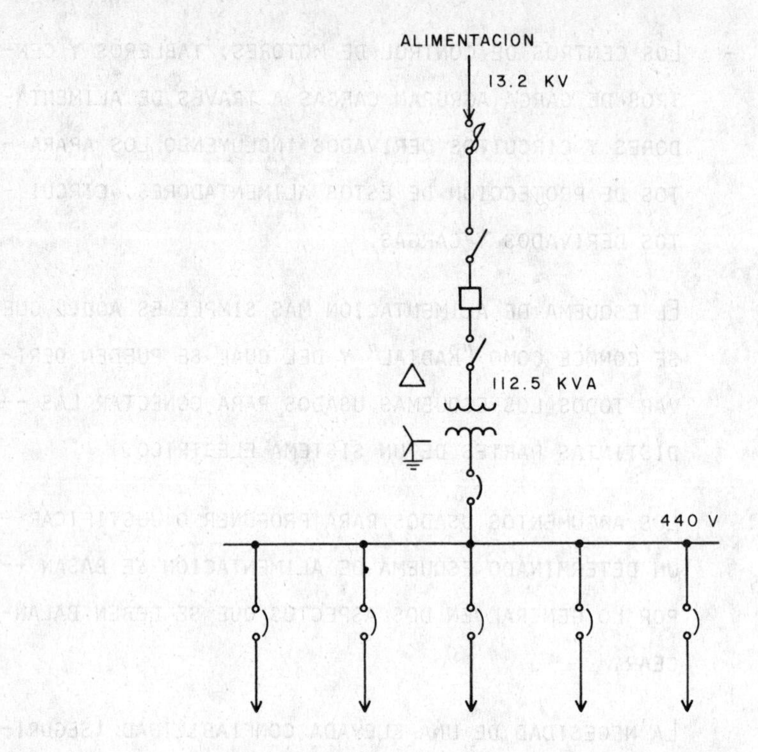

ALIMENTACION RADIAL SENCILLA CON UNA SUBESTACION.

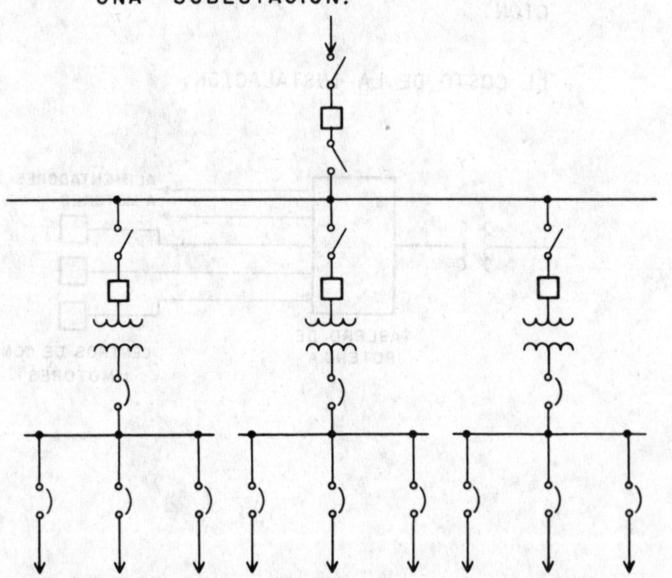

SISTEMA DE DISTRIBUCION INDUSTRIAL CON VARIAS SUBESTACIONES

7.4.2. DISTRIBUCIÓN POR CENTRO DE CARGA.

UN CRITERIO MUY USADO PARA LA ALIMENTACIÓN DE CIERTO- TIPO DE INDUSTRIAS ES EL DE LA DISTRIBUCIÓN POR CEN - TRO DE CARGA CUYAS CARACTERÍSTICAS MAS SOBRESALIENTES SON LAS SIGUIENTES:

- EN INSTALACIONES GRANDES LA POTENCIA SE PUEDE DIS- TRIBUIR A UNA TENSIÓN PRIMARIA DE 2.4 KV A 13.2 KV HACIA LAS SUBESTACIONES A LA SUBESTACIÓN QUE DEBE ESTAR PREFERENTEMENTE CERCANA AL CENTRO DE CARGA- ESTA POTENCIA SE TRANSFORMA A BAJA TENSIÓN Y SE - TRANSMITE A LAS CARGAS POR MEDIO DE ALIMENTADORES Y/O CIRCUITOS DERIVADOS DE LA LONGITUD MÁS CORTA- POSIBLE.
- CUANDO EN UNA CIERTA ZONA DE LA INSTALACIÓN, LA PO TENCIA DEMANDADA POR LAS CARGAS NO SE PUEDE SUMI - NISTRAR DE UN SÓLO TRANSFORMADOR, POR EJEMPLO DE - UNA POTENCIA HASTA 1500 KVA, ENTONCES SE PUEDEN - INSTALAR OTRAS UNIDADES DE LA MISMA POTENCIA.

CONCENTRAR LA POTENCIA DE UNA INSTALACIÓN EN UN TRANS- FORMADOR DE POTENCIA RELATIVAMENTE GRANDE EN UN SOLO - PUNTO DE LA INSTALACIÓN PUEDE TENER UNA SERIE DE DES - VENTAJAS COMO LAS QUE SE MENCIONAN A CONTINUACIÓN:

- ALTOS VALORES DE CORRIENTES DE CORTO CIRCUITO.
- MAYORES PÉRDIDAS A MAYOR MANEJO DE CORRIENTE EN LOS CIRCUITOS.
- ELEVADAS CAÍDAS DE TENSÍÓN PARA CARGAS DISTANTES DEL TRANSFORMADOR.
- LONGITUD EXCESIVA DE LOS CONDUCTORES DE BAJA TENSIÓN.
- PROBLEMAS PARA AMPLIACIONES.

USAR EL MÉTODO DE DISTRIBUCIÓN POR NEUTRO (CENTRO) DE CARGA, ES DECIR NO CONCENTRAR LA CARGA, MÁS BIEN DISTRIBUIRLA CONVENIENTEMENTE EN DISTINTOS CENTROS` PRESENTA LAS SIGUIENTES VENTAJAS:

- MAYOR CONTINUIDAD DE SERVICIO, AÚN EN EL CASO DE FALLA YA QUE SE LIMITA SÓLO A UNA ZONA DE LA INSTALACIÓN.
- POSIBILIDAD DE LOCALIZAR E INSTALAR FÁCILMENTE LA SUBESTACIÓN UNITARIA Y PREVEER AMPLIACIONES FUTURAS.
- POSIBILIDAD DE ESPECIFICAR SUBESTACIONES UNITARIAS Y CENTROS DE CARGA PREFABRICADOS.

7.4.3. SISTEMA DE DISTRIBUCIÓN A LAS CARGAS.

UNA VEZ QUE SE HA ESTUDIADO LA DISTRIBUCIÓN GENERAL DE LA INSTALACIÓN, SE PASA A EXAMINAR DETALLADAMENTE LAS-

CARGAS CONCENTRADAS EN LOS LLAMADOS CENTROS DE CARGA.

LA SELECCIÓN DE LAS POSIBLES SOLUCIONES, DEPENDE DE - LA DOBLE EXIGENCIA TANTO ELÉCTRICA COMO TECNOLÓGICA - EN GENERAL LA DISTRIBUCIÓN SE PUEDE HACER RADIAL O EN ANILLO.

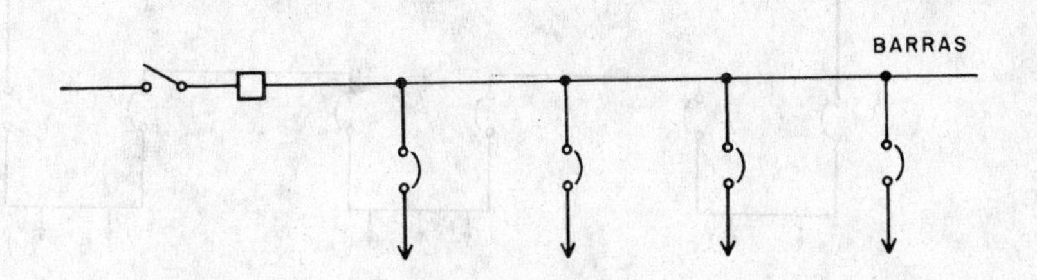

ALIMENTACION AL EXTERIOR DE LA LINEA

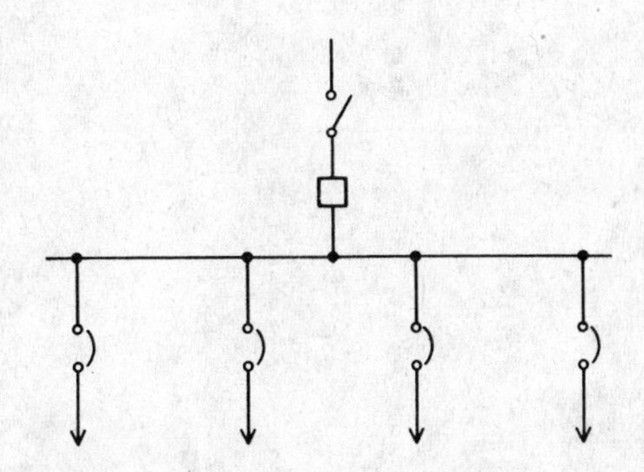

ALIMENTACION AL CENTRO DE LA LINEA Y DERIVACIONES MULTIPLES.

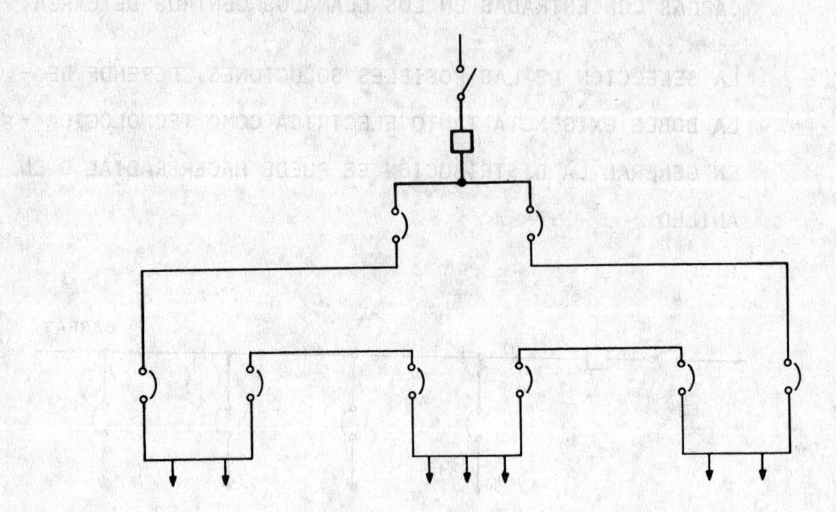

DISTRIBUCION EN ANILLO

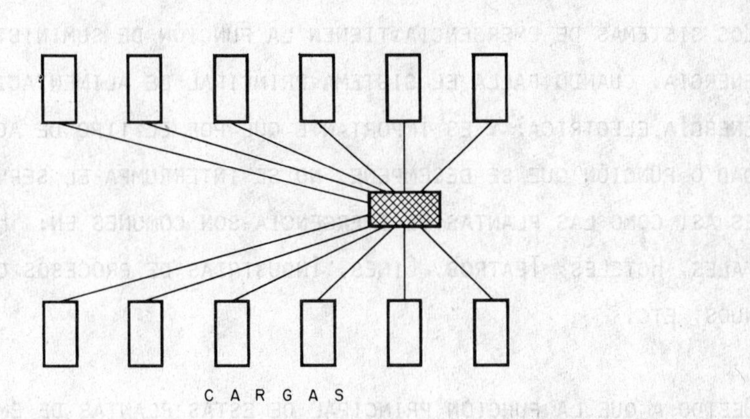

SISTEMA DE DISTRIBUCION DESDE UN PUNTO
(SE ALIMENTA LAS CARGAS EN FORMA RADIAL)

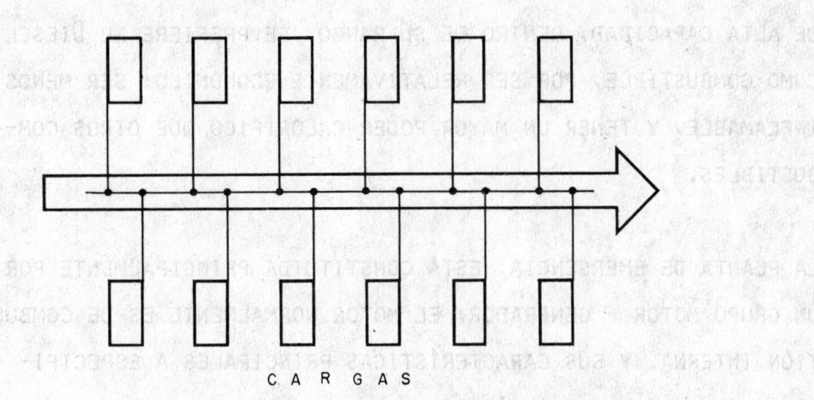

SISTEMA DE DISTRIBUCION LINEAL
(USADO EN INDUSTRIAS, LABORATORIOS,
ALIMENTACION A MAQUINAS HERRAMIENTAS)

7.5 PLANTA DE EMERGENCIA:

LOS SISTEMAS DE EMERGENCIA TIENEN LA FUNCIÓN DE SUMINISTRAR ENERGÍA, CUANDO FALLA EL SISTEMA PRINCIPAL DE ALIMENTACIÓN DE ENERGÍA ELÉCTRICA; Y ES IMPORTANTE QUE POR EL TIPO DE ACTIVIDAD O FUNCIÓN QUE SE DESEMPEÑE, NO SE INTERRUMPA EL SERVICIO; ES ASÍ COMO LAS PLANTAS DE EMERGENCIA SON COMUNES EN: HOSPITALES, HOTELES, TEATROS, CINES, INDUSTRIAS DE PROCESOS CONTINUOS, ETC.

DEBIDO A QUE LA FUNCIÓN PRINCIPAL DE ESTAS PLANTAS DE EMERGENCIA; ES SUMINISTRAR LA ENERGIA A LAS CARGAS CONSIDERADAS COMO ESTRICTAMENTE DE EMERGENCIA, Y POR LAPSOS DE TIEMPO RELATIVAMENTE CORTOS, SU CAPACIDAD QUEDA COMPRENDIDA ENTRE 30 Y 1 000 kW; Y POR LO GENERAL, SON ACCIONADAS POR MOTOR DE COMBUSTIÓN INTERNA DIESEL, GASOLINA O GAS. PARA PLANTAS DE EMERGENCIA DE ALTA CAPACIDAD, DENTRO DE SU RANGO, SE PREFIERE EL DIESEL COMO COMBUSTIBLE, POR SER RELATIVAMENTE ECONÓMICO; SER MENOS INFLAMABLE, Y TENER UN MAYOR PODER CALORÍFICO QUE OTROS COMBUSTIBLES.

LA PLANTA DE EMERGENCIA, ESTÁ CONSTITUIDA PRINCIPALMENTE POR UN GRUPO MOTOR - GENERADOR; EL MOTOR NORMALMENTE ES DE COMBUSTIÓN INTERNA, Y SUS CARACTERÍSTICAS PRINCIPALES A ESPECIFICAR, SON LAS SIGUIENTES:

1) POTENCIA (EN HP)

2) LA VELOCIDAD, QUE DEPENDIENDO DEL NÚMERO DE POLOS DEL GENERADOR DA LA FRECUENCIA; PUDIENDO SER POR EJEMPLO, DE 1200 RPM A 1800 RPM, PARA GENERAR A 60 HZ.

3) LA CILINDRADA, QUE SE REFIERE AL VOLUMEN QUE ADMITE CADA CILINDRO CUANDO SUCCIONA AIRE; MULTIPLICADO POR EL NÚMERO DE CILINDROS DE LA MÁQUINA.

4) EL DIÁMETRO QUE TIENEN LOS CILINDROS Y SU DESPLAZAMIENTO. (CARRERA)

5) CONDICIONES AMBIENTALES COMO: PRESIÓN ATMOSFÉRICA, TEMPERATURA Y HUMEDAD.

EL TAMAÑO DEL GENERAL Y EL MOTOR IMPULSOR, SE DETERMINA EN FUNCIÓN DEL VALOR DE LA CARGA, QUE SE DEBE ABSORBER DURANTE UNA INTERRUPCIÓN EN EL SERVICIO NORMAL; TAMBIÉN EL TIPO DE COMBUSTIBLE PARA EL MOTOR IMPULSOR, QUEDA DETERMINADO POR LA CARGA, Y LAS RESTRICCIONES NORMATIVAS EN EL LUGAR DE LA INSTALACIÓN, LA LOCALIZACION DEL GRUPO MOTOR - GENERADOR, Y ALGUNOS OTROS ASPECTOS.

POR LO GENERAL LAS PLANTAS ELÉCTRICAS DE EMERGENCIA, PUEDEN SER PARA USO DE HASTA DURANTE OCHO HORAS CON CARGA CONTINUA;

Y ADMITIR EN FORMA EVENTUAL, SOBRECARGAS POR LAPSOS DE 1/2 HORA A 1 HORA, SIEMPRE Y CUANDO NO EXCEDAN AL 10% O 20% DE SU CAPACIDAD. Es IMPORTANTE RECORDAR QUE LA PLANTA DE EMERGENCIA, SOLO DEBE DE ALIMENTAR AQUELLOS SERVICIOS QUE SON INDISPENSABLES, DE MANERA QUE PARA UNA INSTALACIÓN ELÉCTRICA EN PARTICULAR, SE DEBE HACER UN CENSO DE AQUELLAS CARGAS QUE SE DEBEN MANTENER EN OPERACIÓN, CUANDO SE INTERRUMPE LA ALIMENTACIÓN DE LA COMPAÑÍA SUMINISTRADORA.

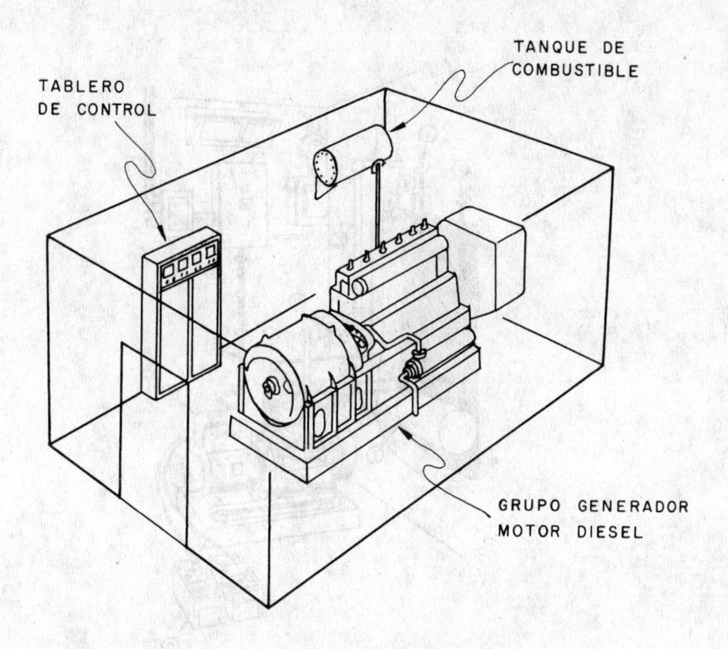

VISTA DE LOS ELEMENTOS DE UNA PLANTA DE EMERGENCIA DIESEL.

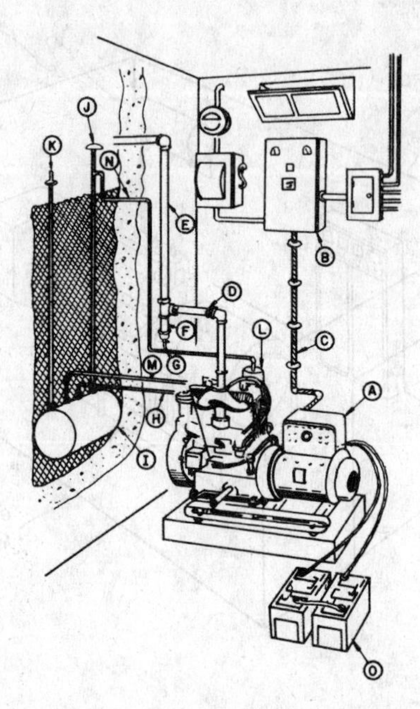

ESQUEMA TIPICO DE LA INSTALACION DE UNA PLANTA DE EMERGENCIA DE GASOLINA

A - GRUPO MOTÓR - GENERADOR
B - TABLERO DE TRANSFERENCIA
C - CONEXION (FLEXIBLE) DEL GENERADOR AL TABLERO DE TRANSFERENCIA
D - TUBERIA DE ESCAPE DE HUMOS DEL MOTOR
E - CHIMENEA DE ESCAPE AL SILENCIADOR
F - TRAMPA DE CONDENSACION
G - VALVULA DE DRENAJE
H - TUBERIA DE ALIMENTACION DE COMBUSTIBLE
I - TANQUE DE COMBUSTIBLE (SUBTERRANEO)
J - CAPUCHON DE VENTILACION DEL TANQUE DE COMBUSTIBLE
K - VALVULA DE LLENADO DEL TANQUE
L - TANQUE DE RESERVA
M - TUBERIA DE RETORNO
N - TUBO DE ALIVIO
O - ACUMULADORES PARA EXCITACION DEL GENERADOR

TABLA 7.8

CAPACIDAD DE GENERADORES PARA PLANTAS DE EMERGENCIA (60 Hz).

POTENCIA kW	CORRIENTE MAXIMA EN AMPERES A $\cos\varphi$ = 0.8	
	240 V	480 V
30	90	45
50	150	75
75	226	113
100	300	150
125	376	188
150	452	226
200	600	300
250	752	376
300	904	452
350	1 054	527
400	1 204	602
500	1 500	750
750	2 260	1 130
1 000	3 000	1 500

TABLA 7.9

ALGUNOS TAMAÑOS COMERCIALES DE MOTORES DE COMBUSTION, PARA GENERADORES EN PLANTAS DE EMERGENCIA. (DIESEL)

POTENCIA DEL GENERADOR. (KW)	POTENCIA DEL MOTOR. (HP)	VELOCIDAD (RPM)	PRESION MEDIA EFECTIVA. (KG/CM^2)	CILINDRADA. (LITROS)	NUMERO DE CILINDROS.
75 *	112	1 800	7	8.1	4
100 *	155	1 800	6.4	12.17	6
125	202	1 800	8	12.17	6
150	235	1 800	10	12.17	8
200	315	1 800	10	16.2	8
250	505	1 800	17	14.6	6
350	660	1 800	17	19.5	8
400	790	1 200	18	32.2	8
600	1 190	1 200	18	48.3	12
900	1 570	1 200	18	64.5	16

* CON ASPIRACION NATURAL, LAS QUE NO SE INDICA SON CON TURBOCARGADO

7.5.1 COMBUSTIBLE PARA LAS PLANTAS DE EMERGENCIA.

EN CUALQUIER PLANTA DE EMERGENCIA, ES NECESARIO DISPONER DEL TANQUE DE COMBUSTIBLE, QUE PERMITA GENERAR A LA POTENCIA REQUERIDA DURANTE UN LAPSO DE TIEMPO ESPECIFICADO; PARA ESTO POR LO GENERAL SE USAN DOS TANQUES, UNO SE DENOMINA TANQUE DE ALMACENAMIENTO DE COMBUSTIBLE, QUE POR LO GENERAL SE INSTALA FUERA DEL ÁREA DONDE SE INSTALA LA PLANTA; NORMALMENTE SE INSTALA ENTERRADO, Y ES DE LÁMINA NEGRA (NO DEBE SER GALVANIZADO); EL OTRO TANQUE SE DENOMINA TANQUE DE DIARIO O AUXILIAR, ES DE PEQUEÑA CAPACIDAD; TAMBIÉN DEBE SER JUNTO CON LOS TUBOS Y CONEXIONES DE HIERRO NEGRO, YA QUE EL DIESEL PRODUCE UNA REACCIÓN CON EL FIERRO GALVANIZADO, QUE DESPRENDE PARTÍCULAS QUE PUEDEN ENSUCIAR AL MOTOR, Y PROVOCAR MALA OPERACIÓN.

T A B L A 7.10

DATOS DE CONSUMO, Y TANQUE DIARIO DE COMBUSTIBLE.

POTENCIA DEL GENERADOR.	POTENCIA DEL MOTOR EN HP.	CONSUMO LITROS/ HORA.	VOLUMEN DEL TANQUE (LITROS).
75	112	14.6	200
100	155	21.0	200
125	202	26.5	200
150	235	31.0	200
200	315	41.0	200
250	505	69.0	500
350	660	100.0	500
400	790	114.0	500
600	1 190	180.0	1 000
900	1 570	260	1 000

EL TAMAÑO DEL TANQUE DE COMBUSTIBLE (GASOLINA O DIESEL), SE DETERMINA POR EL MÍNIMO TIEMPO DE OPERACIÓN EN EMERGENCIA; CONSIDERANDO LA CARGA MÍNIMA DE SERVICIO, Y EL DE LA DURACIÓN TÍPICA DE UNA INTERRUPCIÓN DE SERVICIO.

7.5.2 SISTEMA DE REFRIGERACIÓN.

LAS PLANTAS DE EMERGENCIA QUE USAN COMO MOTOR IMPULSOR A LOS LLAMADOS MOTORES DIESEL; PIERDEN POR RADIACIÓN DEL CALOR, APROXIMADAMENTE LA TERCERA PARTE DEL PODER CALORÍFICO DEL COMBUSTIBLE; ESTE CALOR PRODUCIDO, SE TIENE QUE DISIPAR POR MEDIO DE LOS SISTEMAS DE REFRIGERACION, QUE BÁSICAMENTE ES AGUA CIRCULANTE, QUE SE HACE PASAR ALREDEDOR DE LOS CILINDROS; ESTA AGUA SE ENFRIA DE DISTINTAS FORMAS, COMO POR EJEMPLO:

A) PARA PLANTAS CON POTENCIAS NO MAYORES DE 1 000 KW, SE USA RADIADOR Y VENTILADOR INCORPORADO AL PROPIO MOTOR; COMO ES EL CASO DEL ENFRIAMIENTO DE LOS MOTORES DE VEHÍCULOS.

B) PARA PLANTAS DE POTENCIAS MAYORES DE 1000 KW, SE PUEDEN USAR LAS LLAMADAS TORRES DE ENFRIAMIENTO, O BIEN HACIENDO CIRCULAR EL AGUA HACIA UN RÍO, CUANDO SE TIENE ESTA FACILIDAD, CERCANA A LA PLANTA.

7.5.3 ESCAPE DE GASES Y SISTEMA DE VENTILACIÓN.

COMO SE SABE, TODAS LAS LLAMADAS MÁQUINAS DE COMBUSTIÓN INTERNA, PRODUCEN GASES PRODUCTO DE LA COMBUSTIÓN; PERO TAMBIÉN ES NECESARIO PARA QUEMAR EL COMBUSTIBLE, PROPOR

CIONAR SUFICIENTE AIRE, QUE LLEVE EL OXÍGENO AL COMBUSTIBLE.

EL AIRE QUE SE INYECTE AL MOTOR, DEBE ESTAR EXCENTO DE IMPUREZAS; YA QUE SI TIENE POLVO O PARTÍCULAS CORROSIVAS, SE PUEDE PERJUDICAR; ESTO SIGNIFICA QUE EL LOCAL EN DONDE SE ALOJE LA PLANTA DE EMERGENCIA, DEBE ESTAR PROVISTO DE UNA BUENTA DOTACIÓN DE AIRE, POR MEDIO DE VENTANAS Y DUCTOS AMPLIOS Y FILTROS, CUANDO SE CONSIDERE NECESARIO.

POR OTRA PARTE DE LA ENERGÍA GENERADA, APROXIMADAMENTE DEL 15 AL 25 POR CIENTO, SE TRANSFORMA EN CALOR; MISMO QUE SE DEBE EXTRAER DEL LOCAL EN DONDE ESTÁ LA PLANTA, POR LO QUE SE DEBE DISPONER DE UN SISTEMA DE VENTILACIÓN APROPIADO; PARA ESTO SE ESTIMA QUE LA CANTIDAD DE AIRE NECESARIO (EN M^3/SEG.), PARA EVACUAR EL CALOR DE LAS PÉRDIDAS, SE OBTIENE POR UN FACTOR 0.166; MULTIPLICADO POR LA POTENCIA DE LA PLANTA EXPRESADA EN kVA.

EL AIRE NECESARIO PARA LA COMBUSTIÓN DEL MOTOR, SE ESTIMA QUE ES DEL ORDEN DE 5.5 A 6.8 M^3/kWH; SE CONSIDERA QUE ES PEQUEÑO, EN COMPARACIÓN CON EL NECESARIO PARA LA VENTILACIÓN; Y POR LO MISMO, NO SE CONSIDERA EN LOS CÁLCULOS.

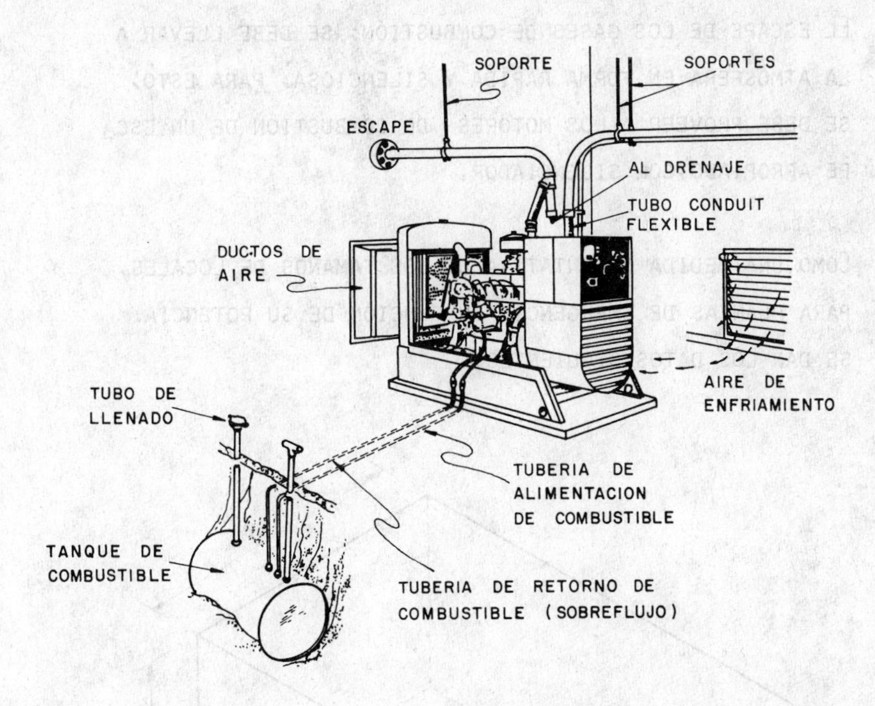

SISTEMA TIPICO DE UNA PLANTA DE EMERGENCIA

EL ESCAPE DE LOS GASES DE COMBUSTIÓN, SE DEBE LLEVAR A LA ATMÓSFERA EN FORMA RÁPIDA Y SILENCIOSA; PARA ESTO, SE DEBE PROVEER A LOS MOTORES DE COMBUSTION DE UN ESCAPE APROPIADO, CON SILENCIADOR.

COMO UNA MEDIDA ORIENTATIVA DE LOS TAMAÑOS DE LOCALES, PARA PLANTAS DE EMERGENCIA EN FUNCIÓN DE SU POTENCIA; SE DAN LOS DATOS SIGUIENTES:

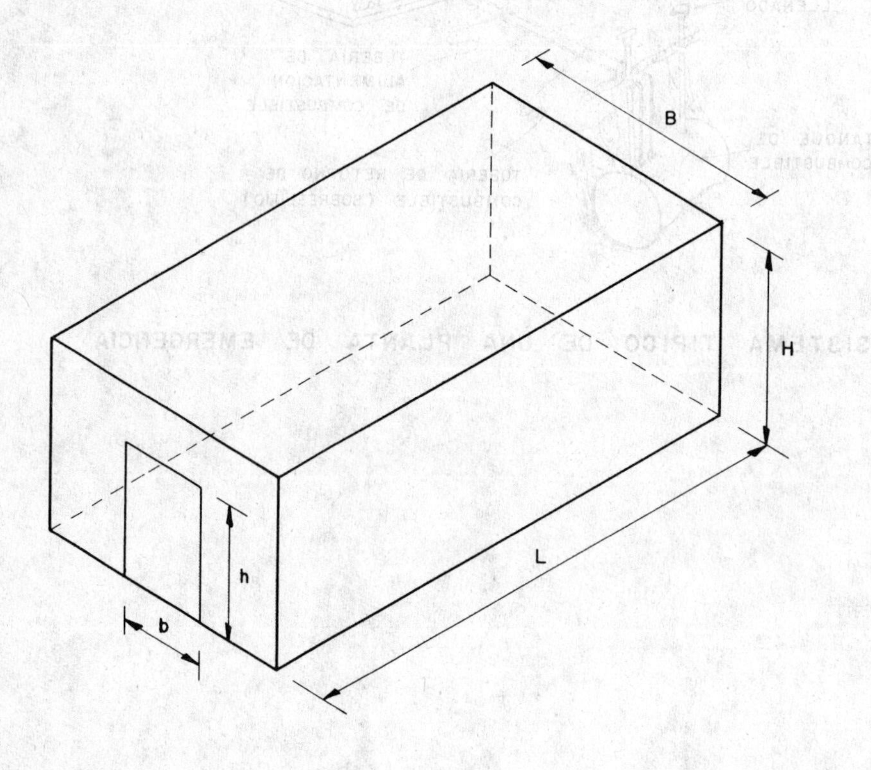

DIMENSIONES GENERALES DE LOCALES PARA PLANTAS ELECTRICAS:

DIMENSIONES GENERALES: (M)	- POTENCIA DE LA PLANTA GENERADORA -			
	20 - 60 kW	100 - 200 kW	250-550 kW	650-1500 kW
L	5.0	6.0	7.0	10.0
B	4.0	4.5	5.0	5.0
H	3.0	3.5	4.0	4.0
b	1.5	1.5	2.2	2.2
h	2.0	2.0	2.0	2.0

LOCALIZACIÓN Y MONTAJE DE UNA PLANTA DE EMERGENCIA.

UN BUEN SERVICIO DE UNA PLANTA ELÉCTRICA, DEPENDE EN PARTE DE UAN BUENA LOCALIZACIÓN EN LA PROXIMIDAD DEL CENTRO DE CARGA ELÉCTRICA; CON FÁCIL FORMA DE ABASTECIMIENTO DE COMBUSTIBLE, BUENA VENTILACIÓN E ILUMINACIÓN, Y UN CORRECTO MONTAJE; LO QUE REQUIERE DE UNA CIMENTACIÓN APROPIADA.

EJEMPLO 7.3

EN LA INSTALACIÓN ELÉCTRICA DE UN HOSPITAL, SE EFECTUÓ EL CENSO DE LAS CARGAS DE EMERGENCIA QUE NO SE DEBEN INTERRUMPIR; ENCONTRÁNDOSE EN LAS DISTINTAS ÁREAS DE LA INSTALACIÓN, LAS SIGUIENTES:

1.	ALUMBRADO 60 LÁMPARAS DE 100 WATTS C/U .	6 000 W
2.	EQUIPO DE RAYOS X, TRANSFORMADOR 25 KVA FP = 0.8 .	2 000 W
3.	SALA DE QUIRÓFANO ALIMENTADOR,2000 W	2 000 W
4.	(2) MOTORES J.A. 20 HP FP = 0.8	2 984 W
5.	MOTOR J A. 10 HP FP - 0.8	7 460 W
6.	(2) MOTOR J.A. 5 HP FP = 0.8	7 460 W
	- - - TOTAL: - -	70 760

SOLUCION:

DE ACUERDO CON LOS DATOS DE LAS CARGAS, SE PUEDE SELECCIONAR DE LOS DATOS DE LA TABLA 7.9; UNA PLANTA DE EMERGENCIA CON GENERADOR DE 75 KW,ACCIONADO POR MOTOR DE 112 HP, A 1800 - RPM, PARA GENERAR A 60 HZ.

LA POTENCIA DE LA PLANTA, SE DEBE ESPECIFICAR A LA ALTURA DE OPERACIÓN CORRESPONDIENTE, Y A LA TEMPERATURA MÁXIMA AMBIENTE; YA QUE LOS FABRICANTES GARANTIZAN SUS DATOS DE PLACA, A UNA ALTURA HASTA DE 460 METROS SOBRE EL NIVEL DEL MAR, Y 32° C DE TEMPERATURA; LO QUE SIGNIFICA QUE SE DEBEN APLICAR FACTORES DE CORRECCIÓN,DADOS EN TABLAS O NOMOGRAMAS POR LOS FABRICANTES

DE PLANTAS, CUANDO EL LUGAR DE LA INSTALACIÓN TENGA CONDICIONES DISTINTAS, A LAS INDICADAS.

7.5.4 EL INTERRUPTOR DE TRANSFERENCIA.

CUANDO FALLA EL SERVICIO DE ALIMENTACIÓN DE ENERGÍA ELÉCTRICA DE LA COMPAÑÍA SUMINISTRADORA; LA PLANTA DE EMERGENCIA PUEDE ENTRAR EN FORMA MANUAL O AUTOMÁTICA. LO IDEAL ES QUE SEA EN FORMA AUTOMÁTICA, PARA EVITAR INTERRUPCIONES DE SERVICIO EN CASO DE URGENCIA, COMO POR EJEMPLO EN HOSPITALES; PARA ESTO, SE USAN LOS LLAMADOS INTERRUPTORES (SWITCH) DE TRANSFERENCIA, QUE SON TRIFÁSICOS Y SE ENCUENTRAN DENTRO DE UN GABINETE, Y SE TIENE LA FUNCIÓN DE "TRANSFERIR" LA CARGA DE LA LÍNEA DE ALIMENTACIÓN, DE LA COMPAÑÍA SUMINISTRADORA A LA PLANTA DE EMERGENCIA, CUANDO FALLE EL SUMINISTRO DE LA COMPAÑÍA.

LA CAPACIDAD DEL MOTOR IMPULSOR, Y DEL GENERADOR DE LA PLANTA DE EMERGENCIA, DEBE SER SUFICIENTE PARA ABSORBER LAS CARGAS DEFINIDAS COMO DE EMERGENCIA; SI SE TRATA DE TRANSFERIR LA CARGA TOTAL AL GENERADOR, EL DIAGRAMA DE CONEXIONES, ES COMO EL MOSTRADO EN LA FIGURA SIGUIENTE:

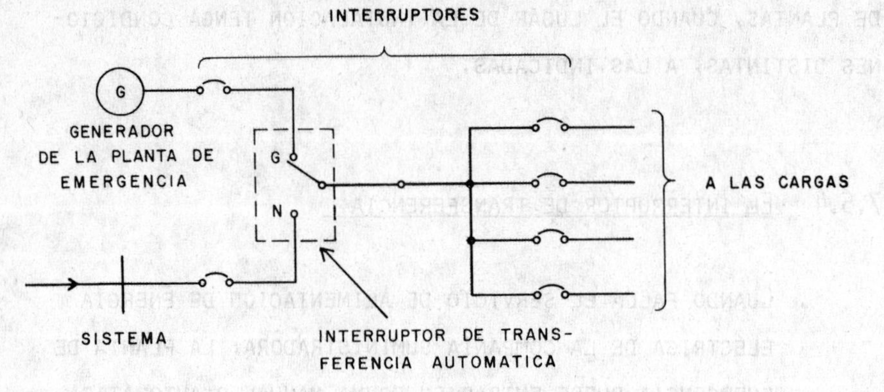

INTERRUPTOR DE TRANSFERENCIA AUTOMATICA:

G - TERMINALES DEL GENERADOR

N - TERMINALES DEL SERVICIO DE LA COMPAÑÍA SUMINISTRADODRA.

CUANDO SOLO SE TRATA DE TRANSFERIR CARGAS ESENCIALES AL GENERADOR DE LA PLANTA DE EMERGENCIA, COMO POR EJEMPLO ALUMBRADO, AIRE ACONDICIQNADO, ELEVADORES, CENTROS DE PROCESAMIENTO DE DATOS, ETC.; SE USA UNA CONEXIÓN COMO LA MOSTRADA EN EL SIGUIENTE DIAGRAMA:

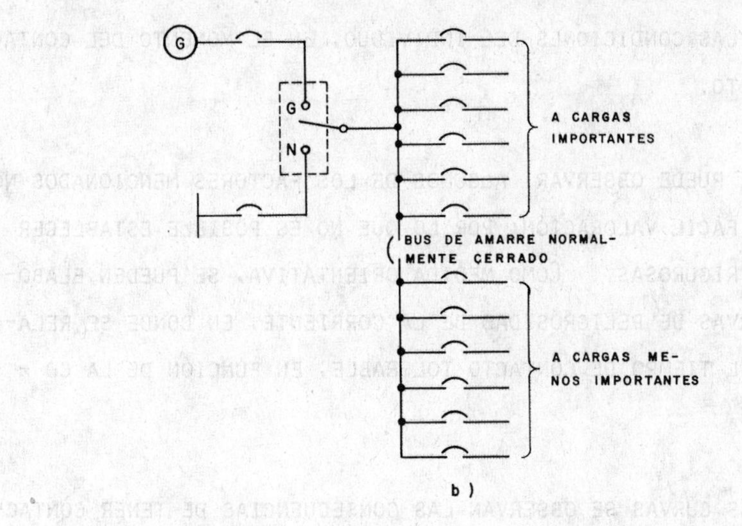

ARREGLO BASICO DE GENERADOR DE EMERGENCIA Y SWITCH DE TRANSFERENCIA.

7.6 LA CONEXION A TIERRA EN LAS INSTALACIONES.

LOS EFECTOS DE LA ELECTRICIDAD SOBRE EL CUERPO HUMANO, DEPENDEN ESENCIALMENTE DE LOS SIGUIENTES FACTORES:

LA INTENSIDAD DE LA CORRIENTE.

EL TIPO DE CORRIENTE (CONTINUA, A LA FRECUENCIA INDUSTRIAL O DE 60 Hz, O BIEN CORRIENTES DE ALTA FRECUENCIA).

LA TRAYECTORIA SEGUIDA POR LA CORRIENTE EN EL CUERPO.

LAS CONDICIONES DEL INDIVIDUO, EN EL MOMENTO DEL CONTACTO.

COMO SE PUEDE OBSERVAR, ALGUNOS DE LOS FACTORES MENCIONADOS NO SON DE FÁCIL VALORACIÓN; POR LO QUE NO ES POSIBLE ESTABLECER REGLAS RIGUROSAS. COMO MEDIDA ORIENTATIVA, SE PUEDEN ELABORAR CURVAS DE PELIGROSIDAD DE LA CORRIENTE, EN DONDE SE RELACIONA EL TIEMPO DE CONTACTO TOLERABLE, EN FUNCIÓN DE LA CORRIENTE.

DE ESTAS CURVAS SE OBSERVAN LAS CONSECUENCIAS DE TENER CONTACTO CON LAS PARTES EXTENSIÓN; YA QUE POR EJEMPLO, CORRIENTES MAYORES DE 50 mA, Y TIEMPOS CORRESPONDIENTES A LA ZONA 2 DE LA GRÁFICA, PUEDEN TENER CONSECUENCIAS MORTALES PARA EL HOMBRE.

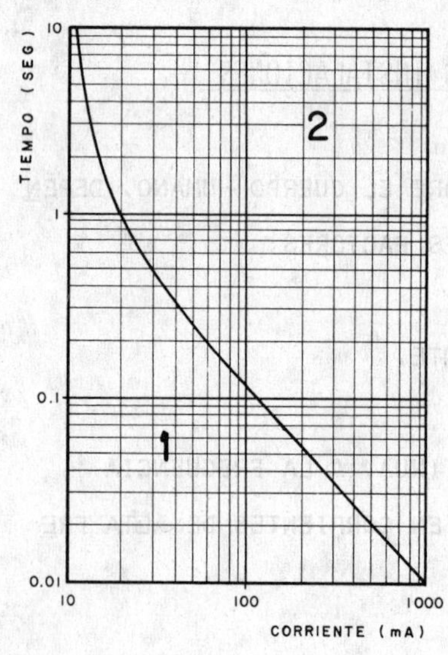

1- ZONA PROBABILISTICAMENTE NO PELIGROSA PARA LAS PERSONAS.
2- ZONA PELIGROSA.

CURVA DE EFECTOS DE LA CORRIENTE ELECTRICA.

ES CONVENIENTE TAMBIÉN, HACER NOTAR QUE LA RESISTENCIA ELÉCTRICA DEL CUERPO HUMANO, ES MUY VARIABLE) DE ALGUNOS CIENTOS HASTA MILES DE OHMS); POR LO QUE LOS VALORES DE TENSIÓN QUE APLICADOS AL CUERPO HUMANO SE CONSIDERAN PELIGROSOS, SE DEBEN DEFINIR EN FORMA CONSERVADORA. LAS INSTALACIONES DE PUESTA A TIERRA,Y EL EJEMPLO DE PROTECCIONES ADECUADAS Y COORDINADAS, CONSTITUYEN EL MEDIO PRINCIPAL PARA LIMITAR DICHA TENSIÓN.

EL OBJETIVO DE UN SISTEMA DE TIERRAS EN UNA INSTALACIÓN ELÉCTRICA, ES PROPORCIONAR UNA SUPERFICIE DEBAJO DEL SUELO Y ALREDEDOR DE LA INSTALACIÓN, QUE TENGA UN POTENCIAL TAN UNIFORME COMO SEA POSIBLE, Y LO MÁS PRÓXIMO POSIBLE A CERO, O AL POTENCIAL ABSOLUTO DE TIERRA, CON VISTAS A ASEGURAR QUE:

I) TODAS LAS PARTES DE LOS APARATOS (DISTINTAS DE LAS PARTES VIVAS), QUE SE CONECTEN AL SISTEMA DE TIERRAS (A TRAVÉS DE CONDUCTORES DE PUESTA A TIERRA), ESTÉN AL POTENCIAL DE TIERRA.

II) LOS OPERADORES Y PERSONAL DE LA INSTALACIÓN, ESTÉN SIEMPRE AL POTENCIAL DE TIERRA.

HASTA RECIENTEMENTE, EL CONCEPTO DE UN BUEN SISTEMA DE TIERRAS, HA SIDO EL DE OBTENER UNA RESISTENCIA DE TIERRA TAN BA-

JA COMO SEA POSIBLE. SIN EMBARGO, EN SISTEMAS DONDE LAS CORRIENTES DE FALLA SON EXCESIVAMENTE ALTAS, PUEDE SER IMPOSIBLE, MANTENER POTENCIALES A TIERRA DENTRO DE LÍMITES DE SEGURIDAD, AUNQUE LA RESISTENCIA DE TIERRA SE MANTENGA BAJA.

EN LA ACTUALIDAD LOS SISTEMAS DE TIERRA, ESPECIALMENTE EN LAS SUBESTACIONES ELÉCTRICAS, ADOPTAN LA FORMA DE UNA MALLA QUE CONTIENE UN NÚMERO DETERMINADO DE PEQUEÑAS MALLAS RECTANGULARES O CUADRADAS, DE CONDUCTORES DE TIERRA INSTALADOS EN FORMA HORIZONTAL, Y CONDUCTORES A ELECTRODOS (VARILLAS), LOCALIZADOS A CIERTOS INTERVALOS.

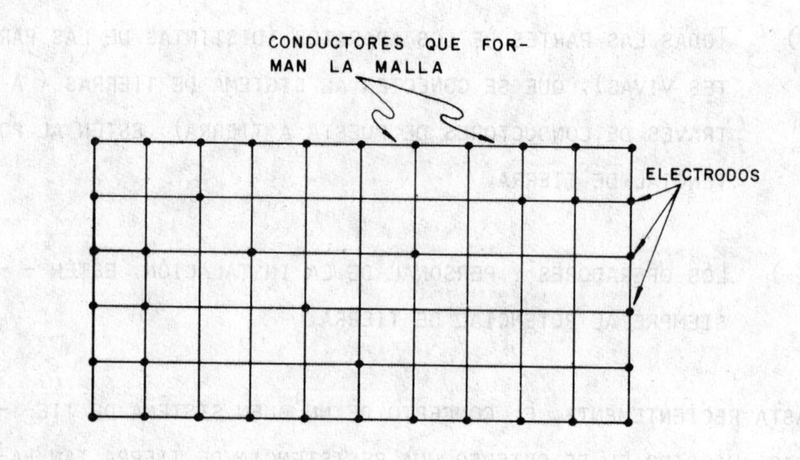

ELEMENTOS PRINCIPALES DE UNA INSTALACION DE PUESTA A TIERRA.

a – DISPERSORES (ELECTRODOS DE VARILLA)
b – CONEXION ELECTRICA ENTRE DISPERSORES
c – CONDUCTOR DE TIERRA.

LOS ELECTRODOS (VARILLAS) DE TIERRA SE PUEDEN USAR O NO, DEPENDIENDO DEL DISEÑO DE LA MALLA DE TIERRA. TODAS LAS ESTRUCTURAS METÁLICAS Y CARCAZAS DE EQUIPO, INCLUYENDO LAS REJAS METÁLICAS EN LAS ÁREAS DE TRABAJO, SE DEBEN CONECTAR POR SEGURIDAD, A LA MALLA DE TIERRA.

7.6.1 DEFINICIÓN DE LOS POTENCIALES DE PASO, DE CONTACTO, Y DE TRANSFERENCIA.

LA CIRCULACIÓN A TIERRA DE LAS CORRIENTES DE FALLA, PRODUCE GRADIENTES DE VOLTAJE SOBRE LA SUPERFICIE DEL SUELO, EN LA VECINDAD DE LOS SISTEMAS DE TIERRA. EL VOLTAJE QUE EXISTA ENTRE LOS DOS PIES DE UNA PERSONA PARADA SOBRE EL SUELO, SE LE CONOCE COMO VOLTAJE DE PASO; EN TANTO QUE EL VOLTAJE QUE EXISTE ENTRE LA MANO Y AMBOS PIES DE UNA PERSONA, SE CONOCE COMO POTENCIAL O VOLTAJE DE CONTACTO.

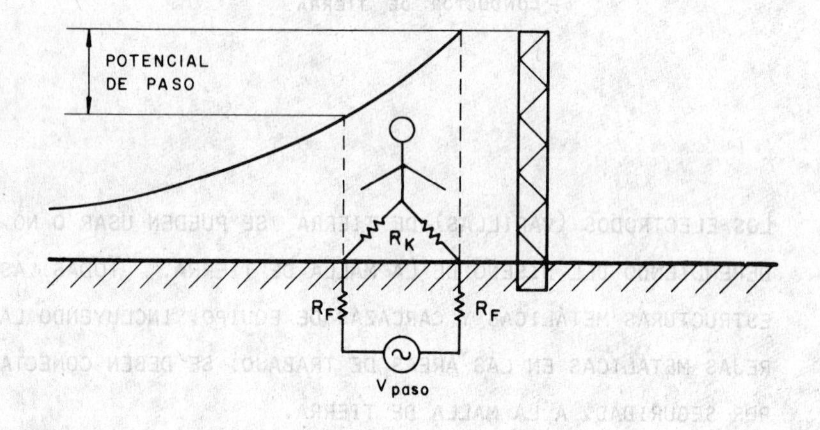

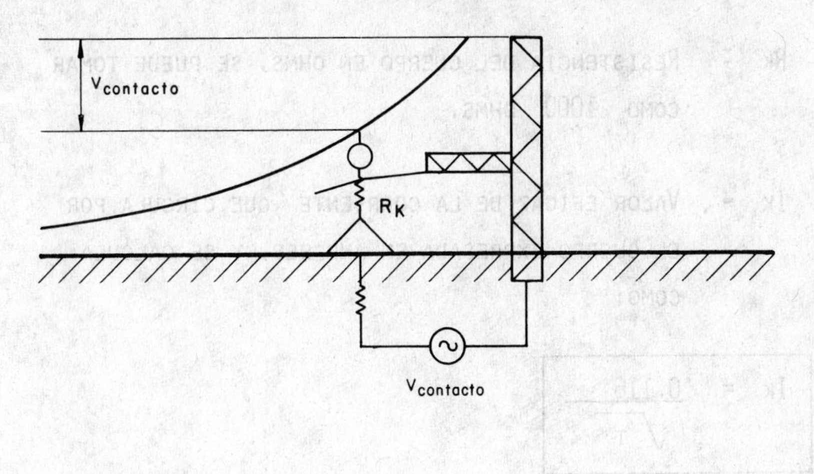

EL VALOR DEL VOLTAJE DE PASO TOLERABLE, ES:

$$V_{PASO} = (R_K + 2\ R_F)\ I_K \text{ VOLTS.}$$

DONDE: R_F = RESISTENCIA A TIERRA DE UN PIE EN OHMS; PARA FINES PRÁCTICOS SE PUEDE TOMAR.

$$R_F = 3\ \rho_S;$$ SIENDO ρ_S LA

RESISTIVIDAD DEL SUELO EN OHMS - METRO.

R_K = RESISTENCIA DEL CUERPO EN OHMS, SE PUEDE TOMAR COMO 1000 OHMS.

I_K - VALOR EFICAZ DE LA CORRIENTE QUE CIRCULA POR EL CUERPO EXPRESADA EN AMPERES, Y SE CALCULA COMO:

$$I_K = \frac{0.116}{\sqrt{T}}$$

T = DURACIÓN DE LA FALLA EN SEGUNDOS, Y SE TOMA GENERALMENTE MENOR DE 3 SEGUNDOS.

PARA FALLAS PERMANENTES SOSTENIDAS, SE TOMA:

$$I_K = 0.009 \text{ A}$$

DE LO ANTERIOR, PARA FALLAS CON DURACIÓN MENOR DE 3 SEG.

$$V_{PASO} = (1000 + 6\,\rho_s) \times 0.165 / \sqrt{T}.$$

$$V_{PASO} = (165 + \rho_s) / \sqrt{T} \quad \text{(VOLTS)}$$

PARA FALLAS SOSTENIDAS:

$$V_{PASO} = (1000 + 6\,\rho_s) \times 0.009$$

$$V_{PASO} = 9 + 0.054\ \rho_S \text{ VOLTS.}$$

PARA UNA CONEXIÓN A TIERRA SEGURA PARA EL CONTACTO DE PASO, EN CONDICIONES DE FALLA; EL GRADIENTE DE POTENCIAL EXPRESADO EN VOLTS/METRO SOBRE LA SUPERFICIE DEL SUELO, NO DEBE EXCEDER A LOS VALORES CALCULADOS CON LAS FORMULAS ANTERIORES.

EN FORMA SEMEJANTE EL VOLTAJE DE CONTACTO TOLERABLE, SE CALCULA COMO:

$$V_{CONTACTO} = (R_K + R_F/2)\ I_K$$

PARA FALLAS CON DURACIÓN MENOR DE 3 SEGUNDOS:

$$V_{CONTACTO} = (165 + 0.25\ \rho_S) / \sqrt{T} \text{ VOLTS.}$$

SI UNA PERSONA TOCA UN CONDUCTOR CONECTADO A TIERRA, A UNA DISTANCIA MUCHO MAYOR QUE LAS DIMENSIONES DEL SISTEMA DE TIERRA; EL IMPACTO DEL VOLTAJE, PUEDE ESENCIALMENTE SER IGUAL A LA ELEVACIÓN TOTAL DEL VOLTAJE DEL SISTEMA DE TIERRAS, BAJO CONDICIONES DE FALLA; TAL VOLTAJE DE CONTACTO, SE LE LLAMA "POTENCIAL DE TRANSFERENCIA"

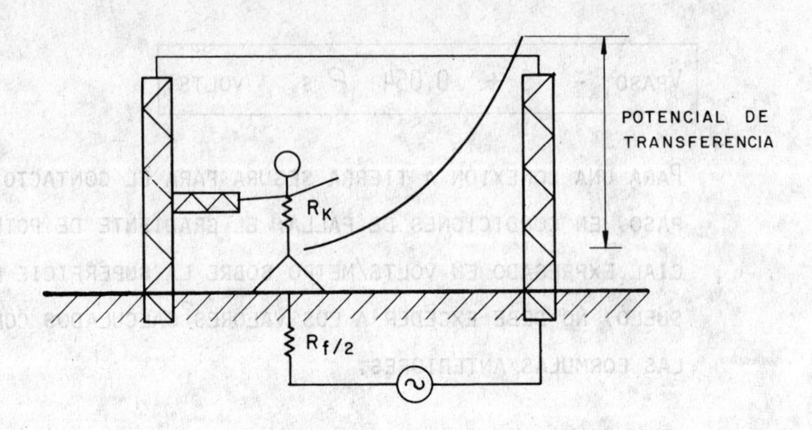

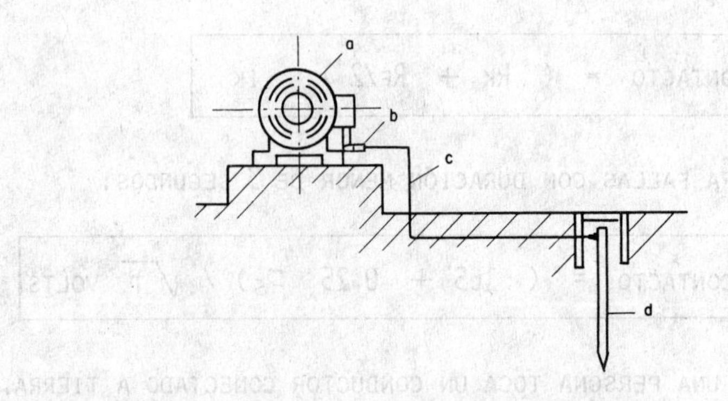

ELEMENTOS CONSTITUTIVOS DE CONEXION A TIERRA.

a) – OBJETO POR CONECTAR A TIERRA
b) – CONEXION A TIERRA
c) – CONDUCTOR DE TIERRA
d) – DISPERSOR.

LA RESISTIVIDAD DEL SUELO VARÍA DENTRO DE LÍMITES MUY AMPLIOS, ENTRE 1 Y 10 000 OHM - METRO; EN EL CASO DE -LAS SUBESTACIONES ELÉCTRICAS, ES NECESARIO OBTENER DATOS BASTANTE APROXIMADOS DE LA RESISTIVIDAD DEL TERRENO, Y SUS VARIACIONES EN EL SITIO DE LA INSTALACION DE LA SUBESTACIÓN; TAMBIÉN LA RESISTIVIDAD DEL TERRENO, PUEDE VARIAR EN FORMA CONSIDERABLE, DEPENDIENDO DE LA EPOCA DEL AÑO EN QUE SE HAGAN LAS MEDICIONES; POR EJEMPLO, SI SE EFECTUAN MEDICIONES CON TERRENO SECO (POR LO GENERAL EN INVIERNO), SE OBTIENEN VALORES ALTOS DE RESISTIVIDAD; Y SI EN CAMBIO SE EFECTUAN EN VERANO CON TERRENO HÚMEDO, LOS VALORES RESULTAN BAJOS; POR LO QUE QUE SIEMPRE QUE SEA POSIBLE, LOS VALORES DE RESISTIVIDAD SE DEBEN OBTENER EN EPOCA DE SECAS, PARA OBTENER EL MÁXIMO VALOR DE LA RESISTIVIDAD DEL SUELO.

CUANDO SE TRATA DE ÁREAS CONSIDERABLES A CUBRIR POR UNA INSTALACIÓN ELÉCTRICA, SE DEBEN EFECTUAR MEDICIONES EN DISTINTOS PUNTOS, Y ENTONCES LA RESISTIVIDAD DEL TERRENO, SE PUEDE TOMAR EN FORMA APROXIMADA COMO LA MEDIA - ARITMÉTICA DE LAS MEDICIONES.

7.6.2 CONEXIÓN A TIERRA DEL EQUIPO.

LOS USUARIOS DE LAS INSTALACIONES ELÉCTRICAS, YA SEAN

RESIDENCIALES, INDUSTRIALES O COMERCIALES, ASÍ COMO PARA OTRAS INSTALACIONES,COMO ES EL CASO DE HOSPITALES, CENTROS DE COMPUTO, ETC., ESTÁN TOCANDO CONSTANTEMENTE EL EQUIPO ELÉCTRICO, O LOS EQUIPOS QUE HACEN USO DE DISPOSITIVOS ELÉCTRICOS; COMO ES EL CASO DE LAS HERRAMIENTAS COMO TALADROS, SOLDADORAS ELÉCTRICAS, ETC. DEBIDO A QUE LOS VOLTAJES Y CORRIENTES ASOCIADOS CON ESTOS EQUIPOS, PUEDEN EXCEDER LOS VALORES QUE EN EL CUERPO HUMANO PUEDEN EXCEDERSE LOS VALORES QUE ESTE MISMO, ES CAPAZ DE SOPORTAR; POR LO QUE ES NECESARIO ADOPTAR PRECAUCIONES ESPECIALES PARA GARANTIZAR QUE EL EQUIPO, TENGA LAS CONDICIONES DE SEGURIDAD REQUERIDAS.

PARA COMPRENDER LOS ASPECTOS DE LA SEGURIDAD EN LAS INSTALACIONES ELÉCTRICAS, SE PUEDE COMENZAR CON UN SISTEMA BÁSICO EN BAJA TENSIÓN, Y MONOFÁSICO A 127 VOLTS. CONSIDEREMOS UN MÓTOR ELÉCTRICO QUE FORMA PARTE DE UN EQUIPO, QUE ESTÁ DENTRO DE UNA CUBIERTA METÁLICA NO CONECTADA A TIERRA. EL NEUTRO SE ENCUENTRA SOLIDAMENTE CONECTADO A TIERRA, EN EL PUNTO DE ALIMENTACIÓN DE LA COMPAÑÍA SUMINISTRADORA.

SI UNA PERSONA TOCA LA CUBIERTA METÁLICA NADA SUCEDERA, SI LA INSTALACIÓN ESTÁ OPERANDO CORRECTAMENTE; PERO SI POR EJEMPLO, EL AISLAMIENTO DE LOS DEVANADOS FALLA, LA RESISTENCIA R_E ENTRE EL MOTOR Y LA CUBIERTA METÁLICA,

PUEDE REDUCIR SU VALOR DE VARIOS MEGOHMS A SOLO ALGUNOS CIENTOS DE OHMS O MENOS; DE MANERA QUE UNA PERSONA CON UNA RESISTENCIA R_K, PUEDE ACOMPLETAR EL CIRCUITO CERRANDO LA TRAYECTORIA DE LA CORRIENTE.

SI EL VALOR R_E ES PEQUEÑO (LO CUAL PUEDE SUCEDER), - LA CORRIENTE I_K PUEDE SER GRANDE Y RESULTAR PELIGROSA.

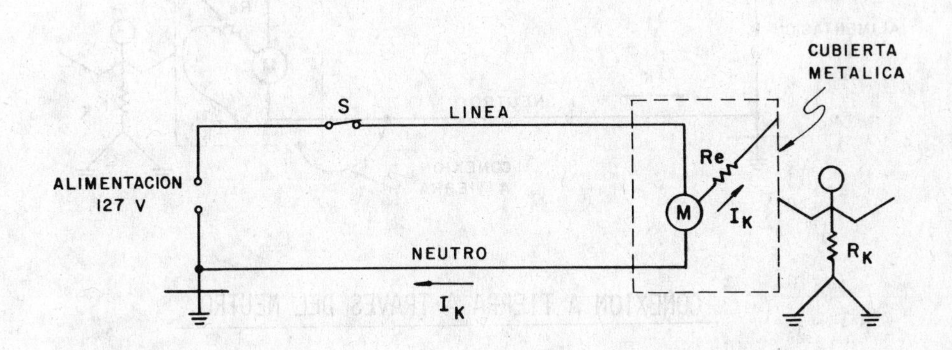

SISTEMA NO CONECTADO A TIERRA (PELIGROSO)

LA SITUACIÓN POTENCIALMENTE PELIGROSA, SE PUEDE REMEDIAR SI SE CONECTA A TIERRA LA CUBIERTA METÁLICA; ES

DECIR, EN ESTE CASO AL NEUTRO QUE SE ENCUENTRA ATERRIZADO; AHORA LA CORRIENTE IK CIRCULARÁ DEL MOTOR A TRAVÉS DE LA CUBIERTA, Y REGRESARÁ POR EL NEUTRO; PERO LA CUBIERTA PERMANECE AL POTENCIAL DE TIERRA, Y EN CONSECUENCIA LA PERSONA NO SUFRE NINGÚN EFECTO.

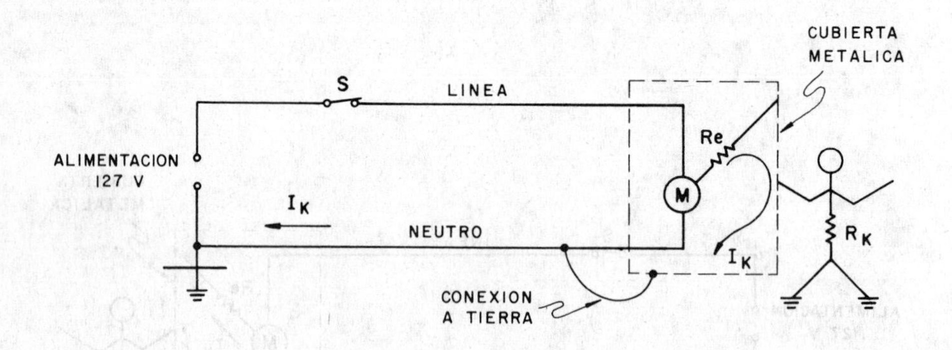

CONEXION A TIERRA A TRAVES DEL NEUTRO.

LA SOLUCIÓN ANTERIOR DE CONECTAR A TIERRA LA CUBIERTA, A TRAVÉS DEL NEUTRO; PUEDE PARECER SEGURA, PERO EL PROBLEMA ES QUE EL NEUTRO PUEDE QUEDAR ABIERTO, YA SEA ENFORMA ACCIDENTAL O DEBIDO A UNA FALLA EN LA

INSTALACIÓN; PARA EVITAR ESTE PROBLEMA, SE ACOSTUMBRA EN ALGUNAS INSTALACIONES ELÉCTRICAS, INSTALAR UN TERCER CONDUCTOR LLAMADO "CONDUCTOR DE TIERRA", LOCALIZADO ENTRE LA CUBIERTA Y LA TIERRA DEL SISTEMA.

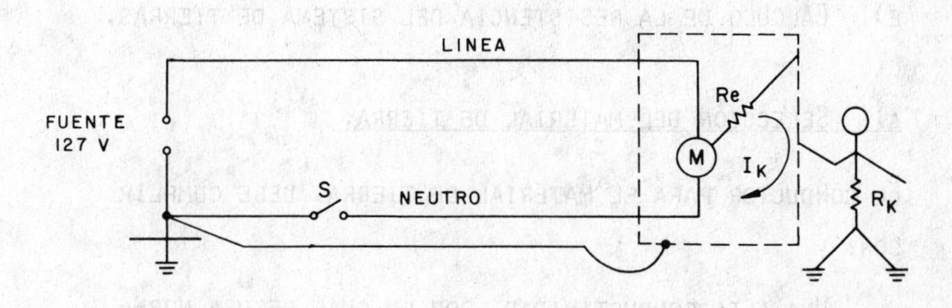

USO DE CABLE DE TIERRA.

7.6.3 ELEMENTOS PARA EL CÁLCULO DE LA RED DE TIERRAS.

LOS ELEMENTOS NECESARIOS PARA EL CÁLCULO DE UNA RED DE TIERRAS, SON :

A) SELECCIÓN DEL MATERIAL DE TIERRA.

B) DETERMINACIÓN DEL TAMAÑO DEL CONDUCTOR DE TIERRA.

C) ARREGLO PRELIMINAR DE LOS CONDUCTORES DE TIERRA.

D) DETERMINACIÓN DE LA LONGITUD REQUERIDA, PARA EL CONTROL DEL GRADIENTE.

E) CÁLCULO DE LA RESISTENCIA DEL SISTEMA DE TIERRAS.

A) SELECCIÓN DEL MATERIAL DE TIERRA.

EL CONDUCTOR PARA EL MATERIAL DE TIERRA, DEBE CUMPLIR CON:

- UNA ALTA CONDUCTIVIDAD, POR LO CUAL SE USA NORMALMENTE COBRE.

- UN BAJO ÍNDICE DE COMISIÓN, POR EFECTO DEL TERRENO.

- UN BAJO ÍNDICE DE CORROSIÓN, DEBIDO A LA ACCIÓN GALVÁNICA.

EL COBRE ES EL MATERIAL QUE MEJOR CUMPLE CON ESTOS REQUISITOS; POR LO QUE SE USA EN LA MAYORÍA DE LOS CA--

SOS. EN ALGUNAS OCASIONES SE PUEDE USAR CONDUCTOR DE ACERO PARA LA RED DE TIERRAS; ESTE MATERIAL TIENE LAS SIGUIENTES VENTAJAS SOBRE EL COBRE:

- SE ENCUENTRA DISPONIBLE EN EL MERCADO.
- PUEDE SER EN CIERTOS LUGARES, MÁS BARATO QUE EL COBRE.

SU PRINCIPAL DESVENTAJA ES SU CORROSIÓN, EN EL TERRENO QUE SE DA APROXIMADAMENTE SEIS VECES MÁS RÁPIDO, QUE EN EL CASO DEL COBRE; PARA REDUCIR ESTE EFECTO, SE USA ACERO GALVANIZADO, QUE RETARDA EL EFECTO DE LA CORROSIÓN; PERO QUE DE CUALQUIER MANERA, ES MÁS ACELERADO QUE EN EL COBRE.

B.) DETERMINACIÓN DEL TAMAÑO DEL CONDUCTOR DE TIERRA.

EN LA SELECCIÓN DEL TAMAÑO (CALIBRE) DEL CONDUCTOR USADO EN UNA MALLA DE TIERRAS; INTERVIENEN LOS SIGUIENTES FACTORES:

QUE TENGA ESTABILIDAD TÉRMICA, EN LAS CORRIENTES DE FALLA A TIERRA.

. QUE SEA MECÁNICAMENTE RESISTENTE.

. QUE TENGA UNA DURACIÓN DE AL MENOS 50 AÑOS SIN RUPTURAS, EN LA RED DE TIERRAS; DEBIDO A PROBLEMAS DE CORROSIÓN.

. QUE TENGA UNA CONDUCTIVIDAD ADECUADA, PARA NO CONTRIBUIR SUSTANCIALMENTE A LOS GRADIENTES DE POTENCIAL LOCALES.

DESDE EL PUNTO DE VISTA DE LAS CONSIDERACIONES TÉRMICAS, EL TAMAÑO DEL CONDUCTOR DEPENDE, DE LOS SIGUIENTES FACTORES:

. EL VALOR DE LA CORRIENTE DE FALLA A TIERRA.

. EL TIEMPO DE INTERRUPCIÓN DE LA FALLA.

. EL MATERIAL DEL CONDUCTOR.

ESTOS FACTORES SE MUESTRAN EN LA TABLA SIGUIENTE:

TABLA 7.11

CALIBRE DE CONDUCTORES PARA MALLA DE TIERRAS.

TIEMPO DE DURACION DE LA FALLA (SEG)	TAMAÑO MINIMO DE CONDUCTOR EN CIRCULAR MIL POR AMPERE:					
	UNIONES SOLDADAS:			UNIONES ATORNILLADAS		
	COBRE	ACERO	ALUMINIO	COBRE	ACERO	ALUMINIO
30	50	120	91	64	143	123
3	16	38	29	21	46	39
1	9.5	22	17	12	27	23
0.5	6.5	16	12	8.5	19	16

1 CIRCULAR MIL = 0.0005067 MM^2

EN SUBESTACIONES ELÉCTRICAS POR RAZONES MECÁNICAS, ES FRECUENTE USAR COMO CALIBRE MÍNIMO EL 4/0 AWG -- (107.2 MM^2) DE COBRE.

DE ACUERDO CON LAS NORMAS TÉCNICAS PARA INSTALACIONES ELÉCTRICAS (206.57), SE RECOMIENDA QUE EL CALIBRE DEL CONDUCTOR DEL ELECTRODO DE TIERRA, NO SEA MENOR QUE EL QUE SE INDICA A CONTINUACIÓN, PARA CONDUCTORES DE COBRE.

TABLA 7.12

CALIBRE DEL CONDUCTOR DEL ELECTRODO DE TIERRA

CALIBRE DEL CONDUCTOR MAS GRANDE DE LA ACOMETIDA, O DEL ALIMENTADOR GENERAL DE SERVICIO AWG O MCM. (COBRE)	CALIBRE DEL CONDUCTOR DEL ELECTRODO DE TIERRA: AWG O MCM (COBRE)
2 O MENOR.	8
1/0	6
2/0 O 3/0	4
4/0 A 350 MCM	2
400 A 600 MCM	1/0
MAYOR DE 600 MCM A 1100 MCM	2/0
MAS DE 1110 MCM	3/0

CON RELACIÓN AL CALIBRE DEL CONDUCTOR DE PUESTA A TIERRA DE EQUIPOS; LAS NORMAS PARA INSTALACIONES ELÉCTRICAS (FRACCIÓN 206.58), ESTABLECE QUE NO DEBE SER MENOR AL INDICADO EN LA TABLA SIGUIENTE:

TABLA 7.13

CALIBRE DE LOS CONDUCTORES PARA PUESTA A TIERRA DE EQUIPOS, Y CANALIZACIONES INTERIORES:

CAPACIDAD NOMINAL O AJUSTE DEL DISPOSITIVO DE PROTECCION CONTRA SOBRECORRIENTE UBICADO ANTES DEL EQUIPO CONDUCTOR, ETC.	CALIBRE DEL CONDUCTOR DE PUESTA A TIERRA: (AWG O MCM)	
NO MAYOR DE (AMPERES)	COBRE	ALUMINIO
15	14	12
20	14	12
30	12	10
40	10	8
60	10	8
100	8	6
200	6	4
400	4	2
600	2	2/0
800	1/0	3/0
1 000	2/0	4/0
1 200	3/0	250 MCM
1 600	4/0	350 "
2 000	250 MCM	400 "
2 500	350 "	500 "
3 000	400 "	600 "
4 000	500 "	800 "
5 000	700 "	1 000 "
6 000	800 "	1 200 "

c) ARREGLO PRELIMINAR DE LOS CONDUCTORES DE TIERRA.

EL ARREGLO PRELIMINAR DE LOS CONDUCTORES DE TIERRA, SE DECIDE SOBRE LAS SIGUIENTES BASES: UN CONDUCTOR DE TIERRA CONTINUO, DEBE RODEAR EL ÁREA DE LA INSTALACIÓN, PARTICULARMENTE DE LA SUBESTACIÓN ELÉCTRICA, PARA ENCERRAR LA MAYOR CANTIDAD POSIBLE DE TERRENO. CONDUCTORES DE TIERRA ADICIONALES, SE COLOCAN EN LÍNEAS PARALELAS DISTRIBUIDOS UNIFORMEMENTE EN FORMA DE CUADRÍCULA, CON SEPARACIONES RAZONABLES. EVENTUALMENTE SE PUEDE USAR EN ALGUNAS ÁREAS, PLACA DE COBRE EN LUGAR DE LA MALLA CUADRICULADA; ESTO ESPECIALMENTE DONDE LA MAGNITUD DE LAS CORRIENTES DE FALLA ES ELEVADA, O BIEN EN DONDE LA RESISTIVIDAD DEL TERRENO ES MUY ELEVADA, O TAMBIÉN EN SALAS EN DONDE SE EFECTUAN MEDICIONES PRECISAS, Y SE REQUIERE UN BUEN BLINDAJE CON POCA INTERFERENCIA.

LAS VARILLAS O ELECTRODOS SE CONSIDERAN COMO UN COMPLEMENTO DE LA MALLA DE TIERRAS; Y SE DEBEN DISTRIBUIR DE MANERA UNIFORME, Y CERCANOS A PUNTOS DONDE SE ENCUENTRA EL EQUIPO INSTALADO. UNA REGLA PRÁCTICA PARA DETERMINA EL NÚMERO MÍNIMO DE ELECTRODOS (VARILLAS DE TIERRA), INDICA QUE SE DEBE DIVIDIR LA CORRIENTE DE FALLA ENTRE 500; ES DECIR:

$$\text{NUMERO MINIMO DE VARILLAS DE 10 PIES X 3/8} = \frac{I_{\text{FALLA}}}{500}$$

POR EJEMPLO, PARA UNA CORRIENTE DE FALLA DE 5000 A, EL NÚMERO DE VARILLAS ES: 5000/500 = 10

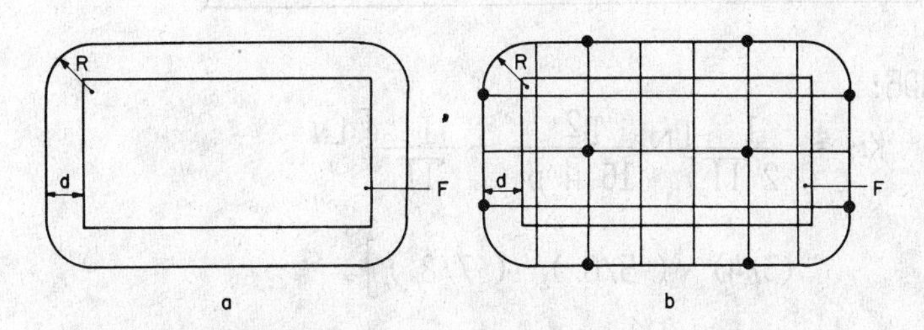

a)- DISPERSOR EN ANILLO b)-MALLA

F - PREFABRICADO
R - RADIO (EL MAS AMPLIO POSIBLE)
d - DISTANCIA 1 m
● - ELECTRODOS (OPCIONAL)

D) <u>DETERMINACIÓN DE LA LONGITUD REQUERIDA DEL CONDUCTOR, PARA EL CONTROL DEL GRADIENTE.</u>

CON EL OBJETO DE MANTENER LOS POTENCIALES DE PASO Y DE CONTACTO, DENTRO DEL PERÍMETRO DE LA MALLA EN SUS VALORES DE SEGURIDAD; SE REQUIERE CIERTA LONGI

TUD MÍNIMA DE CONDUCTOR, EN LA VARILLA DE TIERRA.

LA SIGUIENTE ECUACIÓN, PERMITE CALCULAR LA LONGITUD APROXIMADA DE LOS CONDUCTORES DE LA MALLA, PARA MANTENER EL POTENCIAL DENTRO DE SUS LÍMITES DE SEGURIDAD:

$$L = \frac{K_M \; K_I \; \rho \; I \sqrt{T}}{165 + 0.25 \; \rho_s} \quad \text{METROS}$$

DONDE:

$$K_M = \frac{1}{2\pi} \ln \frac{D^2}{16\, h\, d} + \frac{1}{\pi} \left[\ln (3/4) \; (5/6) \; (7/8) \right]$$

DONDE:

D = SEPARACIÓN ENTRE CONDUCTORES PARALELOS (20 METROS EN PROMEDIO)

h = PROFUNDIDAD DE LA MALLA (0.5 METROS EN PROMEDIO)

d = DIÁMETRO EQUIVALENTE DEL CONDUCTOR DE LA MALLA.

K_I = FACTOR DE IRREGULARIDAD DE LA CONEXIÓN,

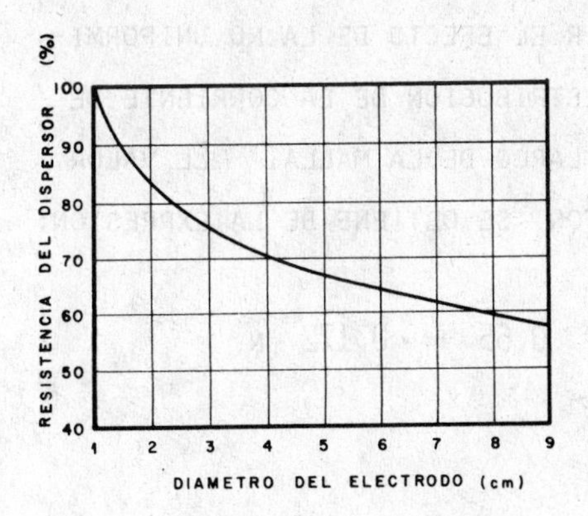

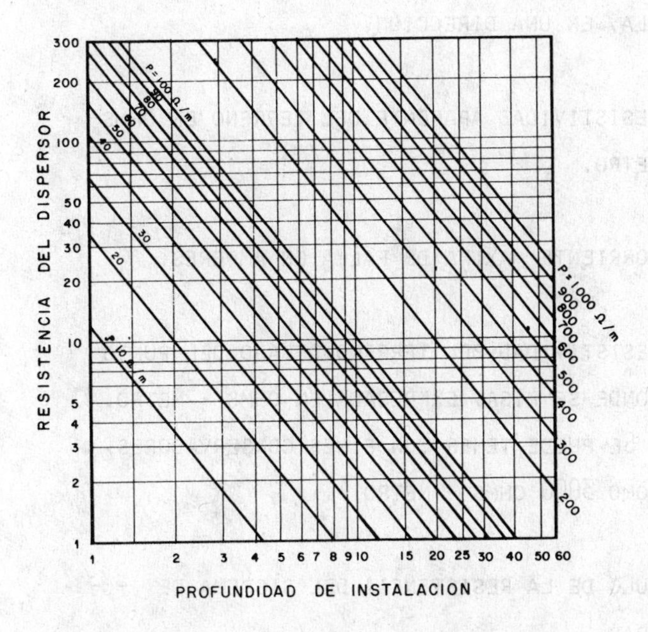

GRAFICA PARA EL CALCULO APROXIMADO DE LA RESISTENCIA DE UN DISPERSOR CILINDRICO DE 1 1/4 PLG. DE DIAMETRO.

PARA PREVENIR EL EFECTO DE LA NO UNIFORMIDAD DE LA DISTRIBUCIÓN DE LA CORRIENTE DE FALLA, A LO LARGO DE LA MALLA. EL VALOR DE ESTE FACTOR, SE OBTIENE DE LA EXPRESIÓN:

$$K_I = 0.65 + 0.172 \; n$$

DONDE:

n = NÚMERO DE CONDUCTORES EN PARALELO DE LA MALLA, EN UNA DIRECCIÓN.

ρ = RESISTIVIDAD APARENTE DEL TERRENO EN OHMS-METRO.

I = CORRIENTE MÁXIMA DE FALLA EN AMPERES.

ρ_s = RESISTIVIDAD DEL TERRENO DEBAJO DEL PUNTO DONDE SE PISA, EXPRESADA EN OHMS - METRO. (SE PUEDE TENER CON FINES CONSERVADORES, COMO 3000 OHMS - METRO).

E) CÁLCULO DE LA RESISTENCIA DEL SISTEMA DE - - TIERRAS.

PARA EL CÁLCULO DEL VALOR DE ESTA RESISTENCIA, SE

PUEDE USAR LA FÓRMULA SIGUIENTE DE LAURENT.

$$R = \frac{\rho}{4R} + \frac{\rho}{L}$$

DONDE:

R = RADIO EQUIVALENTE DE LA SUBESTACIÓN.

L = LONGITUD TOTAL DEL CONDUCTOR DE LA MALLA, EN METROS.

ρ = RESISTIVIDAD DEL TERRENO EN OHMS - METRO.

7.7 LA CORRECCION DEL FACTOR DE POTENCIA:

EN LAS INSTALACIONES ELÉCTRICAS, LAS MÁQUINAS ELÉCTRICAS Y ALGUNOS OTROS ELEMENTOS COMO LAS BALASTRAS DE ALUMBRADO FLUORESCENTE DEMANDAN ADEMÁS DE LA CORRIENTE DE TRABAJO (EN FASE CON EL VOLTAJE), UNA COMPONENTE REACTIVA DEFASADA 90° (RETRASADA CON RESPECTO AL VOLTAJE), Y QUE SIRVE PARA CREAR EL CAMPO MAGNÉTICO. TAL CORRIENTE MAGNETIZANTE QUE DEBE PROPORCIONAR LA FUENTE DE SUMINISTRO, HACE DISMINUIR LA POTENCIA ÚTIL DE LA INSTALACIÓN; ADEMÁS CON LAS PÉRDIDAS POR EFECTO JOULE, SE DISMINUYE LA EFICIENCIA Y AUMENTA LA CAÍDA DE TENSIÓN.

ESTE INCONVENIENTE SE PUEDE REDUCIR O ELIMINAR, CON EL USO DE CONDENSADORES INSTALADOS EN LA PROXIMIDAD DE LAS CARGAS; Y CON CAPACIDAD PARA SUMINISTRAR PARTE O TODA LA CORRIENTE DE MAGNE-

TIZACIÓN REQUERIDA POR EL USUARIO.

DEL CAPÍTULO I, EL FACTOR DE POTENCIA DE UN CIRCUITO DE CO-- RRIENTE ALTERNA, ESTÁ DADO POR LA ECUACIÓN.

$$\cos \varphi = P/S$$

DONDE:

$\cos \varphi$ = FACTOR DE POTENCIA EXPRESADO COMO UN NÚMERO, O COMO UN PORCENTAJE.

P = POTENCIA ACTIVA ABSORBIDA O ENTREGADA POR EL CIR- CUITO. (WATTS)

S = POTENCIA APARENTE DEL CIRCUITO (VA)

DEBIDO A QUE LA POTENCIA ACTIVA P, NO PUEDE NUNCA EXCEDER A LA POTENCIA APARENTE S; EL FACTOR DE POTENCIA, NO PUEDE SER NUNCA MAYOR QUE LA UNIDAD (O DEL 100%); DEBIDO A QUE LA POTENCIA APARENTE, SOLO PUEDE SER IGUAL A LA POTENCIA ACTIVA EN UN CIRCUITO RESISTIVO.

EN RESUMEN, EL EFACTOR DE POTENCIA DE UN CIRCUITO O UN APARATO, ES UNA MANERA SIMPLE DE ESTABLECER QUÉ PARTE DE LA POTENCIA - APARENTE, ES REAL O ACTIVA.

EN UN CIRCUITO MONOFÁSICO, EL FACTOR DE POTENCIA ES TAMBIÉN UNA

MEDICIÓN DEL ÁNGULO DE FASE ,ENTRE EL VOLTAJE Y LA CORRIENTE.

EJEMPLO 7.4.

EN EL CIRCUITO DERIVADO DE UN MOTOR MONOFÁSICO,QUE OPERA A 127 VOLTS, 60 HZ; SE CONECTAN UN WATTMETRO Y UN VARMETRO, QUE LEEN RESPECTIVAMENTE 1860 WATTS, Y 890 VAR, CALCULAR:

A) LAS COMPONENTES DE CORRIENTE ACTIVA Y REACTIVA.

B) LA CORRIENTE DE LÍNEA.

C) LA POTENCIA APARENTE SUMINISTRADA, POR EL CIRCUITO DERIVADO.

D) EL FACTOR DE POTENCIA A QUE OPERA EL MOTOR.

SOLUCION

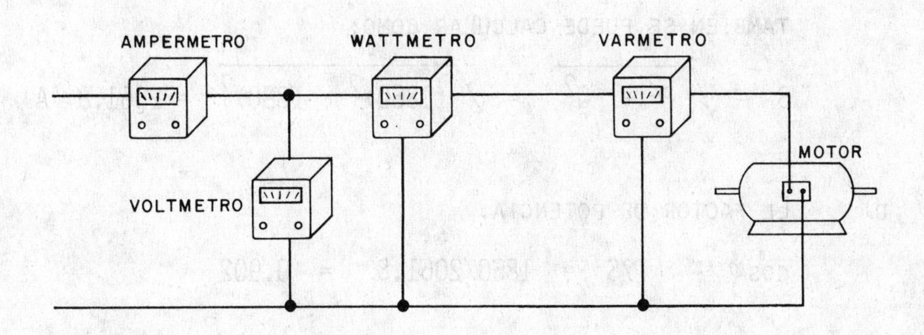

A) La COMPONENTE DE CORRIENTE ACTIVA.

$$I_A = \frac{P}{V} = \frac{1860}{127} = 14.65 \text{ A}$$

La COMPONENTE DE CORRIENTE REACTIVA.

$$I_R = \frac{Q}{V} = \frac{890}{127} = 7 \text{ A}$$

B) La CORRIENTE DE LÍNEA O ALIMENTACIÓN, SE CALCULA COMO:

$$I = \sqrt{I_A^2 + I_R^2} = \sqrt{(14.65)^2 + (7)^2} = 16.23 \text{ A}$$

c) La POTENCIA APARENTE SUMINISTRADA POR EL CIRCUITO DERIVADO:

$$S = VI = 127 \times 16.23 = 2061.21 \text{ A}$$

TAMBIÉN SE PUEDE CALCULAR COMO:

$$S = \sqrt{P^2 + Q^2} = \sqrt{(1860)^2 + (890)^2} = 2061.8 \text{ A}$$

D) El FACTOR DE POTENCIA:

$$\cos\varphi = P/S = 1860/2061.8 = 0.902$$

EJEMPLO 7.5

UN MOTOR TRIFÁSICO DE INDUCCIÓN, CONECTADO EN ESTRELLA CON UNA POTENCIA DE 5000 HP, SE CONECTA A UN ALIMENTADOR A 4160 VOLTS ENTRE FASES, 60 Hz. AL ALIMENTADOR SE CONECTA TAMBIÉN, UN BANCO DE CAPACITORES DE 1800 KVAR. SI EL MOTOR ENTREGA UNA POTENCIA DE 3600 HP, CON UNA EFICIENCIA DEL 94% ; Y UN FACTOR DE POTENCIA DE 0.90 ATRASADO, CALCULAR:

A) LA POTENCIA ACTIVA QUE DEMANDA EL MOTOR.

B) LA POTENCIA REACTIVA QUE DEMANDA EL MOTOR.

C) LA POTENCIA REACTIVA SUMINISTRADA POR EL ALIMENTADOR.

D) LA POTENCIA APARENTE SUMINISTRADA POR EL ALIMENTADOR.

E) LA CORRIENTE EN EL ALIMENTADOR.

F) LA CORRIENTE QUE DEMANDA EL MOTOR.

SOLUCION

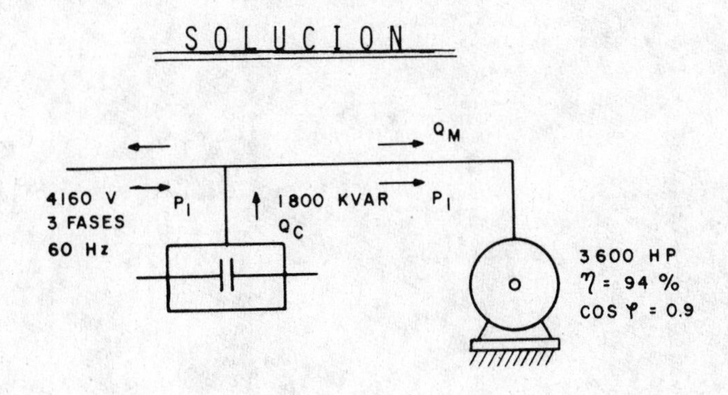

A) LA POTENCIA ACTIVA QUE DEMANDA EL MOTOR.

LA POTENCIA QUE ENTREGA EL MOTOR DE 3600 HP, ES EQUIVALENTE A :

$$P_2 = 3600 \times 0.746 = 2685.6 \quad kW$$

LA POTENCIA ACTIVA DE ENTRADA AL MOTOR, ES ENTONCES:

$$P_1 = P_2/\eta = 2685.6/0.94 = 2857 \quad kW$$

B) LA POTENCIA APARENTE QUE DEMANDA EL MOTOR.

$$S_M = P_1 / \cos\varphi = 2857/0.9 = 3174.4 \quad kVA.$$

LA POTENCIA REACTIVA QUE ABSORBE EL MOTOR, ES ENTONCES:

$$Q_M = \sqrt{S_M^2 - P_1^2} = \sqrt{(3174.4)^2 - (2857)^2} = 1383.6 \quad kVAR$$

c) LA POTENCIA REACTIVA SUMINISTRADA POR EL ALIMENTADOR.

LA QUE SUMINISTRA EL BANCO DE CAPACITORES ES:

$Q_C = 1800 \text{ KVAR}$

LA POTENCIA REACTIVA QUE SE REGRESA AL ALIMENTADOR, ES:

$Q_L = Q_C - Q_M = 1800 - 1383.6 = 416.4 \text{ kVAR}$

D) LA POTENCIA APARENTE ENTREGADA POR LA LÍNEA.

$S_L = \sqrt{P_1^2 + Q_L^2} = \sqrt{(2857)^2 + (416.4)^2} = 2887 \text{ kVA}$

E) LA CORRIENTE EN EL ALIMENTADOR.

$I_L = S_L / 1.732 \text{ X } V_L = 2887000/ (1.732 \text{ X } 4160)$

$I_L = 400.7 \text{ Amp.}$

F) LA CORRIENTE QUE DEMANDA EL MOTOR.

$I_M = S_M / (1.732 \text{ X } V_L) = 3174400/(1.732 \text{ X } 4160)$

$I_M = 440.6 \text{ A}$

LA CORRIENTE QUE DEMANDA EL BANCO DE CAPACITORES, ES:

$$I_C = Q_C/(1.732 \times V_L) = 1800000/(1.732 \times 4160)$$
$$= 249.8 \text{ A}$$

7.7.1 CÁLCULO DE LA POTENCIA DE LOS CONDENSADORES, PARA LA CORRECCIÓN DEL FACTOR DE POTENCIA, Y EL SISTEMA DE INSERCIÓN.

EL FACTOR DE POTENCIA DE UNA INSTALACIÓN, DEPENDIENDO DE SU TAMAÑO Y SUS CARACTERÍSTICAS, SE PUEDE CORREGIR; YA SEA USANDO MOTORES SÍNCRONOS QUE INYECTEN POTENCIA REACTIVA, O BIEN POR EL MEDIO DEL USO DE CONDENSADORES. EN CUALQUIER CASO, EL CÁLCULO DE LA POTENCIA REACTIVA A SUMINISTRAR EN UNA INSTALACIÓN PARA LA CORRECCIÓN DEL FACTOR DE POTENCIA; ES RELATIVAMENTE SENCILLO, YA QUE ES SUFICIENTE CON EL CÁLCULO DE LA POTENCIA REACTIVA, COMO SE MOSTRÓ EN LOS EJEMPLOS ANTERIORES.

PARA LOS FINES PRÁCTICOS DEL CÁLCULO, LOS PROCEDIMIENTOS SE SIMPLIFICAN AÚN MÁS; YA QUE SE HACE USO DE TABLAS O NOMOGRAMAS, EN DONDE SE LEE DIRECTAMENTE LA POTENCIA REQUERIDA POR EL CONDENSADOR O BANCO DE CONDENSADORES; EN FUNCIÓN DEL FACTOR DE POTENCIA ACTUAL, Y DEL FACTOR DE POTENCIA DESEADO.

DADAS LAS CARACTERÍSTICAS GLOBALES DE UNA INSTALACIÓN; LA POTENCIA ACTIVA Y LA POTENCIA REACTIVA ABOSRBIDA, EL GRADO DE COMPENSACIÓN DE LA ENERGÍA REACTIVA, ES EL RESULTADO DE UN CÁLCULO DE CONVENIENCIA ECONÓMICA. POR OTRA PARTE, SIEMPRE ES CONVENIENTE REPORTAR EL FACTOR DE POTENCIA, CON UN VALOR SUPERIOR AL MÍNIMO ESTABLECIDO EN EL CONTRATO, CON LA COMPAÑÍA SUMINISTRADORA; YA QUE LA SOLUCIÓN ADOPTADA DEBERÁ SER OBJETO DE UNA COMPARACIÓN, ENTRE EL COSTO ADICIONAL A LA INSTALACIÓN, Y EL BENEFICIO QUE SE OBTIENE.

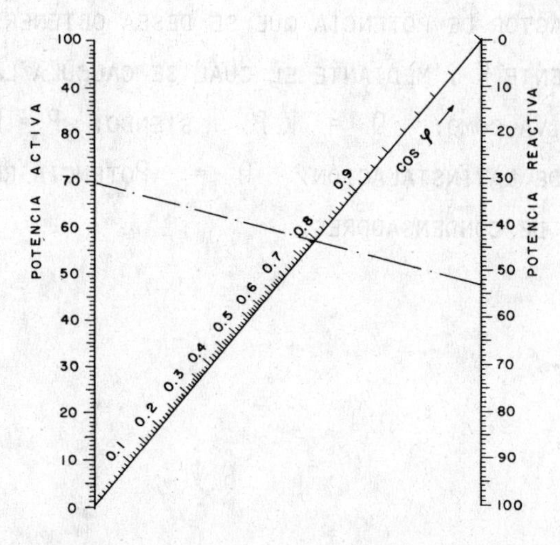

NOMOGRAMA DE LA RELACION ENTRE POTENCIA ACTIVA, POTENCIA REACTIVA Y FACTOR DE POTENCIA.

EN EL NOMOGRAMA ANTERIOR, CONOCIDAS DOS DE LAS TRES CANTIDADES, SE CALCULA LA TERCERA. POR EJEMPLO, SE MUESTRA QUE CON UNA POTENCIA ACTIVA DE 70,Y UN FACTOR DE POTENCIA DE 0.8; LA POTENCIA REACTIVA ES DE 53; ESTE MONOGRAMA PERMITE EL CÁLCULO DIRECTO DE ESTAS RELACIONES, SIN NECESIDAD DE HACER USO DE LAS FÓRMULAS INDICADAS,EN LOS EJEMPLOS ANTERIORES.

POR OTRA PARTE, PARA EL CÁLCULO RÁPIDO DE LA POTENCIA REACTIVA DE LOS CONDENSADORES: SE HACE USO DE OTRO NOMOGRAMA, QUE RELACIONA EL FACTOR DE POTENCIA DE LA INSTALACIÓN, Y EL FACTOR DE POTENCIA QUE SE DESEA OBTENER; CON UN COEFICIENTE K , MEDIANTE EL CUAL SE CALCULA LA POTENCIA REACTIVA COMO: $Q = KP$, SIENDO: P = POTENCIA ACTIVA DE LA INSTALACIÓN, Q = POTENCIA REACTIVA DEL BANCO DE CONDENSADORES.

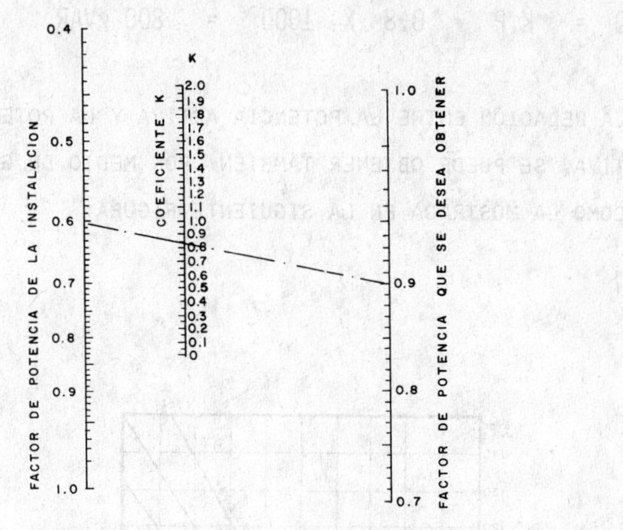

NOMOGRAMA PARA EL CALCULO DE LA POTENCIA DE LOS CONDENSADORES PARA MEJORAR EL FACTOR DE POTENCIA

Q = K. P. , Q = POTENCIA REACTIVA
P = POTENCIA ACTIVA.

POR EJEMPLO, EN UNA INSTALACIÓN ELÉCTRICA CON UN POTENCIA DE 1000 kW, CON UN FACTOR DE POTENCIA DE 0.6; SI SE DESEA MEJORAR EL FACTOR DE POTENCIA A 0.9, DEL NOMOGRAMA ANTERIOR, EL COEFICIENTE K , ES 0.8; POR LO TANTO LA POTENCIA NECESARIA DE LOS CONDENSADORES, ES :

Q = K.P = 0.8 X 1000 = 800 KVAR.

LA RELACIÓN ENTRE LA POTENCIA ACTIVA Y LA POTENCIA REACTIVA, SE PUEDE OBTENER TAMBIÉN; POR MEDIO DE GRÁFICAS COMO LA MOSTRADA EN LA SIGUIENTE FIGURA:

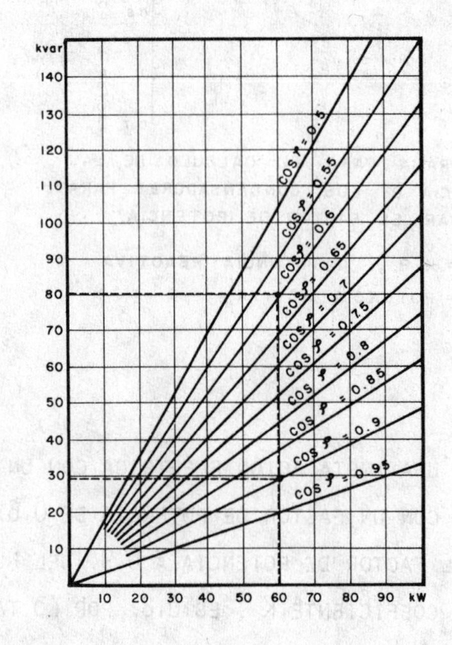

RELACION DE LA POTENCIA ACTIVA, LA POTENCIA REACTIVA, Y EL FACTOR DE POTENCIA.

UNA VEZ QUE SE DETERMINA LA POTENCIA TOTAL DE LOS CONDENSADORES; NECESARIA PARA CORREGIR EL FACTOR DE POTENCIA DE UNA INSTALACIÓN, SE DEBE HACER LA SUBDIVISIÓN DE ESTA POTENCIA,EN VARIAS UNIDADES; ASÍ COMO LA UBICACIÓN MISMA,DE LOS CONDENSADORES EN LA INSTALACIÓN.

CON RESPECTO A LA SUBDIVISIÓN EN VARIAS UNIDADES, O - MÓDULOS; SE DEBEN CONSIDERAR LOS TIPOS CONSTRUCTIVOS, EXISTENTES EN EL MERCADO; ASÍ COMO LAS CARACTERÍSTICAS DE LOS APARATOS DE CONEXIÓN Y PROTECCIÓN.

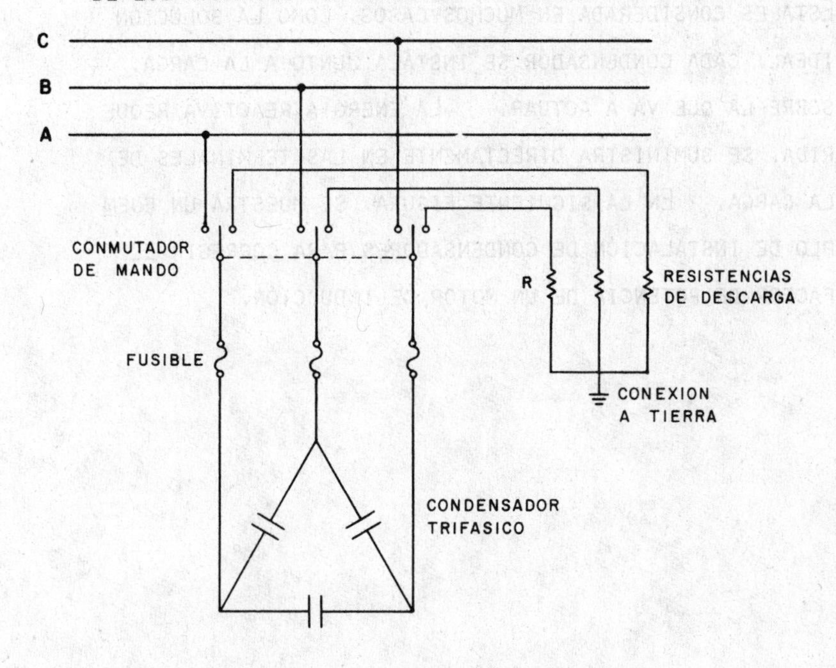

DIAGRAMA DE CONEXION DE UN CONDENSADOR TRIFASICO A LA ALIMENTACION MOSTRANDO LOS ELEMENTOS DE MANDO, CONTROL Y PROTECCION.

A) DISPOSICIÓN DISTRIBUIDA, DE MANERA QUE UN CONDENSADOR SE INSTALA, ACTUANDO SOBRE CADA CARGA POR CORREGIR.

B) DISPOSICIÓN POR GRUPO DE CARGAS.

C) DISPOSICIÓN CENTRALIZADA.

A) DISPOSICIÓN DISTRIBUIDA.

ESTA ES CONSIDERADA EN MUCHOS CASOS, COMO LA SOLUCIÓN IDEAL; CADA CONDENSADOR SE INSTALA JUNTO A LA CARGA, SOBRE LA QUE VA A ACTUAR. LA ENERGÍA REACTIVA REQUERIDA, SE SUMINISTRA DIRECTAMENTE EN LAS TERMINALES DE LA CARGA. EN LA SIGUIENTE FIGURA, SE MUESTRA UN EJEMPLO DE INSTALACIÓN DE CONDENSADORES, PARA CORREGIR EL FACTOR DE POTENCIA DE UN MOTOR DE INDUCCIÓN.

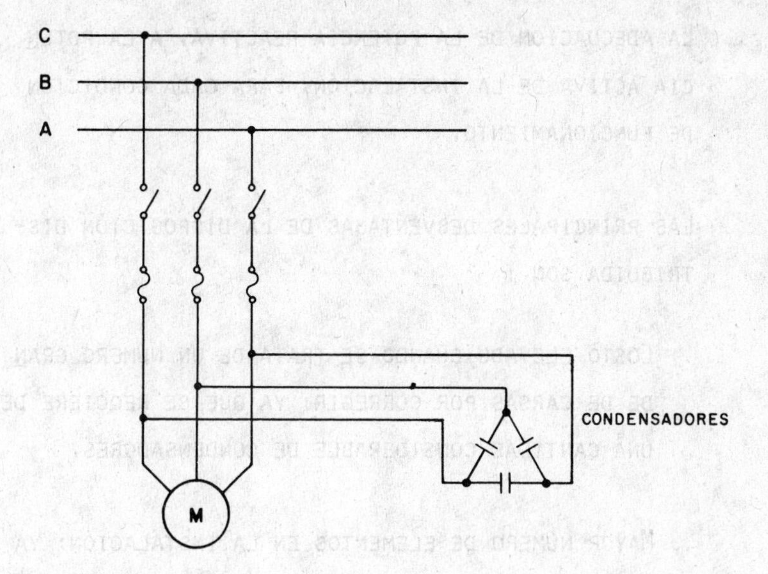

CORRECCION DEL FACTOR DE POTENCIA
DE UN MOTOR DE INDUCCION.

LAS PRINCIPALES VENTAJAS DE ESTA DISPOSICIÓN DISTRIBUIDA, SON LAS SIGUIENTES:

. LA UTILIZACIÓN COMPLETA DE LA INSTALACIÓN, Y DE LOS ALIMENTADORES.

. La adecuación de la potencia reactiva, a la potencia activa de la instalación, para cada condición de funcionamiento.

Las principales desventajas de la disposición distribuida son :

. Costo elevado, cuando se trata de un número grande de cargas por corregir; ya que se requiere de una cantidad considerable de condensadores.

. Mayor número de elementos en la instalación; ya que se requiere proteger a los condensadores contra golpes, corrosión, o incendio; con el consecuente incremento en el costo.

b) Disposición por grupo.

Esta solución representa un compromiso, desde el punto de vista técnico; en la práctica resulta ser de las más usadas; ya que permite equilibrar las exigencias económicas, con una utilización discreta de las instalaciones.

Prácticamente, el número de centros de corrección del

FACTOR DE POTENCIA, Y LA POTENCIA DE CADA GRUPO, SOBRE LOS QUE ACTUAN LOS CONDENSADORES; SON OBJETO DE UN ESTUDIO, INSTALACIÓN POR INSTALACIÓN. LOS BANCOS DE CONDENSADORES, SE PUEDEN INSTALAR EN LOS MISMOS TABLEROS; POR EJEMPLO, EN LOS CENTROS DE CONTROL DE MOTORES.

EN LA SIGUIENTE FIGURA, SE MUESTRA UN DIAGRAMA DE EJEMPLO, PARA LA CORRECCIÓN DEL FACTOR DE POTENCIA, EN UN GRUPO DE CARGAS.

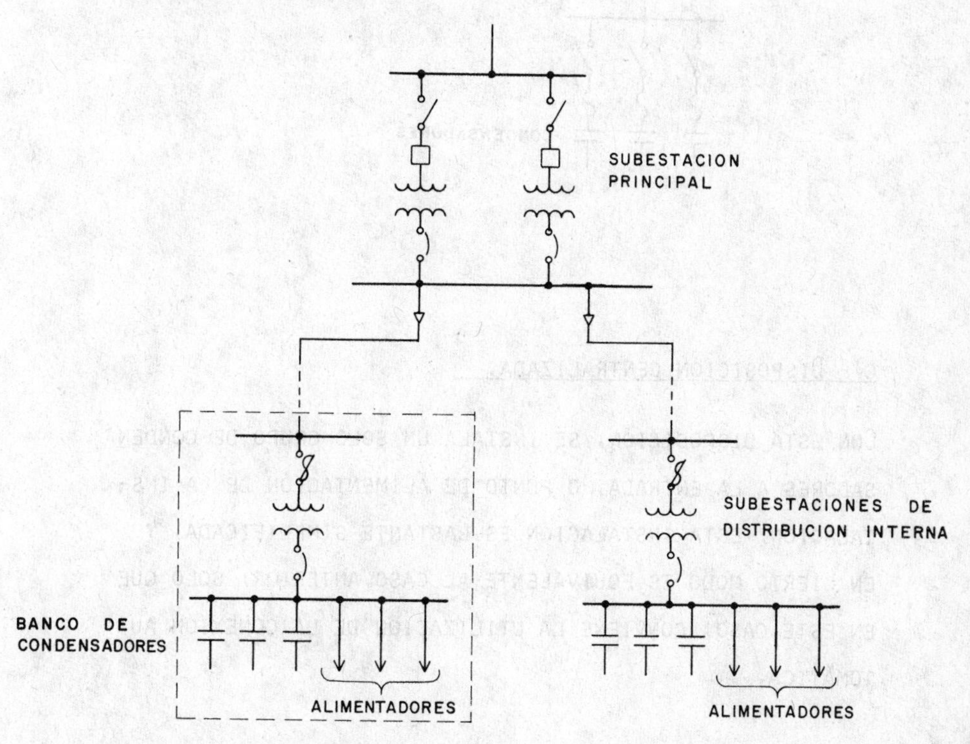

CORRECCION DEL FACTOR DE POTENCIA CON DISPOSICION POR GRUPO.

EL DETALLE DE LA INSTALACION DE LOS CONDENSADORES, SE MUESTRA A CONTI-- NUACION:

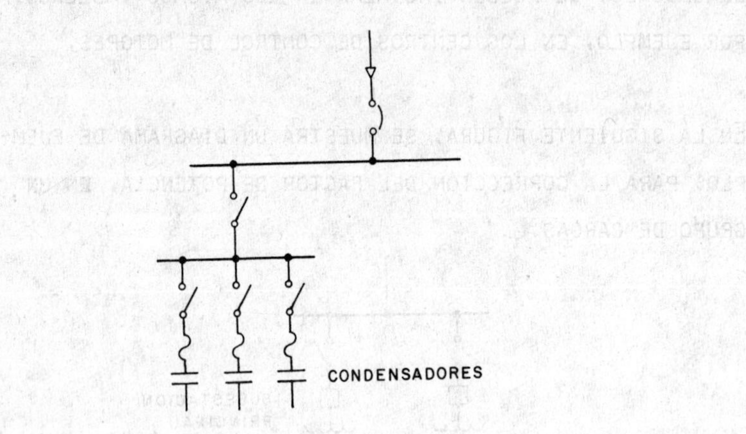

c) Disposición centralizada.

Con esta disposición, se instala un solo grupo de condensadores a la entrada, o punto de alimentación de la instalación; esta instalación es bastante simplificada, y en cierto modo es equivalente al caso anterior; solo que en este caso, conviene la utilizacion de la conexión automática.

BIBLIOGRAFIA

1.- Normas Técnicas para Instalaciones Electricas Parte 1, 1981. Dirección General de Normas SPFI.

2.- National Electrical Code (NEC - 1981)

3.- Design and Instalation of High Voltage Electrical Systems. J.F. Mc Partland

4.- Making Electrical Calculations. J.F. Mc Partland Electrical Construction and Maintenance Mc Graw Hill.

5.- Electrical Equipment Manual, Third Edition J.F. Mc Partland, W.J. Novak Mc Graw Hill.

6.- Electrical Systems for Power and Light J.F. Mc Partland. Mc Graw Hill.

7.- Manual de Instalaciones Eléctricas Residenciales e Industriales. G. Enríquez Harper; LIMUSA.

8.- Schemario Impianti Electtrici G. Biasutti. Ed. Hoepli.

9.- Elettrotecnica Pratica, Vol. 4 E. Sesto, A. Bossi. Ed. Delfino Milano

10.- Electrical Power Technology T. Wildi, John Wiley

11.- Manual Eléctrico CONELEC., 1980.

12.- National Electrical Code Hand Book 17TH Edition
J.F. Mc Partland, Ed. Mc Graw Hill.

13.- A Guide to the National Electrical Code
T.L. Harman, C. H. Allen. Ed. Prentice Hall.

14.- Switgear Manual. Brown Boveri

15.- Electrical Wiring and Design. A Practical Approach; William Starr. Ed. John Wiley.

16.- Electrical Systems Analysis and Design for Industrial Plants.
Lazar, Ed. Mc Graw Hill.

17.- Il Servizio Elettrico. C. Clerici - E. Raimondi
Ed. Franco Angeli.

18.- Catálogos de Fabricantes
Cutler Hamer, Square D, General Electric

19.- Equipos Eléctricos Modernos
J. Garduño Fernández. Ed. CECSA.

20.- Memorias de los Ciclos de Conferencias sobre Instalaciones Eléctricas de Baja Tensión. (CONDUMEX), 1983.

21.- Industrial Electrical Design Projects
Donald D. Voisinet.

—oOo—